【第3版】

Technique of Neurologic Examination and Process for Localization in Clinical Neurology, third edition

神経診察
クローズアップ
正しい病巣診断のコツ

《編集》
鈴木則宏
湘南慶育病院院長
慶應義塾大学名誉教授

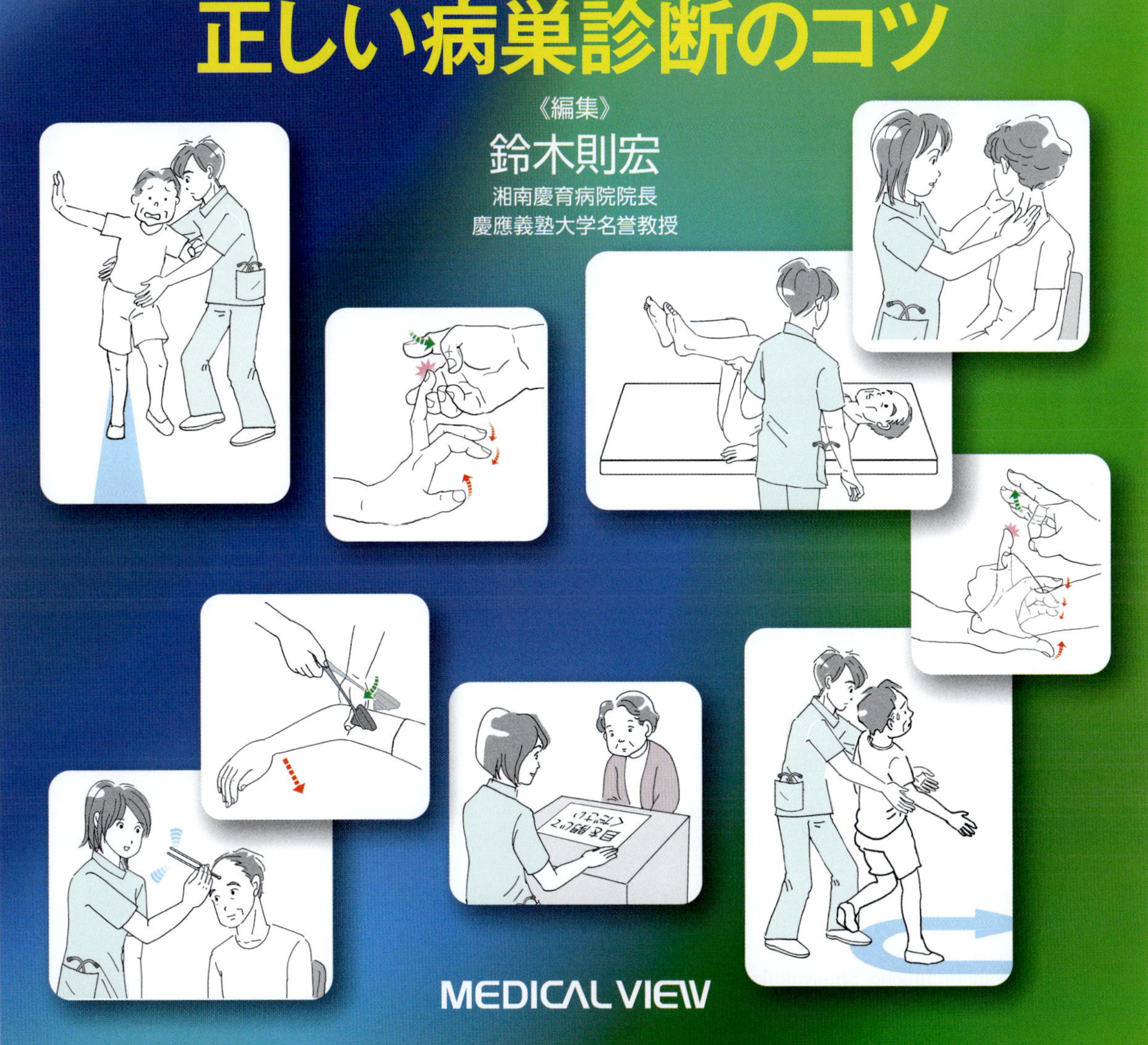

MEDICAL VIEW

Technique of Neurologic Examination and Process for Localization in Clinical Neurology, third edition
(ISBN 978-4-7583-1812-9 C3047)

Editor : SUZUKI norihiro

2011. 3. 10 1st ed
2015. 2. 10 2nd ed
2020. 12. 1 3rd ed

Printed and Bound in Japan

Medical View Co., Ltd.
2-30 Ichigayahonmuracho, Shinjyukuku, Tokyo, 162-0845, Japan
E-mail ed@medicalview.co.jp

第3版　序　文

このたび，『第3版 神経診察クローズアップ』が出版される運びとなった。臨床神経学の根幹ともいえる神経学的診察の理論と手技を，初学者にも理解しやすく解説することを目的として編集された『神経診察クローズアップ』の初版が刊行されたのは2011年3月であった。本書は幸い好評をもって世に受け入れられ，第1版は第8刷まで増刷され，2015年には改訂第2版が発刊され第9刷まで増刷された。

神経診察（神経学的診察）は，日本神経学会の積年の努力によって，2008年の厚労省診療報酬改定において「神経学的検査」として保険収載された。この改定によって，脳神経内科の臨床経験を10年以上有し，地方厚生局長等に届け出ている医師が，定められた保険医療機関において神経学的検査を行い，その結果を患者およびその家族等に説明した場合に保険請求ができるようになった。神経学的検査は，意識状態，言語，脳神経，運動系，感覚系，反射，協調運動，髄膜刺激症状，起立歩行等を網羅的・総合的に診察し，結果を神経学的検査チャートに記載することによって算定される。2008年当初の「神経学的検査」の保険点数は300点であったが，2012年に400点，2016年には450点に，さらに2018年からは500点の算定となっている。

また，神経診察は，医学教育において知識だけではなく手技・実技についても重要視され，その習熟度が客観的に評価されるようになった。それは，文科省により共用試験とともに2014年から開始された，基礎医学を修めた後に臨床実習に進むために受験する客観的臨床能力試験（Objective Structured Clinical Examination；OSCE）においてである。神経診察からは多くの診察手技が必修課題として採択され，OSCEの中できわめて重要な位置を占めている。

以上のように，神経診察は実臨床においても，また医学教育においても重要性が増してきている。このような状況において本書に対して改訂と刷新の必要性が高まり，第3版が企画編集された。本改訂ではOSCEに準拠して，基本的で必修とも捉えられる項目に「OSCE」のマーカーを付した。本書が臨床の現場とともに医学教育の臨床実習の場でもさらに活用されるようになることを期待したい。

神経学的診察をお教えいただいた恩師慶應義塾大学名誉教授後藤文男先生が2019年5月に享年93歳で逝去された。筆を擱くにあたり，改めて後藤先生のご恩に感謝し，本第3版を捧げたい。

2020年11月

湘南慶育病院院長
慶應義塾大学名誉教授
鈴木　則宏

改訂第2版　序　文

2011年3月に刊行した『神経診察クローズアップ』は，私が育った慶應義塾大学医学部神経内科の伝統的な神経診察の手技，所見の解釈そして病巣診断という「神経診断学」の3つの要素を後輩たちに残そうという意図で企画編集された。当初本書は，慶應義塾大学医学部の講義および院内の初期研修医と後期研修医に通読させるために作成されたが，予想外に一般の医師，研修医，全国の医学部学生さらには理学療法士や作業療法士とそれを目指す学生に好評をもって迎えられ，2014年3月には第1版第8刷が刊行されるに至った。さらに海外では，2013年1月に韓国のMEDIANBOOK社から本書の韓国語版が刊行されている。

今回，本書がさらに増刷されるにあたって，これまでの読者からの多くのご指摘と著者たちの反省を反映させた「改訂第2版」を発行することとなった。改訂点は誤字や脱字の訂正はもちろん，煩雑でわかりにくいと指摘を受けた図を簡略化して容易な理解に供すること，特に高次脳機能検査ではより具体的な診察方法を示し，実際の診察に適用しやすいように改訂した。また，神経解剖学，神経生理学および臨床神経学での最新の知見も可能な限り本文中に反映させるように努めた。本改訂第2版が第1版同様，これから神経学診断学を学ぼうとする医学生を中心とする医療関係の学生の方々，そして神経学を専門とする医師および医療関係の方々の知識と技術の糧になれば幸いである。

序文に寄せて

本書の内容の根幹は，慶應義塾大学医学部神経内科初代教授の後藤文男先生の神経診断学講義の内容を基にしていることは第1版の序にも述べたが，ここではその源流について少し触れたい。慶應義塾大学医学部神経内科は後藤文男現名誉教授(1926－)が1970年(昭和45年)慶應義塾大学病院の神経内科科長に就任した時をもって開設としている。後藤文男先生はWayne State University (Detroit, MI)とBaylor College of Medicine (Houston, TX)でJohn Stirling Meyer教授に師事し，神経学と脳循環理論を習得して帰国された。John Stirling Meyer教授(1924－2011)は，若き時代にHarvard Medical School でDerek Denney-Brown教授(1901-1981)に師事し神経学を修めた。後藤文男先生が帰国して医学部学生と若き研修医たちに厳しく教育した神経学はまさに理論的な病巣診断を基本とするDenney-Brown流の米国神経学であった。神経学，特に神経診断学は，種々の系統があり，それぞれ優れた独自の診察方法とその解釈がある。本書の内容を神経診断学の伝統的な系統の一つとして，神経学を志す若き後輩たちに伝えることができれば，恩師の恩に報いることができたということが言えるであろう。

2014年12月

慶應義塾大学医学部神経内科教授
鈴木　則宏

第1版　刊行にあたって

医学教育において，神経内科学は「診断学」と「各論」が明瞭に区別され，特に診断手技の修得とその所見の判断，そして病巣診断からなる「診断学」が重要視されている領域である。近年の医療機器のIT化に伴う診断技術の発達は目覚ましいものがあるが,「神経学的病巣診断」はこれら機器がいまだに入り込めない聖域である。神経内科の臨床診断がなされるには，患者—医師間の密なコミュニケーションに基づく医療面接（問診）から得た情報に加えて,「神経診察法」による医師の観察力に基づく「病巣診断」の情報による総合判断が必要である。したがって，医学部学生時代から「神経診察」の基礎と「病巣診断」の能力を身につけることはきわめて重要である。神経内科の「神経診察」は, 医学部卒前教育における客観的臨床能力試験（Objective Structured Clinical Examination：OSCE）において最も重要であり，かつ習得に労力を要する課題である。「神経診察」の手技については，日本神経学会の卒前・卒後教育委員会から標準的な方法が提示されているが，さまざまな学派や歴史的伝統によって異なる流儀があり，いまだに一定していないところがある。打腱器（ハンマー）1つをとってもさまざまな形を善しとするのが現状である。

そこで本書は，医学部卒前卒後教育の場において普及している『講義録　神経学（メジカルビュー社刊）』がどちらかというと「神経内科各論」を中心にまとめられているのに対して，その前段階である「神経診察」の意義と理論と正確な手技の理解，そして「神経診察」から得られた所見を論理的に組み合わせて正確な「神経学的病巣診断」を行い，いかに疾患の本体に迫ることができるかを目的とする「神経内科診断学」を意図して上梓した。

本書の執筆は慶應義塾大学医学部神経内科の現スタッフが担当した。全員が，慶應義塾大学神経内科初代教授で現名誉教授 後藤文男先生を共通の師とし，学生時代に「神経診断学」の講義を受け，さらに卒業後は臨床の場でハンマーの持ち方，支え方，そして打ち方まで直接手ほどきをうけた神経内科専門医たちである。後藤文男先生の「神経診断学」の講義は「神経内科とは」から始まり,「神経内科疾患の主訴」「神経内科病歴の書き方」「神経診察法」「神経症候の解釈」「病巣からみた神経症状」および「病巣診断学」からなり，きわめて論理的でありかつ体系的であった。講義を受けた後，長い年月を経た今なお，後藤文男先生に病巣診断の理論を厳しく徹底的にたたき込まれた記憶は鮮明である。そのような意味で，本書は「後藤神経診断学」の集大成であり，それに執筆者達の経験と新たな知見を加えたものである。内容をわかりやすくするためにイラストを多く取り入れ，ダイナミックな動きを必要とする「神経診察」に容易にアプローチできるよう工夫した。

本書が多くの医学部学生や臨床研修医，神経内科専門医を目指す若き医師達の座右の書となることを願い，また恩師後藤文男先生のご薫陶に満腔の謝意を表し，本書刊行の言葉としたい。

2011年1月

慶應義塾大学医学部神経内科教授
鈴木　則宏

目次

神経診察に必要な診察器具 …… xv
OSCE掲載頁一覧 …… xvi
神経解剖用語一覧 …… xx
略語一覧 …… xxxii
凡例（本書の特徴と使い方） …… xxxiii

神経学的病巣診断の重要性 ―― 鈴木則宏 2
的確な医療面接（問診）と正しい神経診察が，より正確な診断をもたらす
神経内科とは …… 2
神経内科の診察の特徴 …… 4

神経診察の方法と病巣部位

脳神経

●第Ⅰ脳神経（嗅神経） ―― 髙橋愼一 8
診察の方法
嗅覚 …… 8
診断プロセスからみる第Ⅰ脳神経の異常
病巣部位 …… 9
考えられる疾患，鑑別に必要な検査 …… 9

●第Ⅱ脳神経（視神経） ―― 髙橋愼一 10
診察の方法
視力 …… 10
視野（対座法） …… 10
眼底 …… 10
診断プロセスからみる第Ⅱ脳神経の異常
病巣部位 …… 12
考えられる疾患，鑑別に必要な検査 …… 14

●第Ⅲ・Ⅳ・Ⅵ脳神経（動眼神経・滑車神経・外転神経） ―― 髙橋愼一 16
診察の方法
瞳孔径，左右差，対光反射の診察 …… 16
眼位，眼球運動の診察 …… 17
眼振の診察 …… 18
眼瞼下垂の診察 …… 19
調節反射，輻輳反射，近見反射の診察 …… 20

診断プロセスからみる第III・IV・VI脳神経の異常
病巣部位……21
（症例にチャレンジ）……（清水利彦）……(25)
考えられる疾患，鑑別に必要な検査……28

●第V脳神経（三叉神経）―― 髙橋愼一 32
診察の方法
顔面の触覚，温痛覚の診察……32
角膜反射の診察……34
咬筋の診察……35
診断プロセスからみる第V脳神経の異常
病巣部位……36
考えられる疾患，鑑別に必要な検査……38

●第VII脳神経（顔面神経）―― 柴田　護 40
診察の方法
視診……40
額のしわ寄せの診察……41
閉眼の診察……41
鼻唇溝の診察……43
その他の診察……43
診断プロセスからみる顔面神経の診察
病巣部位……44
考えられる疾患，鑑別に必要な検査……47

●第VIII脳神経（前庭蝸牛神経）―― 柴田　護 48
診察の方法
聴力検査……48
Rinne試験……48
Weber試験……49
前庭機能検査……50
診断プロセスからみる前庭蝸牛神経の診察
病巣部位……52
考えられる疾患，鑑別に必要な検査……53

●第IX・X脳神経（舌咽・迷走神経）―― 柴田　護 54
診察の方法
咽頭の診察……54
催吐反射の診察……54

診断プロセスからみる舌咽・迷走神経の診察
病巣部位……55
考えられる疾患，鑑別に必要な検査……57

●第XI脳神経（副神経）—— 柴田 護 58
診察の方法
視診……58
胸鎖乳突筋の診察……58
上部僧帽筋の診察……58
診断プロセスからみる副神経の診察
病巣部位……59
考えられる疾患，鑑別に必要な検査……59

●第XII脳神経（舌下神経）—— 柴田 護 60
診察の方法
視診……60
挺舌……60
診断プロセスからみる舌下神経の診察
病巣部位……61
考えられる疾患，鑑別に必要な検査……61

運動系

●筋肉，筋トーヌス —— 高橋一司 62
診察の方法
筋肉の診察……62
筋トーヌスの診察……64
診断プロセスからみる筋肉，筋トーヌスの診察
神経原性筋萎縮か，筋原性筋萎縮か……70
錐体路の障害か，錐体外路の障害か……71
上位運動ニューロンの障害か，下位運動ニューロンの障害か……71
上位運動ニューロンについて……72

●筋力のみかた —— 高橋一司 74
診察の方法
徒手筋力検査の評価……74
徒手筋力検査による診察法／基礎レベル……75
徒手筋力検査による診察法／専門医レベル……80
診断プロセスからみる筋力の診察……89
（表1〜3，B1〜4）……（清水利彦）…(90〜97)

●不随意運動 高橋一司 98
診察の方法
振戦……98
舞踏運動……100
チック……100
アテトーゼ……101
バリズム……102
ミオクローヌス……102
ジストニア……104
ジスキネジア……106
アステリキシス……107
偽性アテトーゼ……107
診断プロセスからみる不随意運動の診察
錐体外路について……108
各種の不随意運動の出現と病巣部位の関係……109

●姿勢，歩行 高橋一司 110
診察の方法
姿勢，歩行の診察……110
主な歩行異常……118
診断プロセスからみる姿勢，歩行の診察……125

反射 鈴木重明 126
診察の方法
腱反射の診察……126
間代の診察……134
表在反射の診察……135
病的反射の診察……136
原始反射の診察……137
姿勢反射の診察……138
反射の記載法……139
診断プロセスからみる反射の診察
反射から病巣部位を考える……140
具体例から考える……140

感覚系 伊藤義彰 142
診察の方法
表在感覚……142
深部感覚……148

診断プロセスからみる感覚障害の診察
病巣部位 …… 160
感覚の経路 …… 162
感覚障害の分布による局在診断 …… 163
考えられる疾患，鑑別に必要な検査 …… 173

小脳症状　清水利彦　174

診察の方法
手回内・回外試験 …… 174
指鼻指試験 …… 176
踵膝試験 …… 178
膝叩き試験 …… 180
Stewart-Holmes反跳現象の診察 …… 182
Pendulousness …… 183
体幹運動失調の診察 …… 184
構音障害 …… 185
その他 …… 185
診断プロセスからみる小脳症状の診察
病巣部位 …… 186
考えられる疾患，鑑別に必要な検査 …… 189

髄膜刺激症状　伊藤義彰　190

診察の方法
項部硬直の診察 …… 190
Kernig徴候の診察 …… 190
Brudzinski徴候の診察 …… 191
jolt accentuation of headache 試験 …… 191
鑑別すべき脊髄神経根刺激徴候の診察の方法
Lasègue徴候の診察 …… 192
Jacksonテスト …… 192
Spurlingテスト …… 193
Lhermitte徴候の診察 …… 193
診断プロセスからみる髄膜刺激症状の診察
それぞれの徴候の発現機序と病巣部位，鑑別疾患 …… 194
考えられる疾患，鑑別に必要な検査 …… 195

高次機能

●失語 伊東大介 196

診察の方法 196

診断プロセスからみる失語の診察

病巣部位 198

考えられる疾患，鑑別に必要な検査 200

●失行 伊東大介 201

診察の方法 201

診断プロセスからみる失行の診察

病巣部位 203

考えられる疾患，鑑別に必要な検査 203

●失認 伊東大介 204

診察の方法 204

診断プロセスからみる失認の診察

病巣部位 206

その他の重要な症候群 206

考えられる疾患，鑑別に必要な検査 207

●障害と責任病巣 伊東大介 208

意識障害患者の神経診察の方法 星野晴彦 210

意識レベル 210

日本式昏睡尺度，グラスゴー昏睡尺度 210

無動性無言，失外套症候群，閉じ込め症候群，せん妄の鑑別 214

眼底 214

視野 214

瞳孔 214

眼位，眼球運動 216

刺激を加えた際の眼球運動 218

角膜反射，睫毛反射 219

顔面神経麻痺 219

運動麻痺 220

感覚系 222

反射 222

髄膜刺激徴候 222

正しい病巣診断のために

病巣部位からみた神経局所症候　清水利彦，鈴木則宏　224

大脳皮質……224
内包……227
基底核……228
視床および視床下部……228
脳幹……230
小脳……237
脊髄……237
末梢神経……239

脳神経に関する症候群一覧　柴田　護　240

病巣診断の進め方　清水利彦，鈴木則宏　242

病巣診断とはなにか？……242
病巣診断の原則……242
中枢神経系の病巣診断……242
末梢神経の病巣診断……260

神経診察の記録　鈴木則宏，清水利彦　266

神経診察で得た所見をどのように記録するか……266
神経学的検査の記録……266
神経診察の記録の注意……266
総括……266

索引

疾患・症候群　索引……272
診察・検査名　索引……276
総索引……280

執筆者一覧

●編集

鈴木則宏　湘南慶育病院院長，慶應義塾大学名誉教授

●執筆者（掲載順）

鈴木則宏　湘南慶育病院院長，慶應義塾大学名誉教授

髙橋愼一　埼玉医科大学国際医療センター脳神経内科・脳卒中内科教授

柴田　護　東京歯科大学市川総合病院神経内科教授

高橋一司　東京都立神経病院院長

鈴木重明　慶應義塾大学医学部神経内科准教授

伊藤義彰　大阪市立大学大学院医学研究科脳神経内科学教授

清水利彦　荏原製作所藤沢事業所産業医

伊東大介　慶應義塾大学医学部神経内科准教授

星野晴彦　東京都済生会中央病院副院長

神経診察に必要な診察器具

器具名		器具が必要な診察名（カッコ内は掲載頁）
コーヒー豆の入ったビン		嗅覚の診察（p.8）
眼底鏡		眼底検査（p.10, 11）
ペンライト		対光反射（p.16） 咽頭の診察（p.54）
爪楊枝		顔面痛覚の診察（p.32, 33） 痛覚の診察（p.144）
ふで		顔面触覚の診察（p.32, 33） 触覚の診察（p.142）
ルーレット		顔面痛覚の診察（p.32, 33） 痛覚の診察（p.144）
音叉		聴力の検査（p.48, 49） 振動覚の診察（p.149）
舌圧子	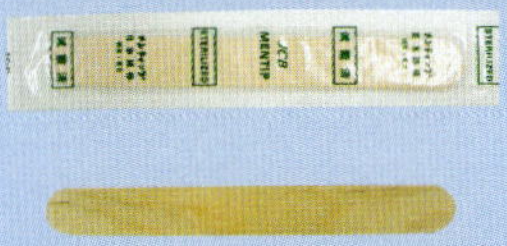	咽頭の診察（p.54）
ハンマー	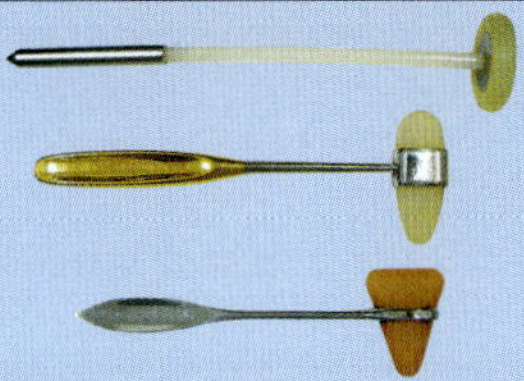	筋肉の自発的収縮（p.63） 筋肉の触診と打診（p.63） 反射（p.126〜137）
試験管		温度覚の診察（p.147）
ノギス		2点識別覚の診察（p.156）
握力計	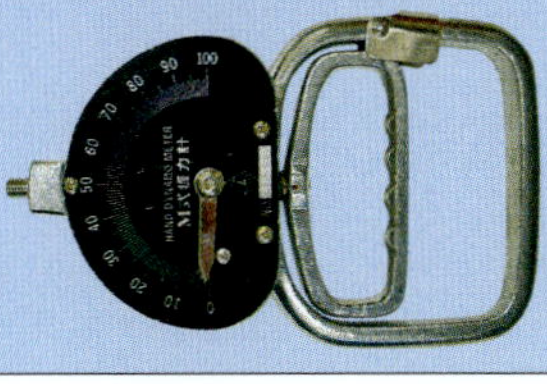	筋力の診察（p.75）

OSCE掲載頁一覧

OSCE評価項目		掲載頁(図番号)
Ⅷ. 神経		
(1)診察時の配慮		
(2)医療安全		
(3)診察の順序		
(4)脳神経の診察(座位)	1)嗅覚	8 A-1
	2)視野	11 A-1
	3)眼球運動・眼振	17 A-2
	4)輻輳と近見反射	20 A-6
	5)瞼裂・瞳孔/対光反射	16 A-1
	6)眼底	11 A-2
	7)顔面の感覚	33 A-2, A-3
	8)角膜反射	34 A-4
	9)咬筋と側頭筋	35 A-5, A-6
	10)顔面筋	41 A-3, 42 A-4, A-5
	11)聴力	48 A-1, 49 A-2, 50 A-3
	12)軟口蓋・咽頭後壁の動き	54 A-1
	13)舌	60 A-1, A-2
	14)胸鎖乳突筋	58 A-1
(5)上肢の運動系の診察(座位)	1)上半身の不随意運動	99 A-1, A-2, 107 A-14
	2)Barré徴候(上肢)	75 A-2
	3)筋トーヌス(肘関節)	64 A-5
	4)鼻指鼻試験	176 A-3
	5)手回内・回外試験	174 A-1
	6)上肢・体幹の視診	62 A-1, 63 A-3

OSCE評価項目		掲載頁（図番号）
(6)握力と上肢の徒手筋力テスト（座位）	1)利き手の確認と徒手筋力テストの判定法	74 A-1, 75 A-2
	2)握力	
	3)三角筋	77 A-5
	4)上腕二頭筋	77 A-6
	5)上腕三頭筋	77 A-7
	6)手根伸筋群（手関節の背屈）	77 A-8
	7)手根屈筋群（手関節の掌屈）	78 A-9
	8)母指、小指対立筋	78 A-10
(7)起立と歩行の診察（立位）	1)通常歩行	111 A-1
	2)つぎ足歩行	111 A-2
	3)Romberg試験	114 A-5
(8)下肢の運動系の診察（仰臥位）	1)体位や衣服の準備	
	2)Barré徴候（下肢）	76 A-3
	3)踵膝試験	178 A-7
	4)筋トーヌス（膝関節）	
	5)下肢・体幹の視診	62 A-1, 63 A-3
(9)下肢の徒手筋力テスト（仰臥位）	1)腸腰筋	78 A-11
	2)大腿四頭筋	78 A-12
	3)大腿屈筋群	79 A-13
	4)前脛骨筋	79 A-14
	5)下腿三頭筋	79 A-15
	6)下腿三頭筋（立位での方法）	112 A-3
(10)感覚系の診察（仰臥位）	1)四肢の触覚と痛覚	142 A-1, 144 A-2
	2)下肢の振動覚	149 A-4
	3)下肢の位置感覚（位置覚）	155 A-12

OSCE評価項目		掲載頁（図番号）
(11)反射の診察（仰臥位）	1)衣服の準備と検査法の原則	
	2)下顎反射	127 A-2
	3)上腕二頭筋反射	128 A-4
	4)上腕三頭筋反射	129 A-6
	5)橈骨反射（腕橈骨筋反射）	130 A-8
	6)膝蓋腱反射	131 A-10
	7)アキレス腱反射	132 A-12
	8)Hoffmann反射	133 A-13
	9)Trömner反射	133 A-13
	10)Babinski徴候（反射）	136 A-20
	11)Chaddock反射	136 A-21
(12)髄膜刺激徴候の診察（仰臥位）	1)項部硬直	190 A-1
	2)Kernig徴候	190 A-2
(13)認知機能の診察	1)見当識	211 図1
	2)記憶	
	3)計算	
	4)常識	
	5)失語	197 A-2, A-3
(14)意識レベルの診察 （救急を除く）		211 図1，2, 212 図3-6, 213 図7，8, 221 図27，28

OSCE評価項目		掲載頁(図番号)
Ⅸ．四肢と脊柱		
(1)診察時の配慮		
(2)医療安全		
(3)全般的事項		
(4)上肢の診察	1)診察部位の露出	
	2)上肢全般の視診と触診	
	3)上肢の関節の視診と触診	
	4)可動域	
	5)徒手筋力テスト	
(5)下肢の診察	1)診察部位の露出	
	2)下肢全体の視診と触診	
	3)下肢の関節の視診と触診	
	4)可動域	
	5)徒手筋力テスト	
	6)Patrick試験	
(6)脊柱の診察	1)診察部位の露出	
	2)頸椎の姿勢	
	3)頸椎の可動域	
	4)Jackson徴候	192 A-6
	5)Spurling徴候	193 A-7
	6)胸腰椎の姿勢	
	7)胸腰椎の可動域	
	8)下肢伸展挙上試験	
	9)脊椎の圧痛・叩打痛	
	10)腰部および骨盤部の視診	

神経解剖用語一覧

和文	欧文	掲載頁
あ，い，う，え，お		
アブミ骨筋	stapedius	43, 45, 262
アブミ骨神経	stapedius nerve	44, 262
陰茎または陰核背神経	dorsal nerve of penis or clitoris	95
咽頭	pharynx	54, 55, 102, 196, 236
咽頭神経	pharyngeal nerve	55
陰部神経	pudendal nerve	94, 95, 135, 140
陰部大腿神経	genitofemoral nerve	94, 95, 135, 140, 163
運動前野	premotor area	224, 225
運動ニューロン	motor neuron	44, 57, 59, 63
運動皮質	motor cortex	36, 42
運動野	primary motor area	224, 225
会陰神経	perineal nerve	94, 95
腋窩神経	axillary nerve	77, 90, 92, 93, 96, 163
円回内筋	pronator teres	82, 92
延髄	medullaまたはmedulla oblongata	21, 26, 39, 44, 57, 59, 61, 72, 73, 140, 141, 162, 186, 236, 243, 244, 245, 247, 248, 249, 250, 251, 252, 253, 254, 255, 257
横隔神経	phrenic nerve	90
頤(おとがい)	chin, mentum	35, 63
おとがい筋	mentalis	137
オリーブ小脳路	olivocerebellar tract	187, 188, 246
か		
回外筋	supinator	82, 92, 130, 265
外眼筋	extraocular muscles	22, 29
外頸動脈	external carotid artery	21
外肛門括約筋	external anal sphincter	95
外側広筋	vastus lateralis	94, 95
外側膝状体	lateral geniculate body	10, 11, 22, 227
外側脊髄視床路	lateral spinothalamic tract	2, 36, 154, 230, 232, 233, 234, 245, 248, 249, 251, 252, 258
外側前腕皮神経	lateral cutaneous nerve of forearm	92, 96, 163
外側足底神経	lateral plantar nerve	94, 163
外側足背皮神経	dorsal lateral cutaneous nerve of foot	94
外側大腿皮神経	lateral cutaneous nerve of thigh	94, 163, 166
外側皮質脊髄路	lateral corticospinal tract	73, 237, 243
外側腓腹皮神経	lateral sural cutaneous nerve	94
外側毛帯	lateral lemniscus	232, 233, 234
外側翼突筋	lateral pterygoid muscle	37, 38
外直筋	lateral rectus	22, 256
外転神経(第VI脳神経)	abducens nerve	22, 25, 46, 234, 240, 243, 246, 249, 256, 257
外転神経核	abducens nucleus	25, 44, 52, 234, 236, 250, 251, 255, 256, 257, 261

和文	欧文	掲載頁
海馬	hippocampus	9
海綿静脈洞	cavernous sinus	21, 29, 240
下オリーブ核	inferior olivary nucleus	56, 61, 187, 188, 236, 246, 258, 259
下外側上腕皮神経	lower lateral brachial cutaneous nerve	92
下丘	inferior colliculus	24, 230, 248
蝸牛神経	cochlear nerve	45
蝸牛神経核	cochlear nucleus	247
角回	angular gyrus	199, 204, 206, 208, 226, 228
下斜筋	inferior oblique	22, 23
下小脳脚	inferior cerebellar peduncle	186, 187, 234, 236, 246, 247, 249, 259
下腿三頭筋	triceps surae	79, 132, 134
下唾液核	inferior salivatory nucleus	56, 247
下直筋	inferior rectus	22, 23
下直腸神経	inferior rectal nerve	94
滑車神経(第IV脳神経)	trochlear nerve	16, 22, 27, 240, 243
滑車神経核	trochlear nucleus	23, 52, 247, 248
下殿神経	inferior gluteal nerve	85, 91, 94, 95
下部肋間神経	lower intercostal nerve	88
眼窩	orbit	240
眼瞼	eyelid, palpebra	16, 19, 41, 218, 253
眼動脈	ophthalamic artery	27
間脳	diencephalon	26
顔面神経(第VII脳神経)	facial nerve	27, 35, 39, 40, 41, 43, 44, 45, 46, 47, 140, 234, 238, 241, 243, 244, 249, 253, 255, 256, 257, 261
顔面神経核	facial nucleus	25, 37, 44, 45, 46, 234, 243, 246, 247, 249, 250, 251, 252, 253, 254, 255, 256, 257, 261, 262
眼輪筋	orbicularis oculi	40, 137
き		
疑核	nucleus ambiguus	54, 56, 59, 236, 243, 247, 249, 258, 259
基底核	basal ganglia	73, 108, 122, 227, 228, 250, 251, 252, 253, 258, 259
嗅球	olfactory bulb	9
嗅神経	olfactory nerve	9
橋	pons	21, 26, 27, 28, 44, 45, 46, 56, 72, 73, 127, 140, 141, 167, 186, 187, 214, 216, 217, 232, 243, 244, 246, 247, 248, 250, 251, 252, 253, 254, 255, 257
橋核	pontine nuclei	186, 187
橋下部傍正中橋網様体	paramedian pontine reticular formation (PPRF)	246
胸鎖乳突筋	sternocleidomastoideus	58, 59
橋小脳線維	pontocerebellar fibers	187
胸神経	thoracic nerve	140
胸髄	thoracic cord	21, 73, 135, 141, 165, 167, 242, 248, 249
胸背神経	thoracodorsal nerve	80, 90, 93
棘下筋	infraspinatus	80

和文	欧文	掲載頁
棘上筋	supraspinatus	80
挙睾筋	cremaster	135
筋皮神経	musculocutaneous nerve	77, 90, 92, 93, 96, 128
け		
脛骨神経	tibial nerve	79, 86, 87, 91, 94, 95, 97, 132, 140
楔状束	cuneate fascicle	61, 162, 187, 237, 244
楔状束核	cuneate nucleus	162, 187, 245, 247, 252, 257
頸静脈孔	jugular foramen	56, 59, 241
頸髄	cervical cord	21, 73, 128, 141, 162, 165, 167, 243, 245, 248, 249, 259
頸動脈小体	carotid body	56
茎乳突孔	stylomastoid foramen	44, 45, 262
肩甲下神経	subscapular nerve	90, 93
肩甲上神経	suprascapular nerve	80, 90, 93
肩甲背神経	dorsal scapular nerve	80, 90, 95
瞼裂	palpebral fissure	41
こ		
口蓋	palate	54, 188
口蓋垂	uvula	54
交感神経	sympathetic nerve	21, 27, 216, 259
咬筋	masseter muscle	35, 36, 37, 38, 39, 127
広頸筋	platysma	41, 42
後脛骨筋	tibialis posterior	86, 94, 97
後交連	posterior commissure	22, 26
後骨間神経	posterior interosseus nerve	90, 92, 265
後根神経節	dorsal root ganglion	187
虹彩	iris	22
後耳介神経	posterior auricular nerve	44, 45, 263
後上腕皮神経	posterior brachial cutaneous nerve	92, 96
後脊髄小脳路	posterior spinocerebellar tract	61, 187, 246
後側前腕皮神経	posterior cutaneous nerve of forearm	92
後大腿皮神経	posterior cutaneous nerve of thigh	94, 95, 163
喉頭	larynx	102, 196, 235
後頭葉	occipital lobe	11, 12, 14, 199, 200, 201, 206, 208, 224, 226
広背筋	latissimus dorsi	80
硬膜	dura mater	61
肛門	anal	135
肛門括約筋	anal sphincter	135
肛門挙筋	levator ani	95
後葉	posterior lobe	186
口輪筋	orbicularis oris	137
黒質	substantia nigra	108, 109, 228, 230
鼓索神経	chorda tympani	44, 45, 261, 262
孤束核	solitary tract nucleus	44, 46, 236, 247, 249, 261, 262

和文	欧文	掲載頁
骨間筋	interossei	263
鼓膜	tympanic membrane	48, 51, 52, 218
固有示指伸筋	extensor indicis proprius	82, 92
さ		
鎖骨上神経	supraclavicular nerve	163
坐骨神経	sciatic nerve	79, 91, 94, 95, 97, 192, 195
三角筋	deltoid	58, 77
三叉神経(第V脳神経)	trigeminal nerve	21, 32, 36, 38, 39, 127, 140, 167, 233, 240, 241, 246, 249
三叉神経運動核	trigeminal motor nucleus	36, 44, 127, 233, 243, 247, 249, 258, 259, 261
三叉神経視床路	trigeminothalamic tract	232, 245
三叉神経主知覚核	chief trigeminal sensory nucleus	36, 232, 244, 245, 247, 249, 258, 259
三叉神経脊髄路	spinal trigeminal tract	56, 61, 167, 234, 236, 244, 245, 258, 259, 262
三叉神経脊髄路核	spinal trigeminal nucleus	36, 37, 44, 61, 167, 234, 236, 244, 247, 258, 259, 262
三叉神経節	trigeminal ganglion	7, 36, 44, 261
三叉神経第一枝(眼枝) 眼神経	ophthalmic division of trigeminal nerve, ophthalmic nerve	27, 32, 38, 163, 240, 261
三叉神経第二枝(上顎枝) 上顎神経	maxillary division of trigeminal nerve, maxillary nerve	32, 163, 261
三叉神経第三枝(下顎枝) 下顎神経	mandibular division of trigeminal nerve, mandibular nerve	32, 163, 261
三叉神経中脳路	mesencephalic trigeminal tract	233, 249
三叉神経中脳路核	mesencephalic trigeminal nucleus	36, 247
三叉神経毛帯	trigeminal lemniscus	36, 232, 233
し		
視覚野	optic area	22
視交叉	optic chiasm	10, 11, 22
視索	optic tract	10, 22
視床	thalamus	9, 36, 45, 108, 109, 162, 167, 172, 173, 188, 199, 208, 216, 227, 229, 230, 239, 244, 245, 246, 248, 250, 251, 252, 253, 258, 259
視床下核	subthalamic nucleus	108, 109, 228, 248
歯状核	dentate nucleus	109, 186, 188, 246
視床下部	hypothalamus	21, 229
視床　外側腹側核	ventral lateral nucleus	108, 188, 229
視床　後外側腹側核	ventral posterior lateral nucleus	162, 245
視床　後内側腹側核	ventral posteromedial nucleus	36, 244, 245
視床　後腹側核	ventral posterior nucleus	167
視床　前側腹側核	ventral anterior nucleus	108
視床　内側腹側核	ventral medial nucleus	167
視床枕	pulvinar	227, 229
指伸筋	extensor digitorum	81
視神経(第II脳神経)	optic nerve	11, 22, 27, 240
視神経乳頭	optic disk	10

和文	欧文	掲載頁
膝蓋筋	popliteus	94
膝蓋腱	patellar tendon	131, 133, 134, 139, 141
膝蓋骨	patella	131
膝神経節	geniculate ganglion	44, 45, 261, 262
視放線	optic radiation	10, 11, 22, 227
尺側手根屈筋	flexor carpi ulnaris	81, 92
尺側手根伸筋	extensor carpi ulnaris	81, 92
尺骨神経	ulnar nerve	81, 82, 83, 84, 90, 91, 92, 93, 96, 163, 169, 263, 264
手根屈筋群	wrist flexor	78
手根伸筋群	wrist extensor	77
上位運動ニューロン	upper motor neuron	37, 45, 46, 56, 70, 71, 72, 74, 110, 140, 252
上咽頭神経	superior pharyngeal nerve	55
上オリーブ核	superior olivary nucleus	234
松果体	pineal body	28, 31, 248
上眼窩裂	superior orbital fissure	240
上眼瞼挙筋	levator palpebrae	21
上丘	superior colliculus	22, 45, 230, 248
上頸神経節	superior cervical ganglion	21
小後頭神経	lesser occipital nerve	32, 163
踵骨神経	calcanean nerve	163
小指外転筋	abductor digiti minimi	83, 92
小指屈筋	flexor digiti minimi	82, 92
小指伸筋	extensor digiti minimi	92
小指対立筋	opponens digiti minimi	83, 92
上斜筋	superior oblique	22, 23
上小脳脚	superior cerebellar peduncle	109, 186, 187, 188, 230, 231, 232, 213, 246, 247, 249
上小脳脚交叉	decussation of superior cerebellar peduncles	230, 248
上小脳動脈	superior cerebellar artery	172
掌側、背側骨間筋	palmar and dorsal interossei	83, 92
上唾液核	superior salivatory nucleus	44, 261, 262
上直筋	superior rectus	22, 23
小殿筋	gluteus minimus	85
上殿神経	superior gluteal nerve	85, 91, 92, 96
小脳	cerebellum	26, 29, 39, 47, 52, 53, 108, 110, 115, 120, 122, 125, 171, 172, 175, 177, 178, 180, 184, 186, 187, 189, 225, 231, 231, 233, 236, 241, 242, 246, 247, 248
小脳脚	cerebellar peduncle	52
小脳橋角部	cerebellopontine angle	45, 241, 262
(小脳)前葉	anterior lobe	188
(小脳)虫部	vermis	120, 186, 188, 237, 246
小脳半球	cerebellar hemisphere	186, 246
小脳皮質	cerebellar cortex	187, 189

和文	欧文	掲載頁
上部僧帽筋	uppper portion of trapezius	58, 59
上腕筋	brachialis	92
上腕三頭筋	triceps brachii	77, 92, 129, 139, 141
(上腕三頭筋)肘筋	triceps and anconeus	92
上腕内側皮神経	medial brachial cutaneous nerve	92
上腕二頭筋	biceps brachii	64, 74, 77, 92, 128, 129, 139, 141
深指屈筋	flexor digitorum profundus	82, 92, 263
新線条体	neostriatum	108
深腓骨神経	deep peroneal nerve	79, 86, 87, 91, 94, 97, 163
す		
錐体	pyramid	61, 73, 243, 244, 250, 251, 252, 253, 254, 255, 257, 258, 259
錐体外路	extrapyramidal tract	40, 70, 71, 108, 122, 125, 194, 228
錐体交叉	pyramidal decussation	72, 73, 235, 243, 244, 245
錐体路	pyramidal tract	45, 46, 53, 61, 70, 71, 108, 110, 123, 127, 128, 133, 135, 137, 140, 141, 214, 230, 231, 234, 236, 242, 243, 253, 255
髄膜	meninx, meninges(複), meningeal(髄膜の)	190, 195, 222
せ		
正中神経	median nerve	78, 81, 82, 83, 84, 90, 92, 93, 96, 133, 163, 169, 264, 265
青斑核	locus coeruleus <L>	109
声門	vocal cord	55
赤核	red nucleus	188, 230, 231, 246, 248
赤核脊髄路	rubrospinal tract	188
脊髄	spinal cord	30, 63, 108, 110, 125, 135, 141, 164, 165, 170, 171, 224, 237, 238, 242, 248, 249, 250, 251, 252, 253, 254, 255, 257, 258, 259
脊髄　後角	posterior horn	187, 237, 238, 245, 249, 251, 252
脊髄　後根	posterior root	36, 165, 166, 173, 237, 239, 249
脊髄　後索	posterior column	120, 121, 125, 131, 158, 161, 165, 166, 170, 173, 193, 237, 238, 235, 249, 252
脊髄視床路	spinothalamic tract	162, 165, 166, 167, 232, 234, 236, 237, 238, 244, 245, 251, 258
脊髄　前角	anterior horn	59, 63, 70, 110, 131, 140, 187, 188, 237, 239, 244, 249, 250, 251, 252, 253, 254, 255, 257
脊髄　前根	anterior root	70, 110, 237, 239
脊髄　前索	anterior column	165, 166, 170, 173, 237
脊髄　側索	lateral column	165, 187, 237, 244, 249, 250, 251, 252, 253, 254, 255, 257
(脊髄)中心灰白質	central gray matter	165, 173, 239, 238, 245, 248
(脊髄)中心管	central canal	61
脊髄副神経	spinal accessory nerve	90
舌咽神経	glossopharyngeal nerve	54, 56, 140, 236, 259
舌下神経(第XII脳神経)	hypoglossal nerve	60, 61, 236, 241, 243, 244, 248

和文	欧文	掲載頁
舌下神経核	hypoglossal nucleus	56, 61, 236, 243, 247, 249
前鋸筋	serratus anterior	59, 80
前脛骨筋	tibialis anterior	62, 79, 94, 112, 119
前骨間神経	anterior interosseus nerve	90, 92
浅指屈筋	flexor digitorum superficialis	82, 92
線条体	striatum	108
仙髄	sacral cord	165, 166, 167, 187, 249
前脊髄視床路	anterior spinothalamic tract	135, 162, 232, 248, 249
前脊髄小脳路	anterior spinocerebellar tract	61, 187, 246
前大腿皮神経	anterior cutaneous nerve of thigh	163
前庭神経	vestibular nerve	30, 52, 125
前庭神経核	vestibular nucleus	186, 187, 188, 236, 247, 259
前頭眼球運動野	frontal eye field	26
前頭眼野	frontal eye field	24, 224, 232, 246
前頭前野	prefrontal area	224, 225
前頭側頭葉	fronto-temporal lobe	200, 203
前頭葉	frontal lobe (lobus frontalis <L>)	11, 27, 45, 110, 123, 137, 199, 205, 208, 224
浅腓骨神経	superficial peroneal nerve	86, 91, 94, 97, 163
前皮質脊髄路	anterior corticospinal tract	72, 73, 237
前脈絡叢動脈	anterior choroidal artery	11
前葉	anterior lobe	186, 237
前腕内側皮神経	medial cutaneous nerve of forearm	92
そ		
総頸動脈	common carotid artery	21
総底側趾神経	piant digital nerve	94
総腓骨神経	common peroneal nerve	94, 95, 97, 163, 169
足底筋	plantaris	94
側頭筋	temporal muscle	37, 38
側頭葉	temporal lobe (lobus temporalis <L>	11, 199, 224, 226
側脳室	lateral ventricle	11
足背趾神経	dorsal digital cutaneous nerve	94
た		
大胸筋	pectoralis major	80
大後頭神経	greater occipital nerve	32, 163
第三脳室	third ventricle	230, 248
第三腓骨筋	peroneus tertius	94
大耳介神経	great auricular nerve	32, 163
帯状回	cingulate gyrus	224
体性感覚神経	somatosensory nerve	44
大腿屈筋群	hamstrings	62
大腿四頭筋	quadriceps femoris	62, 64, 78, 131, 134
大腿神経	femoral nerve	78, 85, 91, 94, 95, 97, 131, 140, 163, 169, 195
大腿直筋	rectus femoris	94, 95
大腿内転筋	adductor femoris	85

和文	欧文	掲載頁
大腿皮神経	cutaneous nerve of thigh	95
大殿筋	gluteus maximus	85
大内転筋	adductor magnus	94
大脳	cerebrum	110, 137, 164, 242
大脳脚	cerebral peduncle	72, 230, 231, 243, 248, 250, 251, 252, 253, 254, 255, 257, 259
大脳白質	cerebral white matter	216
大脳半球	cerebral hemisphere	201, 203, 204, 206, 221, 250, 251, 252, 253, 254, 255, 257, 258, 259
大脳皮質	cerebral cortex	45, 108, 109, 128, 131, 137, 200, 214, 224, 242, 250, 251, 252, 253, 254, 255, 257, 258, 259
大脳皮質下白質	subcortical white matter	122
第四脳室	fourth ventricle	61, 186, 232, 248, 249
短趾屈筋	flexor digitorum brevis	87
短趾伸筋	extensor digitorum brevis	87, 94
短掌筋	palmaris brevis	92
淡蒼球	pallidum (globus pallidus<L>)	108, 109, 228
短橈側手根伸筋	extensor carpi radialis brevis	92
短内転筋	adductor brevis	94, 95
短母指外転筋	abductor pollicis brevis	84, 92
短母指屈筋	flexor pollicis brevis	84
短母趾屈筋	flexor hallucis brevis	87
短母指屈筋浅頭	superficial head of flexor pollicis brevis	92
短母指伸筋	extensor pollicis brevis	84
短母趾伸筋	extensor hallucis brevis	87
ち		
緻密層	zona compacta	108
中間外側細胞柱	intermediolateral cell column	249
中間広筋	vastus intermedius	94, 95
中間神経	intermediate nerve	44, 45, 261, 262
中間大腿皮神経	intermediate cutaneous nerve of thigh	94
中小脳脚	middle cerebellar peduncle	186, 187, 225, 233, 234, 246, 247, 249
中心被蓋路	central tegmental tract	232, 233
中大脳動脈	middle cereblal artery	200, 203, 207
中殿筋	gluteus medius	85, 119
中脳	midbrain	22, 26, 72, 73, 162, 167, 186, 218, 243, 245, 247, 248, 250, 251, 252, 253, 254, 255, 257, 258, 259
中脳水道	cerebral aqueduct	30
中脳水道周囲灰白質	periaqueductal gray	230
虫様筋	lumbricales	83, 92, 263
長胸神経	long thoracic nerve	80, 90, 93
腸骨下腹神経	iliohypogastric nerve	94, 95, 163
腸骨鼠径神経	ilioinguinal nerve	94, 95, 163
長趾屈筋	flexor digitorum longus	86, 94

和文	欧文	掲載頁
長趾伸筋	extensor digitorum longus	86, 94
長掌筋	palmaris longus	92
長橈側手根伸筋	extensor carpi radialis longus	81, 92
長内転筋	adductor longus	94
長母指外転筋	abductor pollicis longus	84, 92
長母指屈筋	flexor pollicis longus	84, 92
長母趾屈筋	flexor hallucis longus	87, 94
長母指伸筋	extensor pollicis longus	84
長母趾伸筋	extensor hallucis longus	86, 94
腸腰筋	iliopsoasまたはiliacus	78, 94
と		
動眼神経(第III脳神経)	oculomotor nerve	16, 21, 22, 25, 27, 30, 52, 214, 216, 230, 231, 240, 241, 243, 246, 247, 251, 252, 254, 256
動眼神経核	oculomotor nucleus	22, 24, 25, 26, 52, 230, 243, 246, 256
瞳孔	pupil	16, 21, 28, 214, 215, 253
橈骨神経	radial nerve	77, 81, 82, 84, 90, 92, 93, 96, 129, 163, 169, 264, 265
橈側手根屈筋	flexor carpi radialis	81, 92
橈側手根伸筋	extensor carpi radialis	265
頭頂 - 後頭葉	parieto-occipital lobe	203, 208
頭頂葉	parietal lobe	10, 11, 158, 159, 161, 167, 168, 172, 173, 200, 201, 203, 204, 206, 208, 224, 226
頭部伸筋群	neck extensor	88
透明中隔野	septum pellucidum	9
島葉	insular cortex	199, 208
な		
内頸動脈	internal carotid artery	21, 22, 36
内側胸筋神経	medial pectoral nerve	80, 90, 93
内側広筋	vastus medialis	94, 95
内側膝状体	medial geniculate body	227
内側縦束	medial longitudinal fasciculus	24, 25, 26, 52, 232, 246, 248, 249, 256
内側縦束吻側介在核	rostral interstitial nucleus of medial longitudinal fasciculus	24, 26
内側踵骨神経	medial calcanean nerve	94
内側上腕皮神経	medial brachial cutaneous nerve	93, 163
内側前腕皮神経	medial cutaneous nerve of forearm	93, 163
内側足底神経	medial plantar nerve	94, 163
内側足背皮神経	medial cutaneous branch	94
内側大腿皮神経	medial cutaneous nerve of thigh	94
内側毛帯	medial lemniscus	61, 73, 162, 165, 167, 230, 232, 233, 234, 236, 243, 245, 248, 249, 251, 252
内側翼突筋	medial pterygoid muscle	37, 38
内直筋	medial rectus	20, 22, 256
内包	internal capsule	45, 73, 227, 243, 250, 251, 252, 253, 254, 255, 257
軟口蓋	soft palate	54, 102, 235

和文	欧文	掲載頁
の		
脳幹	brainstem	44, 53, 59, 70, 110, 164, 165, 167, 186, 189, 214, 216, 217, 218, 230, 242, 248, 261
脳梁	corpus callosum	9, 108, 200, 201, 203
は		
背側骨間筋	dorsal interossei	83
背側三叉神経視床路	dorsal trigeminothalamic tract	248
背側指神経	dorsal digital nerves	92, 96
背側上腕神経	dorsal brachial cutaneous nerve	163
背側前腕皮神経	dorsal cutaneous nerve of forearm	163
薄筋	gracilis	94
薄束	gracile fascicle	61, 162, 237, 244
薄束核	gracile nucleus	61, 162, 187, 245, 247, 252
馬尾	cauda equina	110, 167, 171, 173
反回神経	recurrent nerve	55, 56
半腱様筋	semitendinousus	94
反射弓	reflex arc	140, 141, 242, 260
反膜様筋	semimembranosus	94
ひ		
被殻	putamen	108, 109
腓骨筋(長・短)	peroneus longus and brevis	86
腓骨神経	peroneal nerve	94, 125
皮質延髄路	cotricobulbar tract	73, 186, 227, 243
皮質橋路	corticopontine tract	37, 140, 232, 249
皮質赤核路	corticorubral tract	227
皮質脊髄路	corticospinal tract	72, 73, 140, 186, 188, 214, 227, 232, 233, 234, 236, 243, 244, 249, 251, 257
尾状核	caudate nucleus	108, 109, 228
膝(ひざ)屈筋群	hamstrings	79
腓腹筋	gastrocnemius	63, 94, 112
腓腹神経	sural nerve	94, 97, 163
ヒラメ筋	soleus	62, 94
ふ		
副交感神経	parasympathetic nerve	21, 43, 56, 262
伏在神経	saphenous nerve	94, 95, 97, 163
副神経(第XI脳神経)	accessory nerve	241, 243, 244
副神経核	nucleus of accessory nerve	243, 247
腹側三叉神経視床路	ventral trigeminothalamic tract	36, 230, 244, 248, 249, 258
腹直筋	rectus abdominis	89
へ		
閉鎖神経	obturator nerve	85, 91, 94, 95, 97, 163
弁蓋	operculum	45
片葉小節葉	flocculonodular lobe	186, 187, 188

和文	欧文	掲載頁
ほ		
方形回内筋	pronator quadratus	82, 92
縫工筋	sartorius	85, 93
傍正中橋網様体	paramedian pontine reticular formation	24, 25, 46, 232, 234, 235, 256, 257
傍脊柱筋	paraspinal muscle	119, 188
縫線核	raphe nucleus	109
母指外転筋	abductor pollicis	264
母指球筋	thenar muscle	63
母指伸筋(長・短)	extensor pollicis longus and brevis	92
母指対立筋	opponens pollicis	78, 92, 263
母指内転筋	adductor pollicis	84, 92, 263
補足運動野	supplementary motor area	224, 225
ま，む，め，も		
末梢神経	peripheral nerve	239
無名質	substantia inominata	109
迷走神経(第X脳神経)	vagus nerve	54, 55, 56, 140, 236, 241, 243, 249, 258, 259
迷走神経背側運動核	dorsal motor nucleus of vagus nerve	109, 236, 247, 249
網状層	zona reticularis	108
よ		
腰筋	psoas muscle	95
腰神経叢	lumbar plexus	94
腰髄	lumbar cord	73, 131, 141, 162, 165, 187, 243, 245, 249
ら，る		
卵円孔	foramen ovale	56
涙核	lacrimal nucleus	44
れ，ろ，わ		
レンズ核	lenticular nucleus	108
肋間上腕皮神経	intercostobrachial nerve	163
肋間神経	intercostal nerve	135
腕橈骨筋	brachioradialis	81, 92, 130, 139, 141

和文	欧文	掲載頁
A, B, C, E		
Achilles(アキレス)腱	Achilles tendon	132, 133, 134, 139, 141, 171
Broca(ブローカ)野	Broca's area	198, 191, 224, 225
Clark(クラーク)核	nucleus dorsalis of Clark	187, 249
Edinger-Westphal(エディンガー・ウェストファル)核	Edinger-Westphal nucleus	22, 27, 247
G, K, M		
Guillain-Mollaret三角	Guillain-Mollaret triangle	102, 232
Krause(クラウゼ)球	end-bulbs of Krause	160
Meissner(マイスナー)小体	corpuscles of Meissner	160, 161
Merkel(メルケル)板	disk of Merkel	160, 161
MLF	medial longitudinal fasciclus	25, 256
P, R, W		
Pacinian(パッチーニ)小体	Pacinian corpuscle	160, 161
	parietotemporo-occipitopontine tracts	230, 248
PPRF	paramedian pontine reticular formation	25, 233, 234, 256, 257
riMLF核	rostral interstitial nucleus of medial longitudinal fasciculus	230, 248
Ruffini(ルフィニ)器官	corpuscle of Ruffini	160
Ruffini(ルフィニ)終末	Ruffini endings	160
Wernicke(ウェルニッケ)野	Wernicke's area	198, 208, 226

略語一覧

略語	フルスペル	日本語訳	掲載頁
ACE	angiotensin converting enzyme	アンジオテンシン変換酵素	47, 61
ACh	acetyl choline	アセチルコリン	57
AIDS	acquired immunodeficiency syndrome	後天性免疫不全症候群	47
B-S症候群	Brown-Séquard syndrome	Brown-Séquard症候群	170, 173
C-ANCA	antineutrophil cytoplasmic antibody	抗好中球細胞質抗体	47, 61
CPEO	chronic progressive external ophthalmoplegia	慢性進行性外眼筋麻痺	29
DDK	dysdiadochokinesis	反復拮抗運動不能	175
DIP関節	distal interphalangeal joint	遠位指節間関節	91
DM	diabetes mellitus	糖尿病	30
DSS	double simultaneous stimulation	2点同時刺激	159
FTLD	frontotemporal lobar degeneration	前頭側頭葉変性症	200
GBS	Guillain-Barré syndrome	Guillain-Barré症候群	29
HIV	human immunodeficiency virus	ヒト免疫不全ウイルス	47
HSV	herpes simplex virus	単純ヘルペスウイルス	47
IC-PC	internal carotid-posterior communicating	内頸動脈 - 後交通動脈分岐部	28, 30
INO	internuclear ophthalmoplegia	核間性眼筋麻痺	24
KSS	Kearns-Sayre syndrome	Kearns-Sayre症候群	29
LEMS	Lambert-Eaton syndrome	Lambert-Eaton症候群	29, 30
MLF	medial longitudinal fasciculus	内側縦束	25, 246, 256
MMT	manual muscle testing	徒手筋力検査	74
MP関節	metacarpophalangeal joint	中手指節間関節	91
OSIT-J	odor stick identification test for Japanese	スティック型嗅覚同定能力検査法	8
PCR	polymerase chain reaction	ポリメラーゼ連鎖反応	47, 57
PIP関節	proximal interphalangeal joint	近位指節間関節	91
PPRF	paramedian pontine reticular formation	傍正中橋網様体	25, 46, 232, 234, 246, 256
riMLF	rostral interstitial nucleus of medial longitudinal fasciculus	垂直性注視麻痺	24, 26, 230, 231, 248
SEP	somatosensory evoked potential	体性感覚誘導電位	173
SLE	systemic lupus erythematosus	全身性エリテマトーデス	47
TACs	trigeminal autonomic cephelalgias	三叉神経・自律神経性頭痛	28
VEP	visual evoked potential	視覚誘発電位	57
VPL	ventralis posterolateralis	外側後腹側核	167
VPM	ventral posteromedial	後内側腹側	36
VPM	ventralis posteromedialis	内側後腹側核	167
VZV	varicella-zoster virus	水痘 - 帯状疱疹ウイルス	47
WEBINO（症候群）	wall-eyed bilateal internuclear ophthalmo-plegia	外斜視性両眼性核間眼球麻痺	24

凡例（本書の特徴と使い方）

- 本書は，OSCE（客観的臨床能力試験）対策，臨床実習・研修時に役立つように，「神経診察の方法」と「診察から診断する病巣部位」について，必要十分な内容を掲載しています。
- 診察すべきポイントごとに**「診察の方法」**と**「診断プロセスからみる病巣部位，考えられる疾患」**で構成されています。
- **「診察の方法」**では，コマ送りのイラストをふんだんに用い，神経診察を一から習得できるよう工夫しています。

特徴1 検者から患者さんへの指示出し（どのように声をかけるか）をイラスト内のふきだし文字で表しています。

特徴2 正しく診察するための重要ポイントをイラスト内にCheck!!のマークで強調しています。

特徴3 正しい診察法と誤った診察法を併記し，わかりやすく示しています。

特徴4 正常者と患者さんの反応を併記し，病状の違いを明確に表しています。

特徴5 OSCEの学習に必須の臨床技術を表しているイラストにはOSCEマークを付けています。

- 本書巻頭には必要な診察器具，OSCE掲載頁一覧（**特徴5**とリンク），解剖用語一覧（和文，欧文の併記），略語一覧を載せました。ご活用下さい。
- 本書全体を通じ，原則として『神経学用語集 改訂第3版（日本神経学会用語委員会編）』に従っています。

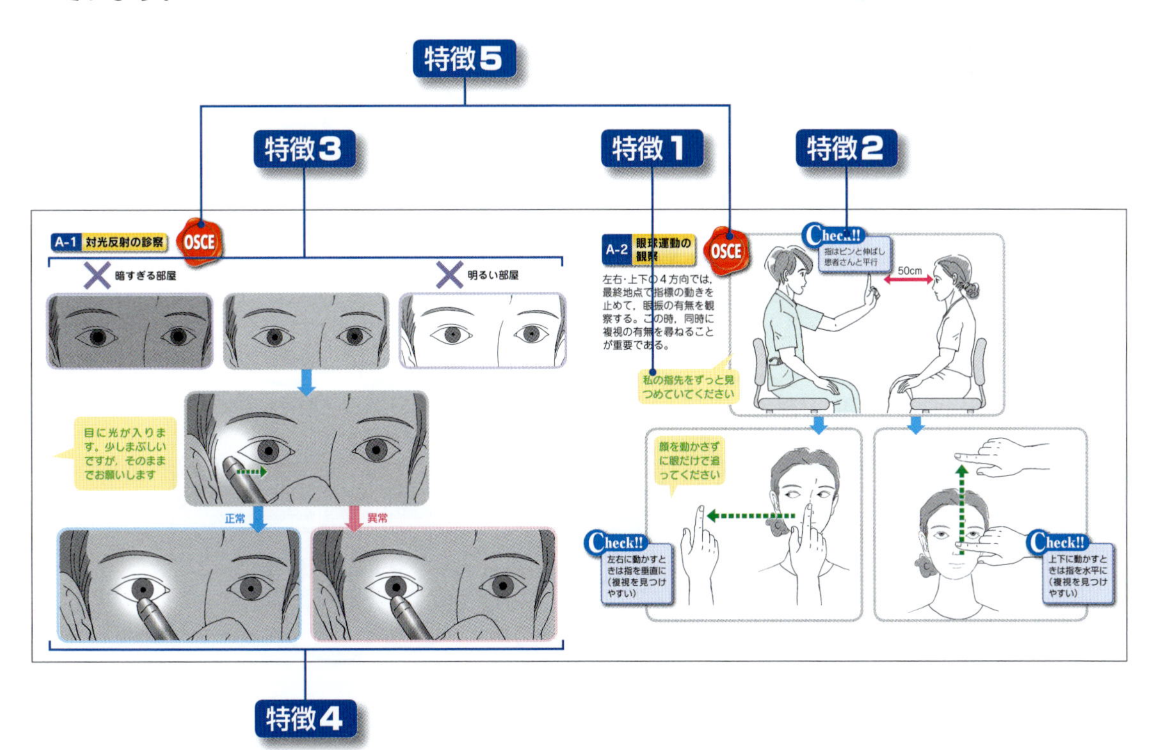

神経学的病巣診断の重要性

的確な医療面接（問診）と正しい神経診察がより正確な診断をもたらす

脳神経内科とは

「脳神経内科」はきわめて広い守備範囲をもつ。脳神経内科が扱う患者さんの主訴は，例えば,「物が二重に見える」「手足の感覚が鈍い」「手がしびれる」「顔の半分が痛む」「物を吐いてしまうほど激しい頭痛がする」などの感覚障害,「片側の上下肢が動かない」「ふらついて歩きにくい」「呂律が回らない」「むせてしまって物が飲み込みにくい」などの運動障害,「今朝の朝食で食べた物を思い出せない」「自分の家族が誰であるかわからない」などの認知機能障害，いくら呼んでも「目を覚まさない」「ときどき，気を失う」などの意識障害など，さらには救急車で搬送されるような「激しい回転性めまい」「全身がけいれんを起こして止まらない」などの救急症状まで多岐にわたる。これらの多彩でかつ一般的な主訴から，脳神経内科特有の疾患である脳卒中，筋ジストロフィー症，てんかん，認知症，Parkinson病，筋萎縮性側索硬化症，Guillain-Barré症候群，三叉神経痛，多発筋炎，多発性硬化症，狂牛病（プリオン病），重症筋無力症，顔面けいれん，片頭痛など多くのものを鑑別し診断するのが脳神経内科である。すなわち脳神経内科は疾患の原因が，大脳・小脳・脳幹や脊髄などの中枢神経，末梢神経，そして筋肉という頭の先からつま先までの広い範囲の身体部分に生じるトラブルを担当する内科の一部門として位置づけられている。

中枢神経の疾患には，脳梗塞や脳出血などの脳卒中，脳炎，髄膜炎，頭痛，てんかん，Alzheimer病などの認知症，Parkinson病，脊髄炎，筋萎縮性側索硬化症，多発性硬化症などがある。末梢神経の疾患には，三叉神経痛，Guillain-Barré症候群，慢性炎症性脱髄性ニューロパチー，多発性ニューロパチーなどがある。また，筋の疾患には，筋ジストロフィー症，多発筋炎，周期性四肢麻痺などがあり，さらに特殊なものとして筋とそれを支配する末梢神経の接合部に生じる

疾患である重症筋無力症，Lambert-Eaton筋無力症候群などがある。すなわち，「脳神経内科」とは，何らかの原因により神経系あるいは筋に異常をきたした状態を適切に診断し改善させる診療科といえる。したがって，よく混同し間違われることの多い「精神科」あるいは「心療内科」が，「うつ病」「統合失調症」や「身体表現性障害」などの少なくともMRIなどの画像診断上神経系あるいは筋の構造に異常の認められない疾患を扱う診療科とは異なる。同じように中枢神経系の疾患を扱う診療科に「脳神経外科」がある。脳神経外科と脳神経内科の関係は，患者さんが脳腫瘍や脊髄腫瘍あるいは脳動脈瘤など外科的に除去あるいは処置しなければならないような疾患，状態にある場合に，診断を脳神経内科で外科処置を脳神経外科で行うといったような，協力体制をとる。脳神経外科では脳卒中の急性期においても，特に脳出血で出血量がきわめて大量の場合や，出血部位が直接生命に危険を及ぼす可能性が高い場合などには外科的に血腫を吸引したり，頭蓋骨を外して内圧を減じたりすることがある。また，脳神経内科が協力して診断治療にあたる診療科としては，脊椎や椎間板に問題があり神経症状を出している場合には「整形外科」，めまいでも三半規管など末梢器官に原因のある場合には「耳鼻科」，脳や脊髄とともに視神経に炎症が起こる多発性硬化症のときには「眼科」などがある。

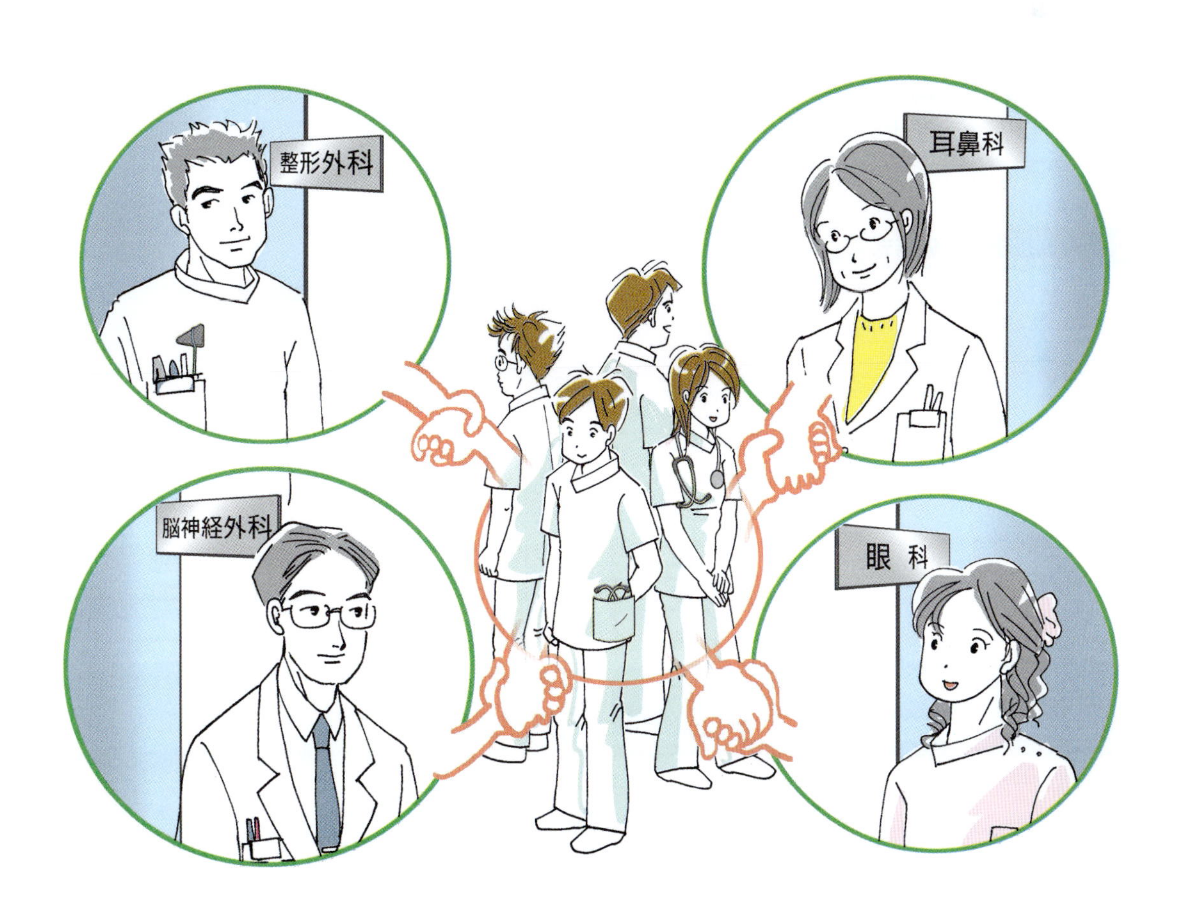

脳神経内科の診察の特徴

発症のしかたをとらえる

このように脳神経内科疾患には，多くの種類があるが，それらの発症のしかたをとらえることはその診断治療に直接結びつくことが多く，きわめて大切である。脳出血や脳梗塞などは突発完成型，脳腫瘍やParkinson病などの神経変性疾患は緩徐進行型，多発性硬化症などは寛解増悪型，さらにてんかんや片頭痛などは発作型ということができる 図1。

この発症のしかたを把握するためには，詳細でポイントを突いた医療面接（問診）が必要である。疾患によっては，診察時に症状が消失していて，問診のみで診断しなければならない脳神経内科疾患（例えば片頭痛など）があり，問診の技術を磨くことは脳神経内科医にとって第一段階の必須トレーニングである。よい問診を行うためには，脳神経内科疾患全般を十分理解して鑑別診断を常に念頭に置いておかなければならない。

神経診察

さて，脳神経内科の最も大きな特徴は，診断に他の内科にはない特殊な「神経診察」所見に基づく「病巣診断」というステップが入ることである 図2。すなわち，患者さんが初めて脳神経内科の外来を受診されたとすると，まず医療面接（問診）が行われる。このステップは各科共通である。医療面接はきわめて重要で，この段階で先の段落で述べた発症のしかたと神経系のどの部分が障害されているのかの大まかな予想を立てることができる。次に，体温，血圧，脈拍，呼吸などと貧血，黄疸の有無のチェックに続き，頭頸部，胸腹部，四肢の内科的診察を行う。そして，つぎに「神経診察」により「病巣診断」を行う材料（異常所見）の抽出を行う。詳細は，各神経診察の項をご参照いただきたい。ここでは大まかに脳神経内科の診断の流れをつかんでほしいので，ある患者さんの具体例を次に示す。

図1 神経疾患の発症様式

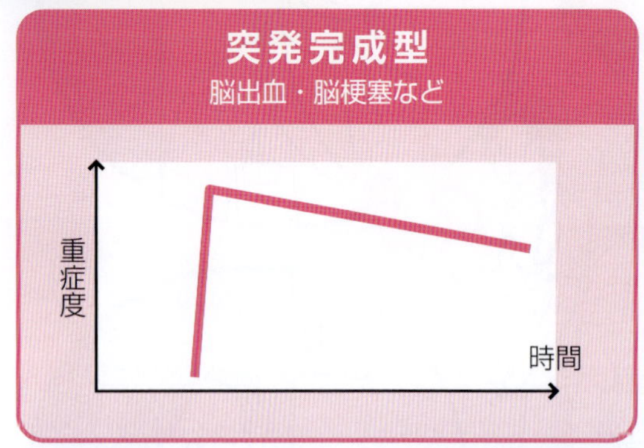

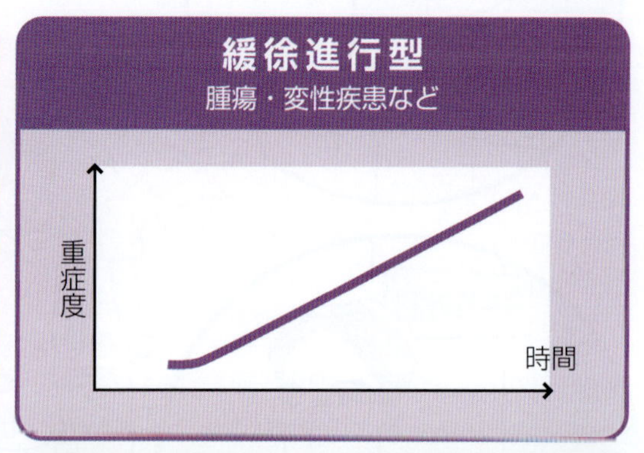

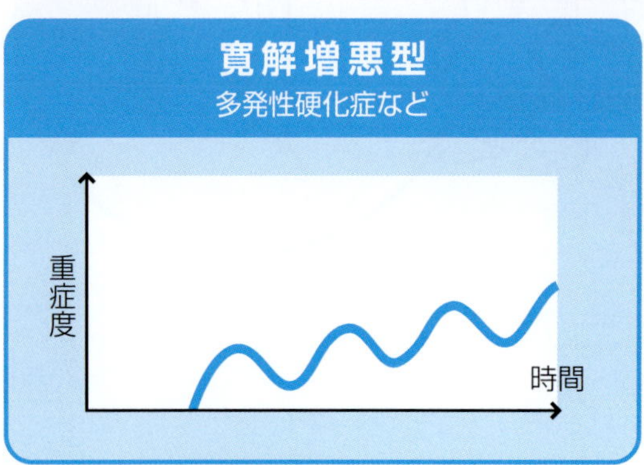

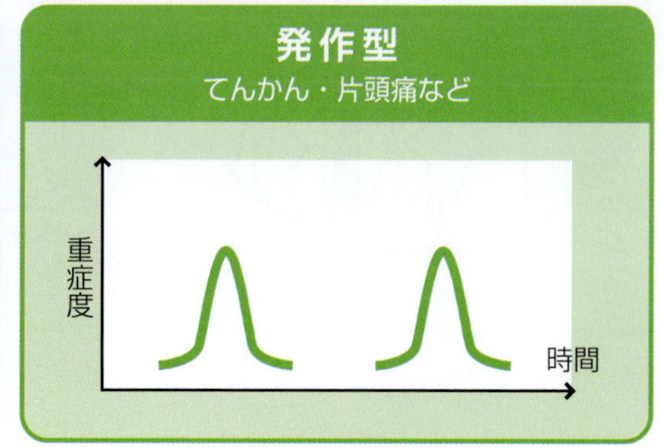

●具体的な症例からみる神経診察

「Aさん，43歳の女性。朝起きたら左上肢に力が入らず，様子をみていたが，午後になっても改善しないため病院を受診した。左上肢は右に比べ触っても感覚が鈍く，つねってもあまり痛く感じない。」

さて，Aさんの左上肢の症状の原因は一体どこにあるのだろうか？

このように，脳神経内科医はシャーロック・ホームズならぬ謎解きを症例ごとに行っているわけである。これを，快刀乱麻を断つのごとく解決するには，人体の解剖学，特に「神経系解剖学」の基礎知識がきわめて重要である。一般にヒトの左右の大脳は原則としてそれぞれ反対側，すなわち左大脳半球は人体の右側を，また右大脳半球は左側を支配している。ここまでは，ある程度単純であるが，問題は大脳の機能には多くの種類があり，さらにその種類の下に細かに分かれた機能があり，しかもそれぞれが異なった部位で反対側に移るという複雑な状況がある。例えば運動機能についてみると，大脳運動領野から発した神経は顔の筋にいくものは比較的上部で交叉して，反対側の顔面筋に分布して反対側の顔を動かす。しかし上下肢にいくものはさらに下部延髄で交叉して，反対側に移動し反対側の上下肢を動かす（錐体路）。

一方，感覚は運動とは逆に皮膚から上行して脳に達して「痛い（痛覚）」「冷たい（温度覚）」などを感じるわけであるが，感覚のなかでも「痛み」「熱い冷たい」を伝える神経の経路と，「振動している（振動覚）」「膝関節が曲がっている（位置覚）」などを伝える神経の経路が末梢神経のなかでは一緒であるが，脊髄に入ると別々に分かれて上行して最終的に反対側の大脳に至るという複雑なパターンをとる。

図2　脳神経内科の診断の流れ

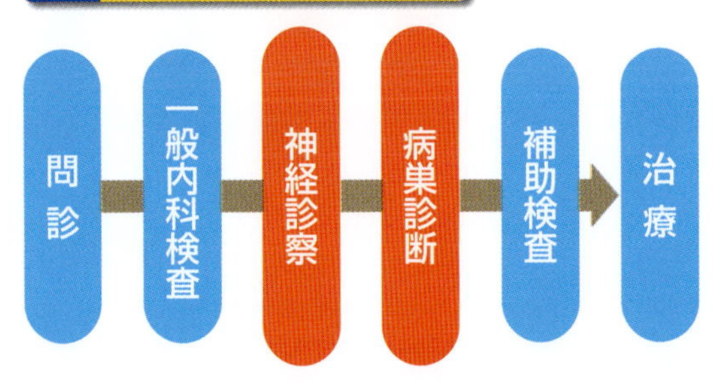

さて，Aさんの症状に戻ろう。Aさんは左上肢の運動と感覚の両方が鈍っているわけなので，神経系解剖学から考えると，原因となる部位（病巣）は，①左上肢に分布している末梢神経，あるいは②それらの情報が集約される反対側，右の大脳で運動と感覚の情報が近くを走行している部位，ということになる。この2つの可能性を鑑別するにはどのようにすればよいであろうか？

ここで登場するのが，「神経診察」である。脳神経内科の象徴的な診察器具に「打腱器（ハンマー）」がある。これが，この鑑別に威力を発揮する。ハンマーにより左上肢の上腕二頭筋の腱，上腕三頭筋の腱，腕橈骨筋の腱を叩き「腱反射」を誘発する。この反応が低い場合は末梢神経に障害があることを示す。逆に「腱反射」の反応が高いときには大脳に病変があることを示す。

以上の所見から脳神経内科医はAさんの病巣を判断し，次に，疾患の確定診断のために補助検査を行う。「末梢神経障害」の可能性が高い場合には，「筋電図検査」「頸椎X線写真あるいはMRI」を検討すべきである。「大脳病変」の可能性が高い場合には「頭部MRI」を検討することになる。そのほか，補助検査には，脳脊髄液検査，脳波検査などを行うことがある。それらの結果により確定診断に至り，次に治療方針を決定する。

このように，脳神経内科の診察手順は独特のもので，その診察と所見の判断には修練が必要である。まさに，現代のIT化著しい医学のなかで，その診断の核ともいえる診察方法に職人的な要素を保ち続けている独特の科であるといえよう。

神経診察の方法と病巣部位

脳神経

第Ⅰ脳神経／第Ⅱ脳神経／第Ⅲ・Ⅳ・Ⅵ脳神経／第Ⅴ脳神経／第Ⅶ脳神経
第Ⅷ脳神経／第Ⅸ・Ⅹ脳神経／第Ⅺ脳神経／第Ⅻ脳神経

運動系

筋肉，筋トーヌス／筋力のみかた
不随意運動／姿勢，歩行

反射

感覚系

小脳症状

髄膜刺激症状

高次機能

失語／失行／失認
障害と責任病巣

意識障害患者の神経診察の方法

正しい病巣診断のために

病巣部位からみた神経局所症候

脳神経に関する症候群一覧
病巣診断の進め方
神経診察の記録

脳神経／第Ⅰ脳神経(嗅神経)

診察の方法

嗅覚

●患者さんに匂いの検査を行う旨を告げ，検者の指で片方の鼻孔をふさぎ，閉眼してもらう。

●鼻孔に匂いのある物質(タバコ，香水，コーヒー豆など)を近づけ，何の匂いかを尋ねる A-1。[注：標準化された半定量試験としてT&Tオルファクトメトリー，スティック型嗅覚同定能力検査法(OSIT-J)がある。また静脈性嗅覚検査として点滴用ビタミンB1製剤を静注して匂いを感じるまでの潜伏時間，持続時間を測定する方法もある。]

●反対側の鼻孔での検査を行い，左右差も判定する。

●匂いの元になる物質として通常使用するのは，タバコ，香水，コーヒー豆など日常生活で患者さんになじみのあるものがよい。酢，アンモニア，メントールなど三叉神経刺激となる物質と比較することで，嗅神経障害と三叉神経障害(鼻腔前半部は三叉神経第一枝，後半部は第二枝支配)の弁別，詐病の鑑定に役立てることができる。

A-1 嗅覚

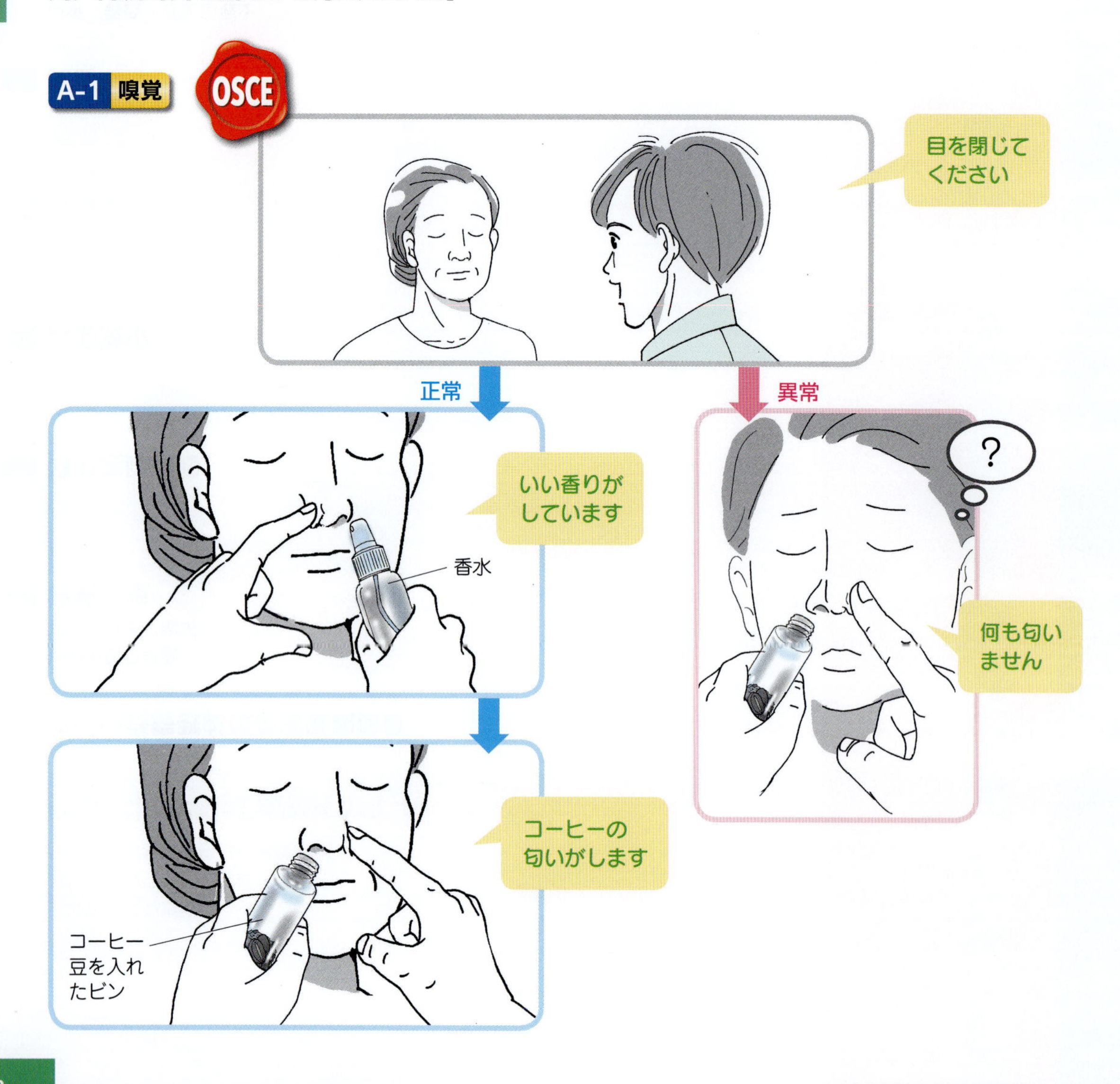

脳神経／第Ⅰ脳神経(嗅神経)

診断プロセスからみる第Ⅰ脳神経の異常

病巣部位

嗅覚に関する患者さんの訴えとしては,「匂いがわからない」, ということ以外に「味(風味)がわからない」という場合があることに注意する。味覚には嗅覚の果たす役割が大きいためである。また片側性の嗅覚低下では, 患者さんが異常を自覚していないこともある。嗅覚の受容体は, 上鼻甲介とこれの向かい合う鼻中隔の粘膜(嗅上皮)に限局する。一次受容体は双極性ニューロンの化学受容器であり, 粘膜からの刺激を受け, 鼻腔奥の篩板を通り,頭蓋内に入る。この部分(嗅糸)は頭部外傷によって軸策断裂を起こしやすい。二次ニューロンとして僧帽細胞(mitral cell)が嗅球(olfactory bulb)を形成し, その軸索は嗅索として2つの経路に分かれる。すなわち内側嗅条(medial olfactory stria)と外側嗅条(lateral olfactory stria)である。内側嗅条は透明中隔野と嗅傍野(梁下野)に投射し, いわゆる匂いの知覚に関与する。外側嗅条は一次嗅覚野である梨状前皮質, 扁桃周囲皮質, 嗅内皮質に投射する。これらは辺縁系と密接な関連を有し, 匂いのもたらす情緒(快, 不快)に関連する B-1 。

嗅覚異常には, 嗅覚鈍麻(脱失)hyposmia (anosmia) 以外に, 強く感じる嗅覚過敏(hyperosmia), 異なる匂いに感じる嗅覚錯誤(parosmia), あるいは存在しないものの匂いがする幻臭(phantosmia)がある。側頭葉てんかんの前駆症状としての海馬病巣による鈎発作(uncinate fit)にも注意する。

B-1 嗅覚の機能解剖図

(Lazorthes, 1973より引用改変)

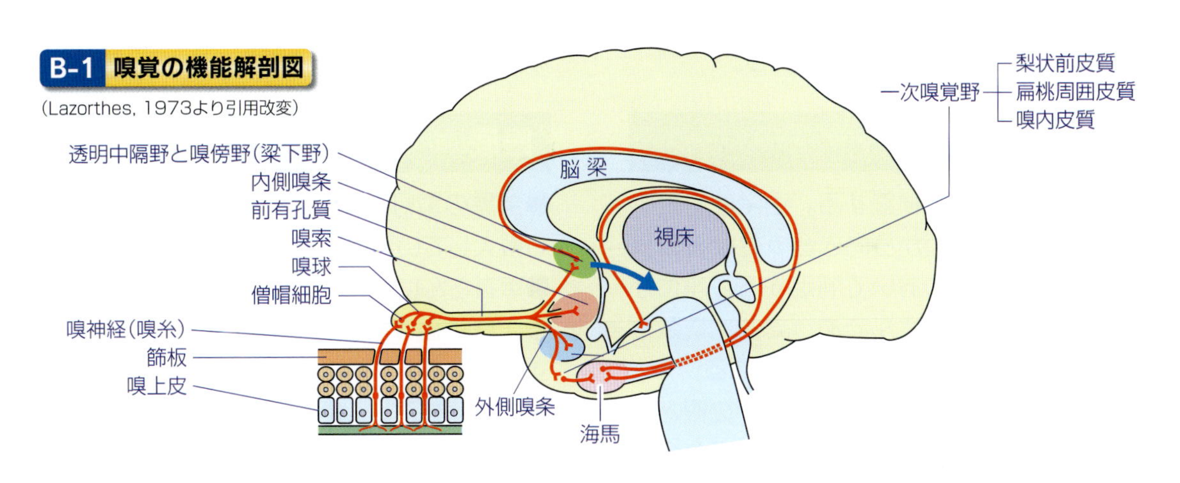

考えられる疾患, 鑑別に必要な検査

考えられる疾患	鑑別に必要な検査, 嗅覚試験以外に必要な診察	画像検査	髄液検査	その他
耳鼻科疾患(アレルギー性鼻炎, ウイルス性鼻炎)				○
頭部外傷(特に後頭部)	視力, 視野, 眼底などの脳神経の診察(p.10～11)	○		
嗅溝髄膜腫(Foster Kennedy症候群)	視力, 眼底などの脳神経の診察(p.10～11)	○		
髄膜炎・脳炎	脳神経(p.10～61), 髄膜刺激症状(p.190～193), 高次機能(p.196～207), 意識障害(p.210～222)の診察	○	○	
Parkinson病	筋トーヌス, 不随意運動, 歩行などの運動系の診察(p.62～125)	○		○
内分泌疾患(Addison病, 甲状腺機能亢進症など)				○
先天異常(Kallmann症候群, Albinismなど)				○
側頭葉てんかん	失語などの高次機能(p.196～207), 意識障害(p.210～222)の診察	○		○

脳神経／第II脳神経（視神経）

診察の方法

視力

●患者さんの片側の眼を閉じさせ（自分の掌で覆わせる），眼前30（～40）cmに差し出した検者の指の数を数えさせる（指数弁）。例えば左眼の眼前30cmで可能であれば，30cm/n.d.(L) と記載する。［注：n.d.；numerus digitorum］

●指数弁以下であれば同程度の距離で検者が手を動かし，わかるか尋ねる（手動弁）。左眼の眼前30cmで可能であれば，30cm/m.m.(L)と記載する。［注：m.m.；motus manus］

●手動弁以下であれば，明暗が判別できるかペンライトで照らす（光覚弁）。距離の記載は困難であるが，明暗判別が可能ならs.l.(sensus luminis)と記載する。

●反対側の眼でも同様に検査を行う。

視野（対座法）

●対座法によって検査する。通常は座位の患者さんと，正面から向き合った検者自身の視野との比較において判定する。座位が保持できない患者さんであっても，仰臥位で同様に検査を行うことは可能である。

●検者は患者さんと約80cm（互いの眼と眼の間隔）離れて座り，互いの顔を正面から見つめ合うように着座する。

●患者さんに片目（左）を自身の掌（左）で覆い隠すよう指示する。

●患者さんには開いた目（右）で検者の反対側の目（左）を見つめ，そのまま目を動かさないように命じる。検者自身は右目を閉じる。

●検者は患者さんとの中間で垂直平面を仮想し，その平面上で自分の指を動かす。自分自身の見える範囲（検者自身の正常の視野）のなるべく外縁部で指を動かすようにすると検査の精度が高まる。

●患者さんには，指が動いているのがわかったら，そちらを指さすように指示する。右，左で答えさせてもよいが，左右の混乱が生じやすく，また上，下が入ると混乱が起こるので，指さしがよいと考える。外縁部で指の動きがわからない場合には，少しずつ指を中心部に移動させ，どこでわかるようになるかを評価する。

●必ず，平面の上下左右の4カ所で検査する A-1。

●また，最後に左右の指を同時に動かし，感覚消去現象（→頭頂葉症状，p.13参照）の有無を調べる。

●対側眼でも同様の評価を行う。

●さらに詳細な視野検査には専用の機器による定量視野検査（Goldmann，Octopusなど）を行う。

眼底

●部屋の電灯を消し，患者さんの瞳孔が少し散大しているほうが観察は容易である。

●患者さんには遠くの1点をぼんやり見つめるように告げ，視線を動かさないよう指示する。

●眼底鏡を正しく操作し，眼底を観察する。

●まず重要なのは視神経乳頭部分なので，最初に患者さんのやや外側から鼻側を覗き込むようにして観察を開始する A-2。

●視神経乳頭，眼底血管（動脈静脈）の状態と網膜出血の有無，色調変化や色素沈着などを観察する。

●両眼で検査する。

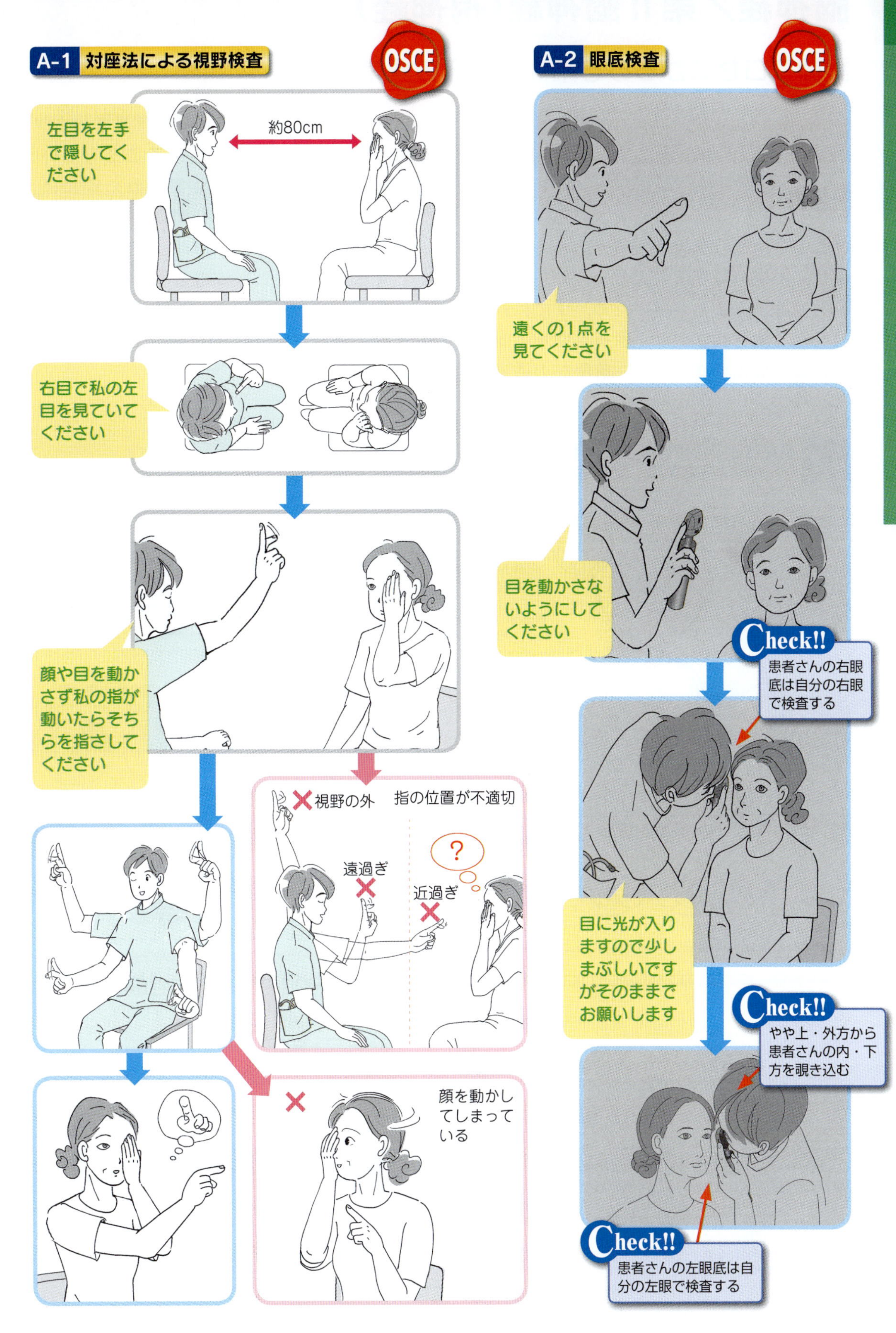
A-1 対座法による視野検査
OSCE
左目を左手で隠してください
約80cm
右目で私の左目を見ていてください
顔や目を動かさず私の指が動いたらそちらを指さしてください
視野の外
指の位置が不適切
遠過ぎ
近過ぎ
?
顔を動かしてしまっている
A-2 眼底検査
OSCE
遠くの1点を見てください
目を動かさないようにしてください
Check!!
患者さんの右眼底は自分の右眼で検査する
目に光が入りますので少しまぶしいですがそのままでお願いします
Check!!
やや上・外方から患者さんの内・下方を覗き込む
Check!!
患者さんの左眼底は自分の左眼で検査する

脳神経／第Ⅱ脳神経（視神経）

診断プロセスからみる第Ⅱ脳神経の異常

病巣部位

視力

●視力とは2点を識別する能力をいう。患者さんが視力障害を自覚した際に，まず眼科を受診することが多いため，すでに視力検査が実施されており，屈折異常などレンズによる矯正可能な疾患，前眼部の透光体異常，調節障害，網膜・黄斑部異常の有無について検査が終了していることも多い。神経診察時に視力低下が疑われた際には，まず片側性か両側性かを問い，それが永続したものであるか，一過性，変動性のものであるかを問うことが重要である。一過性であった場合には現在の所見とともに，患者さんからの聴取しうる詳細な症状が重要である。

B-1 視覚路とその障害部位による視野異常（①～⑧は基本事項，⑨⑩は参考事項）

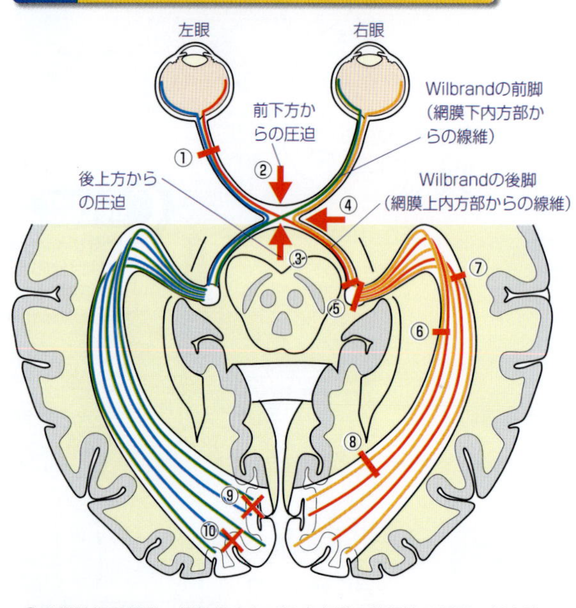

①単眼性視野異常：視神経病変では病変側の単眼性の視野・視力障害をきたす。
②両耳側半盲：視交叉の前下方からの圧迫では，両耳側半盲が上方から始まり下方に拡がる。
③両耳側半盲：視交叉の後上方からの圧迫では，両耳側半盲が下方から始まり上方に拡がる。
④鼻側半盲：視交叉の側方からの一側性の圧迫では，単眼性の鼻側半盲を生じる。両側からの圧迫では両鼻側半盲となる。
⑤同名性半盲：視索後半部，外側膝状体の病変では，対側の同名性半盲を生じる。
⑥同名性下四分盲：視放線の内上方病変（頭頂葉）では，対側の同名性下四分盲を生じる。
⑦同名性上四分盲：視放線の前下方のループ病変（頭頂葉）では，対側の同名性上四分盲を生じる。
⑧黄斑部回避を伴う対側の同名性半盲：後頭葉病変では中心視野の保たれた対側の同名性半盲を生じる。
⑨単眼性周辺視野異常：後頭葉内側の最前方領域の病変では，対側の単眼性周辺視野異常を生じる。
⑩中心視野の同名性半盲：後頭葉後部の病変では，中心視野のみに対側の同名性半盲を生じる。

左　右

①（左）単眼性視野異常

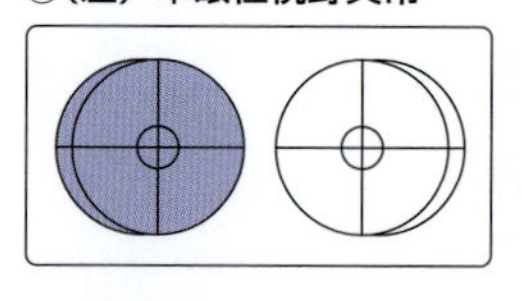

②両耳側半盲

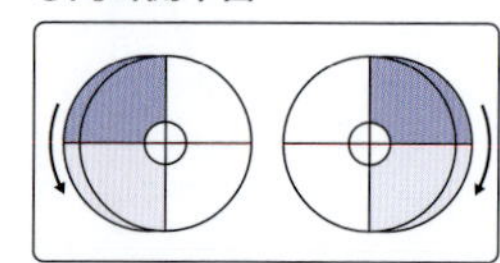

③両耳側半盲

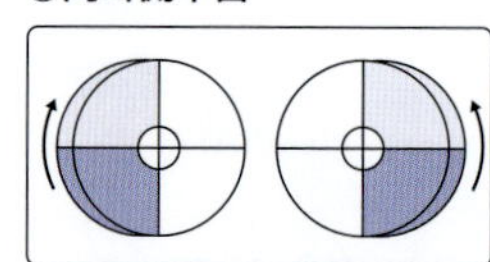

④（右）単眼性鼻側半盲

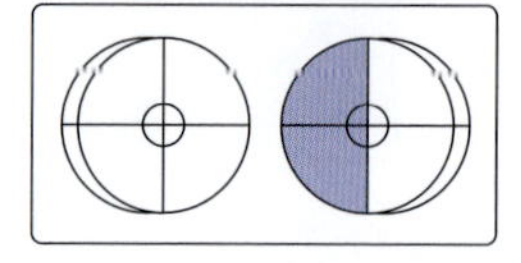

⑤（左）同名性半盲

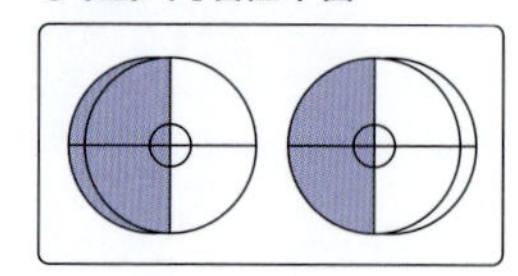

左　右

⑥（左）同名性下四分盲

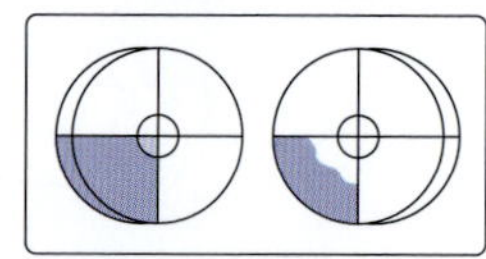

⑦（左）同名性上四分盲

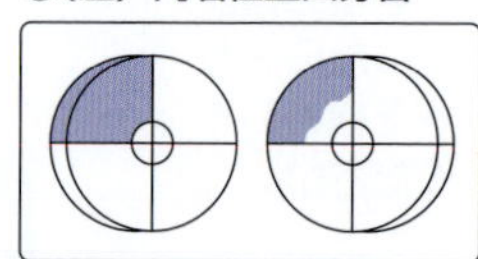

⑧黄斑部回避を伴う（左）同名性半盲

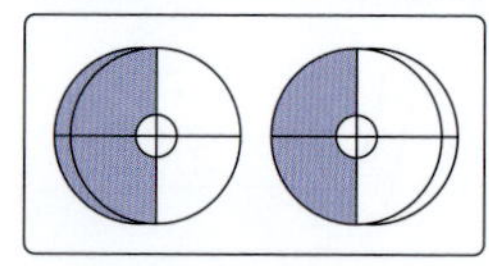

⑨（右）単眼性周辺視野異常

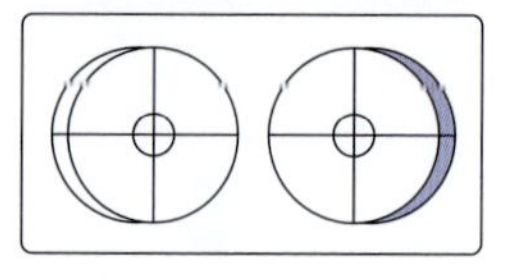

⑩中心視野の（右）同名性半盲

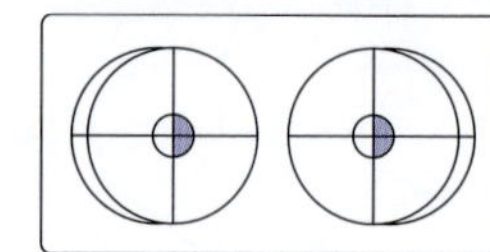

●視力障害は，光刺激が前眼部から網膜に入り，視神経から視覚中枢（後頭葉）に投射するまでの経路のいずれにおいても生じうる B-1 。前眼部病変として角膜や瞳孔の透光体異常は対光反射を検査する時に見つかる場合がある。調節障害による視力障害は，瞳孔が散大しているために生じる。この場合には診察室では紙に小さな穴を開け，ここから覗くようにして患者さんの視力を尋ねると改善することから判定できる。眼底検査で網膜異常や，視神経異常（萎縮）を見出す場合もある。

●視交叉より中枢側の病変では，通常は視力の異常よりも視野の異常が問題となる。しかし，両側性の半盲では大脳盲（皮質盲，皮質下盲を含む；cerebral blindness）となり，視力障害の様相を呈す。詐病，ヒステリーなどとの鑑別には，視野に指を突き出して瞬目反射が起こるか（視覚性おどし反射；menace reflex）を観察したり，30cm以上の長さの物差しを眼前で左右に動かすと，目盛りを追うようにして自然に誘発される視運動性眼振（optokinetic nystagmus）の有無を検査する。

B-2 視放線の透視図

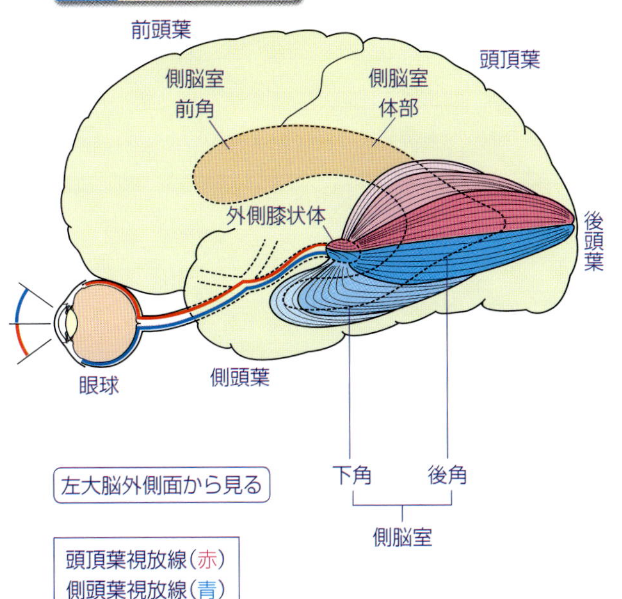

視野

●**網膜・視神経**：眼科領域の疾患とも重複するが，通常脳神経内科領域では眼球より後方での視神経障害を対象とするため，球後性視神経炎に遭遇することが多く，この場合は片眼性の全視野欠損となる B-1① 。網膜病変では片眼性の視野障害が出現する。緑内障では水平性半盲（altitudinal hemianop(s)ia）が出現することがある。

視交叉部分では，両耳側あるいは鼻側性の異名半盲が生じる。特に視交叉の前方下部からの圧迫（下垂体腫瘍など）では両耳側半盲（bitemporal hemianop(s)ia）が初期に上方から始まり下方に拡大する B-1② 。視交叉の後方上部からの圧迫（頭蓋咽頭腫など）では両耳側半盲が初期に下方から始まり上方に拡大する B-1③ 。

視交叉の側方からの圧迫では，両鼻側半盲（binasal hemianop(s)ia）を生じる。一側の内頸動脈瘤などでは圧迫側に単眼性鼻側半盲を生じる B-1④ 。

●**外側膝状体**：血管障害として，前脈絡叢動脈の支配にあたるため，この閉塞によって視野異常をきたすことが多い。この場合には視野には通常の同名性半盲 B-1⑤ のほか，特有の形（四扇状視野欠損；quadruple setranop(s)ia）が現れる場合があり，また半盲側の上下肢と体幹に運動麻痺と感覚低下を伴うことがある（Monakow症候群）。

●**視放線 B-2** ：視交叉より中枢側の病変では対側の同名性半盲を生じる。頭頂葉部分の障害では反対側の視野の同名性下四分盲（homonymous lower quadrantanop(s)ia, B-1⑥ ）となることがあり，また側頭葉部分の障害では反対側の視野の同名性上四分盲（homonymous upper quadrantanop(s)ia, B-1⑦ ）となる。

後頭葉：反対側の同名性半盲（homonymous hemianop(s)ia）を生じる。中心視野は保たれることが多く，黄斑部回避（macular sparing）とよばれる B-1⑧。後頭葉内側の一次視覚中枢の最前方領域は唯一，反対眼の視野の外縁部の三日月状の視野に対応するため，ここの障害は同名性半盲とはならないことに注意を要する B-1⑨。後頭葉後部では黄斑部からの投射があり，中心視野の同名性半盲が起こる B-1⑩。両側後頭葉の障害では，両側の同名性半盲をきたすため，視力消失となる（大脳盲）。この場合，病態失認を伴い患者さんは見えていないことを否認するため，ものにぶつかりながら歩き回るといった行動が観察される（Anton症候群）。

眼底

眼底検査において，病巣診断としてのポイントとなるものには，視神経萎縮，乳頭浮腫がある。視神経萎縮は視神経の慢性障害に起因するもので，視力低下を伴う。乳頭浮腫は，頭蓋内圧の亢進を示す所見であり，視神経の軸索流の障害を示す。これ以外に全身性疾患（免疫異常など）に伴う乳頭浮腫にも留意する。片側性の視神経萎縮と視力低下，反対眼での乳頭浮腫は，嗅溝付近での髄膜腫などに特徴的で，Foster Kennedy症候群とよばれる。

眼底検査で判明する網膜病変（網膜血管を含む）では，病巣診断というよりもむしろ，疾患診断に重要なことが多い。まれに網膜病変によって，視野部分的欠損をきたす場合もあり，半盲，四分盲をみた際には，片眼性か両眼性かを判断することは重要である。

考えられる疾患，鑑別に必要な検査

表1 視力障害で考えられる疾患

考えられる疾患	鑑別に必要な検査，視力検査以外に必要な診察	画像検査	髄液検査	その他
前眼部透光体異常，調節障害	瞳孔径，対光反射，眼球運動，眼瞼下垂，調節反射などの脳神経の診察（p.16〜20）			○
網膜・黄斑点部異常	眼底などの脳神経の診察（p.10〜11）			○
網膜中心動脈閉塞症	眼底などの脳神経の診察（p.10〜11）			○
側脳動脈炎	（側頭動脈の圧痛）	○		○
一過性黒内障	（頸動脈bruit聴取）	○		
視神経炎	眼底などの脳神経の診察（p.10〜61）	○	○	
多発性硬化症	眼底（p.10〜11），脳神経（p.8〜61），運動系（p.62〜125），反射（p.126〜139），感覚系（p.142〜159），小脳症状（p.174〜185）の診察	○	○	○
NMO（視神経脊髄炎）	眼底（p.10〜11），脳神経（p.8〜61），運動系（p.62〜125），反射（p.126〜139），感覚系（p.142〜159），小脳症状（p.174〜185）の診察	○	○	○
視神経グリオーマ	眼底などの脳神経の診察（p.10〜61）	○		
肥厚性硬膜炎	眼底などの脳神経（p.10〜61），髄膜刺激症状（p.190〜193）の診察	○	○	○
髄膜炎・脳炎	髄膜刺激症状（p.190〜193），意識障害（p.210〜222）の診察	○	○	
嗅溝髄膜腫（Foster Kennedy症候群）	嗅覚，眼底検査などの脳神経（p.8〜61）の診察	○		
白質ジストロフィー	脳神経（p.8〜61），運動系（p.62〜125），反射（p.126〜139），感覚系（p.142〜159），小脳症状（p.174〜185），高次機能（p.196〜207）の診察	○	○	○
脳血管障害（両側後大脳動脈領域の梗塞など）	脳神経（p.8〜61），運動系（p.62〜125），反射（p.126〜139），感覚系（p.142〜159），小脳症状（p.174〜185），高次機能（p.196〜207）の診察	○		

表2 視野障害で考えられる疾患

考えられる疾患	鑑別に必要な検査・視野検査以外に必要な診察	画像検査	髄液検査	その他
緑内障	(眼圧測定)			○
網膜・黄斑点部異常	眼底(p.10～11)			○
視神経炎	眼底などの脳神経の診察(p.10～61)	○	○	
脳腫瘍 (嗅溝髄膜腫, 下垂体腺腫, 頭蓋咽頭腫など)	眼底などの脳神経(p.10～61), 髄膜刺激症状(p.190～193)の診察	○		
内頸動脈瘤	脳神経の診察(p.8～61)	○		
脳血管障害 (前脈絡叢動脈, 中大脳動脈, 後大脳動脈領域の梗塞など)	脳神経(p.8～61), 運動系(p.62～125), 反射(p.126～139), 感覚系(p142～159), 小脳症状(p174～185), 高次機能(p.196～207)の診察	○		
多発性硬化症	眼底(p.10～11), 脳神経(p.8～61), 運動系(p.62～125), 反射(p.126～139), 感覚系(p.142～159), 小脳症状(p.174～185)の診察	○	○	○
白質ジストロフィー	脳神経(p.8～61), 運動系(p.62～125), 反射(p.126～139), 感覚系(p.142～159), 小脳症状(p.174～185), 高次機能(p.196～207)の診察	○	○	○
PML	脳神経(p.8～61), 運動系(p.62～125), 反射(p.126～139), 感覚系(p.142～159), 小脳症状(p.174～185), 高次機能(p.196～207)の診察	○	○	○
プリオン病	脳神経(p.8～61), 運動系(p.62～125), 反射(p.126～139), 感覚系(p.142～159), 小脳症状(p.174～185), 高次機能(p.196～207)の診察	○	○	○

PML：進行性多巣性白質脳症

表3 眼底異常(乳頭浮腫)で考えられる疾患

考えられる疾患	鑑別に必要な検査・眼底検査以外に必要な診察	画像検査	髄液検査	その他
脳腫瘍	髄膜刺激症状の診察(p.190～193)	○		
脳膿瘍	髄膜刺激症状の診察(p.190～193)	○	○	
嗅溝髄膜腫 (Foster Kennedy症候群)	嗅覚, 眼底などの脳神経の診察(p.8～61)	○		
髄膜脳炎	髄膜刺激症状(p.190～193), 意識障害(p.210～222)の診察	○	○	
脳血管障害 (くも膜下出血, 脳浮腫と頭蓋内圧亢進を伴う病変)	髄膜刺激症状(p.190～193), 意識障害(p.210～222)の診察	○	○	
免疫異常 (Crow-Fukase症候群, サルコイドーシス)	脳神経(p.8～61), 運動系(p.62～125), 反射(p.126～139), 感覚系(p.142～159)の診察	○	○	

脳神経／第Ⅲ・Ⅳ・Ⅵ脳神経（動眼神経，滑車神経，外転神経）

診察の方法

瞳孔径，左右差，対光反射の診察

●瞳孔の観察にはあまり明るすぎる部屋や，暗い部屋は不適切である。通常の診察室であればあまり問題ないが，窓から日光が直接入る部屋での診察は不適当である。

●患者さんにはぼんやり部屋の遠くの壁を見つめるように指示する（調節・輻輳・近見反射；accommodation/convergence/near reflexを生じさせないため）。この時，まず検者は患者さんの眼瞼，眼位を観察するが，これについては次の「眼位，眼球運動」と「眼振」で述べる。

●瞳孔径は虹彩の外側からペンライトの光を眼球に対して接線方向で当てることで，対光反射を誘発しないようにして観察可能である。もちろん診察室の明るさによっては，直接瞳孔径を観察することも可能である。患者さんの瞳孔径を直接測定するための定規（Haabの瞳孔計）もあるが，慣れれば目視で瞳孔径をかなり正確に判定できる。

●対光反射を検査する。光刺激はやはり患者さんの外側から瞳孔に入れるようにする A-1。この時，1回目は光を当てた瞳孔の収縮を観察する（直接対光反射；direct light reflex）。2回目には，光を当てた瞳孔の対側も収縮を観察する（間接対光反射；indirect light reflexまたは共感性対光反射；consensual light reflex）。正常では，いずれも迅速（prompt）であるが，欠如（absent），緩徐（sluggish）は異常である。

A-1 対光反射の診察 OSCE

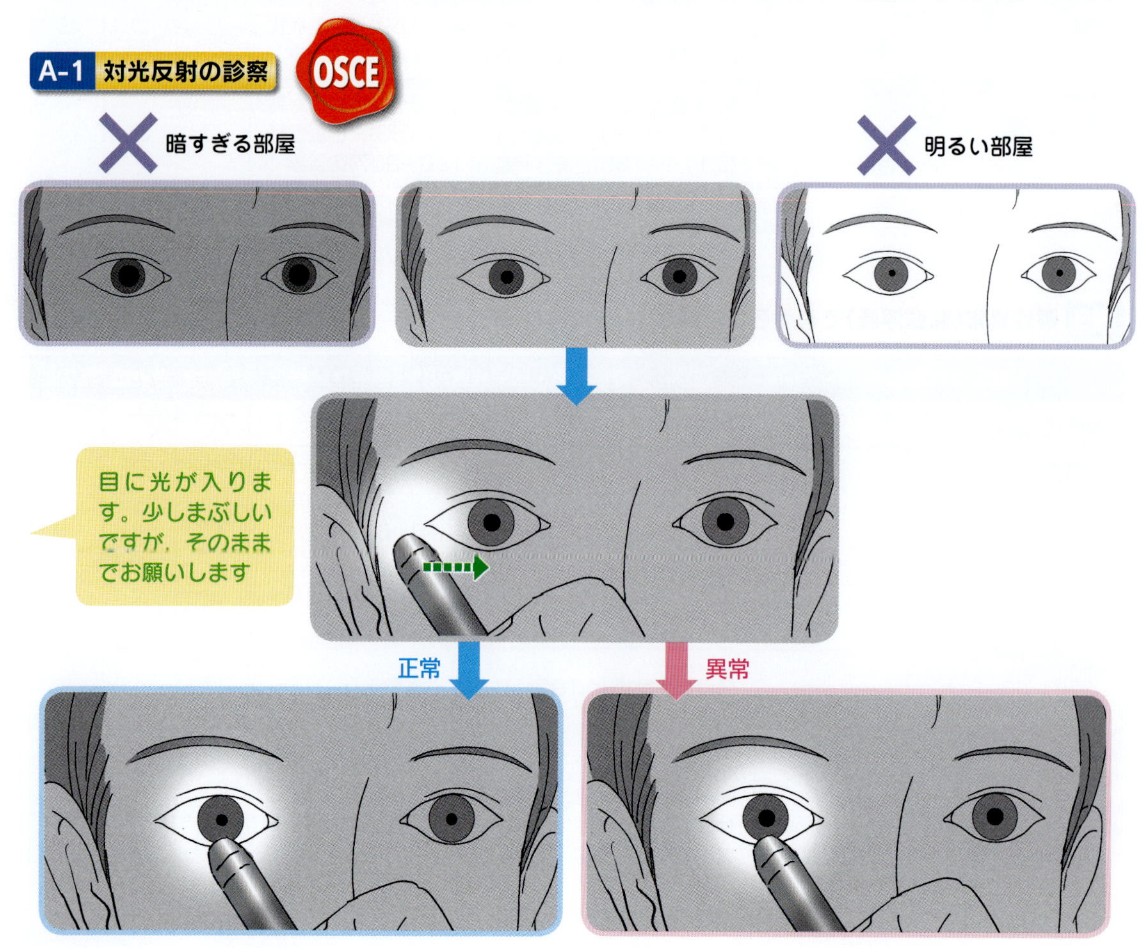

眼位，眼球運動の診察

●患者さんの顔(頭部)の回旋や傾きにも注意する。正常では顔は正面を向き水平である。回旋や傾斜は眼位の異常によって生じる複視を補正するための症候である可能性もある。

●左右の眼の水平，垂直方向へのずれを観察する。眼球の回旋性の異常も存在するが，視診で診断することは難しい。

●眼球運動は，患者さんの眼前50cmに検者は示指を出して，これを見つめさせ，次に顔を動かさずに指を追視するように指示する。まず左右に，続いて正中位で上下に動かす A-2。さらに両側方視で上下の眼球運動を観察する A-2。

A-2 眼球運動の観察 OSCE

左右・上下の4方向では，最終地点で指標の動きを止めて，眼振の有無を観察する。この時，同時に複視の有無を尋ねることが重要である。

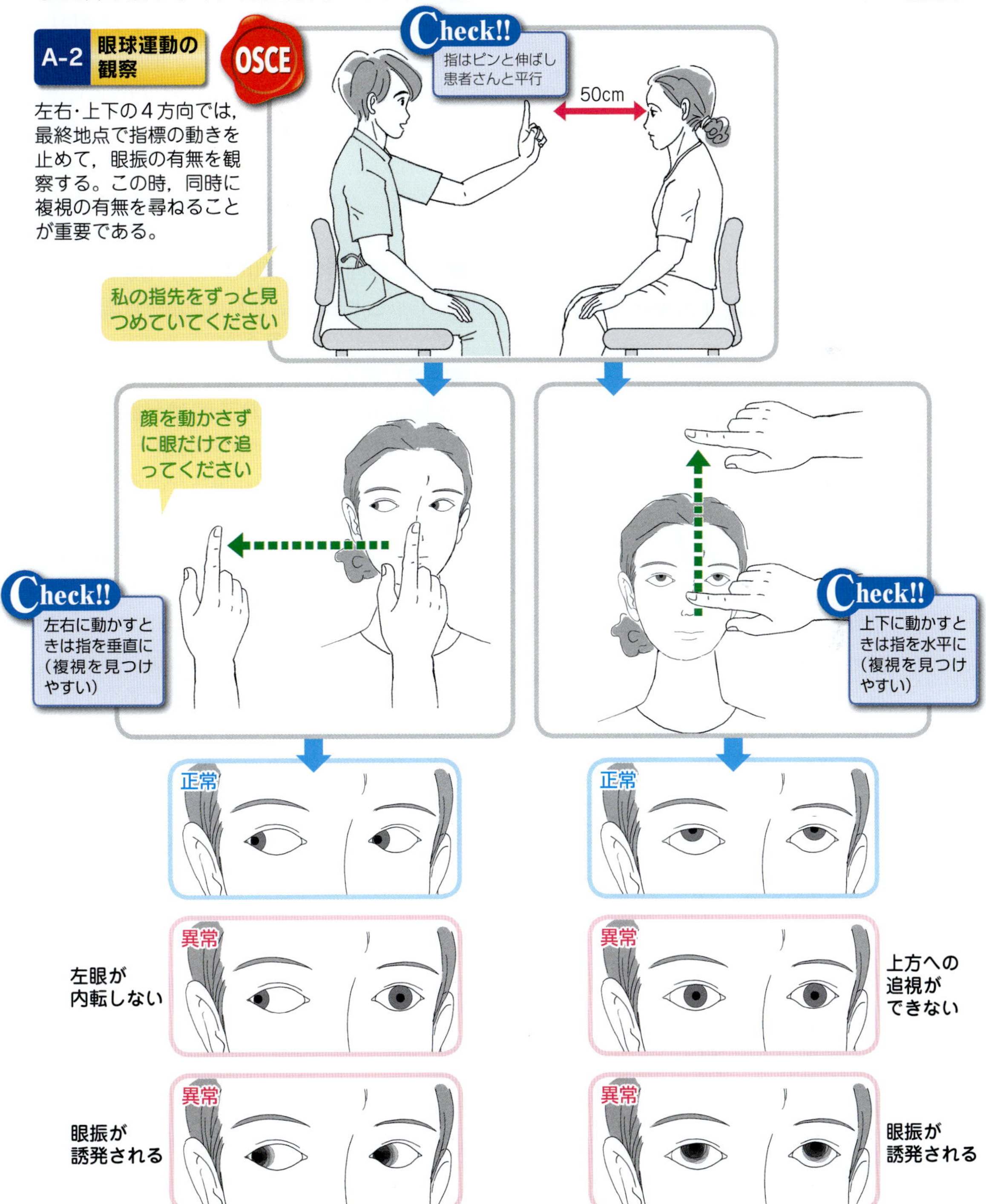

●それぞれの位置で1，2秒静止することで，眼振の有無を観察し，患者さんには複視（diplopia）の有無を問う。左右いずれかの眼に運動制限があれば記載するが，患者さんが複視を訴えていても運動制限がはっきり認められない場合には，遮閉試験を行う。複視がある際に複像は追視した方向でより遠い側の複像を見ている目の運動異常による A-3。複視が単眼視によって確実に消失することを確認することを忘れてはならない。患者さんによっては，単眼視であっても輪郭がシャープに見えないことを「二重に見える」と訴えている場合もある。

●輻輳についてはp.20で述べるが，複視によっては輻輳で軽減，消失する場合もある。逆に遠方視で増悪，改善する場合があるので確認する。

A-3 複視の真像と仮像の発現説明図

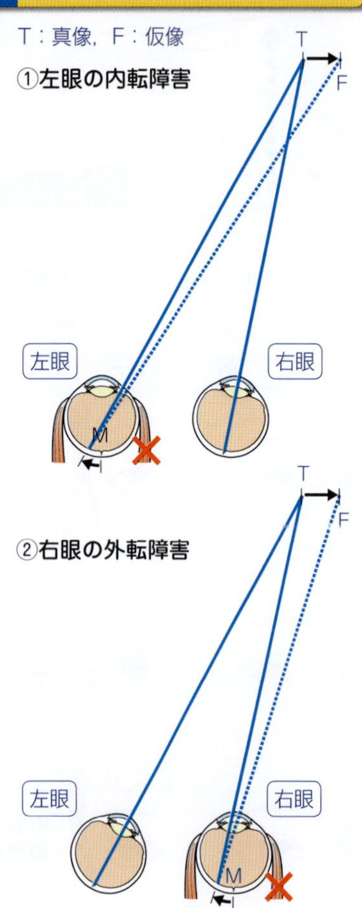

眼振の診察

●眼振が正面視で生じるもの，眼球運動に伴って発生するもの，特定の頭位によって誘発されるものなどがある A-4。

●眼振のベクトルの方向（水平性；horizontal，垂直性；vertical，斜行性；diagonal）と往復運動における速度の差を観察する。通常はいずれかの方向に急速相があり，他方に緩徐相がある（律動性眼振；jerky nystagmus）。左右に同様の速度で振動する場合には振子様眼振（pendular nystagmus）として扱う。類似する眼振にシーソー眼振（see-saw nystagmus）がある。

●眼振には回旋性要素（rotatory nystagmus）が加わることもあり，これらが水平性眼振と複合的に現れることもある。

●特殊な眼振として後退性眼振（retraction nystagmus）とよばれる眼球が眼窩内に，引き込まれるような視軸方向に沿った前後方向への運動が観察される場合がある。これは輻輳眼振（convergence nystagmus）と同時に現れることが多い（輻輳-後退性眼振；convergence-retraction nystagmus，p.26参照）。

●眼振の誘発される頭位にも注意を払う。

●眼振が単眼性であるか両眼性であるかを観察することも重要である。単眼性眼振の代表にMLF症候群に伴う解離性眼振（dissociation nystagmus）がある（p.26参照）。

A-4 注視眼振

方向：眼振急速相（quick phase）の方向を眼振方向とする（なしは○を記載）。

大きさ（眼振）：fine ⟶
medium ⟹
coarse ⭆

速度（頻度）：slow ⟶
medium ≻⟶
rapid ≫⟶

種類：
①水平性眼振（horizontal nystagmus） ← →
②垂直性眼振（vertical nystagmus） ↑ ↓
③回旋性眼振（rotatory nystagmus） ↶ ↷
④斜行性眼振（diagonal nystagmus） ↗ ↙ ↖ ↘
⑤水平回旋混合性眼振
⑥垂直回旋混合性眼振
⑦振子様眼振（pendular nystagmus） ⟷

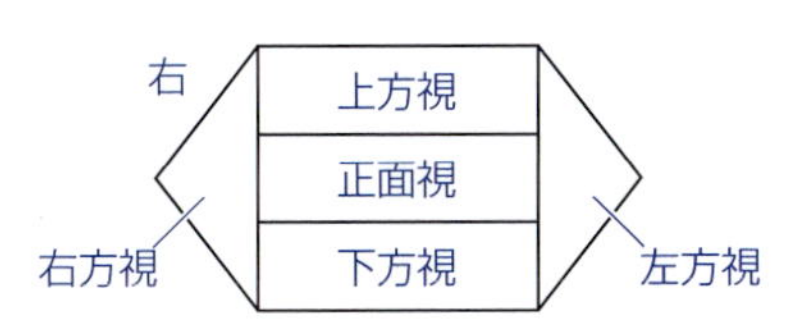

[記載例]

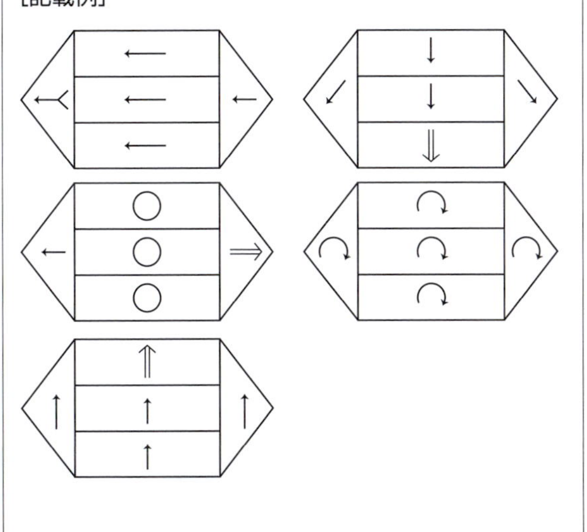

眼瞼下垂の診察

● 正面視で患者さんの眼瞼を観察する。上眼瞼の下縁は左右同じ高さにあり，瞳孔上縁にかかることはない。もしもかかっていれば異常（眼瞼下垂；ptosis）である。しかし患者さんによってはもともとの場合もあるため，患者さん自身が自覚しているか，あるいは他人から指摘されたことはないかなどを確認するとよい。

● 眼瞼下垂がある場合には，前頭筋や眉の様子にも注意を払う。眉を異常に吊り上げたり，額にしわをよせている状態は開眼失行（apraxia of lid-opening）を示す可能性がある。また，眼瞼が完全に閉じており，しかも眼瞼に力が入ってしかめ面になっている場合には，眼瞼けいれん（blepharospasm），Meige症候群の可能性がある（p.27参照）。

● 上眼瞼のみならず下眼瞼にも注意を払う。下眼瞼が挙上し，全体として瞼裂が狭小化している場合にはHorner症候群を疑う（A-5，p.22参照）。

A-5 左Horner症候群

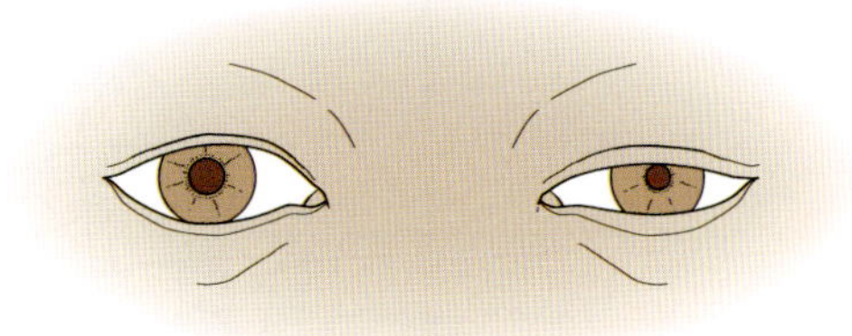

調節反射，輻輳反射，近見反射の診察

●患者さんには眼前約50cmに差し出した検者の指先を見つめるように指示する。その後ゆっくりと指を患者さんの鼻先15cmに近づけることで輻輳と近見視を誘発する A-6。指先では輻輳が誘発できない場合には，実際に紙に書かれた文字を読ませて輻輳を誘発する。

●近見視では輻輳時に伴う両側の内直筋の収縮と，調節反射としての瞳孔径の縮小が同時に起こる。さらに近見視のためのレンズの厚みを増す反応も生じているが，外観からは判定できない。これらはそれぞれが原因や結果というより，大脳を中枢とする近見視の諸反応が同時に表出された結果と考えられる。観察するべきポイントは，輻輳とともに縮瞳が生じるか否かである。

A-6 調節反射，輻輳反射の検査 OSCE

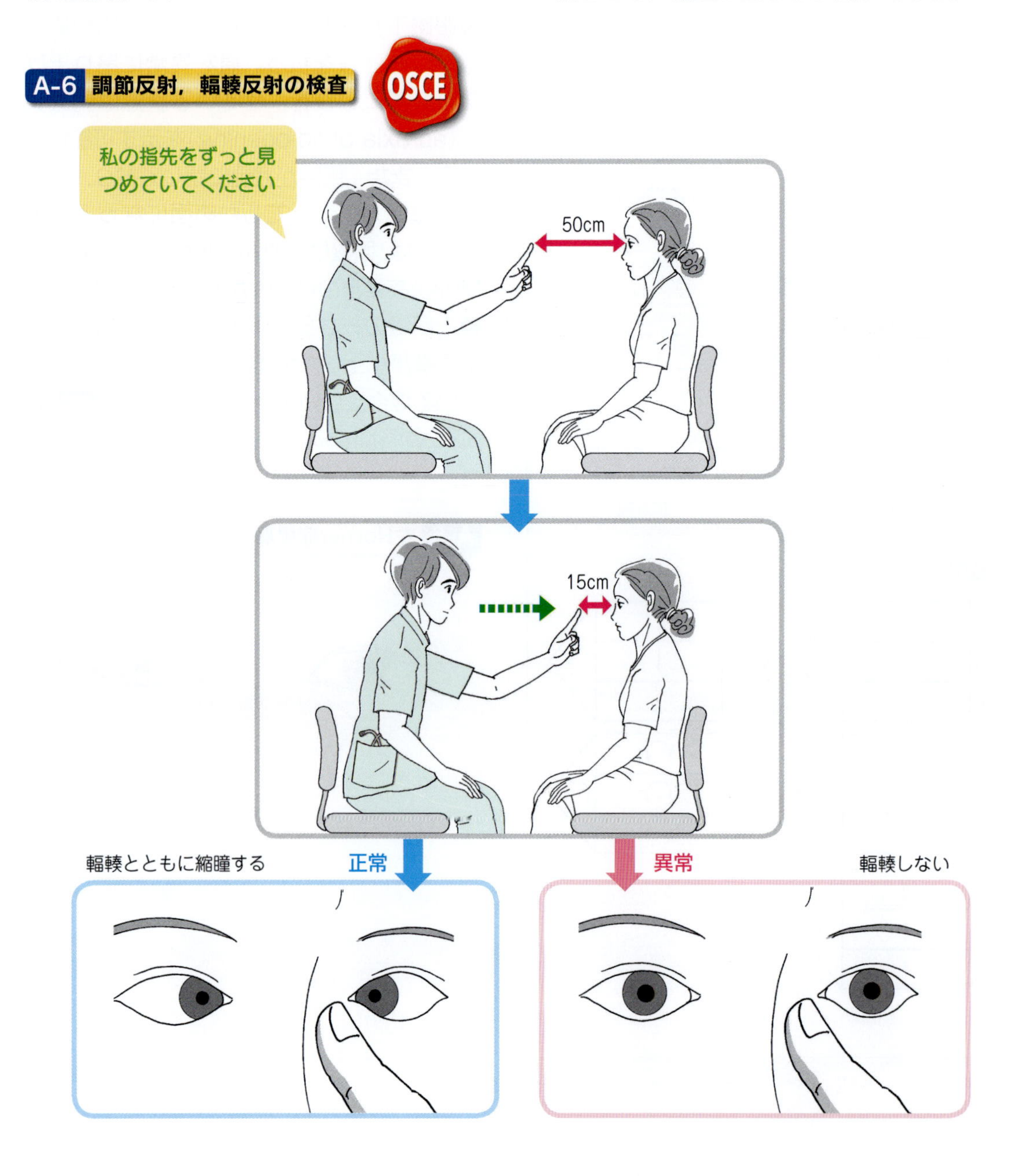

診断プロセスからみる第Ⅲ・Ⅳ・Ⅵ脳神経の異常

病巣部位

瞳孔

p.16「瞳孔径，左右差，対光反射の診察」，
p.20「調節反射，輻輳反射，近見反射の診察」参照

瞳孔径は，支配神経である交感神経(散瞳機能)と副交感神経(縮瞳機能)のバランスで決まる。異常な散瞳は交感神経機能の亢進か，副交感神経の機能低下であるが，これだけでは判別できない。また通常の室内の明るさで瞳孔径2mm以下の縮瞳(miosis，B-1①)，5mm以上の散瞳(mydriasis，B-1②)，は絶対的な異常である。正常の瞳孔径の左右差は0.5mm以下である。顔の片側が明るい診察室では窓に近い目の瞳孔がやや縮瞳していることもある。左右の瞳孔径に2mm以上の差があれば明らかに異常であり，瞳孔不同(anisocoria，B-1③)と考える。

瞳孔交感神経B-2は，視床下部からの交感神経の下行路(一次ニューロン)が同側性に脳幹網様体部を下行した後，第1，2胸髄(Th1，2)の毛様体脊髄中枢(Budge)に至りシナプスを作る。二次ニューロンは傍脊髄交感神経節の1つである上頸部交感神経節でシナプスを作る(節前線維)。その後，三次

B-1 瞳孔

①**縮瞳**：miosis(≦2mm)

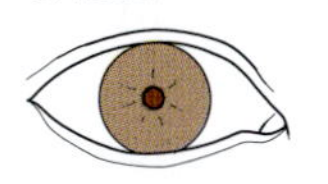
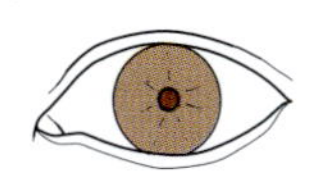

②**散瞳**：mydriasis(≧5mm)

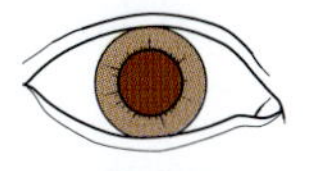
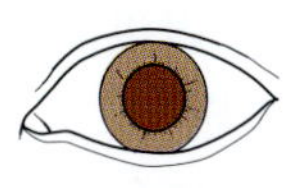

③**瞳孔不同**：anisocoria(≧0.5mm)

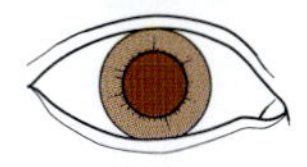
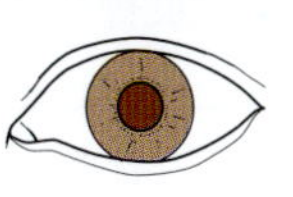

④**瞳孔偏倚**：corectopia

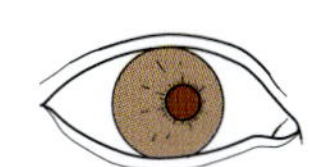
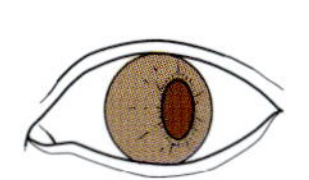

B-2 瞳孔を支配する交感神経の走行

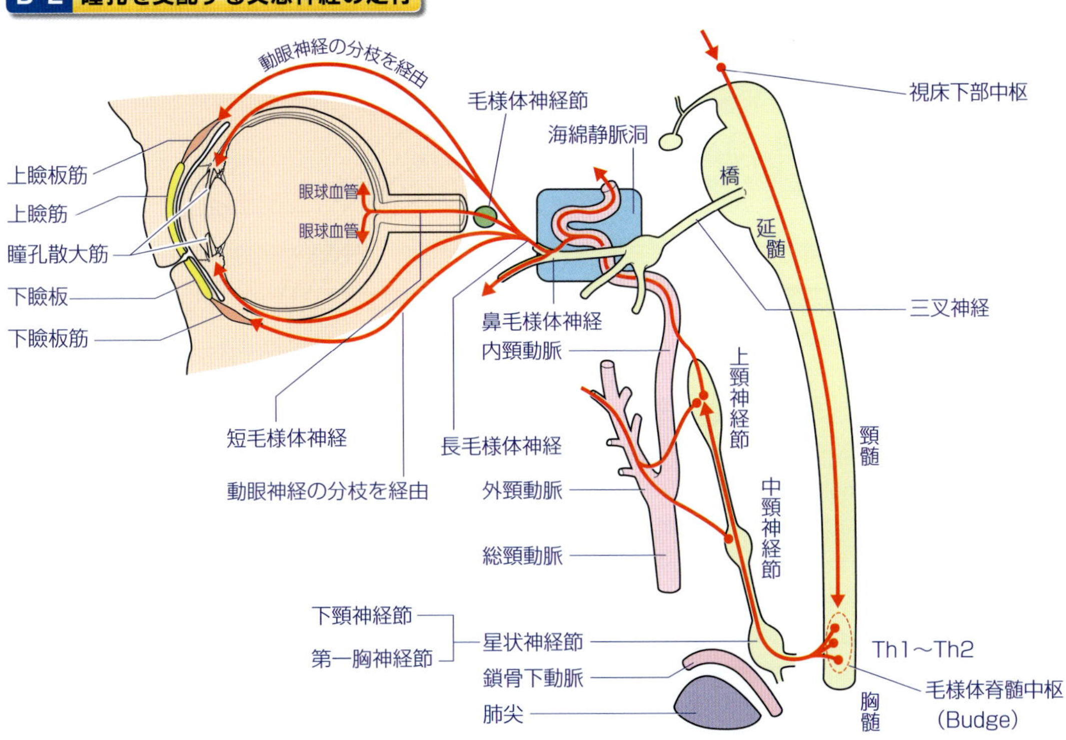

ニューロンは内頸動脈の周囲に巻きつくようにして頭蓋内に入り眼窩に至る。その後，長毛様体神経（long ciliary nerve）として瞳孔散大筋を支配する。これらの経路が障害されると瞳孔は縮瞳し，瞼裂は狭小化する（Horner症候群）。

副交感神経線維 B-3 は，中脳上丘の動眼神経核の近傍にあるEdinger-Westphal核に起始する。この線維は動眼神経とともに走行し，毛様体神経節（ciliary ganglion）でシナプスを形成後，短毛様体神経（short ciliary nerve）として瞳孔括約筋を支配する。末梢の動眼神経内を走行する際，副交感神経線維はその周辺部を通るため，外部からの圧迫（動脈瘤など）により障害されやすい。逆に糖尿病に合併する神経栄養血管障害などによる動眼神経麻痺では瞳孔機能は保たれる（pupillary sparing ophthalmoplegia）。

瞳孔形の異常にも留意する。正常の瞳孔は正円である。白内障手術後の不整形瞳孔にはよく遭遇する。縦長の楕円瞳孔（oval pupil） B-1④ は中脳病変による動眼神経核の部分的な障害による括約筋の部分麻痺による。瞳孔は通常虹彩の中心にあるが，偏倚（へんい）*する場合がある（瞳孔偏倚；corectopia） B-1④。これも中脳背側病変を示すとされる。対光反射は，網膜への光刺激が視神経を経由して外側膝状体に至る直前で分岐し中脳に入ることで起こる。中脳視蓋前域（核）（pretectal area (nucleus)）でシナプスを形成し，両側のEdinger-Westphal核に線維連絡を送るため，片眼への光刺激は両側性の縮瞳を起こす B-3。輻輳調節反射についてはp.27で述べる。

＊：偏倚とは一側に偏ること

眼位と眼球運動

p.17「眼位，眼球運動の診察」，p.18「眼振の診察」，p.20「調節反射，輻輳反射，近見反射の診察」参照

眼球運動は，眼球に付着する6つの外眼筋によって生じる。動眼神経支配の上直筋（superior rectus muscle），内直筋（medial rectus muscle），下直筋（inferior rectus muscle），下斜筋（inferior oblique muscle），滑車神経支配の上斜筋（superior oblique muscle），外転神経支配の外直筋（lateral rectus muscle）である。それぞれの収縮によって起こる眼球運動は B-4 のとおりである。水平方向での左右は支配筋が単独であり理解しやすいが，正面視における上

B-3 対光反射の経路

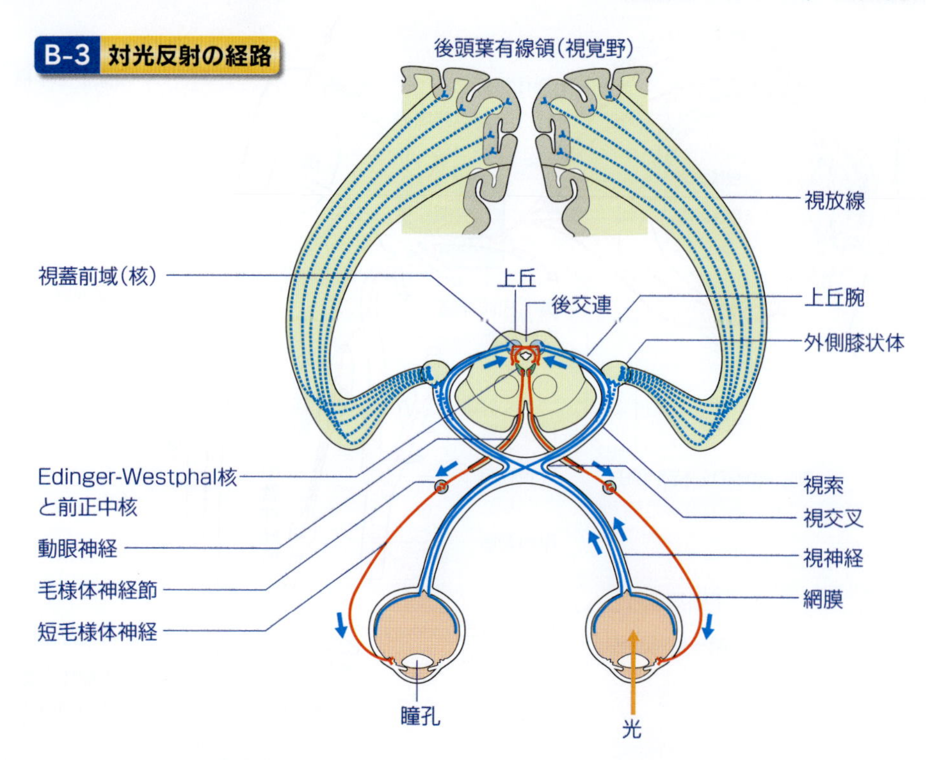

方視は上直筋と下斜筋の共同作用であること，下方視は下直筋と上斜筋の共同作用であることに留意する。これらを単独筋による運動に分離するためには，左右の側方視において上下への眼球運動を観察する。すなわち，内転時に上方は下斜筋，下方は上斜筋が，外転時に上方は上直筋，下方は下直筋が作動する。また，筋の収縮は反対方向への運動を起こす筋の弛緩と連動するが，時にこの弛緩制限のため，収縮筋の筋力低下と見誤る可能性もあることに注意すべきである。

滑車神経核からの線維は中脳背側部の髄内で交叉し，対側の上斜筋を支配する。上斜筋の作用は眼球の内転時の下方への運動である。外転時には眼球を内方回旋（内捻；intorsion）させるベクトルのみをもつ。これらから滑車神経障害の有無を診断する。動眼神経麻痺時には内転が不能のため，外転させた眼位で下方を見させるよう指示し，この時に内方回旋が生じるか否かで判定する。滑車神経麻痺では患側眼の内方回旋ができず，眼球は外旋位をとる。その結果，患者さんは複視を軽減させようとして健常側に頸部を傾けて下顎を引いた代償性頭位をとる。頸部を故意に患側に傾けた際には，眼球の内捻を惹起させようとして，その作用を有する上転筋が自然に収縮してしまうために患側眼は上転する。これをBielschowskyの頭部傾斜試験（Bielschowsky's head-tilting test）という B-5 。

側方視では片眼の内転と他眼の外転が連動する。この場合，随意的命令は前頭葉の前頭眼野（frontal eye field：FEF）から交叉性に橋下部の傍正中橋網様体（paramedian pontine reticular formation：PPRF）に伝達

B-4 正常眼球運動と働く眼筋

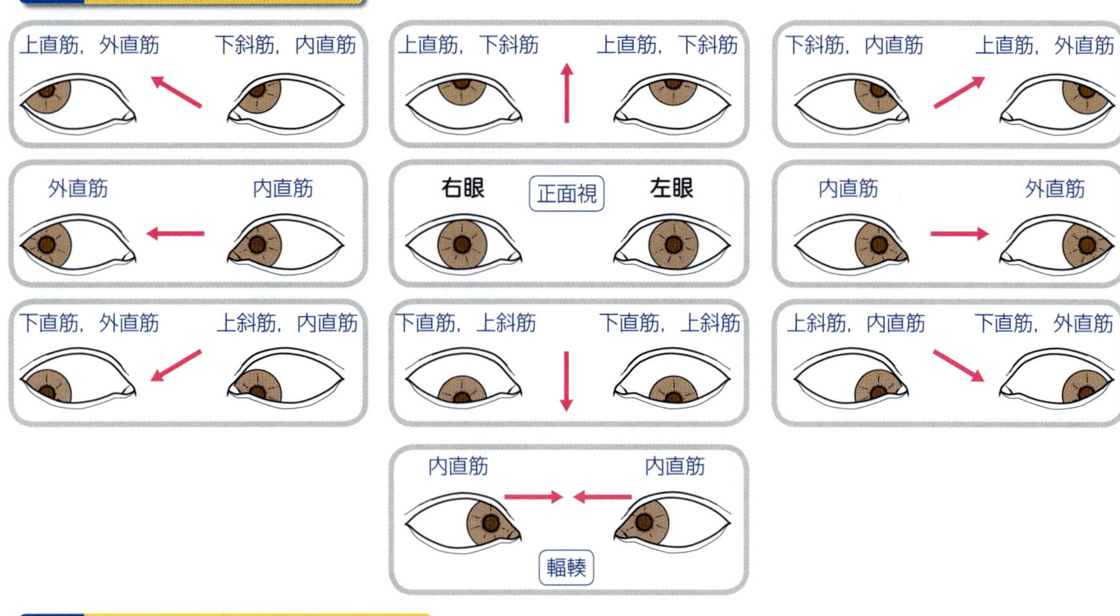

B-5 Bielschowskyの頭部傾斜試験

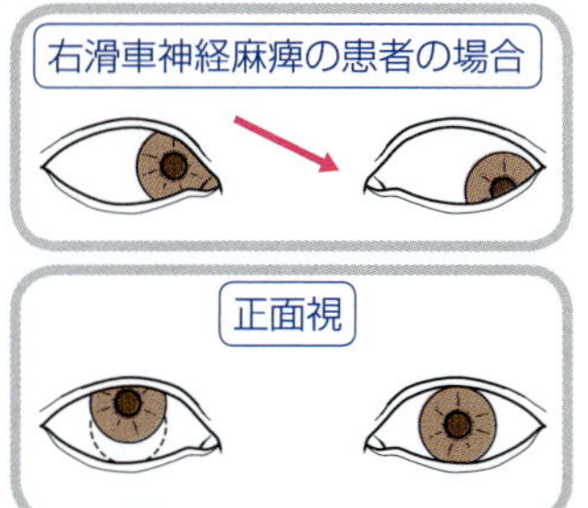

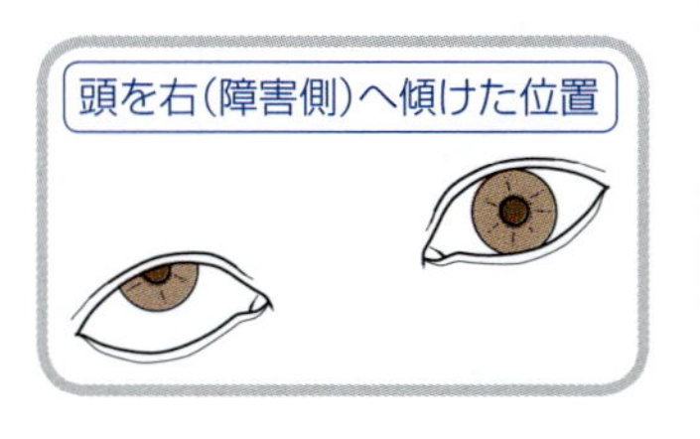

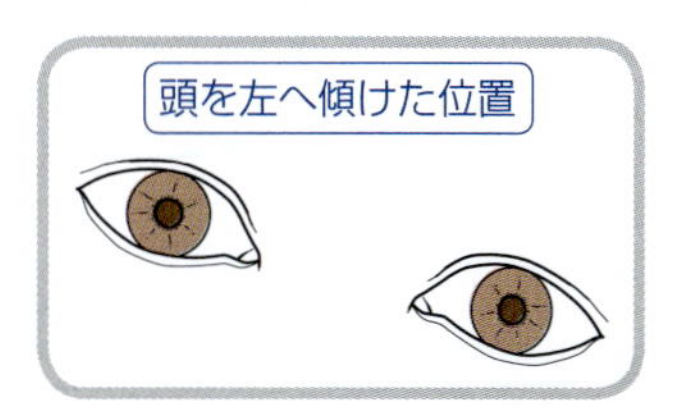

される。PPRFは同側の外転神経核に近接し，ただちに同側眼の外転を生じるが，反対側の眼の内転は外転神経核亜核から交叉性に再び上行する内側縦束（medial longitudinal fasciculus：MLF）による中脳動眼神経核への入力によって起こる B-7。以上よりまず側方視の障害がある場合には，注視麻痺側の対側前頭葉から麻痺側PPRFへの障害が想定される。この交叉部は中脳下丘レベルとされる。もし，注視時に外転眼に外向き眼振が観察され（解離性眼振；dissociated nystagmus），内転眼が正中より内側に移動しない場合には，MLFの障害に特徴的である（MLF症候群，核間性眼筋麻痺；internuclear ophthalmoplegia：INO）B-8，9。この場合，内転できない目が右であれば，右MLF症候群とよぶ。MLFの障害は内直筋や動眼神経核以下の末梢神経障害ではないため，輻輳は可能である。MLF症候群では内転の障害眼の眼位がやや高い斜偏視（skew deviation）となる。斜偏視は脳幹病変の非特異的な所見であるが，MLF症候群においては障害側の眼が高位であるという特徴がある。

PPRFの障害でも側方注視麻痺が生じる。この場合には反対側のtonic impulseによって，眼球は健側に共同偏視する。PPRFと同時に同側のMLFが障害されると内転も障害されるため，反対側の片眼にのみ外斜視が出現し（麻痺性橋性外斜視；aralytic potine exotropia），患眼は左右いずれにも動かず，健眼の外転のみ可能である（一眼半水平注視麻痺症候群；one-and-a-half syndrome B-10）。この時，外転眼には注視方向性眼振を認める。左右のMLFは正中部を近接して走行するため両側性MLF症候群を生じることもある。通常は輻輳可能であるが，病変が中脳に近い場合には輻輳麻痺を伴うこともある。眼位は両眼性外斜視となる（WEBINO症候群；wall-eyed bilateal internuclear ophthalmoplegia）。

B-6 上斜筋の作用

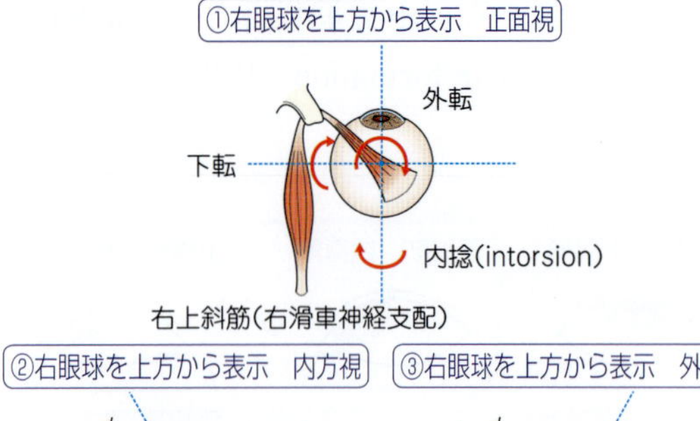

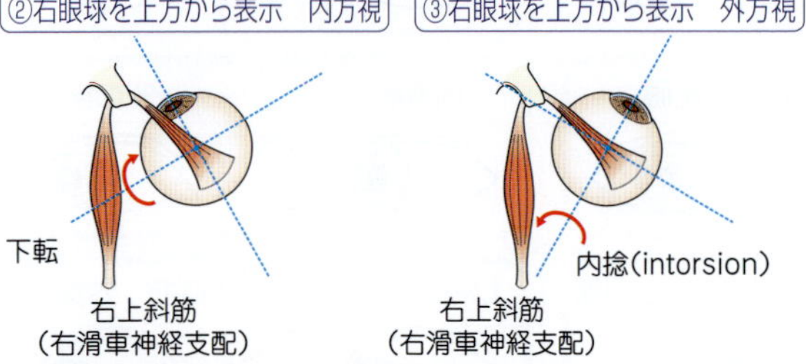

B-7 左方注視のメカニズム

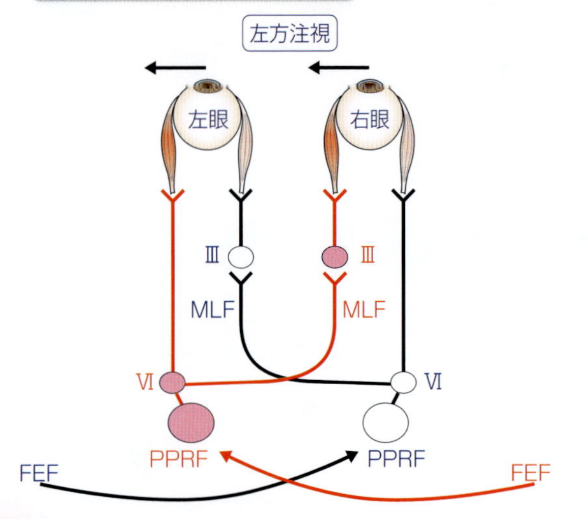

B-8 右MLF症候群の左方注視時の障害メカニズム

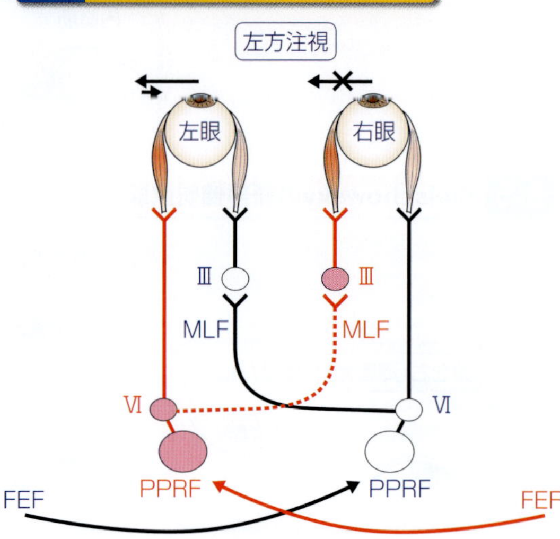

症例にチャレンジ

次の症例の病巣はどのように考える？
正面視における眼位は正常，
右方視は正常，
左方視は，右眼；内転不能，左眼；外転可能だが，注視方向性眼振を認める。
輻輳可能。

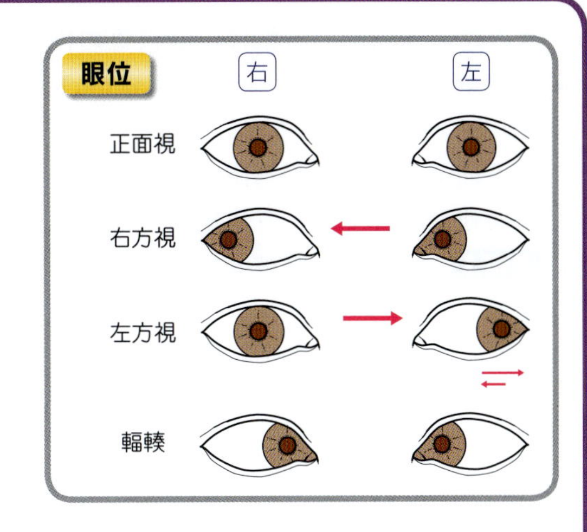

解答と解説

右眼の内転障害が主な症状である。これは本文中および症例3（p.255）で説明した右MLFの障害 B-9，10 で起こり，MLF症候群とよばれる。なお，左眼で外転時に出現する注視方向性眼振のメカニズムはよくわかっていない。

B-9 眼球水平共同運動（側方注視）の神経経路とMLF症候群

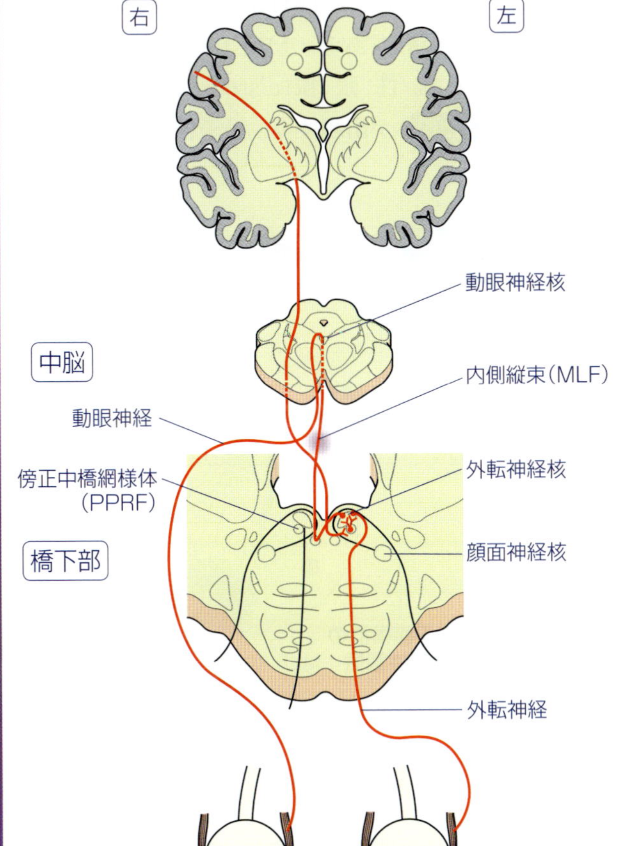

B-10 右one-and-a-half症候群

右MLFに加え，右PPRFが障害されると one-and-a-half 症候群となり，右眼は左右方向とも水平運動不能となり，左眼の外転のみ可能となる。

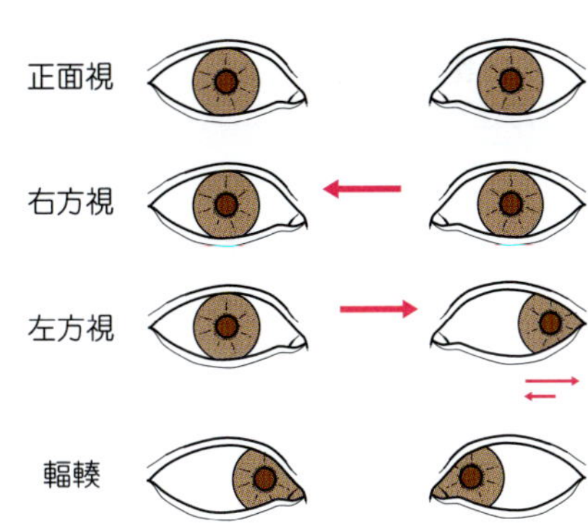

垂直性眼球運動の中枢は中脳被蓋の内側縦束吻側介在核（rostral interstitial nucleus of MLF：riMLF）にある。この部分の障害で上下方向での眼球運動制限が生じるが，特に後交連の障害では上方注視障害が出現する B-11 。同じく中脳被蓋病変で輻輳麻痺が生じることがあるが，その正確な責任病巣は不明である。垂直性眼球運動障害と輻輳麻痺の合併をParinaud症候群とよぶ。松果体腫瘍による中脳被蓋への圧迫などで生じる。輻輳中枢が刺激性に作動（輻輳れん縮；convergence spasm）すると眼位は輻輳位に固定し，開散麻痺（divergence palsy）となる。この場合には両側の外転神経麻痺と見誤る可能性があり，偽性外転神経麻痺（pseudo abducens palsy）とよぶ。類似の病態として視床出血などでは，自分の鼻先を見つめるような眼位異常が認められる。開散麻痺もしくは輻輳れん縮では眼前の近くのものを見る時には複視がなく，遠くを見る場合には全方向性の複視を生じる。また複像の離れ方が，近くを見る時と遠くを見る時で異なる特徴がある。この点は全方向性に複視を生じる両側滑車神経麻痺の場合との鑑別になる。

眼振

p.18「眼振の診察」参照

眼振は正面視ででも左右側方視ででも常に一定方向に急速相があれば通常は末梢性病変を考える（定方向性眼振；unidirectional nystagmus）。両側方視でそれぞれの注視方への眼振を認めれば中枢性病変を考える（注視方向性眼振；gaze-directional nystagmus）。垂直性眼振のなかで，上向き眼振（up-beat nystagmus，B-12①）は病変部位に特異的ではないが，下向き眼振（down-beat nystagmus，B-12②）は延髄脊髄移行部の病変に特異性が高い。左右の注視方向性眼振のうち，一側への注視では振幅が大きく低頻度，反対側注視では振幅が小さく高頻度のものをBruns眼振 B-12③ とよぶ。小脳橋角部腫瘍などでみられ，振幅大の側に病巣がある。特殊な眼振として，シーソー眼振（see-saw nystagmus，B-12④）や輻輳-後退性眼振（convergence-retraction nystagmus，B-12⑤）がある。MLF症候群（p.24参照）では解離性眼振（dissociated nystagmus，B-12⑥）が出現する。振子様眼振（pendular

B-11 上方注視障害のメカニズム

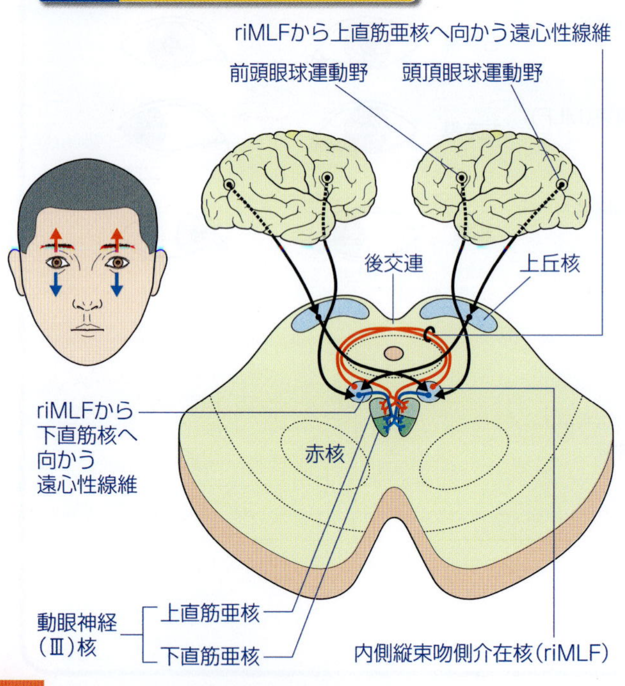

B-12 眼振の病巣

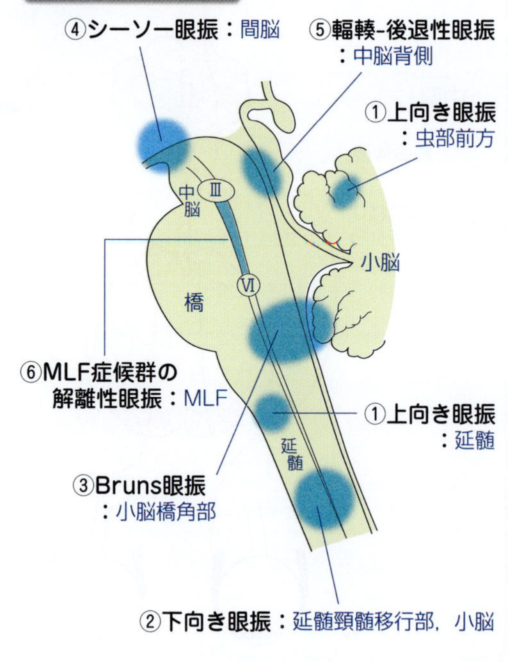

nystagmus)は先天性にみられることが多く，病巣診断的な意義は少ない。

橋出血など，橋の広範な病変では，両側の眼球の急速な沈下に続きゆっくりと元に戻る眼球浮き運動(ocular bobbing)が生じる。逆に，ゆっくりと沈下し急速に戻る眼球沈み運動(ocular dipping)は低酸素脳症にみられる。意識障害患者では眼球が左右にゆっくり動くことがあり(眼球彷徨)，脳幹病変がないことを示すとされる。

眼瞼下垂

p.19「眼瞼下垂の診察」参照

上眼瞼が下垂する原因には，皮膚の弛緩，上眼瞼挙筋(動眼神経支配)やMüller筋(交感神経支配)の麻痺などの可能性がある B-13。麻痺には筋疾患，神経筋接合部疾患の可能性もある。動眼神経核のうち，左右の上眼瞼挙筋を支配する亜核は正中部に近接するため，この部分の障害で両側性眼瞼下垂が生じる(midbrain ptosis)。眼瞼下垂と鑑別すべき病態には，眼瞼けいれん(blepharospasm)と開眼失行(apraxia of lid-opening)がある。眼瞼けいれんは眼瞼の下垂というより，非常に強い閉眼状態を示し時にしかめ面となるので判別は容易である。開眼失行では前頭筋の異常な収縮があり，患者さんは目を開けようとして，眉を吊り上げた特有の顔つきとなる。病巣は大脳を含めた顔面神経に至る中枢性病変と推定される。

調節反射，輻輳反射

p.20「調節反射，輻輳反射，近見反射の診察」参照

輻輳と随意的な近見によって誘発される縮瞳反応である。対光反射では縮瞳が誘発されず，調節・輻輳・近見で誘発されるのであれば病巣診断的価値がある。すなわち対光反射の経路は中脳視蓋前域(核)からEdinger-Westphal核を経由するが，調節・輻輳・近見反射には中脳視蓋前域(核)は関与しないため，この近傍に病巣があると対光反射は失われるが，輻輳による縮瞳反応は保たれる。これはArgyll-Robertson瞳孔 B-14 とよばれ，瞳孔自体は縮瞳していることが多く，神経梅毒に特徴的に出現する。逆に調節・輻輳・近見反射が消失し，対光反射が保たれる場合には，逆Argyll-Robertson瞳孔とよばれる。病巣部位は不明であるがジフテリアなどでみられる。

B-13 瞳孔および眼瞼を支配する自律神経の走行

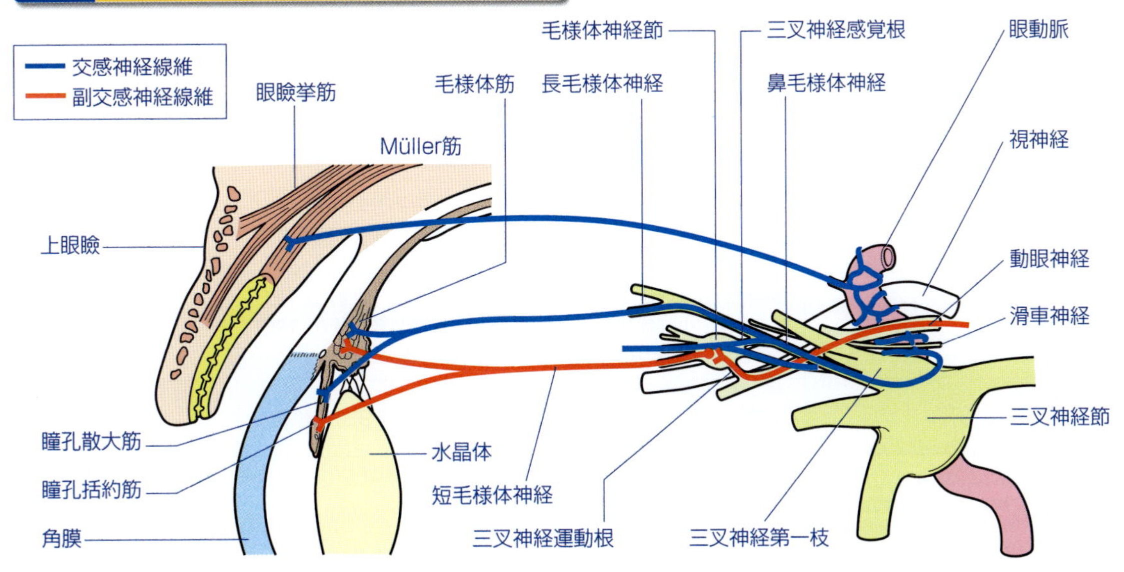

B-14 Argyll-Robertson瞳孔

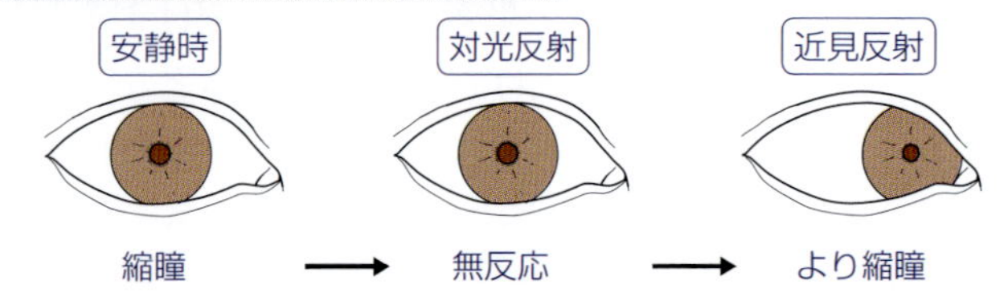

考えられる疾患，鑑別に必要な検査

表1 瞳孔径，対光反射の異常で考えられる疾患

考えられる疾患	鑑別に必要な検査・瞳孔径，左右差，対光反射以外に必要な診察	画像検査	髄液検査	その他
脳血管障害（Weber症候群，Benedikt症候群）	脳神経（p.8～61），運動系（p.62～125），反射（p.126～139），感覚系（p.142～159），小脳症状（p.174～185）の診察	○		
橋出血：pin-point pupil	脳神経（p.8～61），運動系（p.62～125），反射（p.126～139），感覚系（p.142～159），小脳症状（p.174～185），意識障害（p.210～222）の診察	○		
内頸動脈-後交通動脈分岐部（IC-PC）動脈瘤	眼位，眼球運動，眼瞼下垂などの脳神経の診察（p.16～30）	○		
自律神経ニューロパチー（糖尿病性，アルコール，アミロイドーシス，GBS）	脳神経（p.8～61），運動系（p.62～125），反射（p.126～139），感覚系（p.142～159）の診察		○	○
鉤ヘルニアを伴う頭蓋内占拠性病変	脳神経（p.8～61），運動系（p.62～125），反射（p.126～139），髄膜刺激症状（p.190～193），意識障害（p.210～222）の診察	○		
多系統萎縮症（Shy-Drager症候群）：交代性Horner症候群	脳神経（p.8～61），運動系（p.62～125），反射（p.126～139），感覚系（p.142～159），小脳症状（p.174～185），高次機能（p.196～207）の診察	○		○
神経梅毒：Argyll-Robertson瞳孔	脳神経（p.8～61），運動系（p.62～125），反射（p.126～139），感覚系（p.142～159），小脳症状（p.174～185），高次機能（p.196～207）の診察	○	○	
ボツリヌス中毒	脳神経（p.8～61），運動系（p.62～125），反射（p.126～139），感覚系（p.142～159），小脳症状（p.174～185），高次機能（p.196～207）の診察			○
薬物中毒	脳神経（p.8～61），意識障害（p.210～222）の診察			○
Adie症候群	脳神経（p.8～61），反射（p.126～139）の診察			○
Fisher症候群	脳神経（p.8～61），運動系（p.62～125），反射（p.126～139），小脳症状（p.174～185），髄膜刺激症状（p.190～193），意識障害（p.210～222）の診察	○	○	○
群発頭痛，TACs：Horner症候群	脳神経（p.8～61），髄膜刺激症状（p.190～193）の診察	○	○	○

GBS：Guillain-Barré症候群
TACs：三叉神経・自律神経性頭痛

表2 眼位，眼球運動の異常で考えられる疾患

考えられる疾患	鑑別に必要な検査・眼位，眼球運動以外に必要な診察	画像検査	髄液検査	その他
脳血管障害（テント上下病変）：共同偏視，種々の眼球運動障害	脳神経（p.8～61），運動系（p.62～125），反射（p.126～139），感覚系（p.142～159），小脳症状（p.174～185），高次機能（p.196～207），意識障害（p.210～222）の診察	○		
てんかん：共同偏視	脳神経（p.8～61），運動系（p.62～125），反射（p.126～139），感覚系（p.142～159），小脳症状（p.174～189），高次機能（p.196～207），意識障害（p.210～222）の診察	○		○
脳血管障害（視床出血）：thalamic eye	脳神経（p.8～61），感覚系（p.142～159），意識障害（p.210～222）の診察	○		
松果体腫瘍：Parinaud症候群	脳神経（p.8～61）の診察	○		
進行性核上麻痺：垂直性眼球運動障害	脳神経（p.8～61），運動系（p.62～125），高次機能（p.196～207）の診察	○	○	○
外眼筋炎	脳神経（p.8～61），運動系（p.62～125）の診察	○	○	○
甲状腺機能亢進症	脳神経（p.8～61），運動系（p.62～125），反射（p.126～139），意識障害（p.210～222）の診察	○		○
眼筋ミオパチー	脳神経（p.8～61），運動系（p.62～125）の診察	○		○
ミトコンドリア脳筋症（CPEO，KSS）	眼底などの脳神経（p.8～61），運動系（p.62～125）の診察	○	○	○
重症筋無力症，LEMS	脳神経（p.8～61），運動系（p.62～125），反射（p.126～139）の診察			○
多発脳神経麻痺	脳神経（p.8～61），髄膜刺激症状（p.190～193）の診察	○	○	○
海綿静脈洞症候群	脳神経（p.8～61），髄膜刺激症状（p.190～193）の診察	○	○	
Tolosa-Hunt症候群	視力，眼位，眼球運動などの脳神経（p.8～61），髄膜刺激症状（p.190～193）の診察	○	○	
Fisher症候群	脳神経（p.8～61），運動系（p.62～125），反射（p.126～139），小脳症状（p.174～184），髄膜刺激症状（p.190～193），意識障害（p.210～222）の診察	○	○	○
Wernicke脳症	脳神経（p.8～61），小脳症状（p.174～185），高次機能（p.196～207），意識障害（p.210～222）の診察	○	○	○
多発性硬化症	眼底（p.10～11），脳神経（p.8～61），運動系（p.62～125），反射（p.126～139），感覚系（p.142～159），小脳症状（p.174～185）の診察	○	○	
片頭痛	脳神経（p.8～61），髄膜刺激症状（p.190～193）の診察	○	○	○

CPEO：慢性進行性外眼筋麻痺
KSS：Kearns-Sayre症候群
LEMS：Lambert-Eaton症候群

表3 眼振で考えられる疾患

考えられる疾患	鑑別に必要な検査・眼振以外に必要な診察	画像検査	髄液検査	その他
Ménière病，前庭神経炎	聴覚などの脳神経（p.8〜61），小脳症状（p.174〜185）の診察			
良性発作性頭位性めまい	聴覚などの脳神経（p.8〜61），小脳症状（p.174〜185）の診察			
脳血管障害（小脳，脳幹）	脳神経（p.8〜61），運動系（p.62〜125），反射（p.126〜139），感覚系（p.142〜159），小脳症状（p.174〜185），意識障害（p.210〜222）の診察	○		
多発性硬化症	眼底（p.10〜11），脳神経（p.8〜61），運動系（p.62〜125），反射（p.126〜139），感覚系（p.142〜159），小脳症状（p.174〜185）の診察	○	○	
小脳炎	小脳症状（p.174〜185），髄膜刺激症状（p.190〜193），意識障害（p.210〜222）の診察	○	○	○
脳幹脳炎	脳神経（p.8〜61），運動系（p.62〜125），反射（p.126〜139），感覚系（p.142〜159），小脳症状（p.174〜185），髄膜刺激症状（p.190〜193），意識障害（p.210〜222）の診察	○	○	○
小脳橋角部腫瘍（聴神経鞘腫，髄膜腫）	眼振，聴覚検査などの脳神経（p.8〜61），小脳症状（p.174〜185）の診察	○		
中脳水道症候群	眼位，眼球運動（p.17〜18），脳神経（p.8〜61），髄膜刺激症状（p.190〜193）の診察	○		
脊髄小脳変性症	脳神経（p.8〜61），運動系（p.62〜125），反射（p.126〜139），小脳症状（p.174〜185），高次機能（p.196〜207）の診察	○	○	○
Arnold-Chiari奇形	脳神経（p.8〜61），小脳症状（p.174〜185），反射（p.126〜139）の診察	○		

表4 眼瞼下垂で考えられる疾患

考えられる疾患	鑑別に必要な検査・眼瞼下垂以外に必要な診察	画像検査	髄液検査	その他
内頸動脈-後交通動脈分岐部（IC-PC）動脈瘤	眼位，眼球運動などの脳神経（p.8〜61），髄膜刺激症状（p.190〜193）の診察	○		
DM性動眼神経麻痺	脳神経（p.8〜61），運動系（p.62〜125），反射（p.126〜139），感覚系（p.142〜159）の診察	○		○
脳血管障害：midbrain ptosis	脳神経（p.8〜61），運動系（p.62〜125），反射（p.126〜139），感覚系（p.142〜159），意識障害（p.192〜202）の診察	○		
ミオパチー（筋炎，筋ジストロフィー）	脳神経（p.8〜61），運動系（p.62〜125），反射（p.126〜139）の診察	○		○
重症筋無力症，LEMS	脳神経（p.8〜61），運動系（p.62〜125），反射（p.126〜139）の診察	○		○

DM：糖尿病

表5 調節反射，輻輳反射の異常で考えられる疾患

考えられる疾患	鑑別に必要な検査・調節反射，輻輳反射以外に必要な診察	画像検査	髄液検査	その他
ジフテリア：逆Argyll-Robertson瞳孔	脳神経（p.8〜61），運動系（p.62〜125），反射（p.126〜139），感覚系（p.142〜159）の診察	○	○	○
松果体腫瘍：Parinaud症候群	眼球運動などの脳神経系（p.8〜61）	○		

脳神経／第Ⅴ脳神経(三叉神経)

診察の方法

顔面の触覚，温痛覚の診察

●患者さんの顔面の三叉神経支配領域ごと，すなわち第一(眼神経；ophthalmic nerve)，第二(上顎神経；maxillary nerve)，第三(下顎神経；mandibular nerve)枝領域に刺激を加える。下顎角部は三叉神経支配ではなく，大耳介神経支配の第2頸髄領域(C2)であることに注意する A-1。被髪部については，両側の耳介を結んだ冠状面より前方では有髪部にも三叉神経支配領域が連続していることに注意する A-1。

●触覚の検査にはティッシュペーパーなどを用いる。左右対称に軽く触れながら，左右差を問う A-2。左右差がある場合には，正中線をまたいで一定のスピードと強さで刺激を加え，どこから変化するかを答えてもらう。正中部には左右からの支配神経のオーバーラップがあり，明瞭に正中線を境とする感覚異常は生じない。

●痛覚検査を行う。古典的にピンホイールを用いるが，感染予防のため使い捨てのできるもの(爪楊枝など)を用いることが推奨される A-3。検者はあらかじめ自分の皮膚で，どの程度の圧力を加えるとどの程度の痛みを感じるかよく習得しておくべきである。

●温度覚については，通常44℃の湯，10℃の冷水を用いる。温度が変化しやすいため大きなフラスコなどを用いるか，これに伝熱性のよい金属(ハンマーの柄の部分)をつけて使用する。冷覚についてはあまり冷たい場合(氷水)には痛覚刺激となるので注意する。日常診療では室温に置かれた金属製ハンマーの柄の部分，音叉の振動部分などを用いて冷覚の代用とする場合もある。

●感覚の左右差を調べた後に，同じ三叉神経枝の支配領域内の中心部と周辺部の差がないか，鼻尖を中心とした同心円状の分布(タマネギ様分布；onion-skin pattern)として検査する(p.37参照)。

A-1 顔面・頭部の感覚神経支配

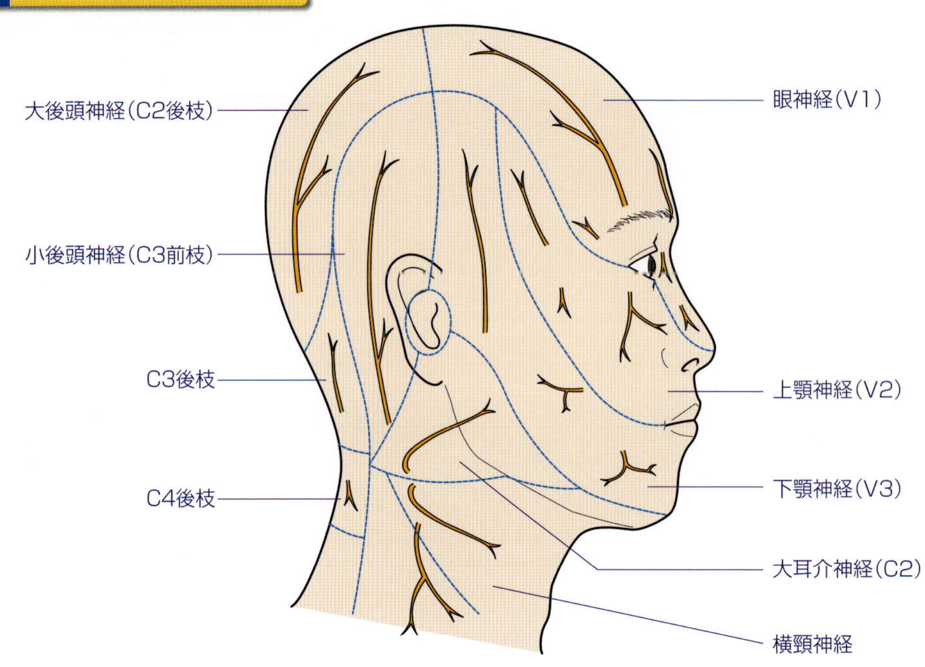

A-2 触覚の検査

OSCE

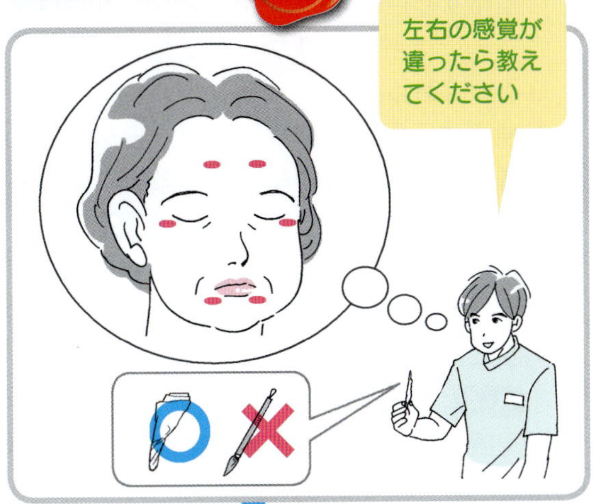
左右の感覚が
違ったら教え
てください

A-3 痛覚検査
OSCE

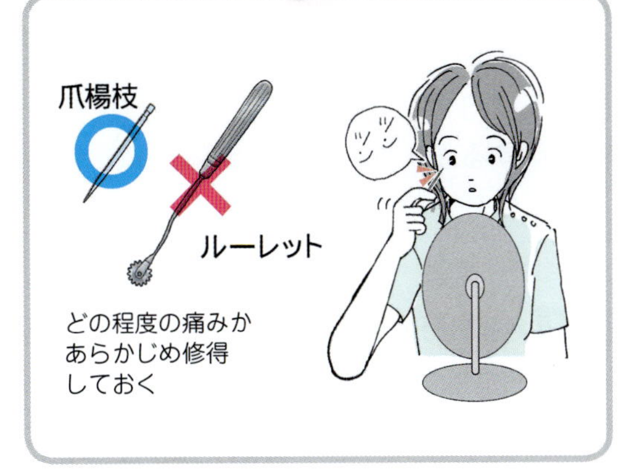
爪楊枝
ルーレット
どの程度の痛みか
あらかじめ修得
しておく
ツン
ツン

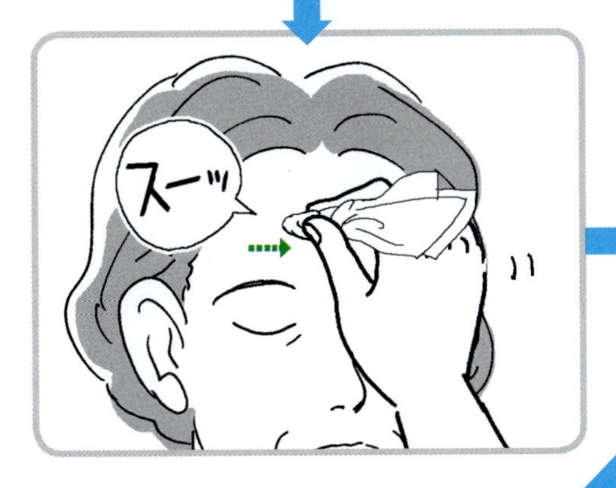
スーッ

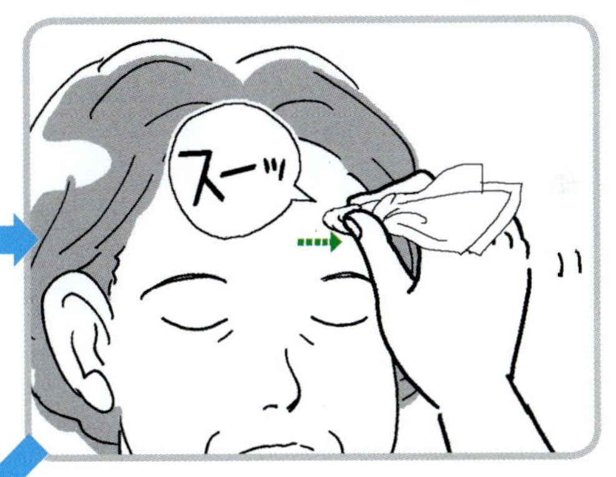
スーッ

スーッ

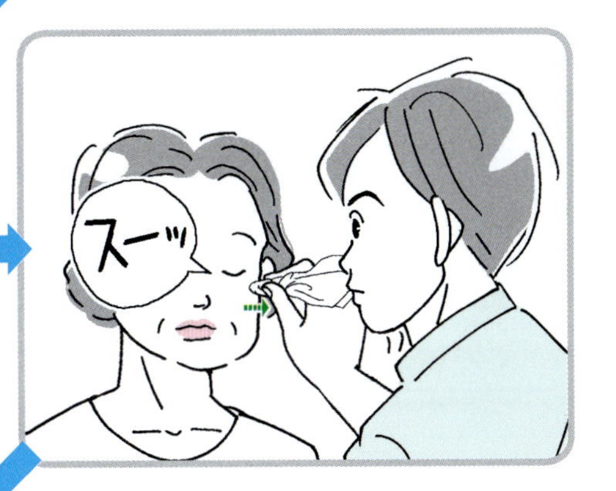
スーッ

スーッ

スーッ

角膜反射の診察

●患者さんの角膜に軽い触覚刺激を加える。通常は清潔なティッシュペーパーを幅1cm，長さ3cmほどに切り取り，こより状に捻って使用するが，検者の手指自体が必ずしも清潔ではないためあまり推奨できない。眼科で使用する滅菌したガラス棒（結膜に薬剤を塗布する目的）を用いるとよい。利点は患者さんには触覚のほか，温度覚の検査にもなる点である。

●検査する眼に視覚性刺激が入らないようにするため，患者さんには刺激する側の反対側上方を見るように指示する A-4。

●検者はこより（ガラス棒）を外下方からゆっくり近づけ（空気流が起こらないように），角膜に触れる。瞳孔には触れないようにする A-4。

●両眼性に瞬目が生じるか否か，その時間差を含めて観察する。

●反対側の角膜でも同様に検査を行う。

A-4 角膜反射の診察 OSCE

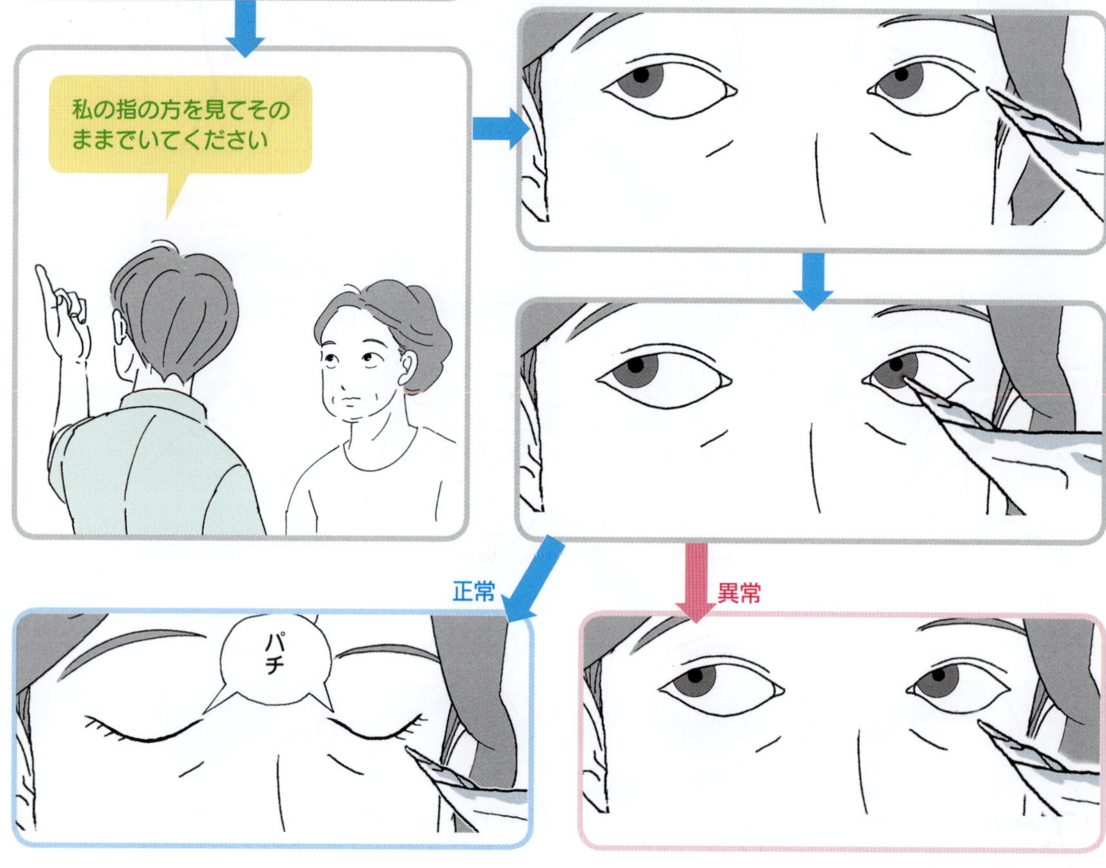
ティッシュペーパー，
ガラス棒を用意
私の指の方を見てそのままでいてください
正常
異常
パチ

咬筋の診察

●患者さんに，しっかり口を閉じ歯を食いしばるように指示する。検者は左右の咬筋を手指で触診し，その筋収縮の状態（硬度）と筋萎縮の有無（筋容積）を診察する A-5。

●三叉神経運動枝の機能として，開口についても検査する。開口時に頤（おとがい）がまっすぐ正中線に沿って下降するかを観察する。

検査前に閉口状態で前歯をむき出すように（顔面神経の鼻唇溝の検査の要領で）指示し，この時に上下左右の門歯の咬合が患者さんでどのような状態になるかを観察し，そのまま開口させれば，左右への偏倚が判定しやすい。もし，いずれか一方に偏倚する場合には，検者は自分の指を患者さんの下顎の下縁にあて，開口させる時にこれに逆らうような力を軽く加えてみると偏倚が一層明らかになる A-6。

A-5 咬筋の筋収縮の診察

OSCE

しっかり口を閉じて歯をくいしばってください

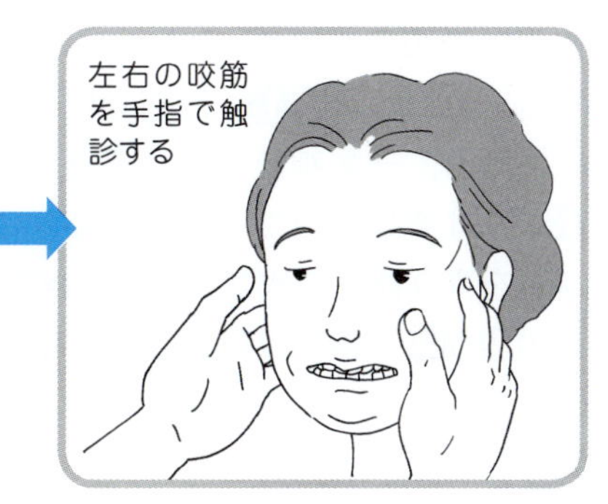
左右の咬筋を手指で触診する

A-6 開口の診察

OSCE
口を閉じて前歯をむき出してください
口を開けてください

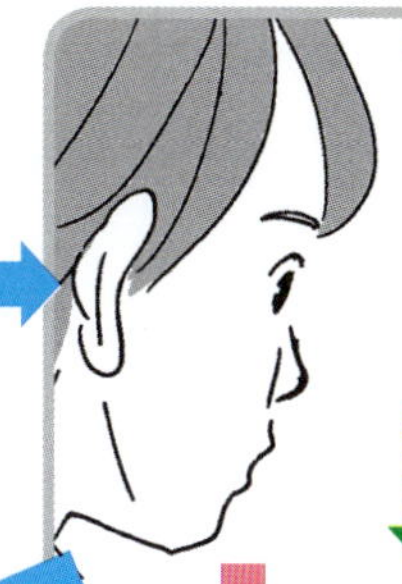

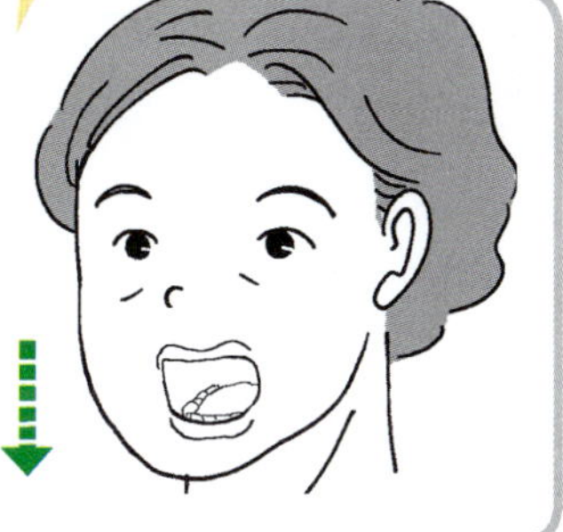

正常

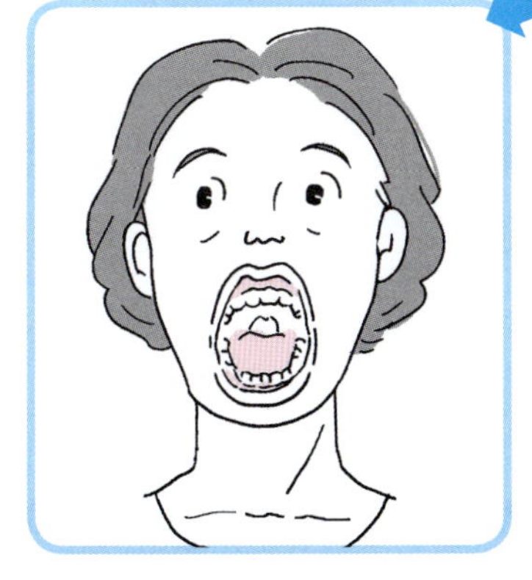

異常

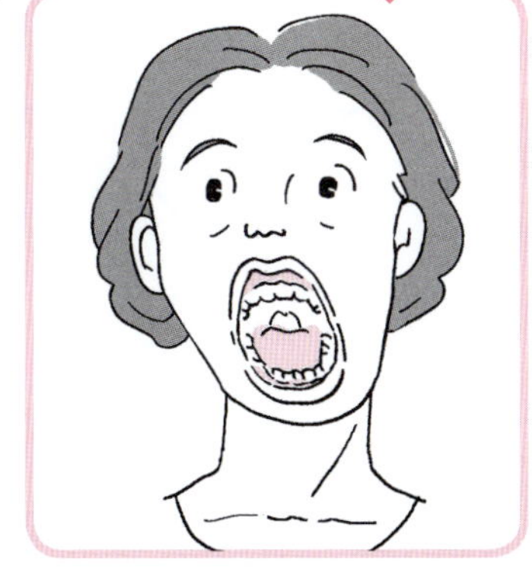

下顎に抵抗を加えながら開口させると，偏倚が明らかになることがある。

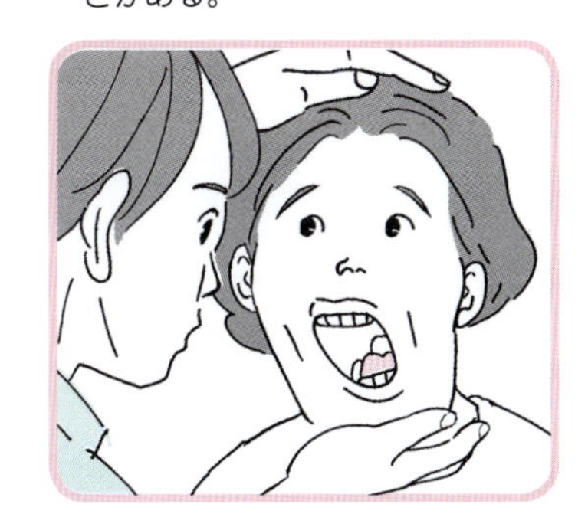

脳神経／第Ⅴ脳神経（三叉神経）

診断プロセスからみる第Ⅴ脳神経の異常

病巣部位巣部位，鑑別疾患

顔面の触覚，温痛覚

p.32～33「顔面の触覚，温度覚の診察」参照

顔面の感覚は同側の三叉神経感覚枝から神経節を形成し橋中部に入る。その後，感覚経路は触覚と温痛覚で分かれる。触覚は三叉神経主知覚核でニューロンを乗りかえ，その後ただちに反対側に交叉し，三叉神経毛帯を上行し視床の後内側腹側（ventral posteromedial：VPM）核に至る **B-1**。温痛覚はそのまま同側を下行し，三叉神経脊髄路核を形成しつつ，最下部は第2頸髄（C2）近傍に至る。ここでシナプスを乗り換え二次ニューロンは交叉後，対側の腹側三叉神経視床路として脊髄後根からの温痛覚線維の上行路（外側脊髄視床路）の近傍を上行し，視床の後内側腹側（VPM）核に投射する。三叉神経脊髄路核の尾側への分布と顔面の領域には顔面の外縁から中心に向かう同心円状の対応関係があり（タマネギ様分布；onion-skin pattern），外縁部からの感覚線維はC2まで下行する **B-2**。

三叉神経節近傍の病変では，第一枝領域の三叉神経痛とともに，内頸動脈周囲部分での交感神経線維の障害が起こり，Horner症候群を合併することがある（有痛性Horner症候群，Raeder症候群）。額を除く顔面の汗腺への交感神経支配は保たれ，額にのみ発汗障害を認める。病変の広がりによっては，第二，三枝領域の三叉神経障害も伴う。

B-1 中枢における三叉神経の求心路

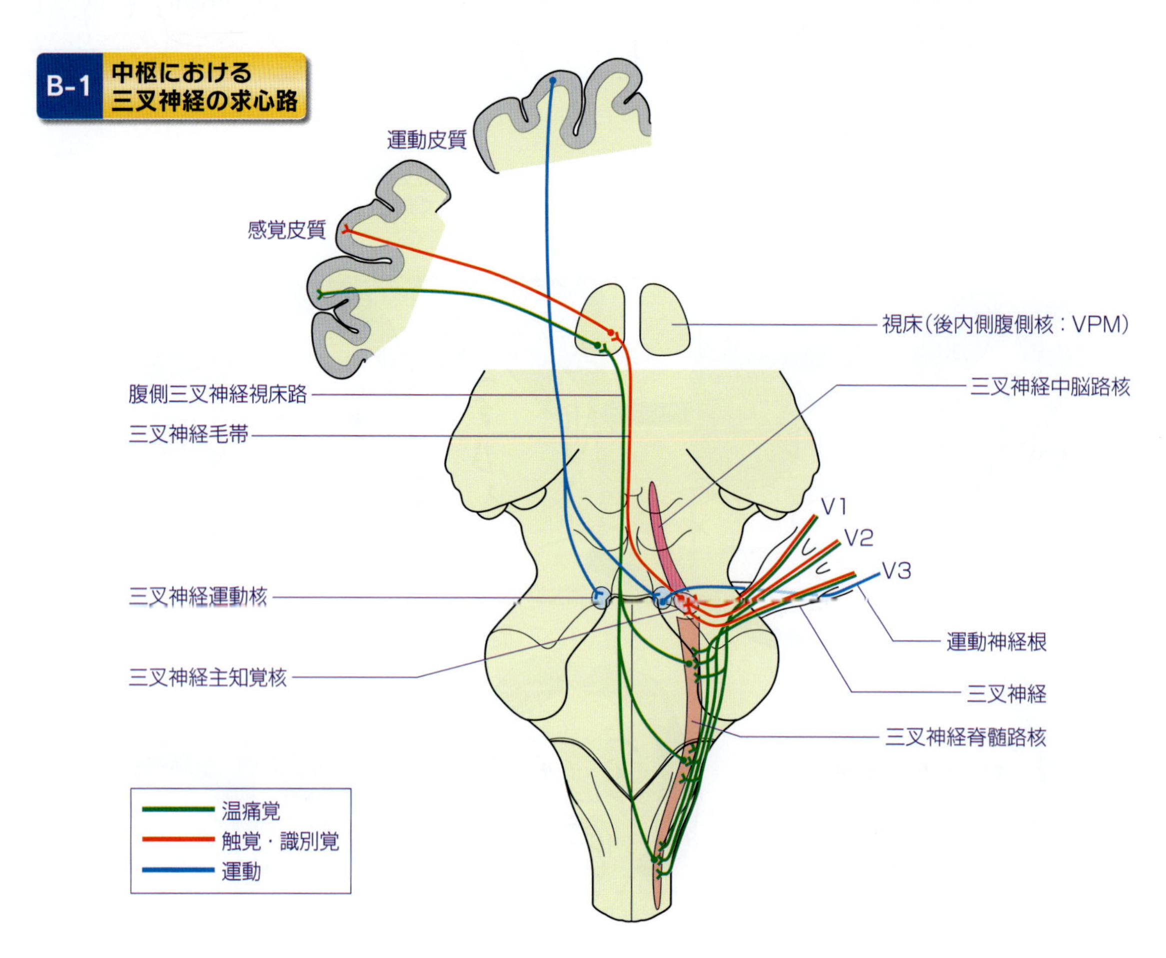

角膜反射 p.34「角膜反射の診察」参照

角膜は三叉神経第一枝の感覚支配を受け，角膜への触覚刺激の入力は三叉神経から，両側の顔面神経核への反射弓を形成し，片側の角膜刺激が両側眼に瞬目反応を惹起する（角膜反射；corneal reflex）。延髄外側症候群（Wallenberg症候群）においては，三叉神経脊髄路核の障害によって同側顔面の温痛覚が障害されるが，この時に角膜反射の消失は最も鋭敏に出現する。したがって角膜反射の入力刺激には痛覚線維が関与すると考えられる。痛覚線維は対側の視床に投射する途中で顔面神経核近傍で反射弓を形成すると推測されるものの，この反射経路はよくわかっていない。大脳病変においても角膜反射の消失が起こることから，多シナプス反射であると推測されている。

咬筋 p.35「咬筋の診察」参照

三叉神経の運動枝（第三枝）は，下顎の運動を司る。運動には開口と閉口があり，咬筋（masseter muscle），側頭筋（temporal muscle），内側翼突筋（medial pterygoid muscle）は閉口に関与し（下顎挙上筋）B-3①，開口には三叉神経支配の外側翼突筋（lateral pterygoid muscle），顎舌骨筋（mylohyoid muscle）のほか，頸部神経支配の舌骨下筋群（infrahyoid muscles）が関与する（下顎下制筋）B-3②。

これらの三叉神経運動核は両側性の核上性支配を受けるため，片側性の上位運動ニューロン（皮質橋路）の障害では明らかな症状は現れない。これに対して下位運動ニューロンの障害では同側性の筋力低下と筋萎縮が生じる。閉口では障害側の咬筋の筋力低下が触知され，慢性例では筋萎縮も認められる。開口時には外側翼突筋が正中に向かって下顎を下げるため B-4①，障害によって開口時に下顎は麻痺側に偏倚（へんい）*する B-4②。

＊：偏倚とは一側に偏ること

B-2 顔面の感覚路

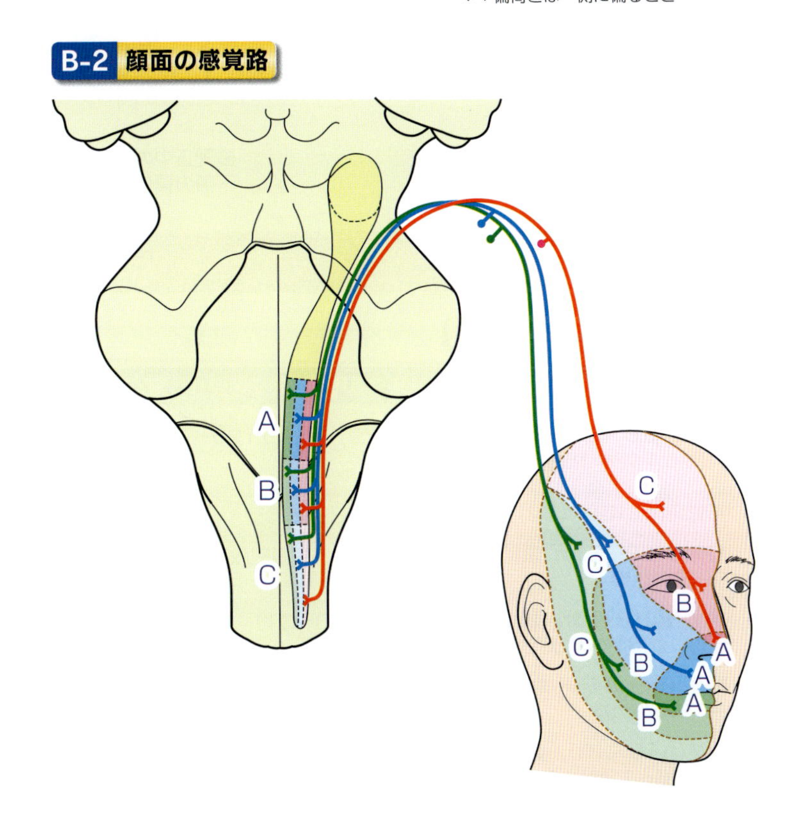

B-3 三叉神経支配筋とその作用方向

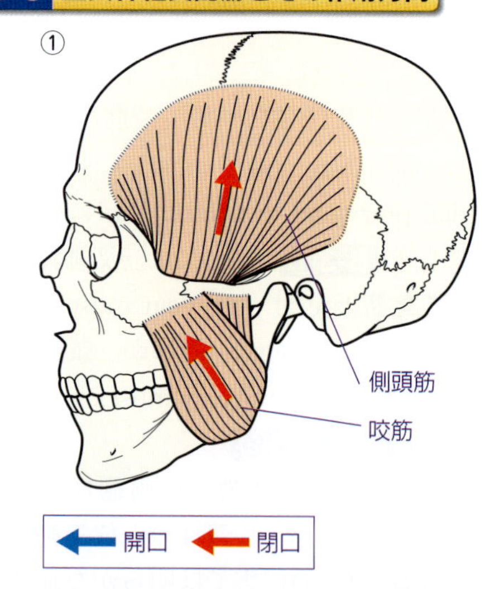

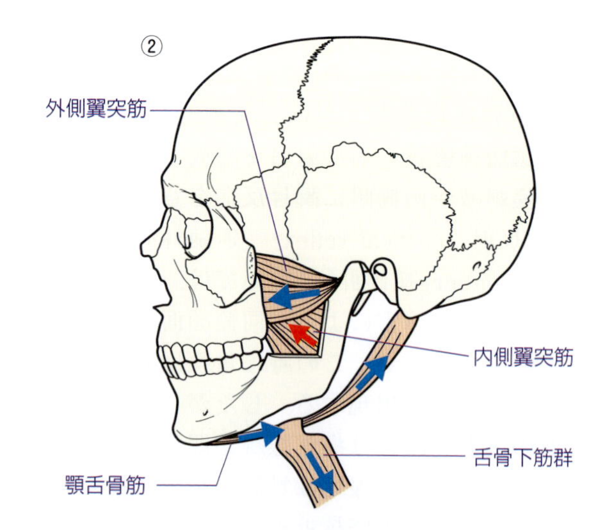

B-4 三叉神経麻痺における下顎偏倚

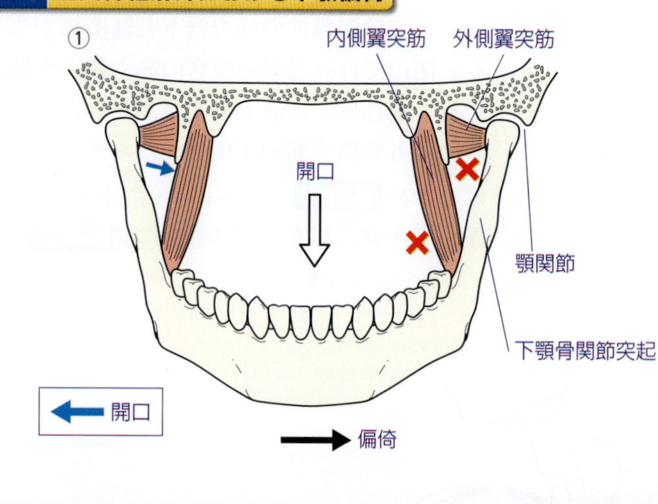

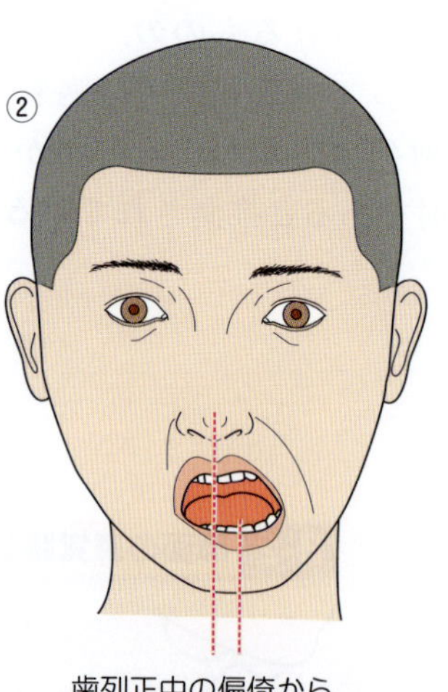

歯列正中の偏倚から
下顎の偏倚を判断する

考えられる疾患，鑑別に必要な検査

表1 顔面の触覚，温痛覚障害で考えられる疾患

考えられる疾患	鑑別に必要な検査・顔面の触覚，温痛覚以外に必要な診察	画像検査	髄液検査	その他
脳血管障害（大脳病変，脳幹病変，脊髄病変）	脳神経（p.8～61），運動系（p.62～125），反射（p.126～139），感覚系（p.142～159）の診察	○		
感覚性ニューロパチー	感覚系（p.142～159），反射（p.126～139）の診察	○	○	
三叉神経痛	脳神経（p.8～61），感覚系（p.142～159），髄膜刺激症状（p.190～193）の診察	○	○	
Tolosa-Hunt症候群	視力（p.10～15），眼位，眼球運動（p.16～31），脳神経（p.8～61），髄膜刺激症状（p.190～193）の診察	○	○	
Raeder症候群	瞳孔，（顔面の発汗）などの脳神経（p.8～61），髄膜刺激症状（p.190～195）の診察	○	○	
多発性硬化症	眼底（p.10～15），脳神経（p.8～61），運動系（p.62～125），反射（p.126～139），感覚系（p.142～159），小脳症状（p.174～185）の診察	○	○	○

表2 角膜反射の異常で考えられる疾患

考えられる疾患	鑑別に必要な検査・角膜反射以外に必要な診察	画像検査	髄液検査	その他
脳血管障害(Wallenberg症候群)	脳神経(p.8～61), 運動系(p.62～125), 感覚系(p.142～159), 小脳症状(p.174～185)の診察	○		
小脳橋角部腫瘍(聴神経鞘腫)	眼振(p.16～31), 聴覚検査(p.48～53)などの脳神経, 小脳症状(p.174～185)の診察	○		
三叉神経(眼)帯状疱疹	瞳孔(p.16～31), 顔面の触覚, 温度覚(p.32～39)などの脳神経の診察	○	○	○
延髄空洞症	脳神経(p.8～61), 運動系(p.62～125), 感覚系(p.142～159), 小脳症状(p.174～185)の診察	○		
末梢性顔面神経麻痺(Bell麻痺)	顔面神経(p.40～47)などの脳神経, 反射(p.126～139)の診察	○		○
多発性硬化症	脳神経(p.8～61), 運動系(p.62～125), 反射(p.126～139), 感覚系(p.142～159), 小脳症状(p.174～185)の診察	○	○	○

表3 咬筋の異常から考えられる疾患

考えられる疾患	鑑別に必要な検査・咬筋以外に必要な診察	画像検査	髄液検査	その他
脳血管障害(脳幹病変)	脳神経(p.8～61), 運動系(p.62～125), 反射(p.126～139), 感覚系(p.142～159)の診察	○		
多発脳神経麻痺(血管炎性ニューロパチー, 頭蓋底病変)	脳神経(p.8～61), 髄膜刺激症状(p.190～193)の診察	○		○
ミオパチー(筋炎, 筋ジストロフィー)	脳神経(p.8～61), 運動系(p.62～125), 反射(p.126～139)の診察	○	○	
破傷風	筋トーヌス(p.62～73), 不随意運動(p.98～109)などの運動系の診察	○		○
咬筋ジストニア	筋トーヌス(p.62～73), 不随意運動(p.98～109)などの運動系の診察			○
重症筋無力症, LEMS	脳神経(p.8～61), 運動系(p.62～125), 反射(p.126～139)の診察			○

LEMS：Lambert-Eaton症候群

脳神経／第Ⅶ神経（顔面神経）

診察の方法

視診

●表情の対称性を判定する。高齢者ではしばしば非対称性が認められるが，病的意義があるかは随意運動の検査結果を勘案して判断。

●軽度の眼輪筋の麻痺では，健常側に比較して閉眼が遅れている程度の所見しか呈さない。

●特に誘因なく起こる不随意な顔面筋収縮はないか？

- 線維束性収縮（fasciculation）
- 半側顔面スパズム（hemifacial spasm）
- ミオキミア（myokymia）など

●瞬目や開口などに同期して起こる不随意な顔面筋の収縮はないか？

- 末梢性顔面神経麻痺後遺症である連合運動（synkinesis）の可能性
- 代表的なのは，ほほえんだ際に目が閉じてしまうMarin-Amat徴候

A-1 Bell現象

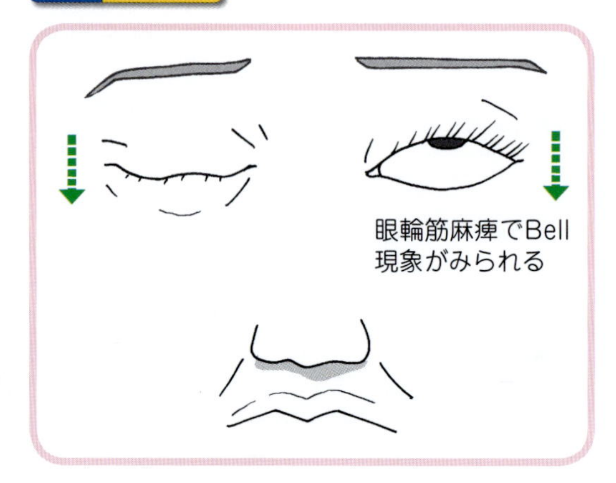

A-2 顔面神経麻痺の評価法（柳原法）

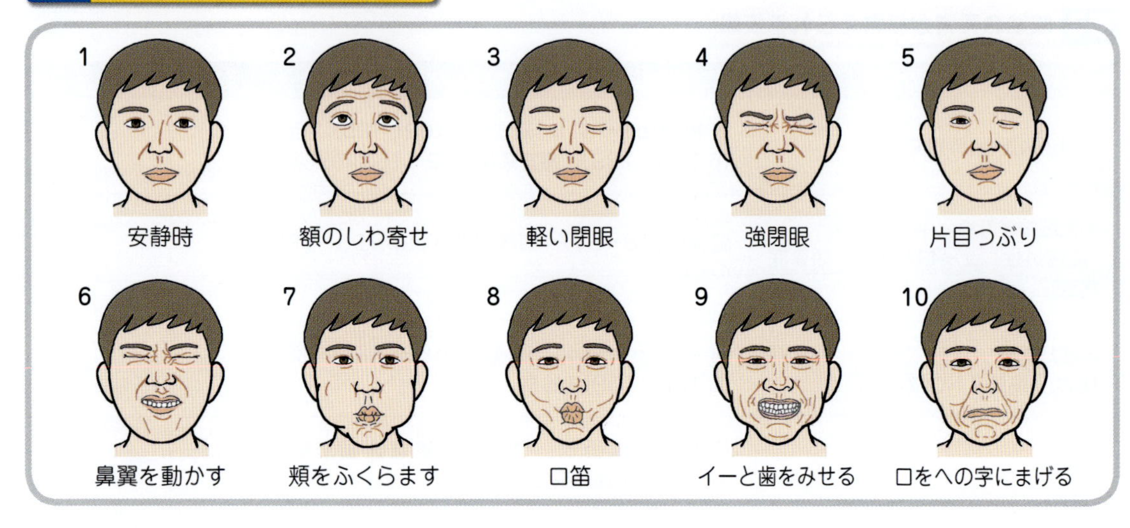

	ほぼ正常 4	2 部分麻痺	高度麻痺 0
安静時非対称			
額のしわ寄せ			
軽い閉眼			
強閉眼			

	ほぼ正常 4	2 部分麻痺	高度麻痺 0
片目つぶり			
鼻翼を動かす			
頬をふくらます			

	ほぼ正常 4	2 部分麻痺	高度麻痺 0
口笛			
イーと歯をみせる			
口をへの字にまげる			

計　　　　　　点

●口を動かした際に，流涙が起こらないか？
- Crocodile tears syndromeといって末梢性顔面神経麻痺後の異常な神経再支配による現象

●仮面様顔貌（mask-like face）や開眼困難や閉眼困難はないか？
- 錐体外路系疾患を考慮

●顔面肩甲上腕筋ジストロフィー（facioscapulohumeral muscular dystrophy）では，閉口が不十分で上唇が突き出た形になる（獏状口；bouche de tapir）。また笑ったときなどに口角の挙上が起こらず，口角は水平方向にのみ移動する。

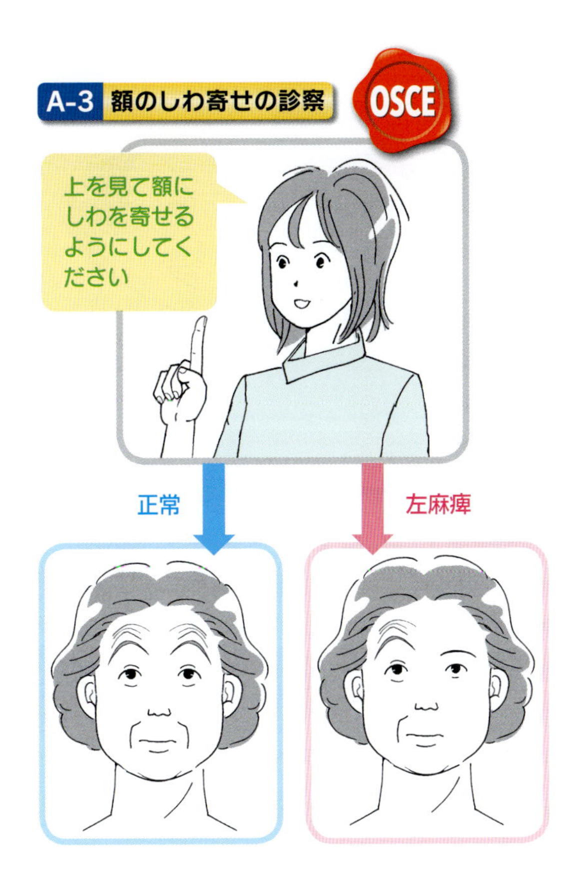
A-3 額のしわ寄せの診察
OSCE
上を見て額にしわを寄せるようにしてください
正常
左麻痺

●顔面の筋肉の萎縮や腫脹がないか？
- Parry-Romberg症候群でみられる半側の顔面萎縮，斧状顔貌（hatchet face）
- Melkersson-Rosenthal症候群における顔面腫脹など

●耳介や外耳道に発疹はないか？
- Ramsay-Hunt症候群の診断に重要

●眼輪筋の強い麻痺では，閉眼が困難な状況にあり，兎眼（lagophthalmos）を呈する。この際に，閉眼をしようとすると眼球が上転するのが見える（Bell現象；Bell's phenomenon）**A-1**。

●顔面神経麻痺の評価法として柳原法が知られている**A-2**。

額のしわ寄せの診察

●検者の指をかざしながら，「上を見て額にしわを寄せるようにしてください」と言って額のしわ寄せ（forehead wrinkling）を観察**A-3**。麻痺側では，額のしわ寄せができない。

閉眼の診察

●「しっかりと目を閉じてください」と言って，閉眼の状態を確認。明らかな麻痺では，完全に閉眼ができずに兎眼になる。わずかな程度の麻痺では，睫毛が瞼裂に隠れない（睫毛徴候；ciliary sign, signe des cils）**A-4**。

●さらに，微妙な麻痺を診断する方法として，被検者の眼瞼に検者が指先で軽く触れた状態で，被検者に強く閉眼してもらう。この時，正常であれば検者の指先に微妙な振動が伝わるが，顔面神経麻痺があるとこれが消失している（Bergara-Wartenberg sign）。

A-4 睫毛徴候

著明な麻痺があれば眼瞼を閉じ合わせることができず，
いわゆる兎眼（lagophthalmos）となる。

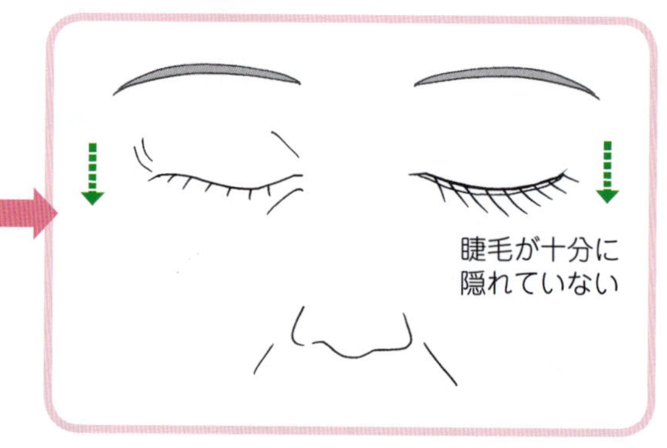

左側の睫毛がよく見えており，左睫毛徴候陽性である。

A-5 下部顔面筋の試験

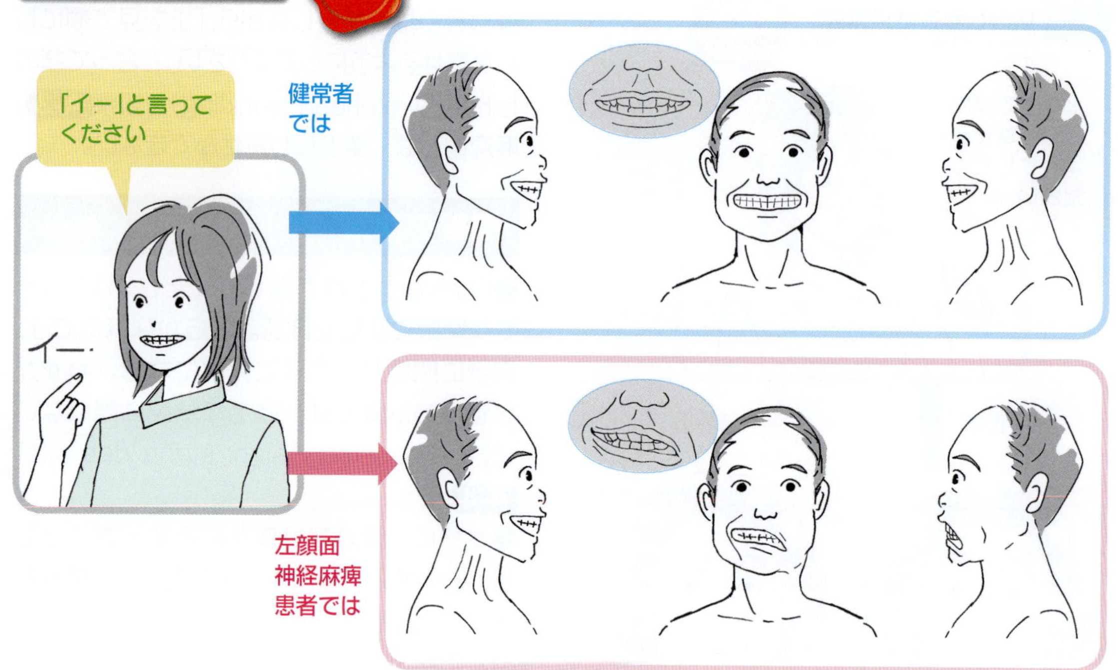

歯をむき出させると，口角は右の健側上方に引き上げられ，左の障害側の開口は不十分で，左鼻唇溝の浅いのが明らかになる。

鼻唇溝の診察

●「イー」と言わせて口角が後方に引かれる状況や，鼻唇溝(nasolabial fold)の左右差を確認 A-5 。口角は正常では挙上する。麻痺があれば，鼻唇溝は浅く，口角の挙上も弱い。なお，顔面神経麻痺があると，この際に広頸筋(platysma)の収縮低下を認める(A-5 , platysma sign of Babinski)。広頸筋の収縮は，口をへの字にしたり，検者が顎を固定して首を屈曲させたりした時にもみられる。

その他の診察

●角膜反射(corneal reflex)の遠心路は顔面神経である。

●意識障害のある患者さんでは，眼窩縁や乳様突起への圧迫による疼痛刺激を加えて，顔面筋の収縮を観察する必要がある。

●アブミ骨筋反射が障害された患者さんでは，音が大きく聞こえる(聴覚過敏；hyperacusis)。耳の近くで，手拍子を打ったりして確認する。

●舌の前2/3の，味覚の検査は舌を挺出させたままで行う。綿棒などを用いて，甘味(ショ糖)・塩味(塩化ナトリウム)・苦味(キニーネ)・酸味(酒石酸)について左右差を確認する。麻痺側の舌の乳頭の萎縮や減少が認められる A-6 。

●涙液の分泌については，ドライアイ症状などの自覚的症状の確認と，Schirmer試験などで客観的な評価を行う必要がある。兎眼(lagophthalmos)になった際には，涙液分泌は本来亢進するはずである。それでも，閉眼ができないために涙液が乾燥してドライアイ症状が出ることがある。これに副交感神経障害による涙液分泌の減少がみられるとドライアイ症状が増強される。

A-6 舌の乳頭の萎縮や減少

味覚の検査は舌を押し出したまま綿棒を用いて行う

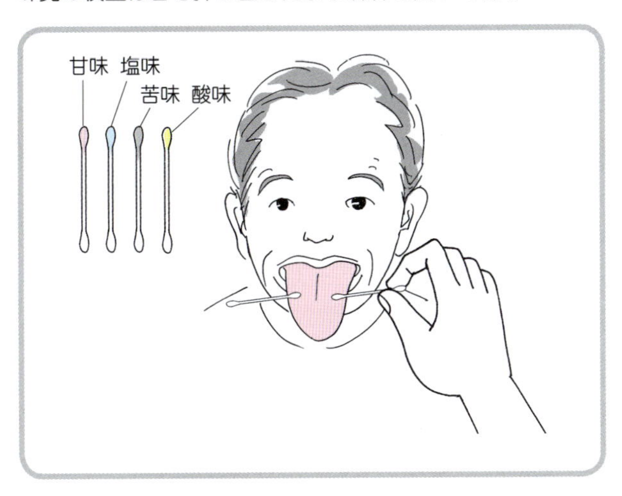

左顔面神経麻痺患者では

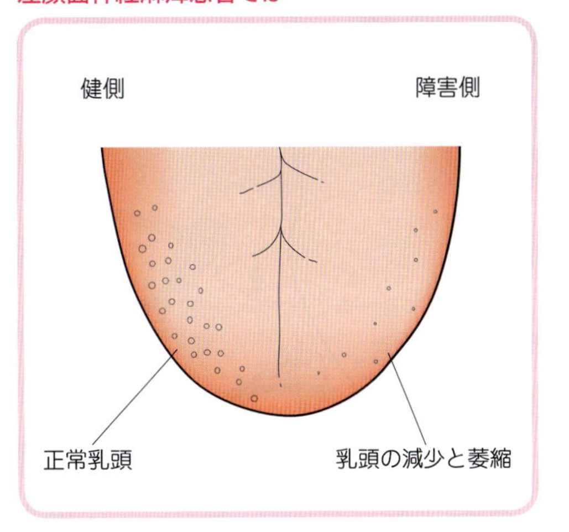

脳神経／第Ⅶ神経（顔面神経）

診断プロセスからみる顔面神経の診察

病巣部位

●顔面神経の機能異常を理解するには，その解剖を知っている必要がある。顔面神経核は運動ニューロンから構成され，橋下部の背側に存在する。核から出た神経線維は，背側に上行して，外転神経核を取り巻くような形でループ状に走行し，橋と延髄の移行部の腹外側から髄外へ出る。その後，内耳管（internal auditory canal）を通り，さらに顔面神経管（fallopian canal）に入り，迷路部（labyrinthine segment）・鼓室部（tympanic segmentあるいは水平部：horizontal segment）・垂直部（vertical segment）を経て，茎乳突孔から頭蓋外へ出る B-1。一方，中間神経（nervus intermedius）には涙腺，顎下腺，舌下腺を支配する自律神経線維・舌前2/3の味覚を伝える感覚神経，外耳道などの体性感覚を伝える感覚神経が含まれる。顔面神経と中間神経からはさまざまな機能を有する神経が分枝するため，症状のパターンから障害部位を推定することが可能である B-2。涙腺，顎下腺，舌下腺を支配する副交感節前ニューロンは涙核（lacrimal nucleus）と上唾液核（superior salivatory nucleus）に存在する。味覚を伝える神経線維は孤束核（nucleus fasciculus solitarius）に至り，体性感覚神経は三叉神経諸核に入力する。自律神経線維は，涙腺への副交感線維は大浅錐体神経（greater superficial petrosal nerve）を経て，翼口蓋神経節（sphenopalatine ganglion）で節後ニューロンとシナプス結合する。なお，これには鼻粘膜の分泌腺への線維も含まれる。一方，唾液腺への副交感線維は舌神経（lingual nerve）を経て顎下神経節（submaxillary ganglion）で節後線維とシナプスを形成する。味覚は，舌神経と鼓索神経を経由して，脳幹へ伝えられる。

B-1 顔面神経の走行

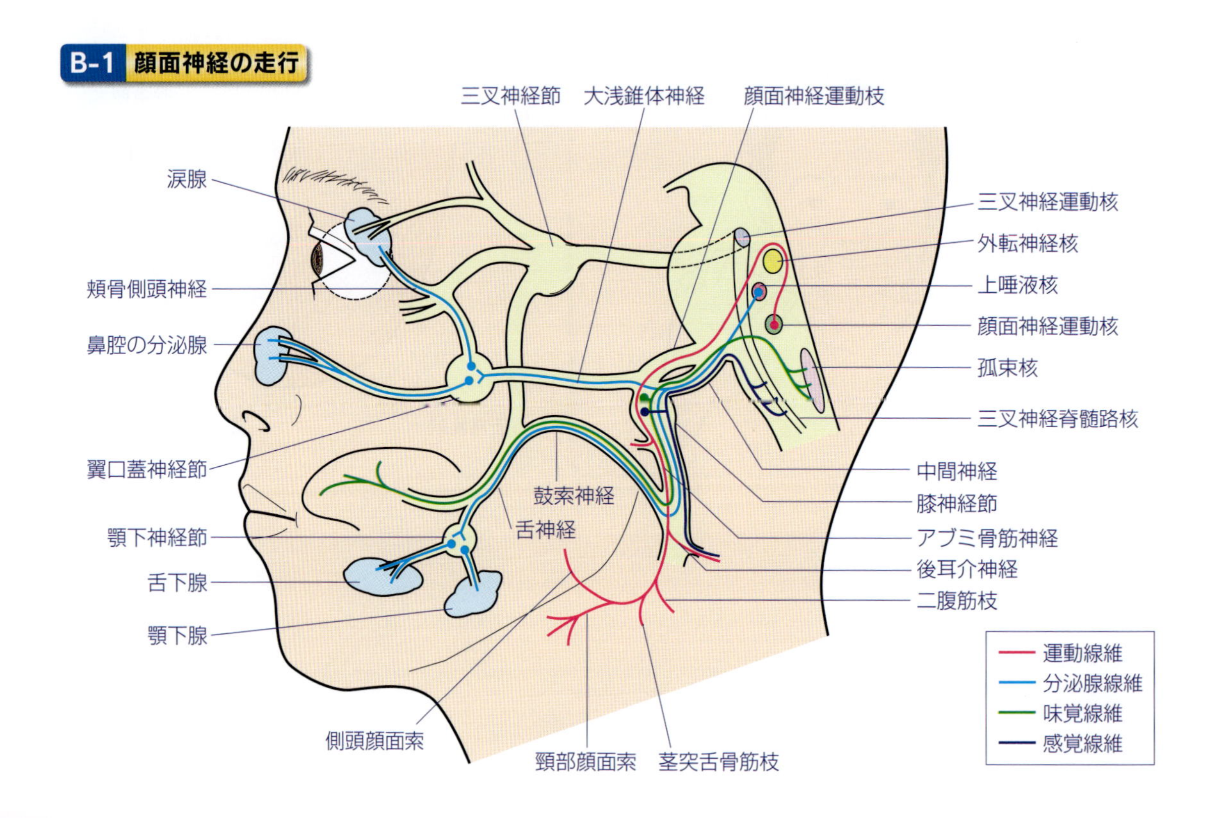

●顔面神経核を支配する上位運動ニューロンは大脳皮質の中心前回および中心後回に存在する。ここから起始する錐体路は，内包(internal capsule)へと下行し，顔面神経核に至る神経線維は内包膝部付近を通る。その後，橋まで下行して交叉性あるいは非交叉性に対側の顔面神経核を支配する。顔面上部の筋肉を支配する顔面神経核の支配は両側性であるのに対して，顔面下部の筋肉を支配する顔面神経核を支配する上位運動ニューロンの多くは対側に由来する。

●一側の核上性障害では，上位運動ニューロンの障害により顔面下部の筋のみの麻痺になる(中枢性顔面神経麻痺) B-3 表1。なお，一部の中枢性顔面神経麻痺症例では，笑ったり怒ったりする際に，麻痺側の顔面筋の運動が観察される。これは前頭弁蓋部の病変で認められ，opercular syndromeとよばれる。逆に，感情変化によって引き起こされる表情筋収縮のみが強く障害されることもあり，emotional facial palsyとよばれており，視床・線条体内包・中心前回より前側の前頭葉などの病変で観察される。また，光刺激に際して目をしかめるときには上丘(superior colliculus)が，美味なものに反応して咀嚼や吸引をしたりするのは孤束核が関与することが知られている。

●一側の核下性障害では，下位運動ニュー

B-2 末梢における顔面神経の障害部位と症候の対応

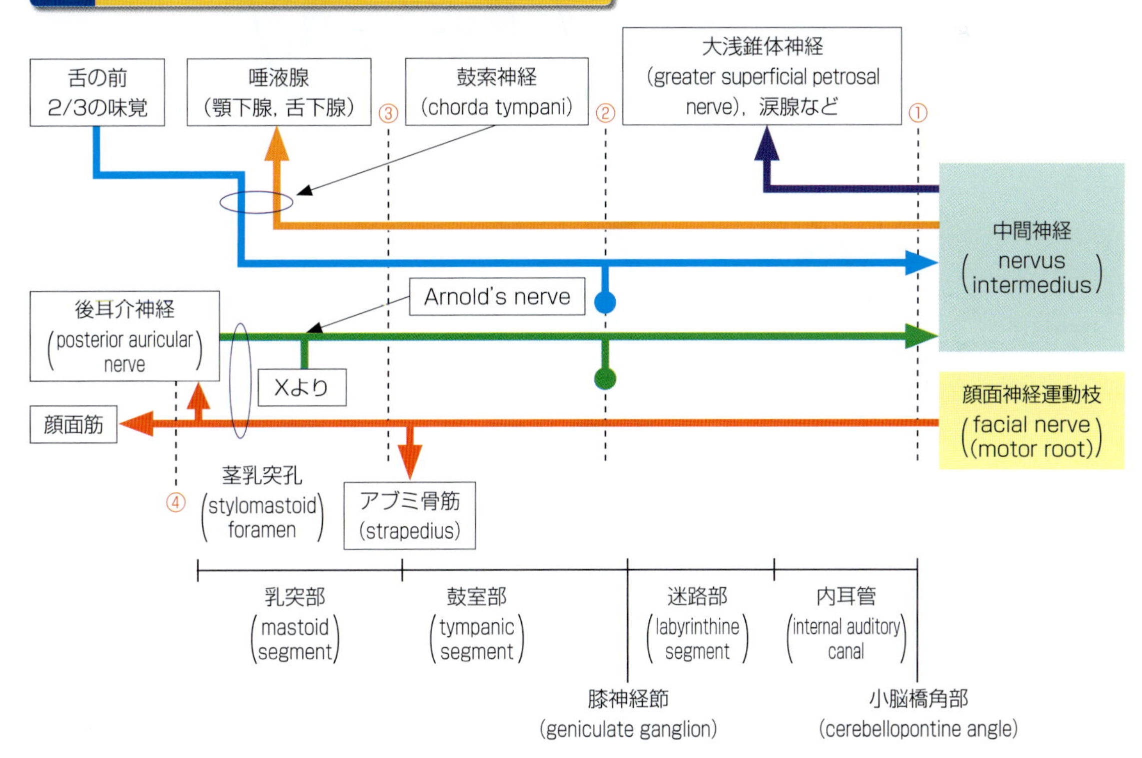

障害部位	顔面筋麻痺	聴覚過敏	味覚障害	涙液分泌障害	唾液分泌障害
①	＋	＋*	＋	＋	＋
②	＋	＋	＋	−	＋
③	＋	−	＋	−	＋
④	＋	−	−	−	−

＊：蝸牛神経が障害されていればむしろ聴覚は低下する。
体性感覚の異常は臨床的には検出が困難である。

ロンの障害により顔面下部のみでなく上部の筋の麻痺も生じる（末梢性顔面神経麻痺）**B-3** **表1**。橋のレベルの病変は，その位置によって顔面神経麻痺と片麻痺および外転神経麻痺あるいは水平性注視麻痺が異なる組み合わせで起こりうる**表1**。橋下部腹側の外側へ伸びる病変では，錐体路と顔面神経髄内線維が同時に障害され，同側の末梢性顔面神経麻痺と対側の片麻痺が生じる。これがMillard-Gubler症候群であり，文献によっては同側の外転神経線維の障害も含めて定義される。同じレベルの病変でも，より内側に限局していれば顔面神経線維は保たれ，外転神経線維と錐体路のみが侵される。これがRaymond症候群である。一方，外転神経線維ではなく，傍正中橋網様体（paramedian pontine reticular formation：PPRF）が顔面神経線維と錐体路とともに障害されて生じた症候群は，Foville症候群（Foville-Millard-Gubler症候群）とよばれる。

B-3 上位運動ニューロンの顔面神経核および顔面筋の支配関係

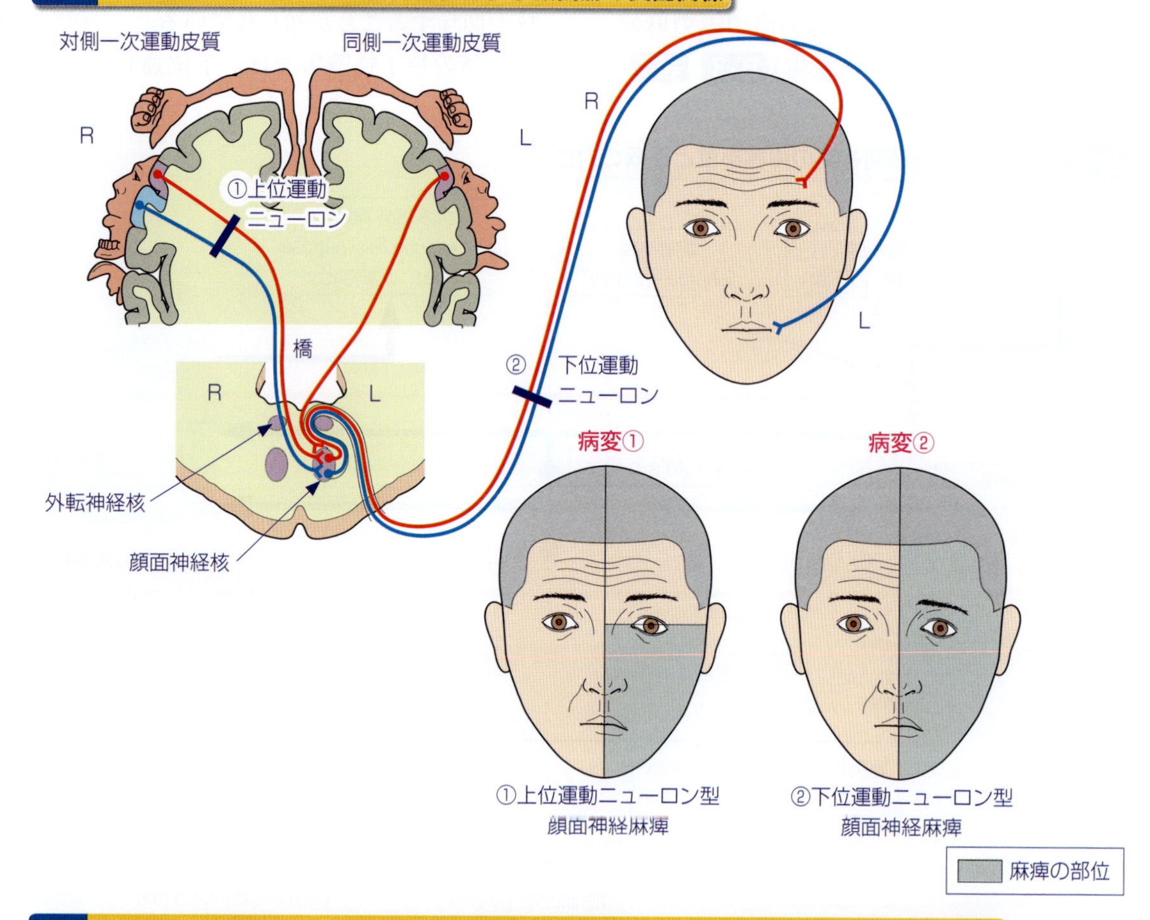

表1 中枢性（上位運動ニューロン型）と末梢性（下位運動ニューロン型）顔面神経麻痺の鑑別

	上位運動ニューロン型	下位運動ニューロン型
額のしわ寄せ	正常	障害
閉眼	正常（ときに障害）	障害
鼻唇溝形成	障害	障害
聴覚過敏	なし	ときにあり
味覚障害	なし	ときにあり

考えられる疾患，鑑別に必要な検査

考えられる疾患	診察所見	検査	MRI	CT
肉芽腫性・炎症性疾患				
サルコイドーシス	両側麻痺となりうる	ACE, 胸部CT	○	
Wegener 肉芽腫症	脳神経系検査	C-ANCA	○	
SLE	意識障害・髄膜刺激所見	抗核抗体（抗dsDNA抗体など）	○	
結節性多発性動脈炎	末梢神経機能検査	生検		
感染症				
Ramsay-Hunt症候群	耳介の発疹	VZV抗体・PCR		
単純ヘルペスウイルス感染症		HSV抗体・PCR		
中耳炎・乳様突起炎	聴覚検査		○	○
骨髄炎	脳神経系検査		○	○
Lyme病	脳神経・末梢神経機能	抗体検査		
レプトスピラ症	意識障害	培養・PCR		
耳下腺炎			○	
耳下腺膿瘍			○	
AIDS	大脳高次機能	HIV抗体		
腫瘍				
顔面神経鞘腫	聴覚・前庭機能検査		○	
聴神経腫瘍	聴覚・前庭機能検査		○	
	小脳機能検査			
Glomus腫瘍	聴覚・前庭機能検査		○	
髄膜腫	聴覚・前庭機能検査		○	○
白血病	聴覚・前庭機能検査	末梢血・骨髄検査	○	
横紋筋肉腫			○	
von Recklinghausen病	聴覚・前庭機能検査	*NF-1*遺伝子検査	○	
外傷				
側頭骨骨折	聴覚・前庭機能検査		△	○
医原性				
その他				
Guillain-Barré症候群	筋力・腱反射	髄液検査・筋電図		
		抗ガングリオシド抗体		
ジフテリア	四肢筋力・嚥下機能	病原体分離・PCR		
Melkersson-Rosenthal症候群	顔面腫脹・舌の皺	皮膚生検		

ACE：アンジオテンシン変換酵素
ANCA：抗好中球細胞質抗体
SLE：全身性エリテマトーデス
VZV：水痘-帯状疱疹ウイルス
PCR：ポリメラーゼ連鎖反応
HSV：単純ヘルペスウイルス
AIDS：後天性免疫不全症候群
HIV：ヒト免疫不全ウイルス

脳神経／第Ⅷ脳神経（前庭蝸牛神経）

診察の方法

聴力検査

●時計の音や音叉を被検者の耳の近くに持っていき，音の大きさの左右差がないかを聞く。

Rinne試験

●音叉を振動させた状態で，音叉の柄の先端を被検者の乳様突起に押しつける A-1。

●「音が聞こえなくなったら言ってください」と言い，被検者が聞こえなくなったと答えたところで，音叉の振動部を耳のそばに持っていき，「音が聞こえますか？」と聞く A-1。

●乳様突起に押しつけた際に音として聞こえるのは骨導(bone conduction)によるもので，これを耳道や鼓膜を介した気導(air conduction)と比較する検査である。

●通常は気導は骨導よりも鋭敏であり，Rinne試験は正常あるいは陽性と判定される。しかし，伝音難聴がある場合には気導が障害される一方で，聴神経の機能は保たれているため骨導のほうがより聞こえるようになり，Rinne試験は異常あるいは陰性と判定される。つまり，本検査は伝音難聴があるかを調べる検査である。

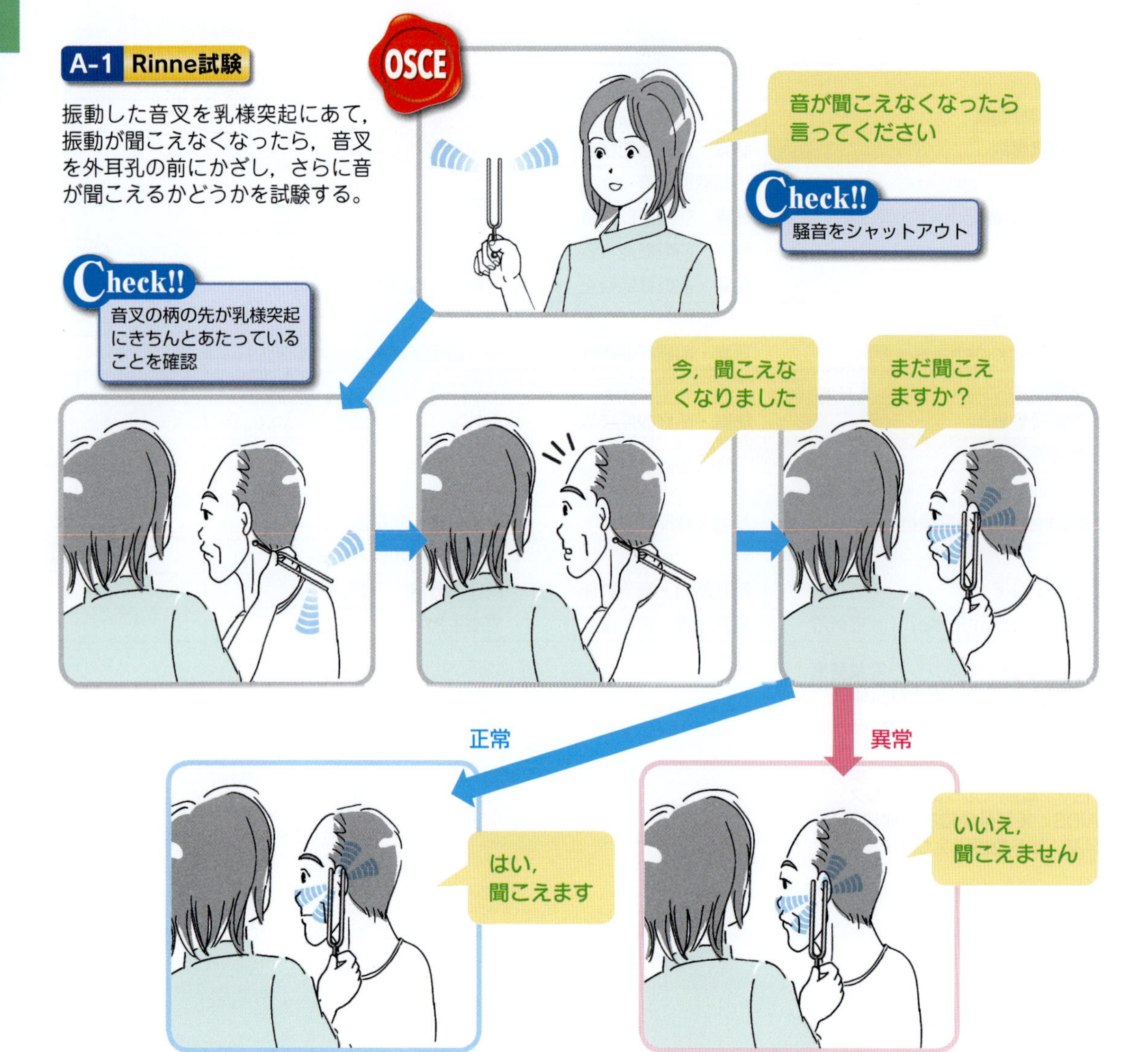

Weber試験

■音叉を振動させた状態で，音叉の柄の先端を前額部正中に押しつける。

■「両耳とも同じように聞こえますか？それとも，左右どちらかが大きく聞こえますか？」と聞く A-2。

■通常は左右同じに聞こえる。しかし，伝音難聴では障害側が大きく聞こえ，感音難聴では正常側が大きく聞こえる。

A-2 Weber試験

音叉を振動させ，前額の中央にあて，左右の耳のどちらに強くひびくかを聞く。正常なら両側同じである。

以上をまとめると，表1のようになる。

しかし，これらの検査は簡便なもので，正確な聴力の判定にはオーディオメトリー（audiometry）による評価が必要である。また，聴力障害の局在診断には脳幹聴性誘発電位（brainstem auditory evoked potentials）が有用である。

表1 難聴の検査

難聴の種類	聴力	Rinne試験	Weber試験
伝音難聴	低下	気導<骨導（異常あるいは陰性）	障害側に偏倚*
感音難聴	低下	骨導<気導（正常あるいは陽性）	健常側に偏倚*

＊：偏倚（へんい）（deviation）＝一側に偏ること

前庭機能検査

●前庭機能検査の詳細な診察は，神経耳科の専門家に依頼するべきである。

●しかし，次の２つの診察方法は知っておくと役立つ。

Dix-Hallpike(Nylén-Bárány)頭位試験 A-3

●患者さんを診察ベッドに座らせ，頭部を45°回旋させる。

●その後，被検者の頭部を支えながら2秒以内に臥位にする。この時に，頭部がベッド縁の外側に位置するようにする。

●頭部を水平に対して－20～30°程度過伸展位をとらせる。

A-3 Dix-Hallpike(Nylén-Bárány)頭位試験(後半規管型の場合) OSCE

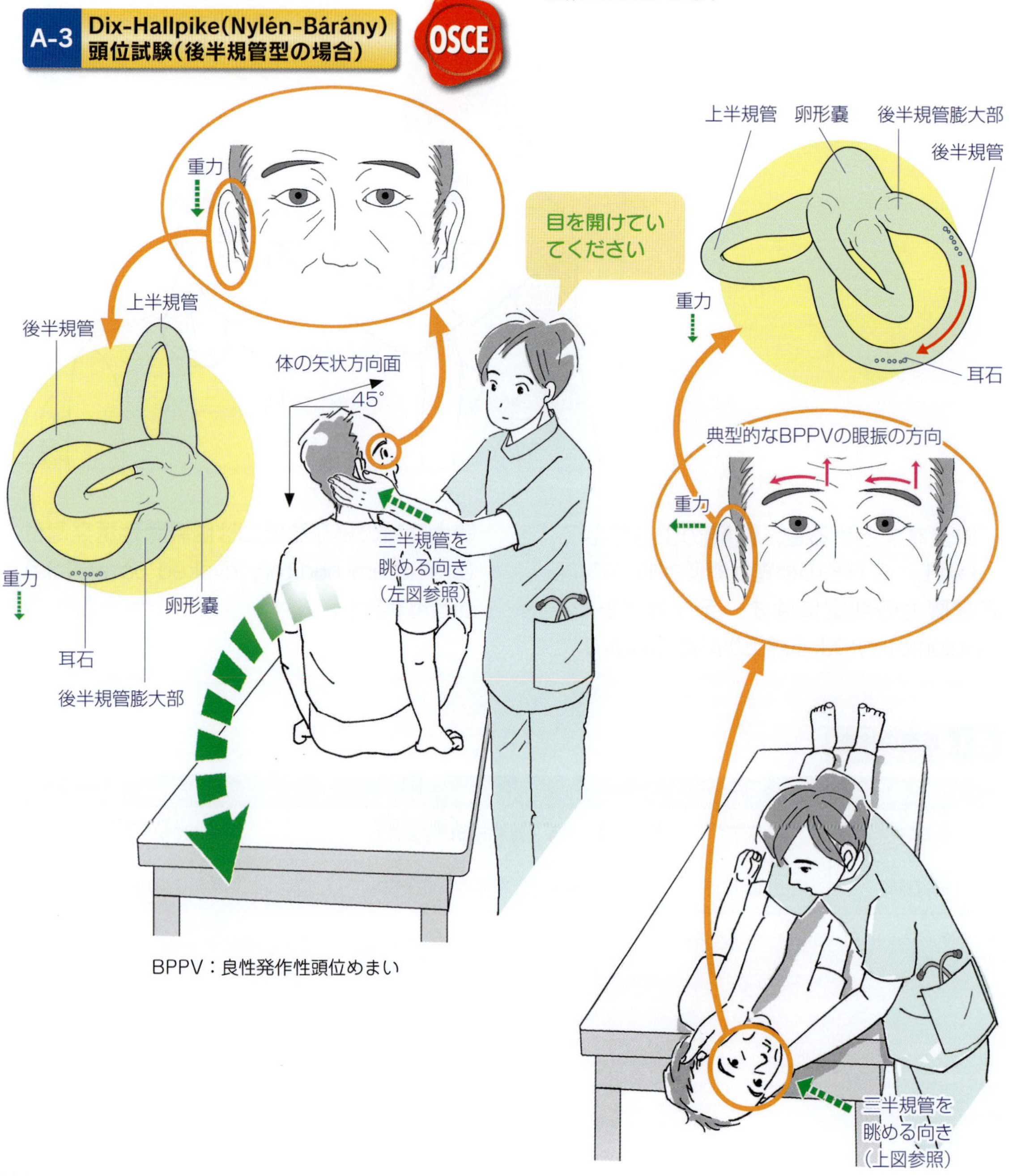

BPPV：良性発作性頭位めまい

●検査中，患者さんには開眼するように指示をする。
●眼振の出現を観察するとともに，「めまいを感じたら言ってください」と言っておく。
●良性発作性頭位めまい(BPPV)などの末梢性めまいの場合には，眼振とともに回転性めまいが5～10秒程度の潜時をおいて誘発される。繰り返し行うとなれが生じる。
●中枢性めまいの場合には，眼振とめまいは臥位にさせて数秒のみの潜時をおいて誘発される。また，繰り返し行ってもなれは生じない。
●眼振のパターンは垂直性・回旋性であるが，純粋な垂直性であれば中枢性を疑う。

温度眼振試験(caloric test)

●脳死判定の際にも用いられるので，知っておく必要がある。
●冷水は30℃，温水は 44℃を用いて，鼓膜に異常がないことを確認して，注射器で20mLずつ外耳に注入する A-4 。
●健常者ではcaloric testで A-4 のような眼球偏倚が誘発される。脳幹機能障害では消失する。

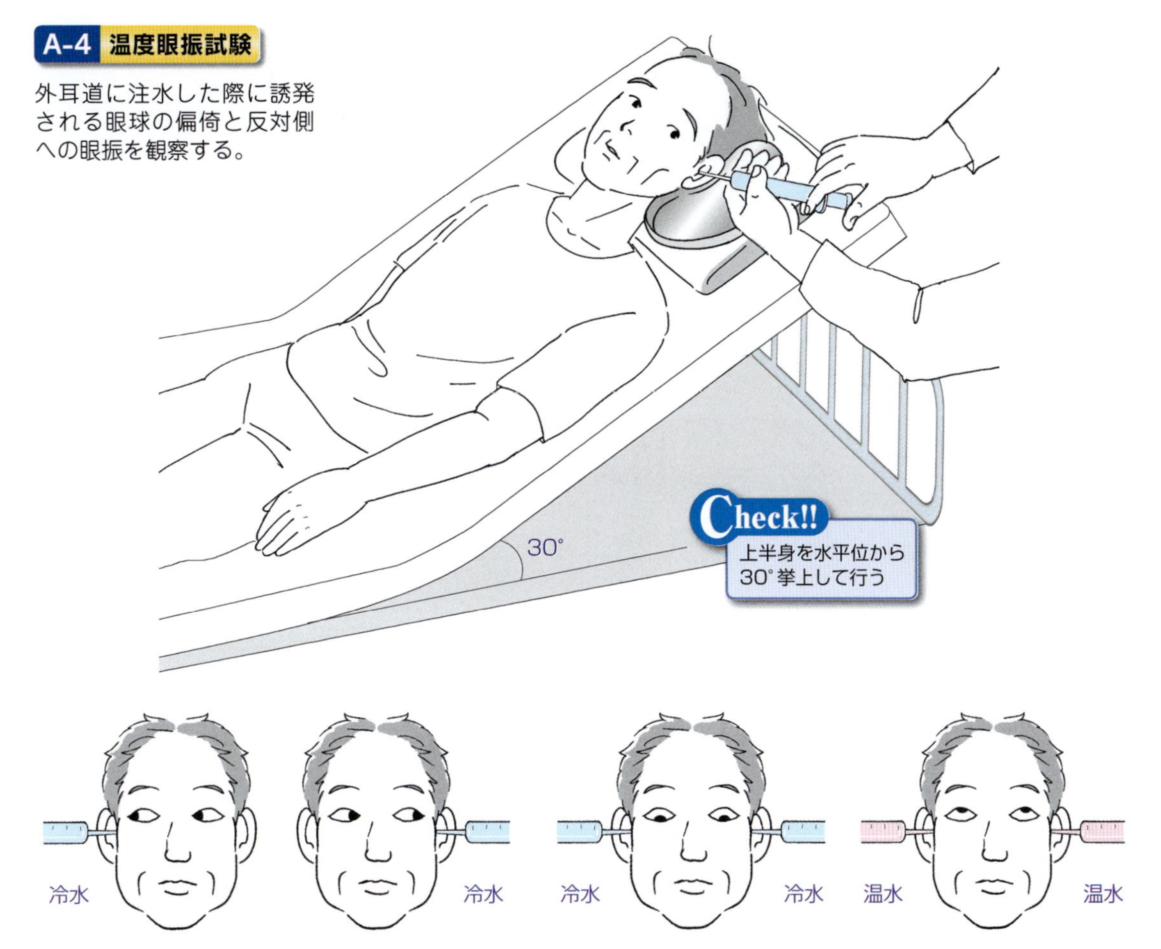

A-4 温度眼振試験
外耳道に注水した際に誘発される眼球の偏倚と反対側への眼振を観察する。

一側の外耳道に冷水を注入すると，同方向への眼球偏倚と反対側へ急速相が向く眼振が観察される。

両側冷水注入では下方への，温水注入では上方への眼球偏倚がそれぞれ誘発される。

診断プロセスからみる前庭蝸牛神経の診察

病巣部位

●聴覚の伝導路は両側性であることもあり中枢性難聴はまれである。また，前庭神経系の解剖を B-1 に示す。内側縦束や小脳脚を介して，眼球運動にかかわる神経や小脳と線維連絡している。

B-1 前庭神経系の解剖

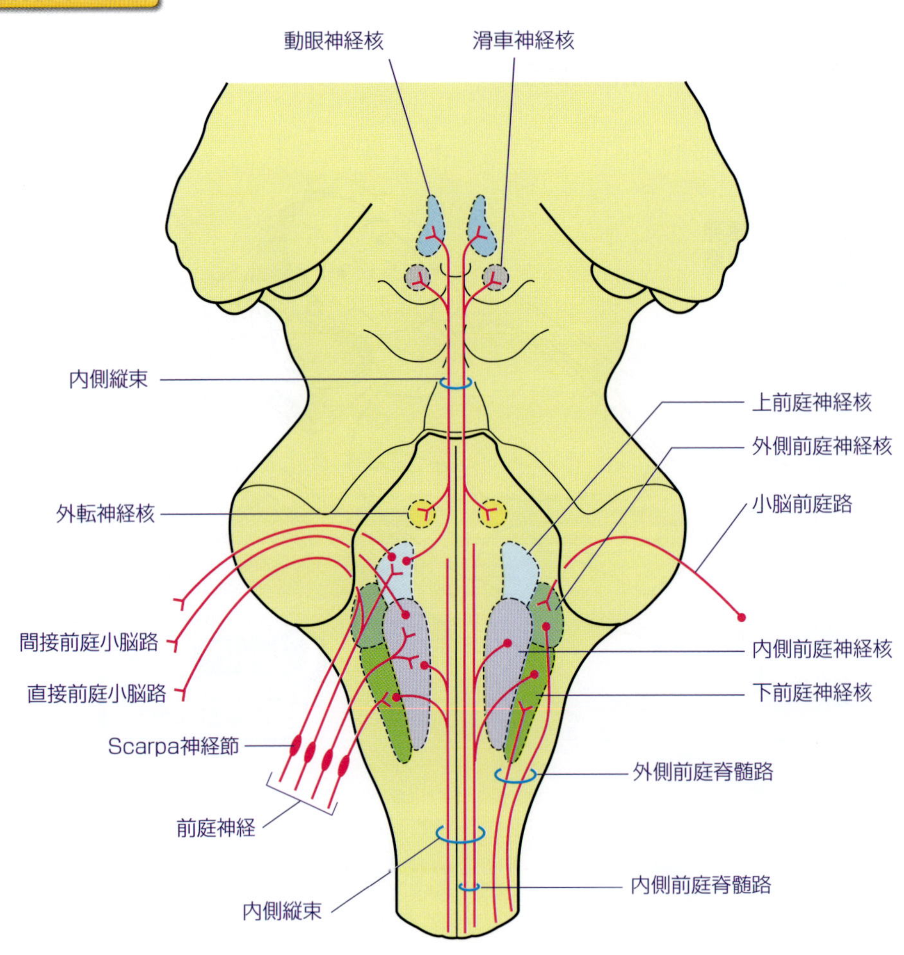

考えられる疾患，鑑別に必要な検査

考えられる疾患	診察所見	検査	MRI	CT
伝音難聴				
外耳の閉塞（異物・滲出）			○	○
鼓膜穿孔		耳鏡による観察		
中耳疾患		耳鏡による観察		
鼻咽頭腫瘍			○	○
感音性難聴				
蝸牛疾患				
外傷			○	○
Ménière病	小脳・脳幹の障害なし	Dix-Hallpike検査		
先天性風疹		抗体検査		
老化				
聴神経疾患				
聴神経腫瘍	前庭機能検査		○	○
	顔面神経機能			
外傷			○	○
髄膜炎	頭痛・髄膜刺激症状	髄液検査		
脳血管障害（前上小脳動脈閉塞）	小脳系・錐体路徴候		○	3D-CTA
ミトコンドリア脳筋症	大脳高次機能・筋力	ミトコンドリアDNA検査	○	○
	筋萎縮	血液・髄液の乳酸・ピルビン酸		
薬剤性（アミノグリコシド）				
老化				
中枢神経系疾患				
脳血管障害	全体的な神経所見		○	○
脳腫瘍	全体的な神経所見		○	○

3D-CTA： 3次元CT血管造影

脳神経／第Ⅸ，Ⅹ脳神経（舌咽・迷走神経）

診察の方法

咽頭の診察

●構音の評価：舌咽・迷走神経障害がある際には，鼻声や嗄声を中心にした構音障害を呈する。

●咽頭の診察：舌圧子で舌を下方に押しつけて，咽頭が見えやすくする。

●「アーと言ってください」と言って，咽頭の動きを観察する A-1。

●一側の麻痺がある場合には，障害側の軟口蓋の挙上が悪く口蓋垂が健側に引かれる A-1。かつ，咽頭後壁が健側に引っぱられたようにみえる。あたかもカーテンを一側に引っぱっている様子に似ているためカーテン徴候（curtain sign，signe de rideau）といわれる。

A-1 咽頭の診察図

催吐反射の診察

●催吐反射（gag reflex）：舌圧子を，咽頭後壁・口蓋に当てると咽頭筋が収縮し，嘔吐するような動きが誘発される A-2。この時，口蓋垂は挙上して咽頭の内腔は狭まる。

●求心路は舌咽神経で遠心路は舌咽・迷走神経である。

●注意すべきは，催吐反射の誘発は健常人でも個人差があり，約40％で欠如しているという指摘もある。しかし，片側で欠如している場合は病的である。疑核（nucleus ambiguus）以下の障害で本反射は低下する。

●嚥下の評価：嚥下は，①先行期，②口腔期，③咽頭期，④食道期に分けられる。舌咽・迷走神経が関わるのは②と③である。嚥下の評価は，最近は造影剤を用いた透視映像をビデオ撮影して行われる。

A-2 催吐反射の診察

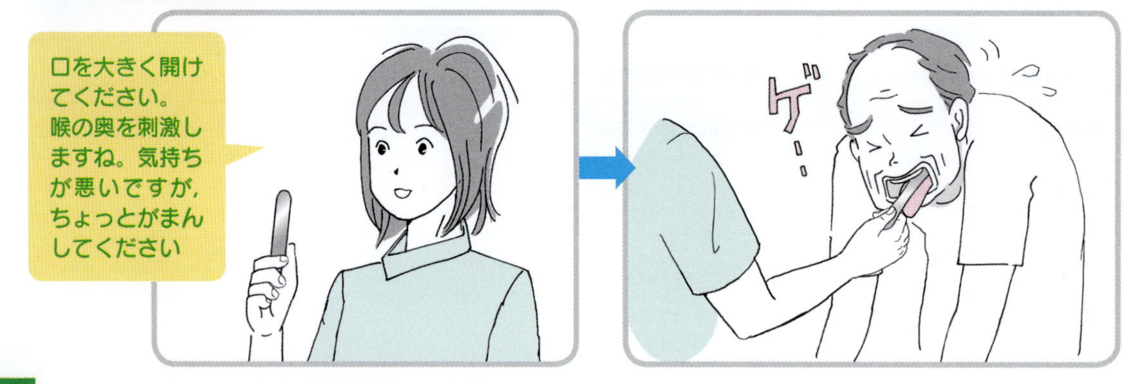

脳神経／第Ⅸ，Ⅹ脳神経（舌咽・迷走神経）

診断プロセスからみる舌咽・迷走神経の診察

病巣部位

舌咽・迷走神経による支配筋

●舌咽・迷走神経による咽頭筋の支配関係を表1に示す。

●口蓋帆張筋（musculus tensor veli palatini）は三叉神経支配であり，舌咽・迷走神経の障害によっても咽頭の開口が完全には障害されないのは，同筋機能の残存による。

●声門付近の筋肉の模式図をB-1に示す。

表1 舌咽・迷走神経によって支配される筋肉とその機能

支配神経	筋肉	機能
舌咽神経	茎突咽頭筋	咽頭の挙上と拡張に関与する。
迷走神経	口蓋垂筋	口蓋垂を短縮し，後方へ曲げる。嚥下に際して，鼻腔への逆流を防ぐ。
	口蓋帆挙筋	軟口蓋を挙上し，後方へ引く。嚥下に際して，鼻腔への逆流を防ぐ。
	口蓋咽頭筋	咽頭と甲状軟骨を上方へ引き，軟口蓋を引き下げる。咽頭と口蓋の距離を短縮する。
	耳管咽頭筋	咽頭の上部と外側部を挙上する。
	口蓋舌筋	舌の後部を挙上し，口峡を狭める。軟口蓋を下方に引く。
	上・中・舌咽頭収縮筋	嚥下に際して，咽頭を平坦化し収縮させる。嚥下に際して，内容物を食道へ押し込む。
上喉頭神経	輪状甲状筋	声帯の主要な張筋。
反回神経	後輪状披裂筋群	声帯の主要な外転筋。披裂軟骨を外方へ回転させ，声門裂を開く。
	外側輪状披裂筋群	声帯の主要な内転筋。披裂軟骨を内方へ回転させ，声門裂を閉じる。
	甲状披裂筋	披裂軟骨を前方へ引き，声帯を短縮して弛緩させる。
	斜披裂筋	披裂軟骨を近接させ，声門裂を閉じる。

B-1 声門付近の筋肉の機能図

すべて上方から見た様子を示している。

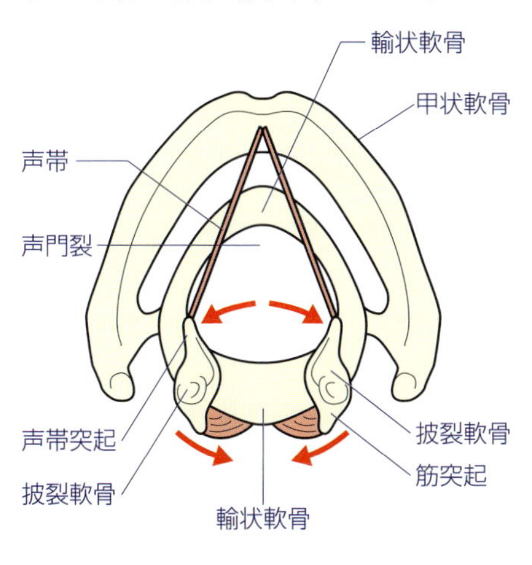

①後輪状披裂筋が収縮すると披裂軟骨が外旋して声門裂を開く。

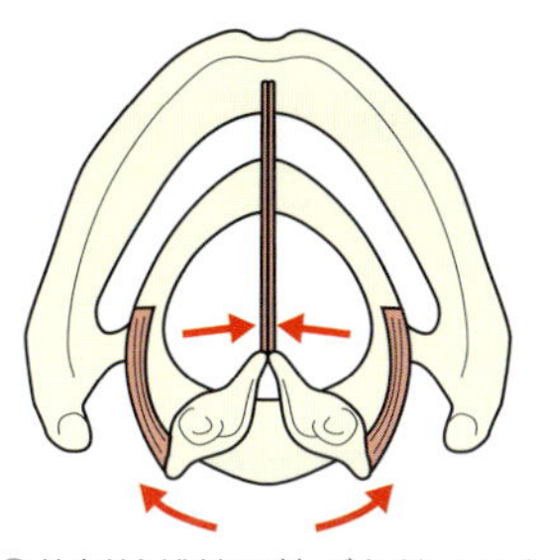

②外側輪状披裂筋が収縮すると披裂軟骨が内旋して声門裂が閉鎖する。

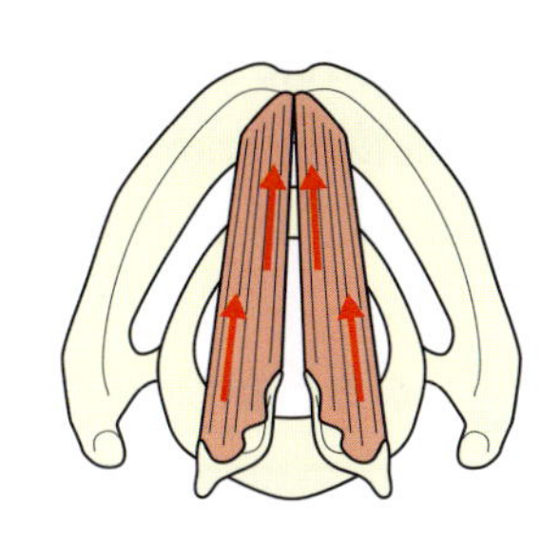

④甲状披裂筋が収縮すると声帯が短縮し，かつ披裂軟骨が近接して声門裂は閉鎖する。

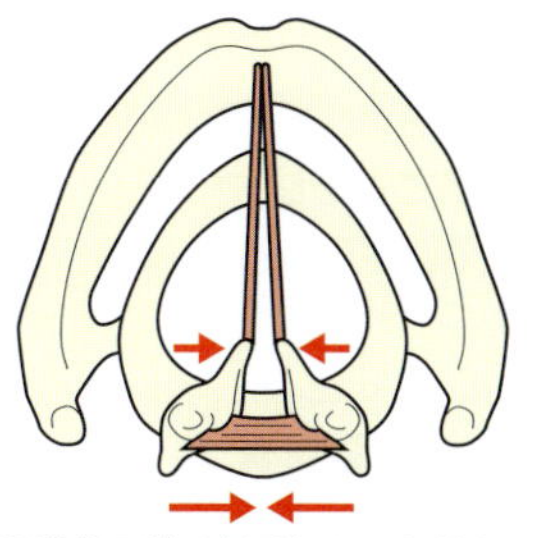

③横披裂筋が収縮すると後部声門裂が閉鎖する。

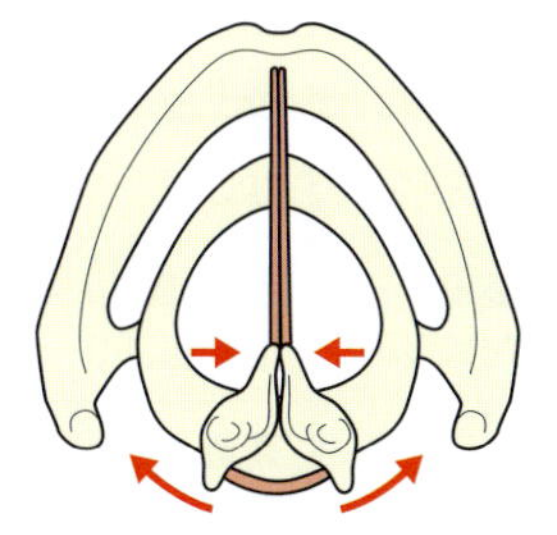

⑤斜披裂筋が収縮すると披裂軟骨が近接して，声門裂は閉鎖する。

舌咽・迷走神経の解剖

●舌咽神経の運動ニューロンは疑核(nucleus ambiguus)に存在する。

●舌咽神経と迷走神経の運動ニューロンはいずれも両側性の核上性支配を受ける。両側性の上位運動ニューロン障害による両神経の核上性麻痺は偽性球麻痺(pseudobulbar palsy)とよばれる 表2。嚥下障害や構音障害に加えて，感情失禁(emotional incontinence)を呈することがある。

●脳血管障害で偽性球麻痺が生じた場合には，急性で上気道閉塞が生じることもある。

●咽頭，扁桃，外耳道などの一般体性求心路は，上および下舌咽神経節(superior and inferior glossopharyngeal ganglion)に一次ニューロンが存在し，三叉神経脊髄路核へ入力する。

●舌咽神経痛(glossopharyngeal neuralgia)では，支配領域の激痛が一過性に起こる。咽頭壁や口峡部にトリガーゾーンが存在する。嚥下などに際して，誘発される。頸動脈小体(carotid body)からの特殊内臓求心路も舌咽神経を通るため，この求心路の刺激症状として徐脈やそれによる失神が起こりうる。

●下唾液核(inferior salivatory nucleus)由来の副交感節前線維が小錐体神経(lesser petrosal nerve)から耳神経節(otic ganglion)に至り，耳下腺への節後線維とシナプスを形成する。

●迷走神経の解剖を B-2 に示す。

●運動神経は疑核に存在し，その軸索は咽頭枝(pharyngeal branch)，上喉頭神経(superior pharyngeal nerve)，反回神経(recurrent nerve)に分かれる。

●副交感神経は，心臓に関しては疑核内側部から，それ以外の消化器系への神経は背側運動核(dorsal motor nucleus)から出る。

●感覚神経は，咽頭・喉頭からの求心路を含んでおり，その一次ニューロンは上迷走神経節(superior vagal ganglion)に存在する。

●咽頭や喉頭からの一般内臓神経や喉頭蓋からの味覚神経は，下迷走神経節(inferior vagal ganglion)に一次ニューロンが存在する。

表2 球麻痺と偽性球麻痺の鑑別点

	球麻痺	偽性球麻痺
病態	下位運動ニューロン障害	両側上位運動ニューロン障害
嚥下障害	固形物が主体	液状物が主体
催吐反射	低下	正常〜低下
感情失禁	なし	認めることあり
舌萎縮・線維束収縮	舌下神経核が侵された場合にあり	なし
原因疾患	運動ニューロン疾患 延髄脳血管障害	テント上脳血管障害 多発性硬化症

B-2 迷走神経の解剖

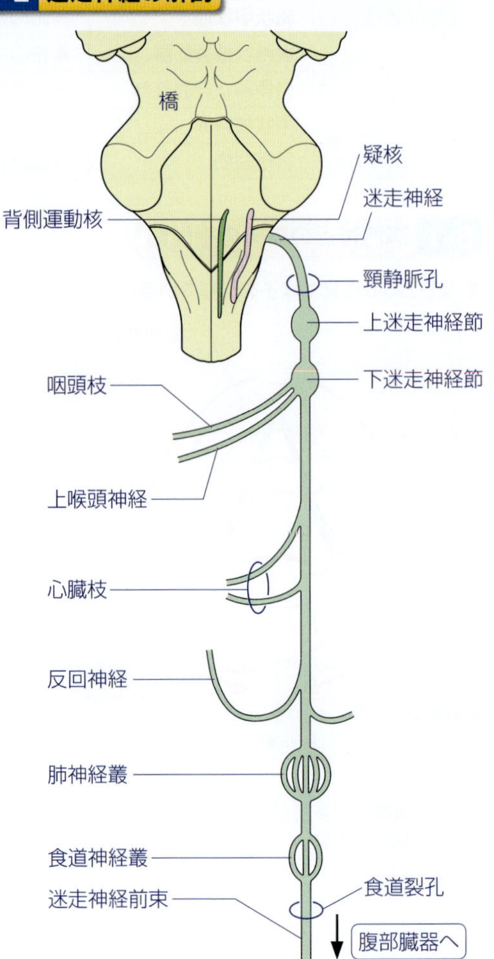

考えられる疾患，鑑別に必要な検査

考えられる疾患	診察所見	検査	MRI	CT
核上性の障害				
脳血管障害	全体的な神経機能		○	○
脳腫瘍	全体的神経機能 脳圧亢進所見		○	○
多系統萎縮症	錐体外路系 小脳系	自律神経機能検査	○	△
運動ニューロン疾患	筋萎縮・筋力 腱反射	筋電図	△	
多発性硬化症	全体的な神経機能 視覚検査	髄液検査・誘発電位	○	
核あるいは髄内核下線維の障害				
脳血管障害	全体的な神経機能		○	○
運動ニューロン疾患	筋萎縮・筋力 腱反射	筋電図	△	
延髄空洞症	感覚機能 下位脳神経機能		○	
脳幹腫瘍	脳神経系・小脳系		○	
髄外核下線維の障害				
腫瘍	副神経・舌下神経機能		○	
動脈瘤	副神経・舌下神経機能	血管造影	○	3D-CTA
外傷	副神経・舌下神経機能		○	○
神経筋接合部疾患				
重症筋無力症	眼瞼下垂・眼球運動 筋力	筋電図・抗ACh受容体抗体		
ボツリヌス毒素中毒	瞳孔・眼球運動	培養検査・毒素検出・毒素PCR		
筋疾患				
筋強直性ジストロフィー	眼瞼下垂・眼球運動 筋萎縮・筋力・筋強直	筋電図・遺伝子検査		
眼咽頭筋ジストロフィー	眼瞼下垂・眼球運動	筋電図・遺伝子検査		
食道疾患				
食道癌			○	○
食道アカラシア		食道造影検査		
縦隔疾患				
悪性リンパ腫		ガリウムシンチグラフィ・生検	○	○
リンパ節転移		ガリウムシンチグラフィ・生検	○	○
喉頭疾患				
喉頭癌		内視鏡・生検	○	○
喉頭ポリープ		内視鏡・生検		

ACh：アセチルコリン
PCR：ポリメラーゼ連鎖反応

脳神経／第XI脳神経（副神経）

診察の方法

視診

●痙性斜頸がないか。あれば，胸鎖乳突筋（M. sternocleidomastoideus）に肥大があるか。
●一側の肩の位置が他方に比較して下にないか。
●立位で両上肢を自然に下げさせる。すると，麻痺側の指先はより下方に位置している。
●胸鎖乳突筋の萎縮がないか。もしあれば，前頭部の禿頭や斧状顔貌（hatchet face）などの有無を確認する。それらが存在すれば筋強直性ジストロフィーを考慮する。

胸鎖乳突筋の診察

●一側の胸鎖乳突筋の作用は首を対側に回旋させることである。
●例として対面式による左側の診察を示す。検者が左手で被検者の顎の右側に触れて，右手は被検者の左胸鎖乳突筋に触れる A-1。
●「首を右に回してください」と指示して，左手にかかる力と，右手で感じる筋収縮と筋肉のボリュームを評価する。
●これを対側でも行い，左右差を検討する。

上部僧帽筋の診察

●上部僧帽筋（upper portion of M. trapezius）の主な作用は，肩の挙上というよりも肩甲骨を上後方に引くことにある。これは，肩甲骨の位置を上方回転させることで，肩よりも上への腕の挙上を可能にする。
●検者が被検者の肩に手を当てて，「肩を持ち上げてください」と指示する A-2。
●肩の挙上の程度と検者の両手にかかる力を評価する A-2。
●後頭部を肩峰につける力で評価することも可能である。
●三角筋の筋力が正常でも，上部僧帽筋の麻痺があると上腕を水平まで外転することができない。これは，肩甲骨が十分固定されずに上肢の重みで外転位をとってしまうためである。また，上部僧帽筋麻痺があると，頭部の伸展にも軽い麻痺が出現する。

A-1 胸鎖乳突筋の診察

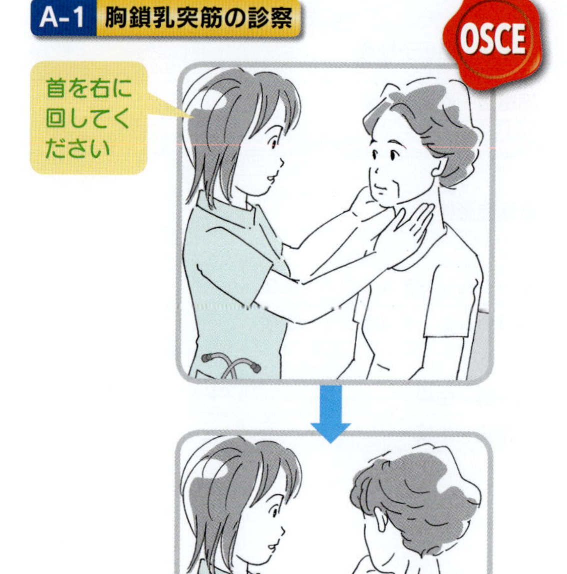

A-2 上部僧帽筋の診察

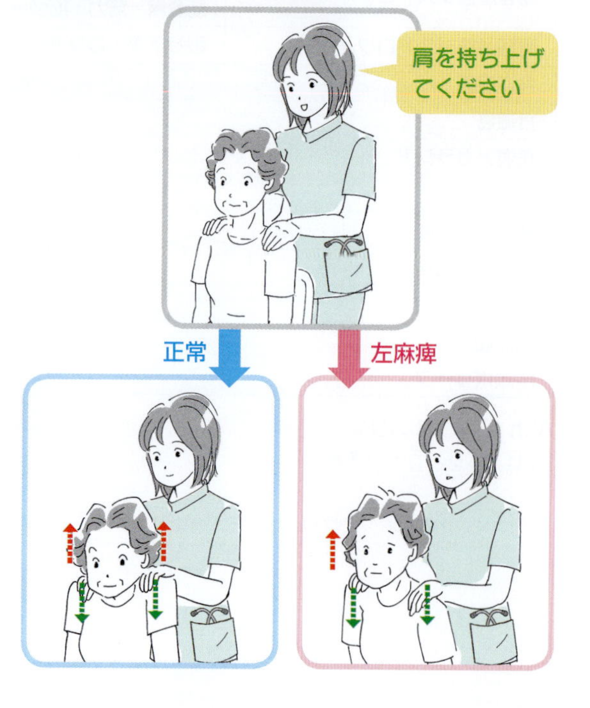

診断プロセスからみる副神経の診察

病巣部位

●副神経は純粋な運動神経からなる B-1。

●核上性線維は錐体路を通って核に至るが，上部僧帽筋に対する運動核は主に対側支配を受ける。

●胸鎖乳突筋に対する核上性支配は主に同側性であることに注意する。最終的に同側支配となるのは，二重交叉があるのではないかと推測されているが，正確な核上性線維の経路は不明である。

●脳幹では上部僧帽筋を最終的に支配する線維は腹側を，胸鎖乳突筋を最終的に支配する線維は被蓋部を通っている。

●副神経の核は，延髄の疑核および脊髄前角のC5のレベルまで存在する。主にC1，2は胸鎖乳突筋を，C3，4は上部僧帽筋を支配する。神経根は上行して，頸静脈孔から頭蓋外へ出る。この部位で第Ⅸ，Ⅹ神経と障害されることがある（頸静脈孔症候群）。

考えられる疾患，鑑別に必要な検査

●副神経単独の麻痺はきわめてまれで，原因は第Ⅹ（p.54〜57），Ⅻ（p.60〜61）神経と共通している。

B-1 肩甲骨と僧帽筋と前鋸筋の関係

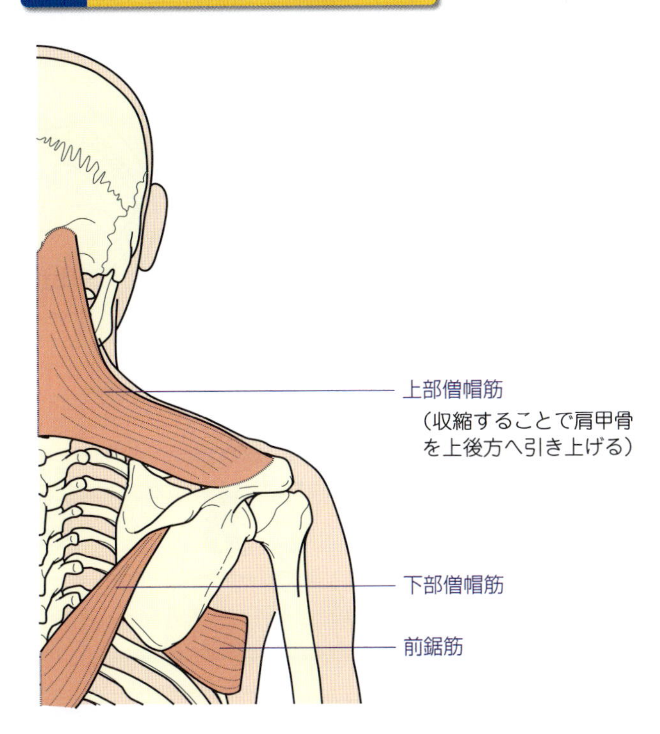

脳神経／第XII脳神経（舌下神経）

診察の方法

視診

●舌が口腔内に自然な形で収まっている時に，線維束性収縮（fasciculation）を思わせるような異常な筋収縮がないか A-1 。

挺舌

●「舌をまっすぐに突き出してください」と指示して舌を挺出させる A-2 。その際に，明らかに偏倚していれば，偏倚側に麻痺がある。また，挺出させることで舌の萎縮がないかを判定できる A-2 。

●「舌を左右に動かして下さい」と指示して動きを観察したり，舌圧子に舌を押しつけさせて力の程度を判定したりすると，より麻痺の程度がわかる。

●舌の萎縮は慢性の核以下の障害によって出現する。

A-1 舌の診察

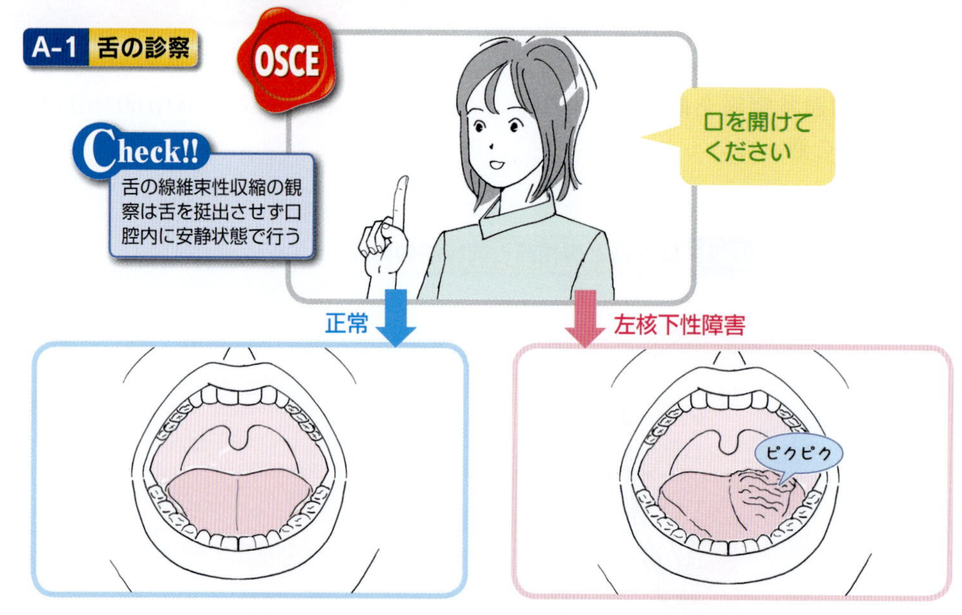

A-2 舌下神経の診察

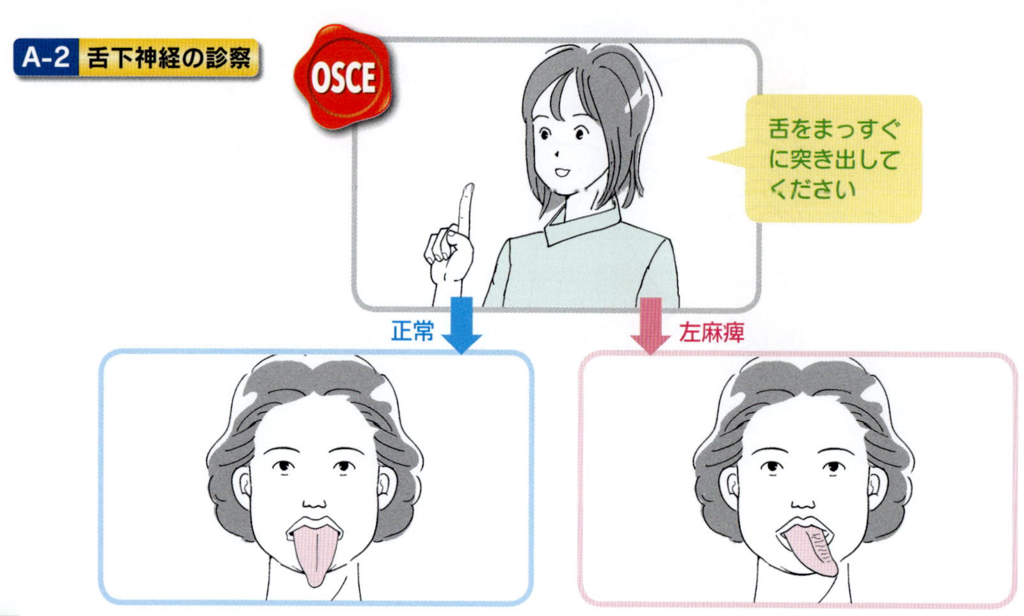

脳神経／第Ⅻ脳神経（舌下神経）

診断プロセスからみる舌下神経の診察

病巣部位

●舌下神経核は純粋に運動ニューロンからなり，延髄の第四脳室の腹側に存在する。18mm程度の上下に長い神経核である。運動ニューロンから出た髄内線維は，下オリーブ核（inferior olivary nucleus）と錐体（pyramid）の間から髄外に出るが，この際15本程度の小神経根を形成する **B-1**。これが2本に融合して，それぞれ別個に硬膜を貫通して舌下神経管を通って頭蓋に出る。その後，2本の枝は融合してから舌筋群を支配する。核上性支配は対側性に受ける。なお，延髄内側で，舌下神経の髄内線維が錐体路と内側毛帯と共に障害を受けて出現した症候群は，Dejerine症候群とよばれる。

B-1 舌下神経

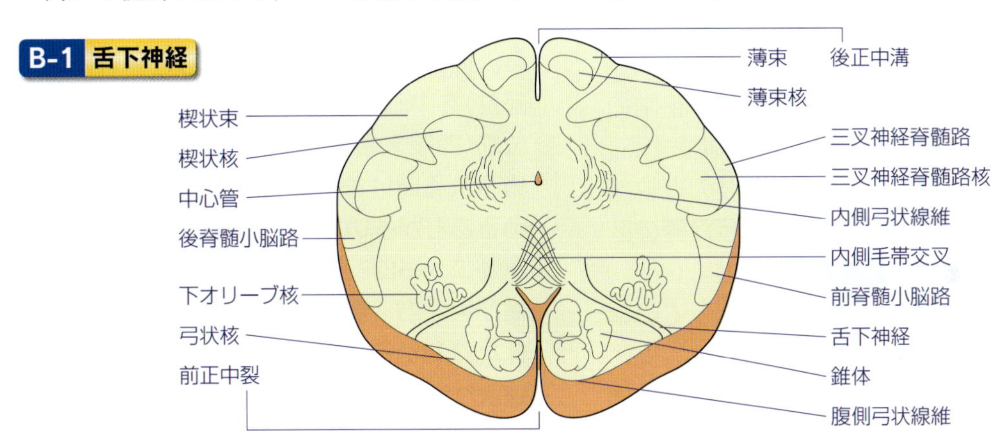

考えられる疾患，鑑別に必要な検査

考えられる疾患	診察所見	検査	MRI	CT
核上性障害				
脳血管障害	全体的な神経所見		○	○
脳腫瘍	全体的な神経所見 脳圧亢進所見		○	○
多系統萎縮症	錐体外路系 小脳系	自律神経機能検査	○	△
運動ニューロン疾患	筋萎縮・筋力 腱反射	筋電図	△	
多発性硬化症	全体的な神経所見 視覚機能	髄液検査・誘発電位	○	
核あるいは髄内核下線維の障害				
脳血管障害	全体的な神経所見		○	○
運動ニューロン疾患	筋萎縮・筋力 腱反射	筋電図	△	
延髄空洞症	感覚機能 下位脳神経機能		○	
脳幹腫瘍	脳神経系・運動機能 感覚機能		○	
髄外核下線維の障害				
腫瘍	下位脳神経機能		○	
動脈瘤	下位脳神経機能	血管造影	○	3D-CTA
炎症	下位脳神経機能		○	
肉芽腫性疾患	下位脳神経機能	ACE・C-ANCA	○	
外傷	下位脳神経機能		○	○

ACE：アンジオテンシン変換酵素
ANCA：抗好中球細胞質抗体

運動系／筋肉，筋トーヌス

診察の方法

筋肉の診察

筋萎縮（muscle atrophy）

●筋萎縮の診察では，詳細な視診が最も重要であるが，以下の4つのポイントに注意する。

①**問診**：発症の仕方と発症から現在に至るまでの経過を聴取する。ことに筋の容積は個人差が大きいため，問診による過去との比較は重要。

②**視診**：全身の筋を詳細に観察し，正常の筋の膨らみが減少していることを確認する。筋萎縮が全身性か局所性か，四肢の近位部と遠位部の比較，左右対称かどうか等の区別などが重要であるA-1。

③**触診**：筋が小さく，軟らかくなっていないかを確認する。

④**計測**：必要に応じて計測する。四肢の周径は，左右で同じ部位を測定する。右利きの人の右上肢が左より1cm程度大きいことは正常でもみられる。

●前脛骨筋や手掌の母指球，小指球など通常は盛り上がっている，あるいは外に凸となっているべき部位が，平坦になったり逆に内側に窪んだりしている場合は病的と診断しやすい。

●萎縮のある場合は左右差や局在に注意する。近位筋（肩甲部や骨盤部など体幹に近い部位）を中心に萎縮がある場合は筋疾患，遠位筋（四肢末端の筋）を中心として萎縮が認められる時は神経原性疾患が原因となっていることが多い。通常，神経原性疾患（下位運動ニューロン障害）では筋力低下より筋萎縮が目立ち，萎縮の程度に比較して筋力は保たれていることが多く，筋疾患では筋萎縮より筋力低下が目立つA-2。

A-1 四肢の筋萎縮

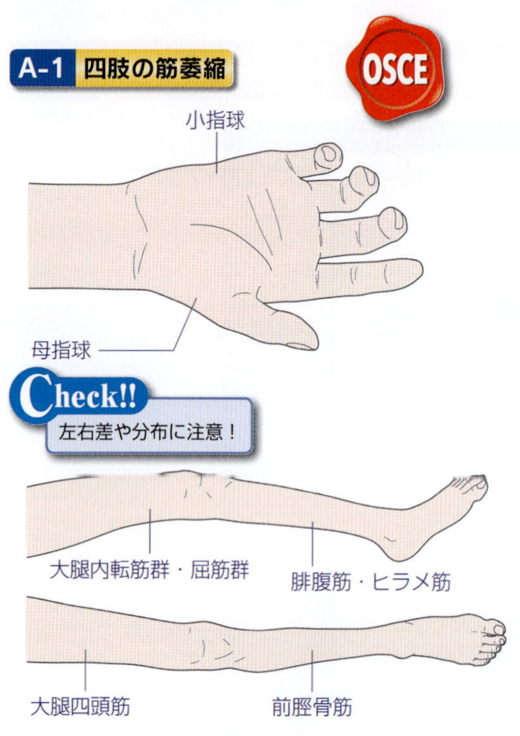

図中の6つの筋群は通常外に向かって丸みをもった凸になっているが，それらが平坦～逆に陥凹していることがわかる。明らかな筋萎縮と判定できる所見である。

A-2 四肢の計測

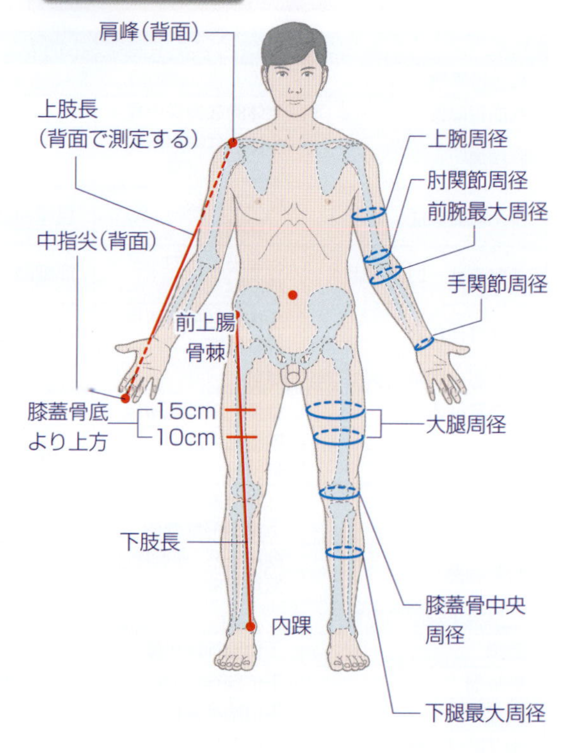

筋肉の自発的収縮

●線維束性収縮(fasciculation)：筋線維束がピクピクと自然に収縮するもので，出現は不規則で短時間で消失する。筋線維束群を単位とした自発性筋収縮であり，関節運動効果はない(ただし手の骨間筋のfasciculationに伴い，手指の運動が出現することがある)。
●皮膚表面から肉眼的に観察することが可能である。
●舌，顔面·おとがい，上腕，前腕，骨間筋，肩甲部，大腿，腓腹筋などにみられやすい。
●ハンマーや手指で軽く筋を叩くと誘発されることがある。
●脊髄前角神経細胞の障害(脱神経；denervation)で起こり，運動ニューロン疾患，脊髄空洞症などで認められる。また，末梢神経の障害で出現する場合もある(p.239参照)。
●患者さんが自覚していることもあり，必ずその有無，部位を問診する A-3 。
●ミオキミア(myokymia)：筋肉の小部分が不随意に収縮を繰り返す(fasciculationよりやや大きな筋束の収縮)。関節運動効果はない。
●とくに隣接する部位にて筋線維束性収縮が交互に出現し，波のように移動するので，皮膚表面が波状運動のように観察される(筋波動症ともよばれる) A-4 。

筋肉の触診と打診

●**把握痛**：筋炎などでは筋肉を把握した時，筋痛を訴えることがある。
●**叩打性筋強直(percussion myotonia)**：筋強直性ジストロフィーなどで母指球筋を叩打すると筋の強直と母指の内転が起こる現象。手を強く握った後すぐに手を開くことのできない把握性筋強直(grip myotonia)もみられることがある。
●**筋膨隆現象(mounding phenomenon)**：骨格筋の叩打で数秒間筋肉の一部が盛り上がって見える現象。甲状腺機能低下症などで観察される。

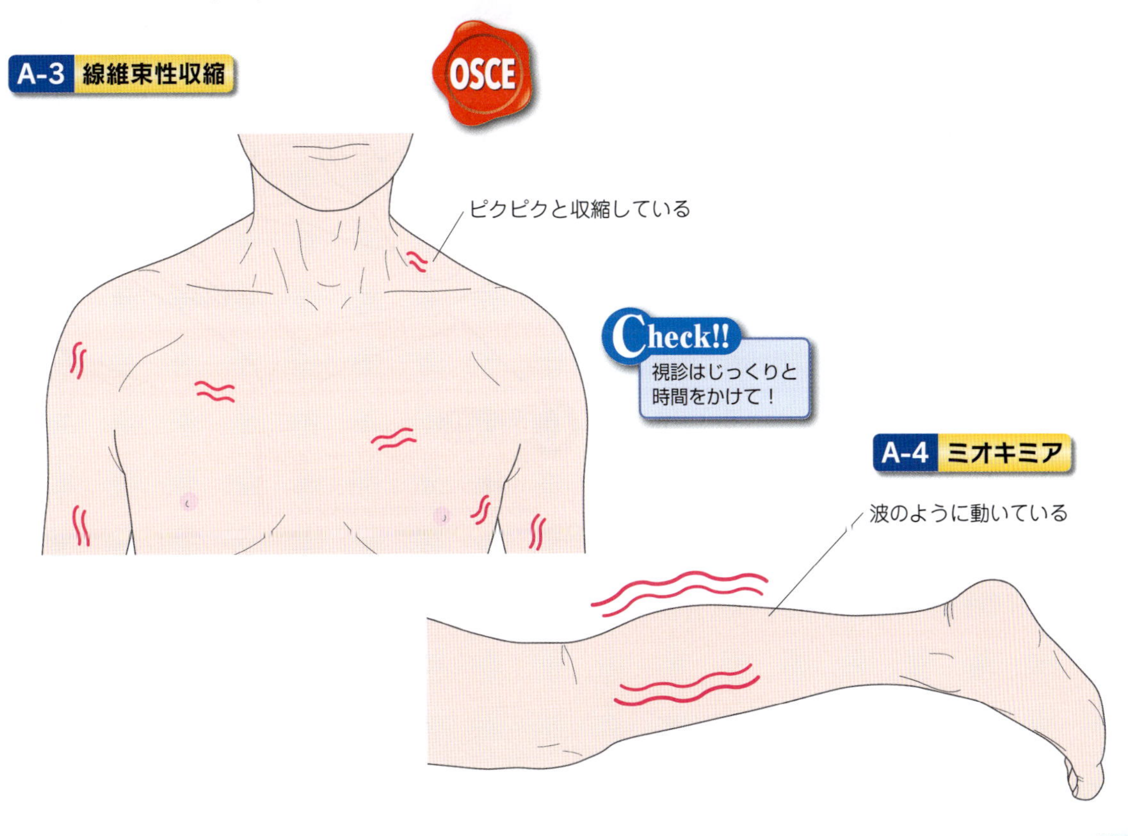
A-3 線維束性収縮
OSCE
ピクピクと収縮している
Check!!
視診はじっくりと
時間をかけて！
A-4 ミオキミア
波のように動いている

筋トーヌス(muscle tonus)の診察

●安静時における骨格筋の緊張状態をいう。
●患者さんの手，肘，足，膝関節などを受動的に動かし，そのとき受ける抵抗から筋トーヌスの亢進・低下の有無をみる。
●筋が収縮していない安静状態で筋を伸張し，検者の手に感ずる抵抗を評価する。筋の伸張とは筋の長さを伸ばすことであり，他動的な屈伸，回内・回外，内転・外転，外旋・内旋などによって行う。
●筋トーヌスの評価は，筋力検査のように各筋ごとに行うべきもので，例えば上腕二頭筋の筋トーヌスは他動的に肘を伸展させることで評価する A-5。
●上肢では坐位で診察することが多いが，随意収縮がとりにくい時には臥位で診察する。
●下肢では一般に臥位で検査する。
●診察にあたっての留意点としては，①筋が安静状態にあることを確認する，②伸張速度は急緩の両方で試みることが重要である。

筋緊張亢進 (hypertonia)

●筋トーヌス異常は亢進と低下に分けられる。亢進は典型的には痙縮，筋強剛(筋固縮)の2つであるが，時に両者の特徴を有する病態もある。
●**痙縮(spasticity)** A-5①：急激な運動に対し抵抗を示すもので，運動の始めは抵抗が大きいが，あるところまで動かすと急に抵抗が減じる。筋の伸張の際にみられる

A-5 上腕二頭筋の筋トーヌスの診察 OSCE

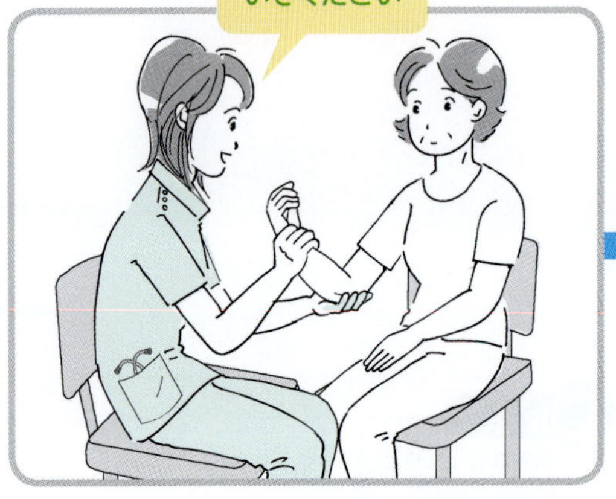

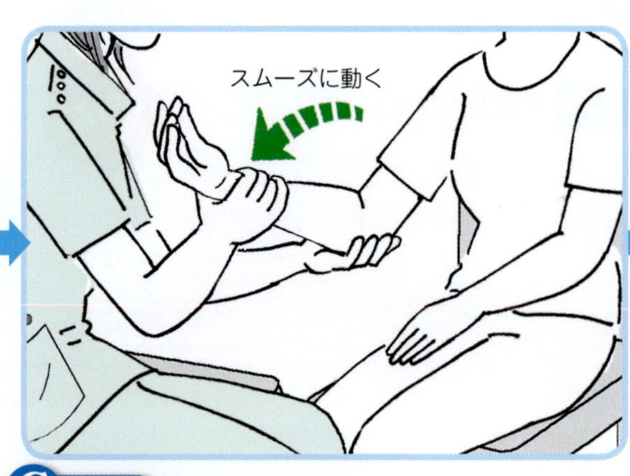

Check!!
患者さんには力を抜いて，自分では動かさないよう指示する

速度依存性の伸張反射亢進状態である。この現象が折りたたみナイフに似ているため“折りたたみナイフ現象(clasp-knife phenomenon)”とよばれている。大腿四頭筋で最も観察されやすいが，痙縮が強いとほかの筋にもみられ，上肢では回内筋・手の屈筋に多く，下肢では伸筋群により目立つ。錐体路障害により出現する。障害の原因は問わない。脳腫瘍，脳血管障害，変性疾患，頭椎症など多くの原因がある。

●**筋強剛** A-5②**，筋固縮(rigidity)**：筋の長さ依存性の伸張反射亢進状態(持続性伸張反射の亢進)であり，臨床的には受動的に筋を伸張したとき，始めから終わりまでずっと持続性の抵抗として感知される状態をいう。屈筋と伸筋の両方が障害されるため，屈伸両方向に抵抗を生じる。一様な抵抗を感じるものを鉛管様固縮(lead-pipe rigidity)あるいは可塑性強剛(plastic rigidity)とよぶ。Parkinson病では，カクカクと歯車を回転させるときのような抵抗(歯車現象；cogwheel phenomenon)が認められ，特徴的な所見とされる。これは筋強剛に振戦の病態が重畳したものと捉えられている。痙縮で，筋伸張の速度に依存して速い伸張で伸張初期のみに抵抗を生じるのと対照的である。筋電図でみると，伸張し終わった後も筋を伸張した状態に保っている限り筋放電が続くことが確認され，筋の長さ依存性の現象であることがわかる。強剛は錐体外路障害の徴候である。原因疾患にはParkinson病を中心としたParkinson症候群(多系統萎縮症，進行性核上性麻痺，大脳皮質基底核変性症など)がある。

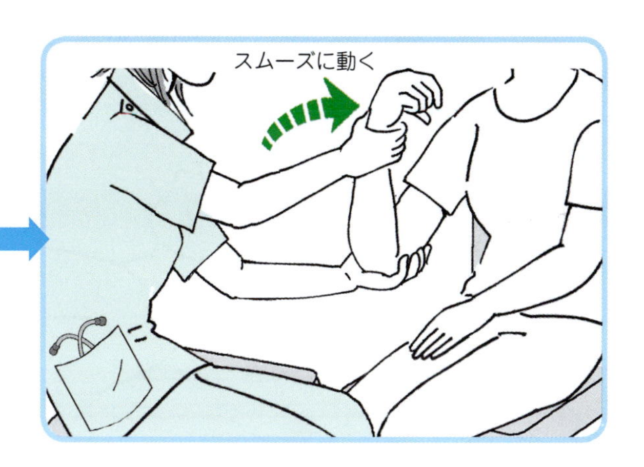

①痙縮

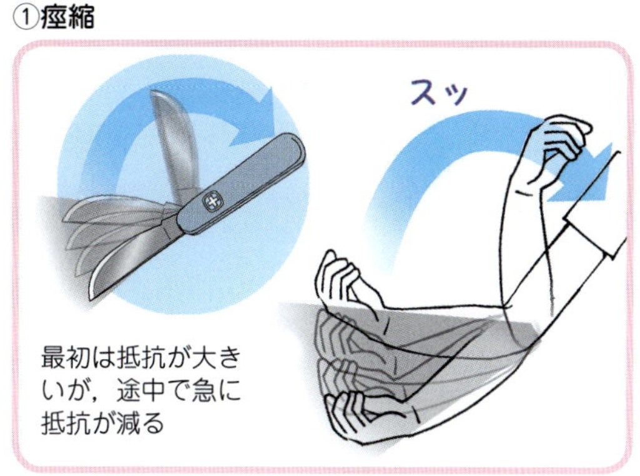

スッ
最初は抵抗が大きいが，途中で急に抵抗が減る

②筋強剛

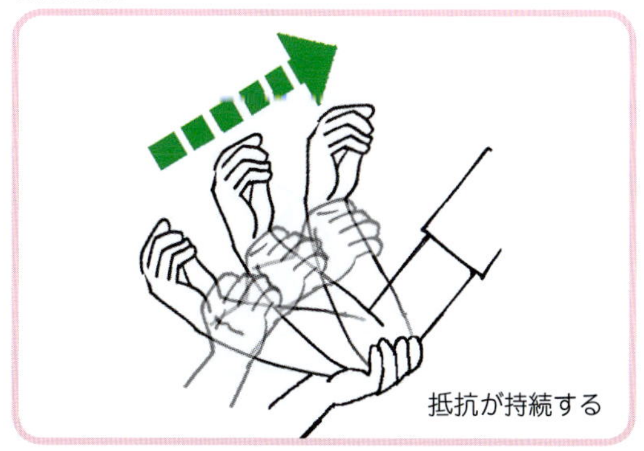

頭落下試験 (head-dropping test)

●仰臥位で閉眼させ，患者さんの頭を検者の一方の手で持ち上げて，患者さんの注意を他にそらすようにしながら，急に離す。
●もう一方の手は，落下してくる頭を受けとめられるようにしておく。
●正常では頭部は重い物体のようにすぐに落ちて，手掌に当たることが多い。
●Parkinson病などでゆっくり落下すれば，頸部の筋強剛(neck rigidity)が診断可能である A-6。

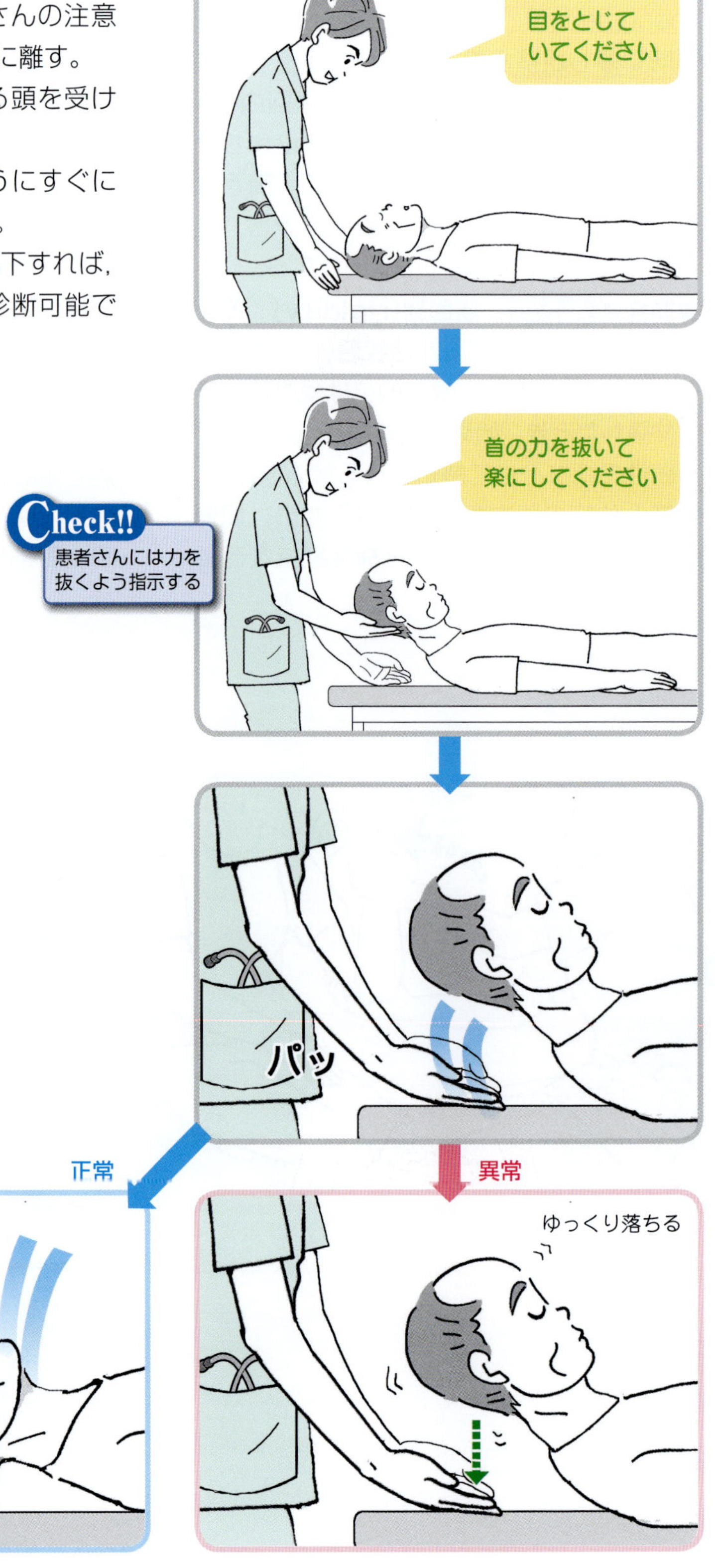

膝倒し法 (knee tilt method)

●体幹の筋強剛の診察は，坐位の患者さんの両肩にそれぞれ手をおいて，体幹を回旋させて行う。

●膝倒し法(knee tilt method)が有用である。

●仰臥位にて両下肢を屈曲させた位置から(両膝を立てた状態)，膝を側方へ倒す。

●A-7のように，正常では，下肢を右側方へ倒しても，左肩はベッド上にあるが，左体幹の筋強剛があると，左肩はベッドから持ち上がる。

●両側で診察することで左右差も診断することが可能である A-7。

A-7 膝倒し法(knee tilt method)

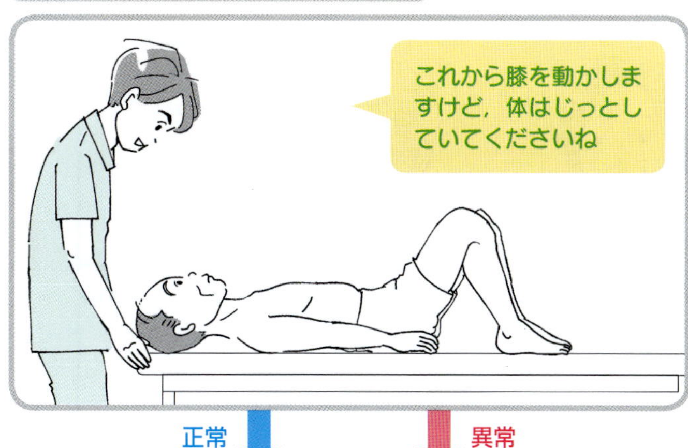

これから膝を動かしますけど，体はじっとしていてくださいね

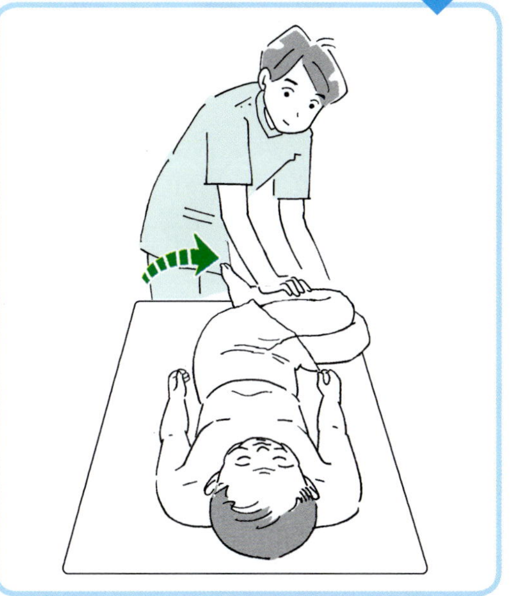

異常

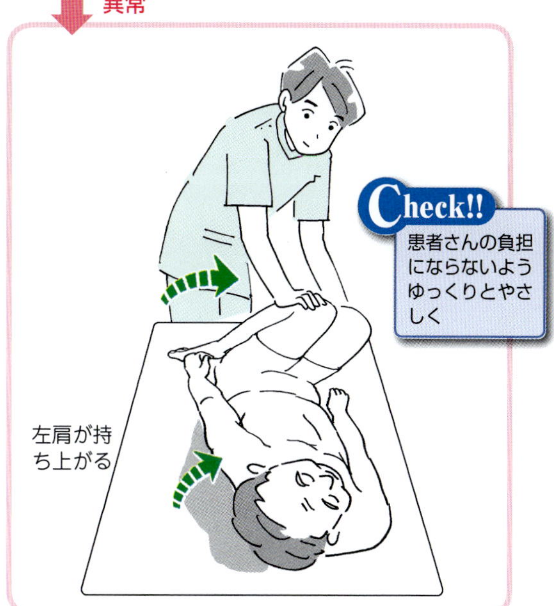

Check!!
患者さんの負担にならないようゆっくりとやさしく
左肩が持ち上がる

腕木信号現象
(signpost phenomenon)

●力を抜き，肘をついて前腕を挙上させ，そのまま保持させると手指が伸展位をとり，鉄道の信号灯が上向きにあるような姿勢をとる。

●このような姿勢で，手首の力を抜くように指示する。

●健常人では手首が屈曲し，手関節の角度はほぼ90°になるが，筋強剛があると鉄道の信号灯が上向きにあるような姿勢で伸展位のままとどまる A-8。

A-8 腕木信号現象の診察 (signpost phenomenon)

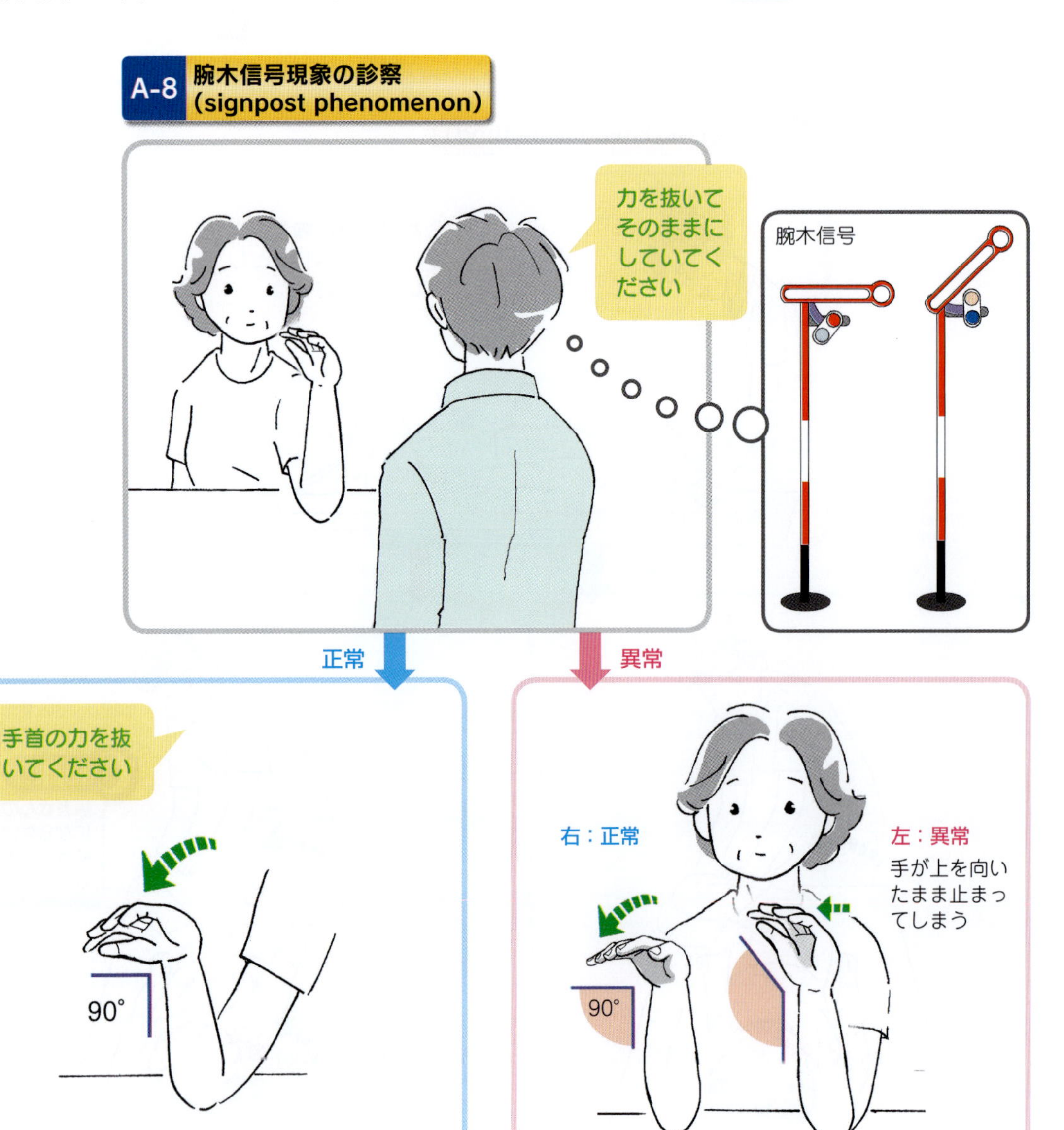

フロマン（Froment）の固化徴候

●きわめて軽度の筋強剛を見出すには，フロマン(Froment)の固化徴候が有用である。
●患者さんを起立位にして，一側の手関節で筋トーヌスを診察しながら，手がやっと届くぐらいのところにおかれた物を，足を踏み出すことなく，他方の手でとるように指示する。
●患者さんが物をとる努力をするので筋緊張がたかまり，手首に筋強剛が出現する(induced rigidity) A-9 。
●変法として，坐位にて一側の手関節で筋トーヌスを診察しながら，他方の手で回内回外運動あるいはグー・チョキ・パーを繰り返すように指示すると，同様に筋トーヌスが亢進するのが確認できる。
●筋強剛は発病当初には一側のみに認めることが多い。
●高齢者では，両側で固化徴候を認めることもある。

筋緊張低下（hypotonia）

●伸張時の抵抗が低下している状態をいう。
●診察時には，筋伸張時の抵抗が小さい，四肢を受動的に動かしたときの末梢部分の過剰な動揺(被動性の亢進)，関節の過屈曲・過伸展などの特徴から判断される。
●安静時の筋を触ると正常より軟らかく，また背臥位では足が外旋していることも多い。
●筋トーヌス低下の機序については，伸張反射弓を形成する前核細胞・末梢神経・筋の障害で低下する。
●原因疾患には，ポリオ，脊髄性進行性筋萎縮症，多発性神経炎，筋ジストロフィー症，多発性筋炎，Huntington舞踏病などがある。
●脳卒中の片麻痺の初期や小脳疾患などで認められることがある。

A-9 フロマン(Froment)の固化徴候の診察

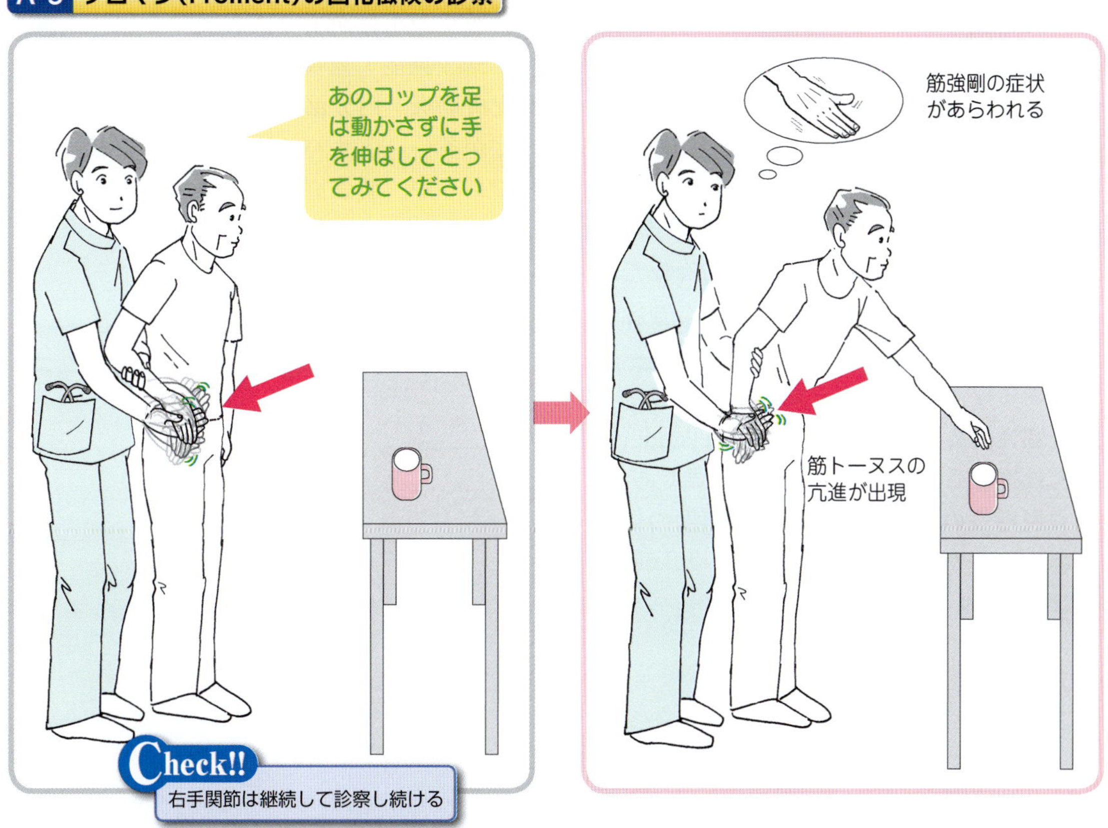

あのコップを足は動かさずに手を伸ばしてとってみてください
筋強剛の症状があらわれる
筋トーヌスの亢進が出現
Check!!
右手関節は継続して診察し続ける

運動系／筋肉，筋トーヌス

診断プロセスからみる筋肉，筋トーヌスの診察

●筋肉，筋トーヌスの診察から得られる臨床所見を用いて，3つの視点から，病巣部位診断へつなげることが可能である。それは「神経原性筋萎縮か筋原性筋萎縮か」「錐体路の障害か錐体外路の障害か」「上位運動ニューロンの障害か下位運動ニューロンの障害か」である。

神経原性筋萎縮か筋原性筋萎縮か

神経原性筋萎縮

脳幹の運動神経核と脊髄前角にあり筋を直接支配している下位運動ニューロンの障害で生じ，
①筋力低下
②筋萎縮
③筋緊張低下（弛緩性）
④腱反射減弱～消失
⑤線維束性収縮
⑥神経原性筋電図所見
⑦神経原性筋生検所見
などがみられる。

下位運動ニューロンの細胞体の障害は，運動ニューロン疾患やポリオウイルスによる急性脊髄前角炎などでみられる。脊髄前根の障害は椎間板ヘルニアなどの頸椎・腰椎疾患で多い。前根と後根が合してからの末梢神経は通常運動神経と感覚神経が混在しているため，その障害では運動麻痺だけでなく感覚障害も伴うことが多い。神経原性の脱力や筋萎縮はふつう四肢遠位部に優位であるが，運動ニューロン疾患のなかの球脊髄性筋萎縮症やKugelberg-Wellander病などは近位部優位であり注意が必要である。なお脱髄性の病変では神経伝導速度の低下はみられるが，軸索が保たれていれば筋萎縮は生じない。

筋原性筋萎縮

筋原性筋萎縮（ミオパチー）すなわち筋自体の障害の特徴は
①筋力低下
②筋萎縮
③筋緊張低下（弛緩性）
④腱反射減弱～消失
⑤感覚障害を伴わないこと
⑥血清酵素クレアチン・キナーゼの上昇
⑦筋原性筋電図所見
⑧筋原性筋生検所見
以上の8つである。

多くの疾患があり，各種の筋ジストロフィー，炎症・免疫疾患としての多発筋炎・皮膚筋炎，内分泌疾患に伴うミオパチーなどが多い。ミオパチーは通常近位部に優位であるが，筋強直性ジストロフィーや遠位型ミオパチーは遠位部優位である。

錐体路の障害か，錐体外路の障害か

表1 錐体路の障害と錐体外路の障害の比較

	錐体路の障害	錐体外路の障害
筋トーヌスの亢進 特徴 その分布	Spasticity clasp-knife phenomenon 上肢では伸筋，下肢では屈筋	Rigidity cogwheel phenomenon plastic rigidity 四肢，体幹の筋
不随意運動	（－）	（＋）
運動麻痺	（＋）	（－）または軽度（＋）
腱反射	亢進	正常（または軽度亢進）
病的反射	（＋）	（－）

上位運動ニューロンの障害か，下位運動ニューロンの障害か

表2 上位運動ニューロンの障害と下位運動ニューロンの障害の比較

	上位運動ニューロンの障害	下位運動ニューロンの障害
筋トーヌス	亢進，spasticity，痙性麻痺	低下，弛緩，弛緩性麻痺
筋萎縮	目立たない（廃用性萎縮はあり）	著明
線維束性収縮	（－）	（＋）
腱反射	亢進	減弱または（－）
病的反射	（＋）	（－）

上位運動ニューロン（錐体路）について

①錐体路の名称の由来は，上位運動ニューロンの線維が，延髄の錐体を走行するところからきている。すなわち，皮質脊髄路をさす。

②錐体路の走行運動野からの線維が中心になり，内包後脚，中脳レベルでは大脳脚のほぼ中1／3を走行し，橋レベルでは多数の線維束となり腹側を走行する。延髄レベルで錐体を走行し，大部分（75～90％）の線維が，延髄の下部／頸髄の上部の錐体交叉で対側へ向かい，対側の脊髄の側索を外側皮質脊髄路となって下行する。残りの線維は，同側のまま，脊髄の前索内側部を前皮質脊髄路として下行し，ごく一部の線維は非交叉のまま側索を下行する。

③錐体路徴候とは，腱反射亢進，Babinski反射などの病的反射の出現，腹壁反射の消失，痙性の筋力低下の出現をさし，錐体交叉より上部の病変では対側に，錐体交叉より下部の病変では同側の上下肢に認められる **B-1**。

B-1 錐体路(皮質脊髄路)の走行

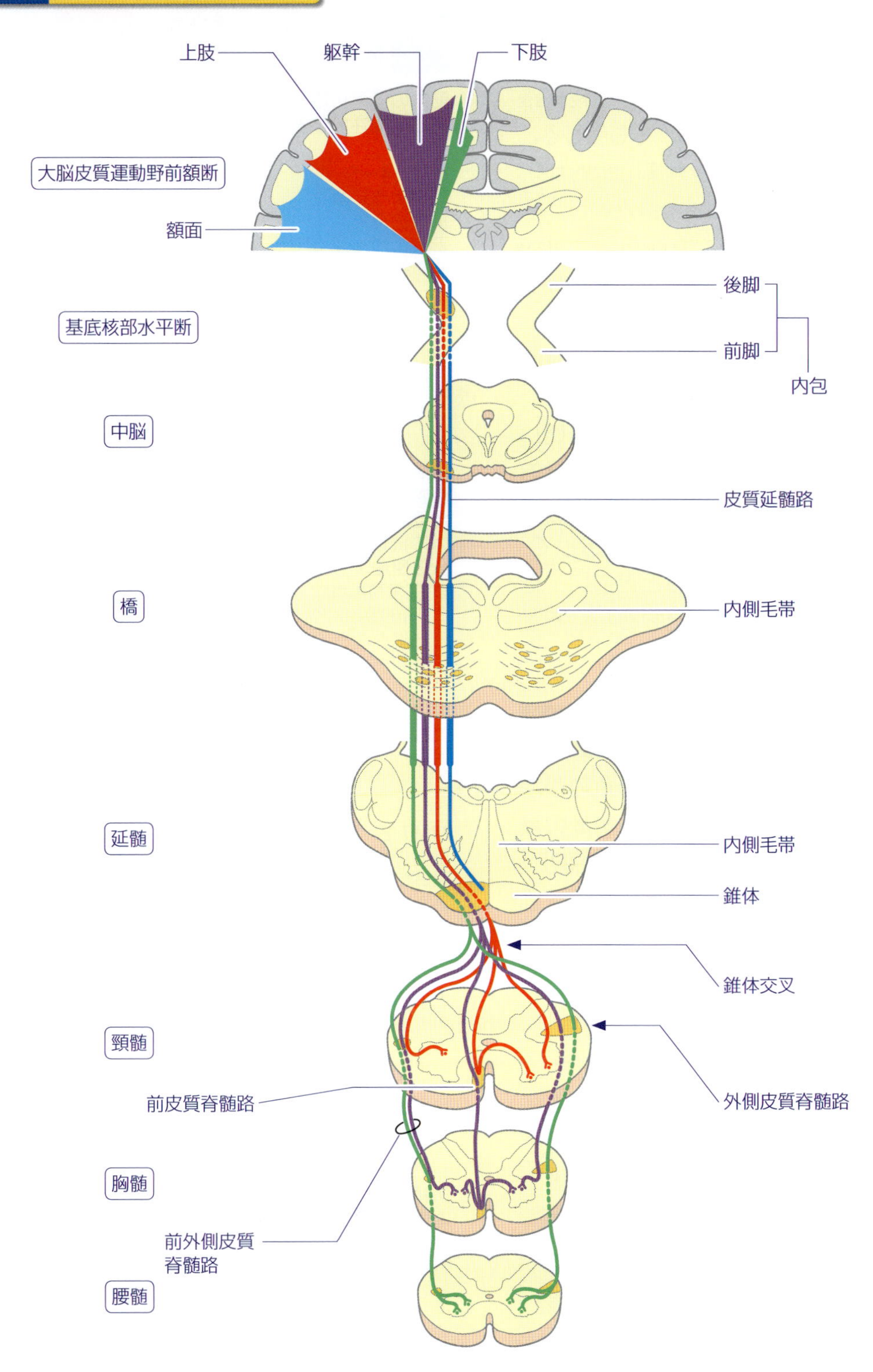

運動系／筋力のみかた

診察の方法

●筋力低下，運動麻痺は，大脳皮質運動野からの上位運動ニューロンから，下位運動ニューロン，骨格筋筋線維までの神経経路のこのうちどこに障害が起こっても生じる。

●随意運動の完全消失は完全麻痺(paralysis)，軽度の低下は不全麻痺(paresis)という。そのほかに麻痺を表す言葉にはplegia，palsyなどがあり，plegiaはほぼparesisと同義に使われている。

●全身の骨格筋はあわせて600以上あるが，神経診断に必要な筋は限られている。

●神経診断上，重要な筋について，基礎レベル(Barré徴候ならびに，日常の神経学的診察において必須と考えられる上肢の筋：6つ，下肢の筋：5つ)と専門医レベルに分けて，その診察法について解説するとともに，その筋の解剖と機能，神経支配をあわせて記載した。

徒手筋力検査の評価

●徒手筋力検査の際には，重力の負荷がかかる肢位をとり，他動的な関節可動域の最終点で最大の力を出してもらうのが原則である。検者は，これに対して抵抗して評価を行う 表1。

●抵抗はゆっくり徐々に増すように加えていく配慮も必要である A-1。

表1 徒手筋力検査(Manual Muscle Testing：MMT)：6段階評価の基準

5：強い抵抗に抗して全関節可動域の運動が可能
4：弱い抵抗に抗して全関節可動域の運動が可能
3：重力に抗して全関節可動域の運動が可能
2：重力を取り除けば全関節可動域の運動が可能
1：筋の収縮は起こるが関節の運動はみられない
0：筋の収縮がまったくみられない

A-1 徒手筋力検査における評価法(上腕二頭筋)

筋力の低下に応じて体位を工夫して診察する必要がある点に注意する。

MMT 4〜5
このように抵抗を加えても正常に肘を屈曲できる。

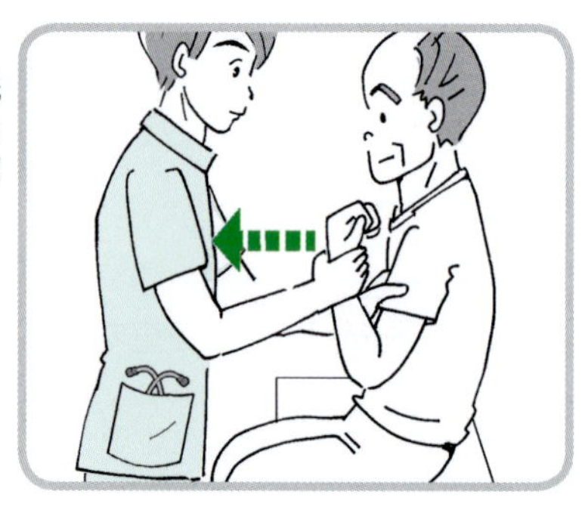

MMT 3
前腕を下垂した位置から重力に抗して十分に屈曲できる(正常可動域0°〜160°)

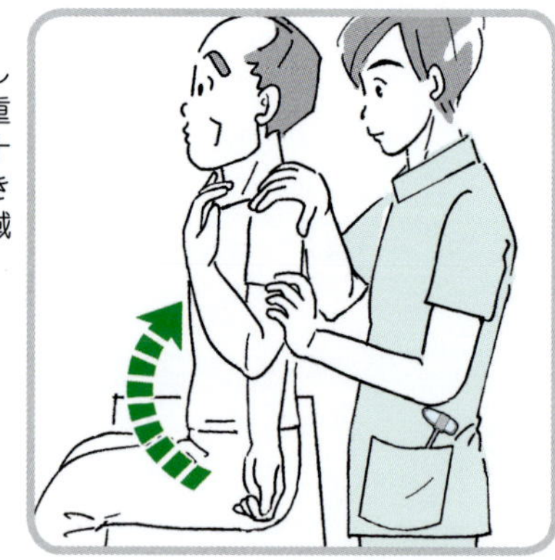

MMT 2
重力の影響を除いた状態(たとえば，背臥位で肩関節90°外転・外旋位)で，前腕を台の上で滑らせて，十分屈曲できる。

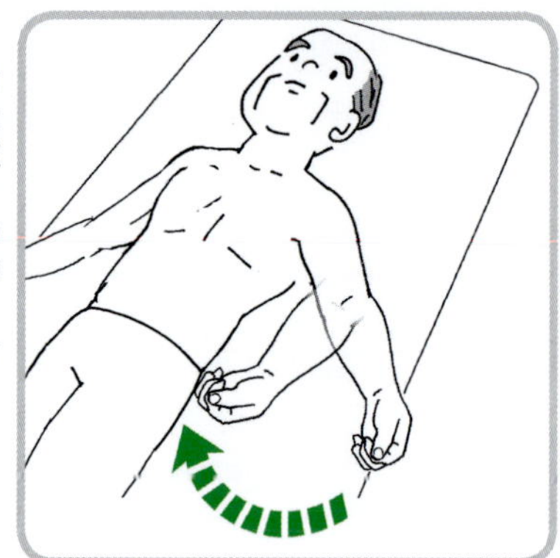

MMT 1
上腕二頭筋の腱を肘関節で触知する。

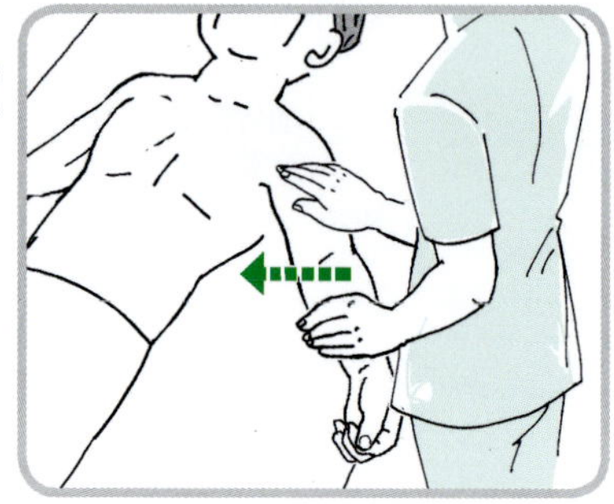

徒手筋力検査による診察法／基礎レベル

●Barré徴候ならびに，日常の神経学的診察において必須と考えられる上肢の筋(6つ)，下肢の筋(5つ)について記載する。なお，筋力の的確な判定には，地道な経験が必須である。

●基本的には以下のとおり，身体の上方から下方へ順序よく診察する習慣をつけておくことが大切である。

●初学者は筋力が正常と思われる患者さんにおいても徒手筋力検査を行い，正常な筋力(男性／女性，若年者／高齢者でそれぞれ経験を積む必要がある)をよく習得しておくべきである。

●**利き手**：最初に利き手に関して問診することが重要である。

●**握力**：握力計を用いる(p.xi参照)。患者さんに握る部位を指示して，片手でできる限り強く握ってもらう。必ず両側を検査する。

●**上肢Barré徴候**：両手を前に伸ばし手掌を上に向け指をつけてさせる。両眼を閉眼させそのまま手を下ろさずに頑張ってもらう。障害側の上肢は回内し，次第に下に落ちてくる A-2 。

A-2 上肢Barré徴候の診察

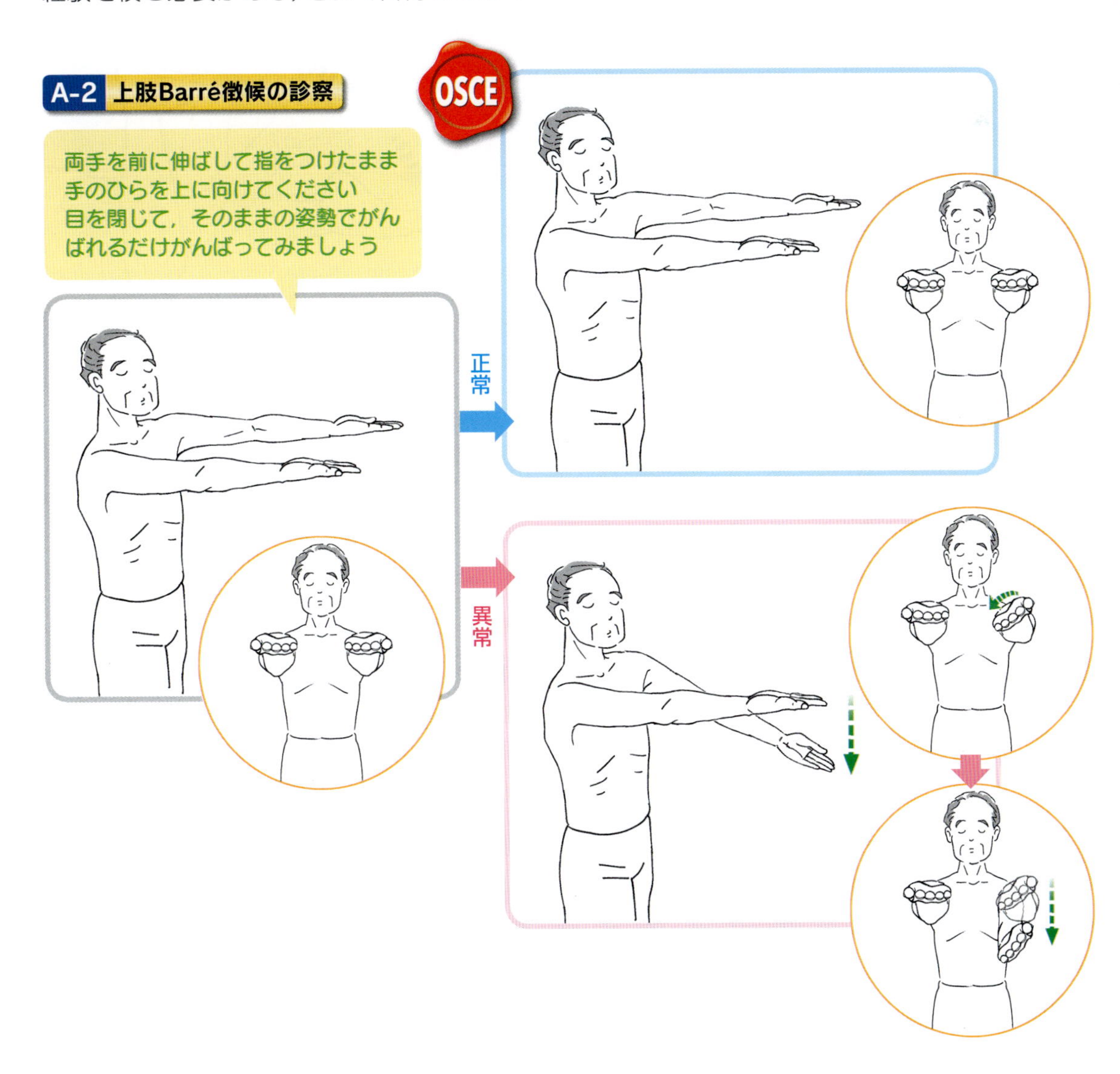

OSCE
両手を前に伸ばして指をつけたまま
手のひらを上に向けてください
目を閉じて，そのままの姿勢でがんばれるだけがんばってみましょう
正常
異常

●**下肢Barré徴候**：患者さんを腹臥位として両膝関節が開くような状態を維持させる。障害側は自然に落下する**A-3**。

●**Mingazzini徴候**：仰臥位で股関節，膝関節をほぼ90°として下腿を床に水平に保持させる。脱力のある側の下腿のみが落下する**A-4**。

A-3 下肢Barré徴候の診察 OSCE

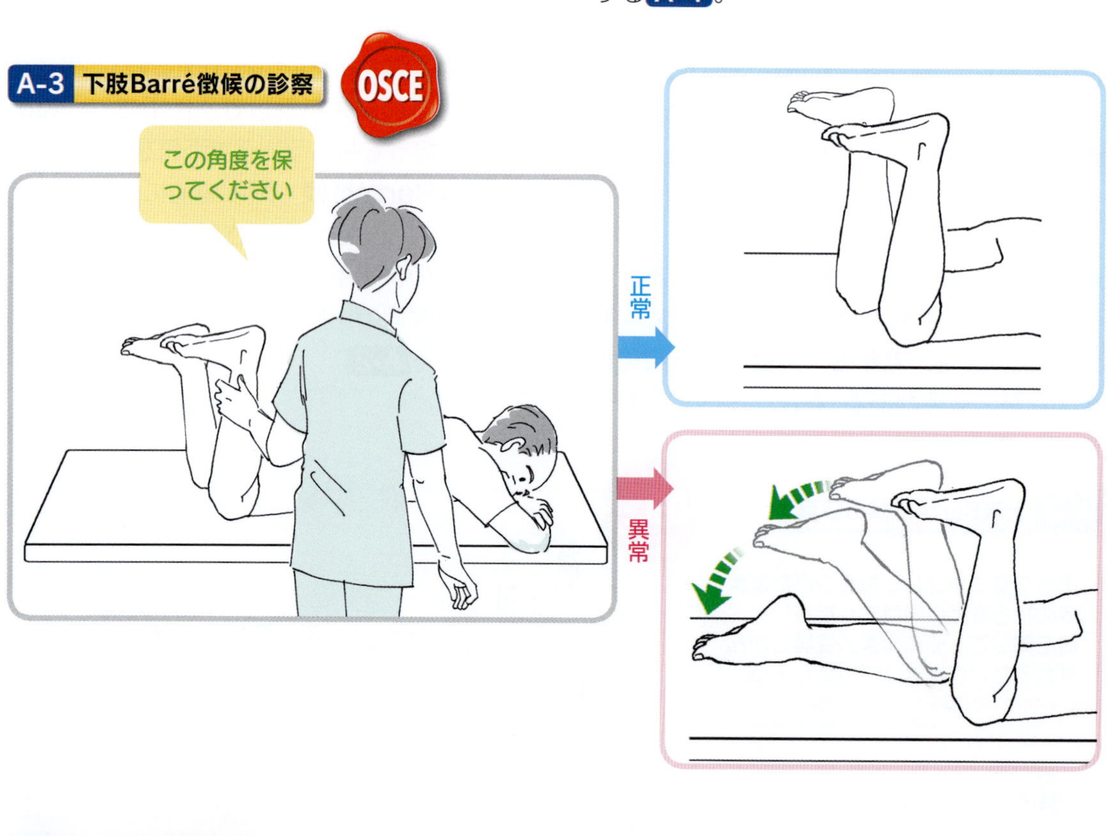

A-4 Mingazzini徴候

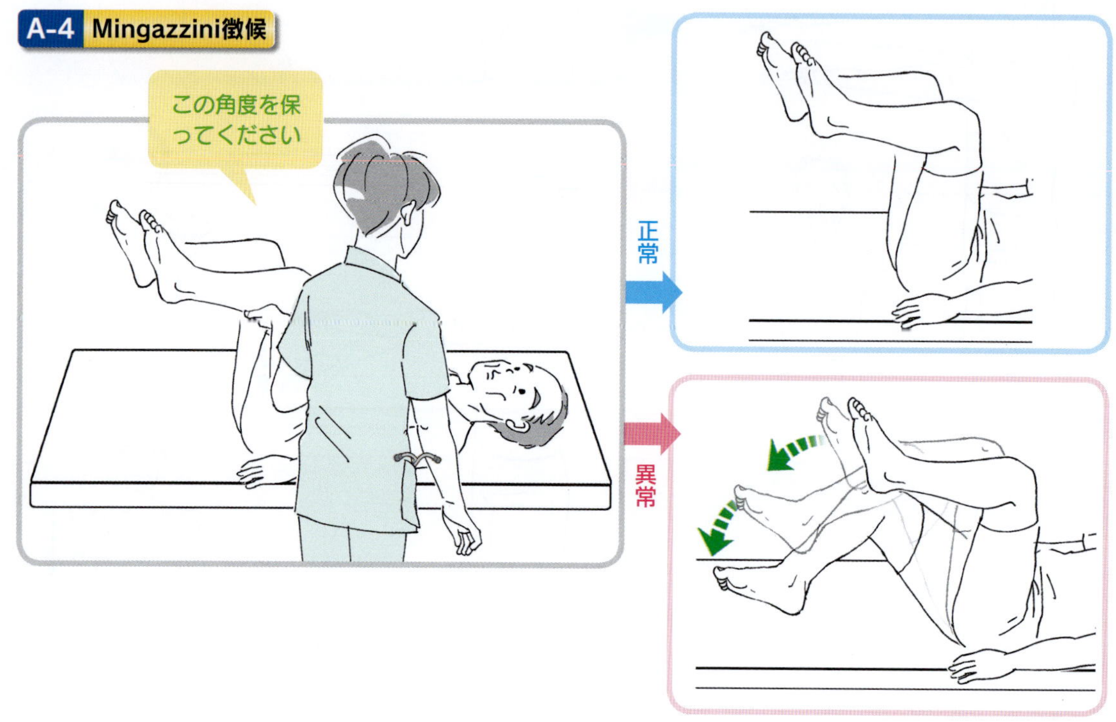

●**三角筋(deltoid)**：患者さんは上肢を約90°に挙上し，検者は体幹の方向にこれを押して患者さんに抵抗させる**A-5**。

●**上腕二頭筋(biceps brachii)**：患者さんは前腕を回外して肘関節にて屈曲する。検者はこれに抵抗する**A-6**。

●**上腕三頭筋(triceps brachii)**：患者さんは肘関節を伸ばそうとする。検者はそれに抵抗する**A-7**。

●**手根伸筋群(手関節の背屈；wrist extensor)**：患者さんに手関節を背屈させ，検者は手関節を掌屈させ抵抗する筋力を判定する**A-8**。

A-5 三角筋の診察 OSCE

腕を上げたままにしてがんばってください

Check!! 筋力は必ず両側診察すること！

支配神経分節：C5，6
支配末梢神経：腋窩神経(axillary N.)

A-6 上腕二頭筋の診察 OSCE

こぶしを身体に近づけていってください

支配神経分節：C5，6
支配末梢神経：筋皮神経(musculocutaneous N.)

A-7 上腕三頭筋の診察 OSCE

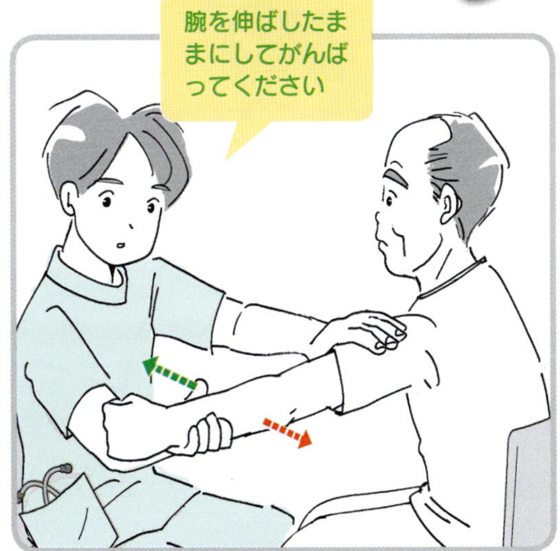
腕を伸ばしたままにしてがんばってください

支配神経分節：C6～8
支配末梢神経：橈骨神経(radial N.)

A-8 手関節の背屈の診察 OSCE

手を開いて手首を反らしたままがんばってください

●**手根屈筋群（手関節の掌屈；wrist flexor）**：患者さんに手関節を掌屈させ，検者は手関節を背屈させ抵抗する筋力を判定する A-9。

●**母指対立筋（opponens pollicis）**：患者さんは母指と小指の先を合わせて力を入れる。検者はこれを離そうとする A-10。

●**腸腰筋（iliopsoas）**：患者さんは仰臥位で大腿を屈曲させる。検者はこれに抵抗する A-11。

●**大腿四頭筋（quadriceps femoris）**：患者さんは仰臥位で膝を伸展させる。検者はこれに抵抗する A-12。

A-9 手関節の掌屈の診察 OSCE

A-10 母指対立筋の診察 OSCE

支配神経分節：C8，T1
支配末梢神経：正中神経（median N.）

A-11 腸腰筋の診察 OSCE

支配神経分節：L1〜3
支配末梢神経：大腿神経（femoral N.）

A-12 大腿四頭筋の診察 OSCE

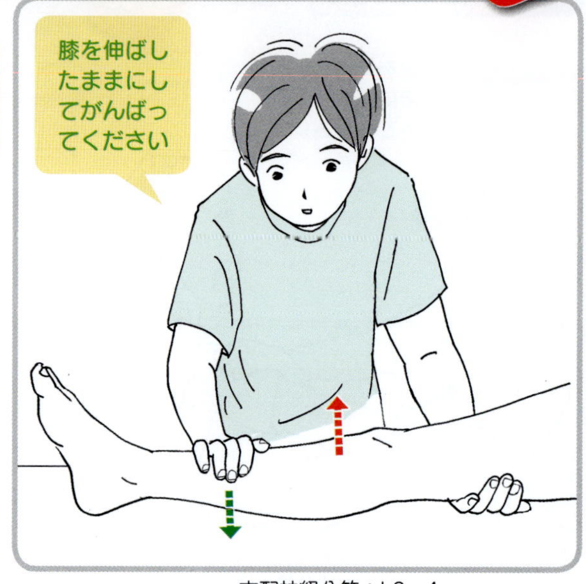

支配神経分節：L2〜4
支配末梢神経：大腿神経（femoral N.）

●**膝屈筋群(hamstrings)**：患者さんは仰臥位で膝を屈曲させる。検者はこれに抵抗する A-13。

●**前脛骨筋(tibialis anterior)**：患者さんは足を背屈させる。検者はこれに抵抗する A-14。

●**下腿三頭筋(triceps surae)**：患者さんは足を底屈させる。検者はこれに抵抗する A-15。

A-13 膝屈筋群の診察

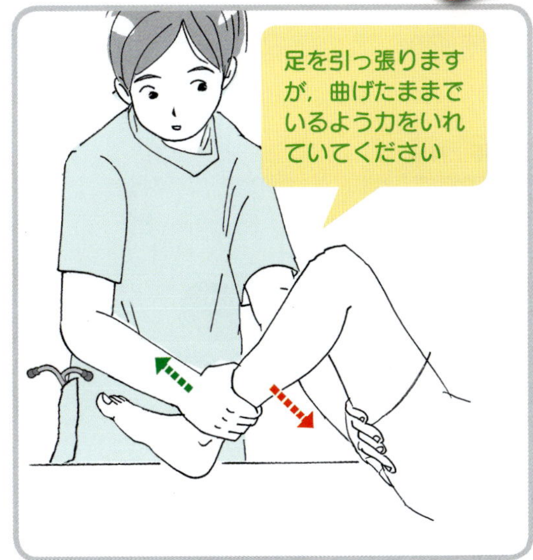

足を引っ張りますが，曲げたままでいるよう力をいれていてください

支配神経分節：L4，5，S1，2
支配末梢神経：坐骨神経(sciatic N.)

A-14 前脛骨筋の診察

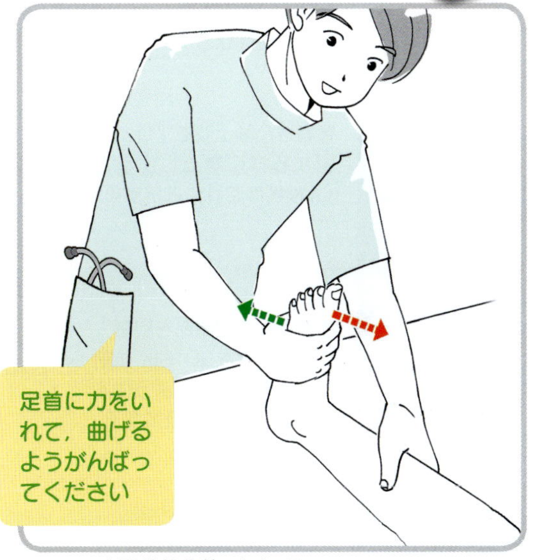

足首に力をいれて，曲げるようがんばってください

支配神経分節：L4，5
支配末梢神経：深腓骨神経(deep peroneal N.)

A-15 下腿三頭筋の診察

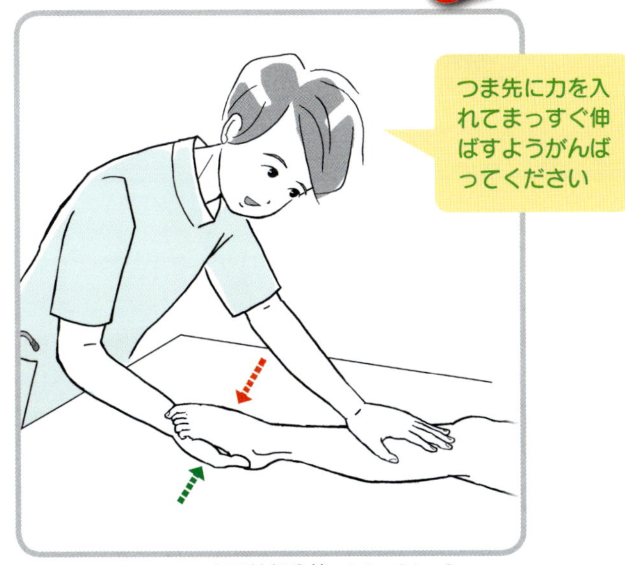

つま先に力を入れてまっすぐ伸ばすようがんばってください

支配神経分節：L5，S1，2
支配末梢神経：脛骨神経(tibial N.)

徒手筋力検査による診断法／専門医レベル

●すべての骨格筋を検査することが理想的ともいえるが，現実の臨床では時間も限られており，かつ必要性も乏しい。

●患者さんの病態をふまえ，より詳細な筋群に対して徒手筋力検査が必要になる。

上肢近位部の筋

A-16 に示す。

A-16 上肢近位部の筋の診察

部位	診察方法	支配神経分節	支配末梢神経	シェーマ
棘上筋 (supraspinatus)	患者さんは上肢を下げた位置から横に挙上しようとし，検者はこれに抵抗する。	C4～6	肩甲上神経 (suprascapular N.)	
棘下筋 (infraspinatus)	患者さんは肘関節を脇腹につけて，肘を90°曲げた前腕を後方へまわすようにする。検者はこれに抵抗する。	C4～6	肩甲上神経 (suprascaplar N.)	
菱形筋 (rhomboids)	患者さんは手を腰に当て，肘関節を後方へまわすように力を入れ，検者はこれに抵抗する。	C4，5	肩甲背神経 (dorsal scapular N.)	
前鋸筋 (serratus anterior)	患者さんは上肢を前に出し，手を壁につけて強く押す。筋力低下があると，肩甲骨が翼状に突出する。	C5～7	長胸神経 (long thoracic N.)	
大胸筋 (pectoralis major)	患者さんは上肢を約60°横に挙上し，肘をやや曲げた位置から前で手を合わせる方向に動かそうとする。検者はこれに抵抗する。	C5～8, T1	内側および外側胸筋神経 (medial and lateral pectoralis N.)	
広背筋 (latissimus dorsi)	患者さんは上肢を90°横に挙上した位置から下げようとする。検者はこれに抵抗する。	C6～8	胸背神経 (thoracodorsal N.)	

上肢遠位部の筋

A-17に示す。

A-17 上肢遠位部の筋の診察(1)

部位	診察方法	支配神経分節	支配末梢神経	シェーマ
腕橈骨筋 (brachioradialis)	患者さんは前腕をやや回内位(母指を上)にして母指を鼻の方向へ引きつけるように力を入れる。検者はこれに抵抗する。	C5，6	橈骨神経 (radial N.)	検者 患者さん
長橈側手根伸筋 (extensor carpi radialis longus)	患者さんは指をなかば伸ばして手根関節で手を橈骨側に背屈する。検者はこれに抵抗する。	C6～8	橈骨神経 (radial N.)	
尺側手根伸筋 (extensor carpi ulnaris)	患者さんは指をなかば伸ばして手根関節で手を尺側に背屈する。検者はこれに抵抗する。	C6～8	橈骨神経 (radial N.)	
指伸筋 (extensor digitorum)	患者さんが中手指節関節で伸展しようとする指を検者は，曲げようとする。	C6～8	橈骨神経 (radial N.)	
橈側手根屈筋 (flexor carpi radialis)	患者さんは手根関節を橈骨側へ曲げようとし，検者はこれに抵抗する。	C6，7	正中神経 (median N.)	
尺側手根屈筋 (flexor carpi ulnaris)	患者さんは手首を尺骨側に屈曲させる。検者はこれに抵抗する。	C7，8，T1	尺骨神経 (ulnar N.)	

手の筋

A-18に示す。

A-18 上肢遠位部の筋の診察(2)

部位	診察方法	支配神経分節	支配末梢神経	シェーマ
回外筋 (supinator)	患者さんは前腕を回外し，検者はこれに抵抗する。	C5～7	橈骨神経 (radial N.)	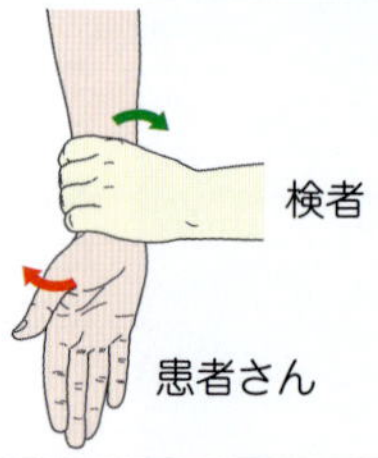 検者 患者さん
円回内筋と方形回内筋 (pronator teres & quadratus)	患者さんは前腕を回内し，検者はこれに抵抗する。	C6，7 (pronator teres)， C7，8，T1 (pronator quadratus)	正中神経 (median N.)	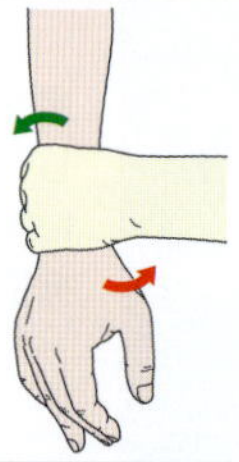
浅指屈筋 (flexor digitorum superficialis)	患者さんは指を近位指節間関節で曲げ，検者は中節骨に当てた指で抵抗する。	C7，8，T1	正中神経 (median N.)	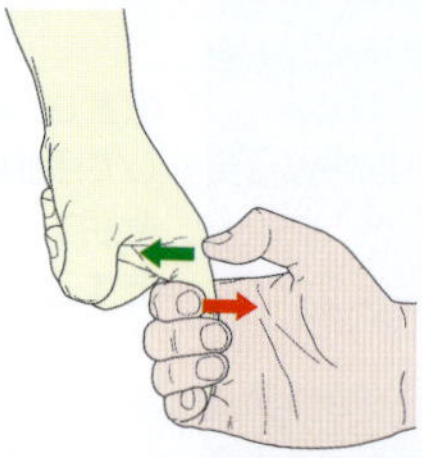
深指屈筋 (flexor digitorum profundus)	患者さんは指を末節で曲げ，検者はこれに抵抗する。	C7，8，T1	正中神経 (median N.) (Ⅰ，Ⅱ)， 尺骨神経 (ulnar N.) (Ⅲ，Ⅳ)	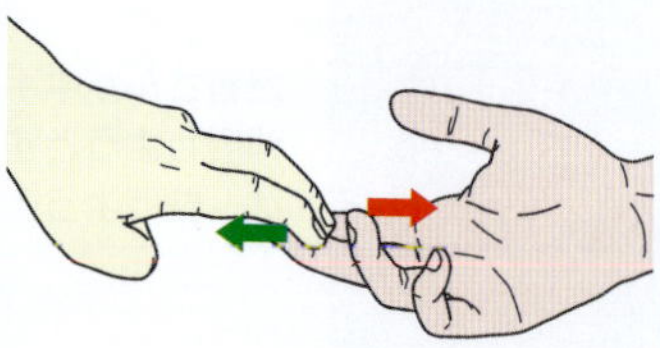
固有示指伸筋 (extensor indicis proprius)	患者さんは示指を伸ばそうとし，検者はこれに抵抗する。	C6～8	橈骨神経 (radial N.)	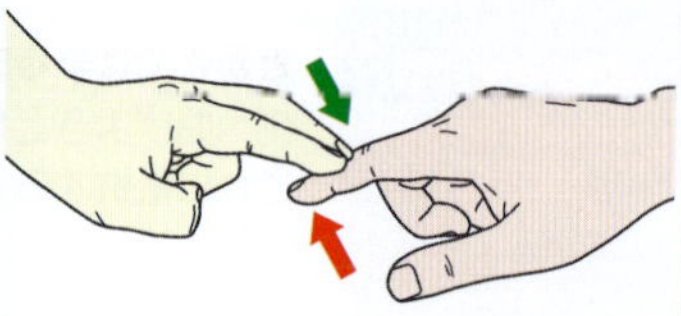
小指屈筋 (flexor digiti minimi)	患者さんは指のつけ根で小指を曲げようとし，検者はこれに抵抗する。	C7，8，T1	尺骨神経 (ulnar N.)	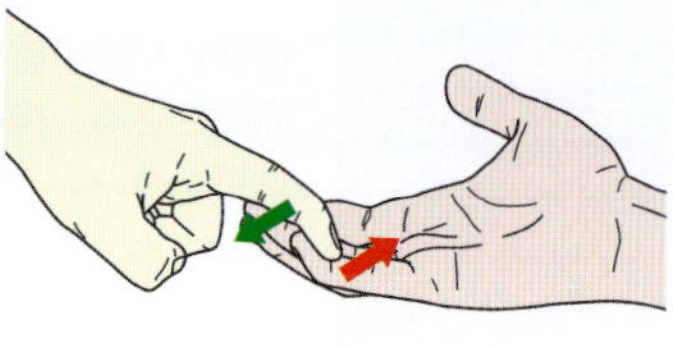

部位	診察方法	支配神経分節	支配末梢神経	シェーマ
小指外転筋 (abductor digiti minimi)	患者さんは小指を外転し，検者はこれに抵抗する。	C8，T1	尺骨神経 (ulnar N.)	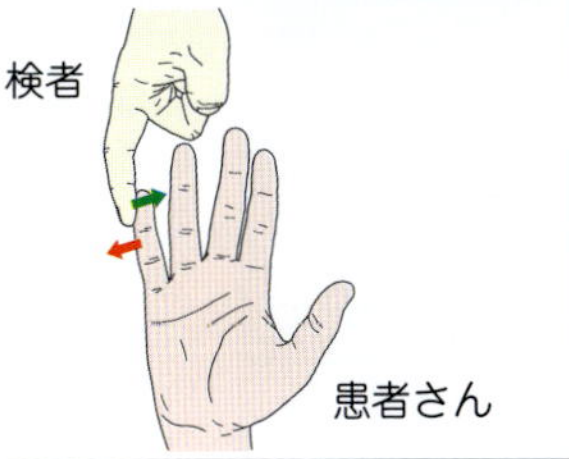 検者 患者さん
小指対立筋 (opponens digiti minimi)	患者さんは小指で母指の付け根をさわろうとし，検者はこれに抵抗する。	C7，8，T1	尺骨神経 (ulnar N.)	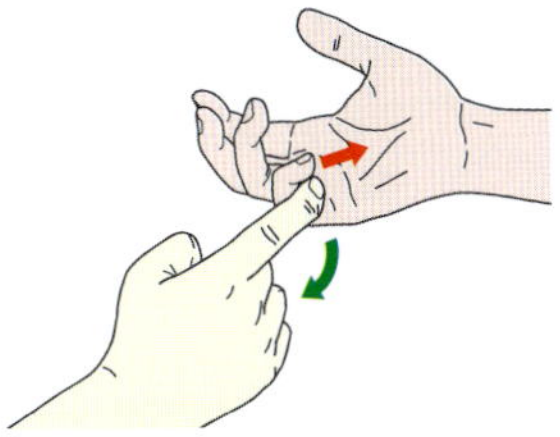
虫様筋 (lumbricales)	患者さんは指を指節間関節で伸ばそうとし，検者はこれに抵抗する。中手指節関節で屈曲する働きもある。骨間筋にもこれらの働きがある。	C8，T1	正中神経 (median N.) （Ⅰ，Ⅱ）， 尺骨神経 (ulnar N.) （Ⅲ，Ⅳ）	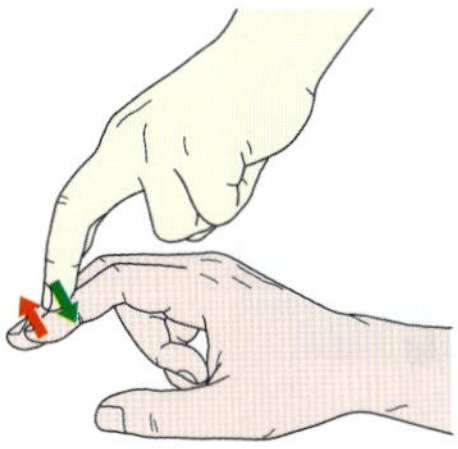
背側骨間筋 (dorsal interossei)	患者さんは示指，薬指，小指を外転させようとし，検者はこれに抵抗する。	C8，T1	尺骨神経 (ulnar N.)	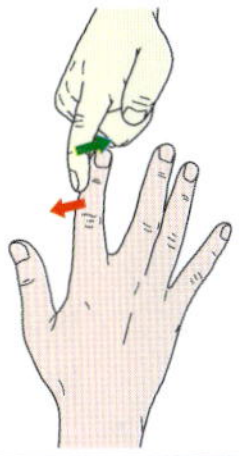
掌側骨間筋 (palmar interossei)	この筋は示指，薬指，小指が閉じるように働く。患者さんは検者の指をはさみ，検者はこれを引き抜こうとする。	C8，T1	尺骨神経 (ulnar N.)	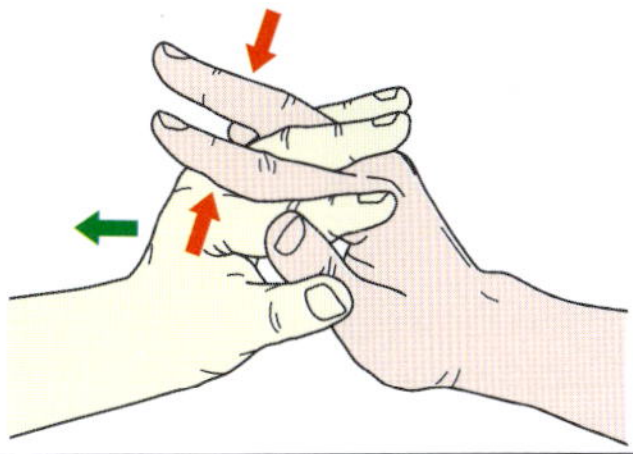
	Froment徴候：紙を母指と示指ではさみ左右へ引っぱる。母指内転筋の障害側(＊)の母指が図のようになる。軽度の尺骨神経麻痺の診断に有用である。			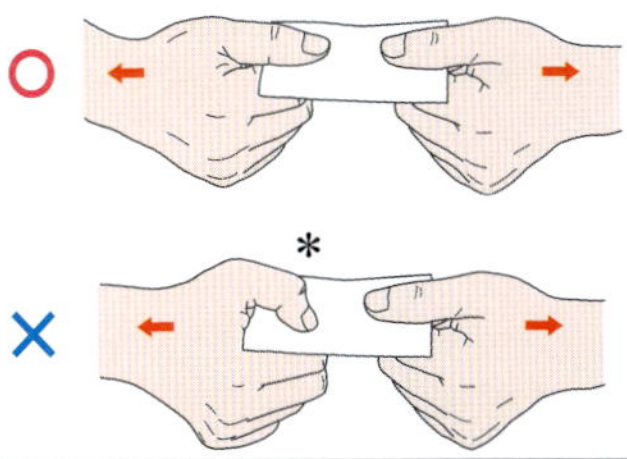 ○ × ＊

部位	診察方法	支配神経分節	支配末梢神経	シェーマ
母指内転筋 (adductor pollicis)	患者さんは母指と示指の間に紙をはさみ，これをおさえようとする。検者はこれを引っぱり抵抗する。	C8，T1	尺骨神経 (ulnar N.)	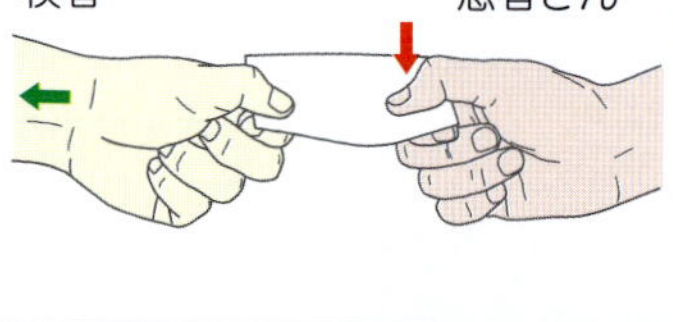 検者 患者さん
短母指外転筋 (abductor pollicis brevis)	患者さんはペンのようなものを母指と示指の間にはさみ，母指を強く外転させる。検者はこれに抵抗する。	C7，8，T1	正中神経 (median N.)	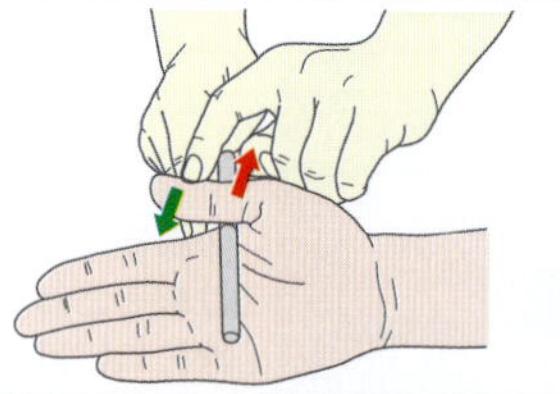
長母指屈筋 (flexor pollicis longus)	検者は患者さんの母指末節を伸展しようとする。患者さんはこれに抵抗する。	C7，8，T1	正中神経 (median N.)	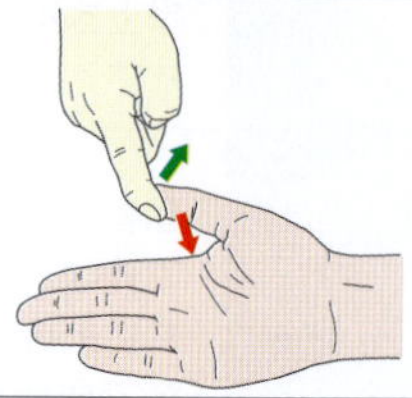
短母指屈筋 (flexor pollicis brevis)	検者は患者さんの母指基節を伸展しようとする。患者さんはこれに抵抗する。	C7，8，T1	正中神経 (median N.)	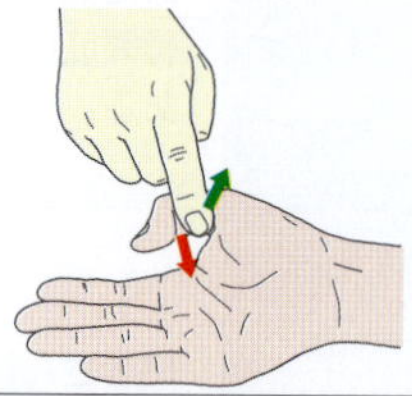
長母指外転筋 (abductor pollicis longus)	患者さんは母指を外転位に維持しようとし，検者はこれに抵抗する。	C7，8	橈骨神経 (radial N.)	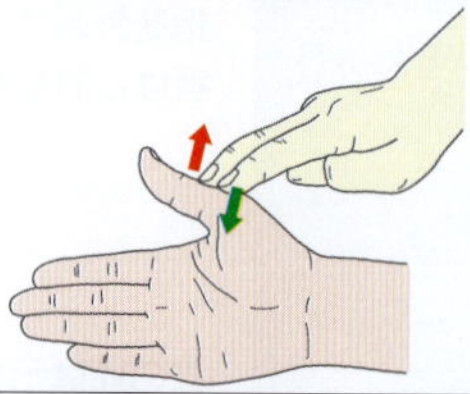
短母指伸筋 (extensor pollicis brevis)	患者さんは母指を手背側に動かそうとし，検者はこれに抵抗する。	C7，8	橈骨神経 (radial N.)	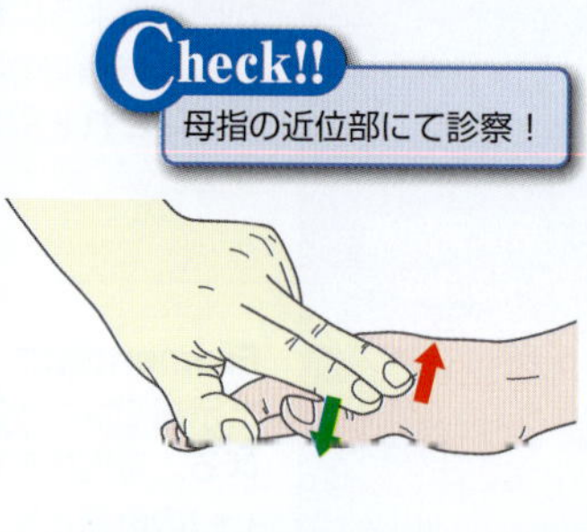 Check!! 母指の近位部にて診察！
長母指伸筋 (extensor pollicis longus)	患者さんは母指を手背側に動かそうとし，検者はこれに抵抗する。	C6～8	橈骨神経 (radial N.)	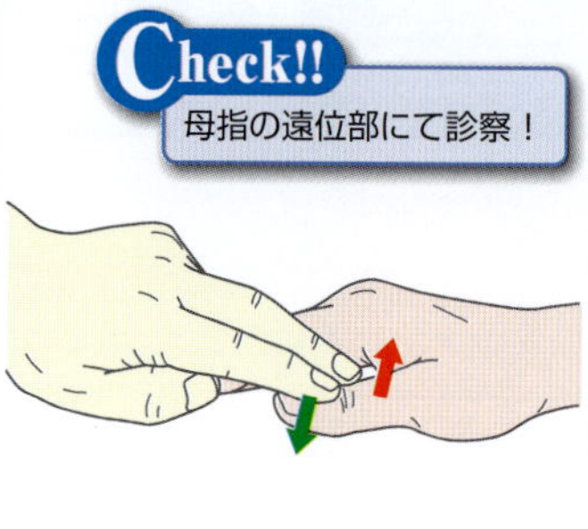 Check!! 母指の遠位部にて診察！

下肢近位部の筋

A-19 に示す。

A-19 下肢近位部の筋の診察

部位	診察方法	支配神経分節	支配末梢神経	シェーマ
大殿筋 (gluteus maximus)	患者さんは腹臥位で大腿を挙上する。検者はこれに抵抗する。	L4，5，S1，2	下殿神経 (inferior gluteal N.)	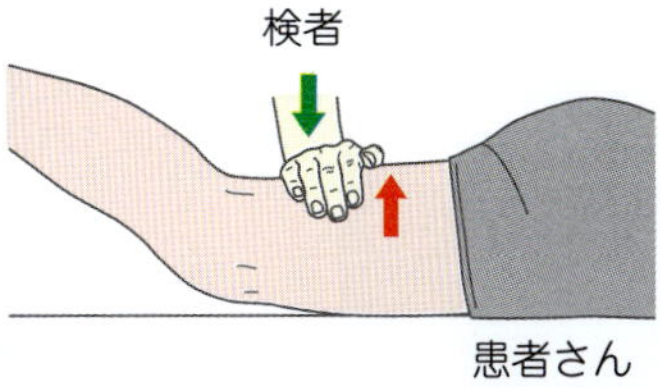 検者 患者さん
中殿筋，小殿筋 (gluteus medius & minimus)	中殿筋；患者さんは腹臥位で膝を屈曲させ，大腿を回内させる。検者はこれに抵抗する。	L4，5，S1	上殿神経 (superior gluteal N.)	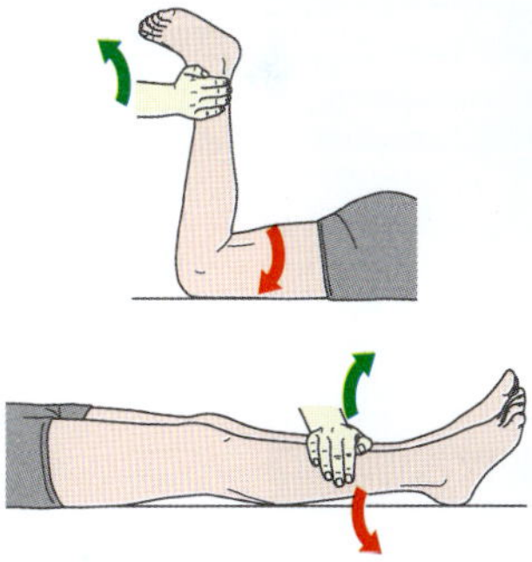
	小殿筋；患者さんは仰臥位で大腿を外転させる。検者はこれに抵抗する。			
Hoover徴候	仰臥位の患者さんの両かかとの下に検者の手を入れる。片足ずつ挙上させ，手に加わる力をみる。障害側を上げると，健側のかかとに強く力がかかる。健側を上げるときは，障害側のかかとに加わる力は弱い。 ＊障害側を上げても健側の下肢にまったく力が入らない場合には，本徴候陽性と，および，心因性麻痺である可能性が示唆される。			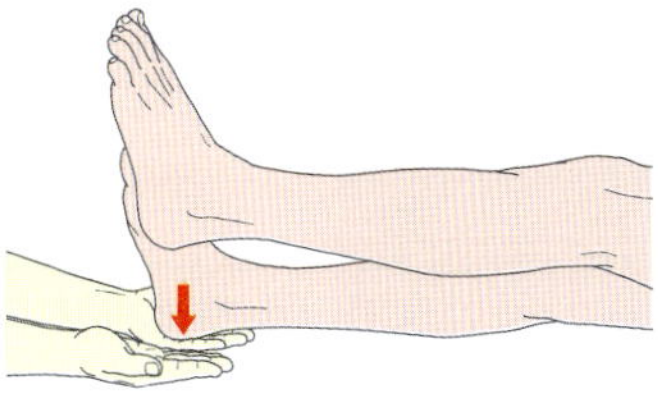

下肢遠位部の筋

A-20に示す。

A-20 下位遠位部の筋の診察

部位	診察方法	支配神経分節	支配末梢神経	シェーマ
後脛骨筋 (tibialis posterior)	患者さんは足を内旋させる。検者はこれに抵抗する。	L5，S1	脛骨神経 (tibial N.)	
長母趾伸筋 (extensor hallucis longus)	患者さんは足の母趾を背屈させる。検者はこれに抵抗する。	L4，5，S1	深腓骨神経 (deep peroneal N.)	
長趾伸筋 (extensor digitorum longus)	患者さんは趾指(Ⅱ～Ⅴ)を背屈させる。検者はこれに抵抗する。	L4，5，S1	深腓骨神経 (deep peroneal N.)	
腓骨筋 (peroneus longus & brevis)	患者さんは足を外旋させる。検者はこれに抵抗する。	L5，S1	浅腓骨神経 (superficial peroneal N.)	
長趾屈筋 (flexor digitorum longus)	患者さんは趾指(Ⅱ～Ⅴ)の末節を屈曲させる。検者はこれに抵抗する。	L5，S1，2	脛骨神経 (tibial N.)	

部位	診察方法	支配神経分節	支配末梢神経	シェーマ
長母趾屈筋 (flexor hallucis longus)	患者さんは足の母趾の末節を屈曲させる。検者はこれに抵抗する。	L5, S1, 2	脛骨神経 (tibial N.)	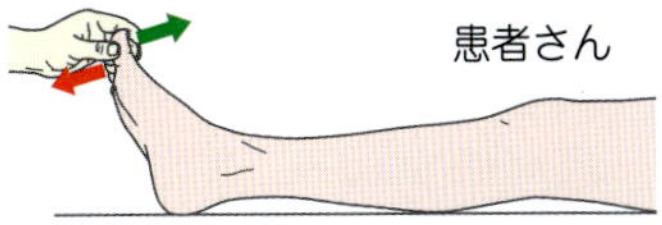 検者 患者さん
短母趾屈筋 (flexor hallucis brevis)	患者さんは足の母趾を屈曲させる。検者はこれに抵抗する。	L5, S1, 2	脛骨神経 (tibial N.)	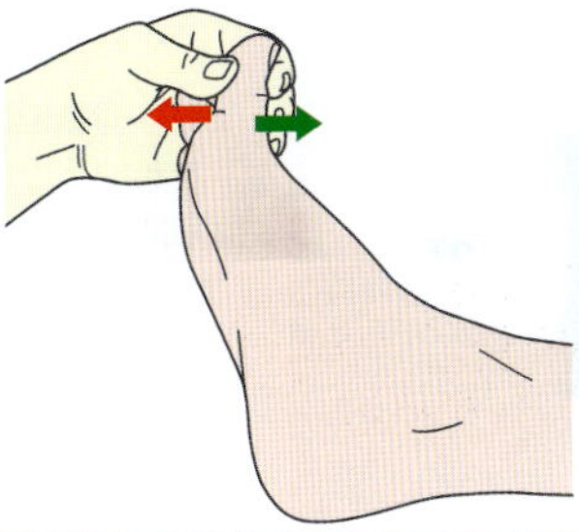
短母趾伸筋, 短趾伸筋 (extensor hallucis brevis & extensor digitorum brevis)	患者さんは趾指(Ⅰ～Ⅳ)を背屈させる。検者はこれに抵抗する。	L4, 5, S1	深腓骨神経 (deep peroneal N.)	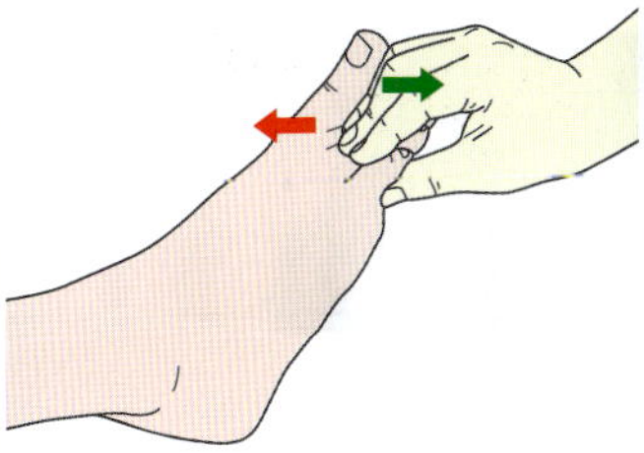
短趾屈筋 (flexor digitorum brevis)	患者さんは趾指(Ⅱ～Ⅴ)を屈曲させる。検者はこれに抵抗する。	L5, S1	脛骨神経 (tibial N.)	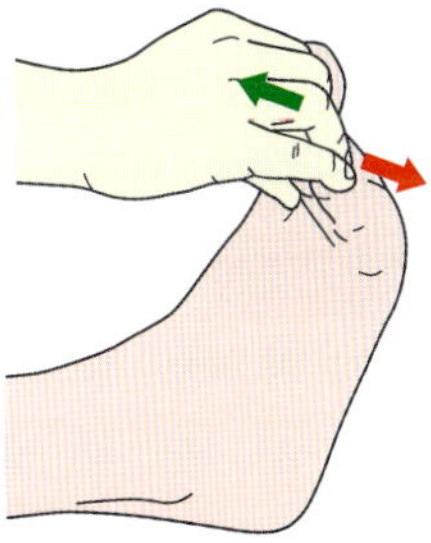

体幹の筋

A-21に示す。

A-21 体幹の筋の診察

部位	診察方法	支配神経分節	支配末梢神経	シェーマ
腹直筋 (rectus abdominis)	**Beevor's sign**：腹直筋の障害をみる徴候として知られている。シェーマのように上半身を水平位から起こしたとき，下部腹直筋が麻痺していると，臍が上方へ偏倚する。	上部 (T6〜T9) 下部 (T10〜L1)	下部肋間神経 (lower intercostal N.)	
腹直筋 (rectus abdominis)	検者は仰臥位の患者さんの下肢を抑えつけ，患者さんは頭部を挙上させる。	上部 (T6〜T9) 下部 (T10〜L1)	下部肋間神経 (lower intercostal N.)	
頭部伸筋群 (neck extensor)	患者さんは腹臥位で頭部を背屈させる。検者はこれに抵抗する。	C3，4	脊髄神経 (spinal N.)	検者 患者さん
体幹伸筋群	患者さんは腹臥位で体幹を伸展し，頭部を挙上させる。		脊髄神経 (spinal N.)	

運動系／筋力のみかた

診断プロセスからみる筋力の診察

神経学的な局所診断において，障害筋の分布はきわめて重要である。障害された筋の分布から，脊髄での病巣レベルの診断(広がりを含めて)が可能である。また末梢神経障害の際にも，感覚障害の分布の情報とあわせて，部位が推定できる。障害筋の分布は，筋疾患の鑑別診断でも重要である(p.70～73,「運動系／筋肉，筋トーヌス，診断プロセスからみる筋肉，筋トーヌスの診察」を参照)。

診断のためには，表1に示すような上下肢筋の支配神経の名前に加え，その解剖学的位置と神経叢の構造B-1～4を知っていることが必要である。また上肢および下肢について重要な神経とそれぞれの運動および感覚機能について表2および表3に記す。

表1 末梢神経と支配筋およびその機能

神経	筋	筋の機能	神経根
脊髄副神経 (spinal accessory nerve)	僧帽筋	肩腕の挙上，肩甲骨固定	XI脳神経，C3，C4
横隔神経 (phrenic nerve)	横隔膜	吸気	C3，C4，C5
肩甲背神経 (dorsal scapular nerve)	菱形筋 肩甲挙筋	肩甲骨内上方に引き寄せる 肩甲骨挙上	C4，**C5**，C6 C3，C4，C5
長胸神経 (long thoracic nerve)	前鋸筋	腕挙上で肩甲骨固定	C5，C6，C7
外側胸筋神経 (lateral pectoral nerve)	大胸筋鎖骨部	肩を前方に引く	**C5**，C6
内側胸筋神経 (medial pectoral nerve)	大胸筋肋骨部 小胸筋	上腕の内転と内旋 肩甲骨下制，肩前方に引く	C6, **C7**, C8, Th1 C6，C7，C8
肩甲上神経 (suprascapular nerve)	棘上筋 棘下筋	上腕骨0～15°の外転 上腕骨外旋	**C5**，C6 **C5**，C6
肩甲下神経 (subscapular nerve)	肩甲下筋 大円筋	上腕骨内旋 上腕骨内転と内旋	C5，C6 C5，C6，C7
胸背神経 (thoracodorsal nerve)	広背筋	上腕骨内転と内旋	C6，**C7**，C8
腋窩神経 (axillary nerve)	小円筋 三角筋	上腕骨内転と外旋 上腕骨15°以上の外転	C5，C6 **C5**，C6
筋皮神経 (musculocutaneous nerve)	上腕二頭筋 上腕筋 烏口腕筋	肘関節屈曲と回外 肘関節屈曲 上腕内転と屈曲	C5，C6 C5，C6 C6，**C7**
橈骨神経 (radial nerve)	上腕三頭筋 腕橈骨筋 橈側手根伸筋(長短)	肘関節の伸展 前腕の屈曲 手の背屈と橈屈	C6，**C7**，C8 C5，**C6** C5，**C6**
後骨間神経 (posterior interosseus nerve)	回外筋 尺側手根伸筋	前腕の回外 手の背屈と尺屈	C6，C7 **C7**，C8
橈骨神経の分枝	総指伸筋 小指伸筋 長母指外転筋 母指伸筋(長短) 示指伸筋	第2～第5指伸展 小指の伸展 母指の外転 母指の伸展 示指の伸展	**C7**，C8 **C7**，C8 **C7**，C8 **C7**，C8 **C7**，C8
正中神経 (median nerve)	円回内筋 橈側手根屈筋 長掌筋 浅指屈筋 虫様筋(Ⅰ，Ⅱ) 母指対立筋 短母指外転筋 短母指屈筋(浅頭)	前腕の回内と屈曲 手の屈曲と橈屈 手首の屈曲 第2～第5のPIP関節屈曲 第2～第3MP関節屈曲 DIP，PIP関節伸展 母指の対立と屈曲 母指の外転 母指の屈曲(MP関節)	C6，C7 C6，C7 C7，**C8**，T1 C7，**C8**，T1 C8，**T1** C8，**T1** C8，**T1** C8，**T1**
前骨間神経 (anterior interosseus nerve)	深指屈筋(Ⅱ，Ⅲ) 長母指屈筋	第2～第3のDIP関節屈曲 母指の屈曲(MP関節)	C7，**C8** C7，**C8**
正中神経の枝	方形回内筋	前腕の回内	C7，**C8**，**T1**
尺骨神経 (ulnar nerve)	尺側手根屈筋 深指屈筋(Ⅳ，Ⅴ) 虫様筋(Ⅲ，Ⅳ)	手の掌屈と尺屈 第4～第5のDIP関節屈曲 第4～第5MP関節屈曲 DIP，PIP関節伸展	C7，**C8**，T1 C7，**C8** C8，**T1**

尺骨神経 (ulnar nerve)	掌側骨間筋	指内転MP関節屈曲 DIP，PIP関節伸展	C8，**T1**
	背側骨間筋	指外転MP関節屈曲 DIP，PIP関節伸展	C8，**T1**
	短母指屈筋(深頭)	母指の屈曲と内転(MP関節)	C8，**T1**
	母指内転筋	母指の内転	C8，**T1**
	小指対立筋	小指の対立	C8，**T1**
	小指外転筋	小指の外転	C8，**T1**
	短小指屈筋	小指MP関節屈曲	C8，**T1**
閉鎖神経 (obturator nerve)	外閉鎖筋	下肢外旋と内転	**L2**，**L3**，L4
	長内転筋	大腿内転	**L2**，**L3**，L4
	大内転筋	大腿内転	**L2**，**L3**，L4
	短内転筋	大腿内転	**L2**，**L3**，L4
	薄筋	大腿内転	**L2**，**L3**，L4
大腿神経 (femoral nerve)	腸腰筋	股関節屈曲	L2，**L3**，L4
	大腿四頭筋		
	大腿直筋	膝関節伸展，股関節屈曲	L2，**L3**，**L4**
	外側広筋	膝関節伸展	L2，**L3**，**L4**
	中間広筋	膝関節伸展	L2，**L3**，**L4**
	内側広筋	膝関節伸展	L2，**L3**，**L4**
	恥骨筋	股関節内転	**L2**，**L3**，L4
	縫工筋	下肢内旋，股関節，膝関節屈曲	**L2**，**L3**，L4
坐骨神経 (sciatic nerve)	大内転筋	大腿内転	L4，L5，S1
	大腿屈筋群		
	半腱様筋	膝関節屈曲，大腿内旋，股関節伸展	L5，**S1**，S2
	半膜様筋	膝関節屈曲，大腿内旋，股関節伸展	L5，**S1**，S2
	大腿二頭筋	膝関節屈曲，股関節伸展	L5，**S1**，S2
脛骨神経 (tibial nerve)	腓腹筋	足関節の底屈	S1，S2
	ヒラメ筋	足関節の底屈	S1，S2
坐骨神経の枝	膝窩筋	足関節の底屈	L4，L5，S1
	後脛骨筋	足関節の底屈，足関節を内反	L4，L5
	足底筋	足関節の底屈	L4，L5，S1
	長趾屈筋	第2～第5趾の屈曲(PIP関節)	L5，**S1**，**S2**
	長母趾屈筋	母趾を底側方に引く	L5，**S1**，**S2**
浅腓骨神経 (superficial peroneal nerve)	長腓骨筋	足関節外反と底屈	L5，S1
	短腓骨筋	足関節外反と底屈	L5，S1
深腓骨神経 (deep peroneal nerve)	前脛骨筋	足関節背屈と内反	L4，L5
	長趾伸筋	第2～第5趾の背屈と外反	**L5**，S1
坐骨神経の枝	長母趾伸筋	母趾の伸展(IP関節)	**L5**，S1
	第三腓骨筋	足関節の背屈と外反	L4，**L5**，S1
	短趾伸筋	第2～第4趾伸展	L5，S1
上殿神経 (superior gluteal nerve)	中殿筋	大腿外転，わずかな内旋	**L4**，**L5**，S1
	小殿筋	大腿外転，わずかな内旋	**L4**，**L5**，S1
	大腿筋膜張筋	大腿外転，わずかな内旋	**L4**，**L5**，S1
下殿神経 (inferior gluteal nerve)	大殿筋	大腿伸展，股関節外旋	**L5**，**S1**，S2

太字はもっとも重要な神経根
MP関節（中手指節間関節　metacarpophalangeal joint）
DIP関節（遠位指節間関節　distal interphalangeal joint）
PIP関節（近位指節間関節　proximal interphalangeal joint）
（Blumenfeld H: Neuroanatomy through Clinical Cases. Sinauer, Massachusetts, pp309-311, 2002. を引用改変）

B-1 上肢の末梢神経

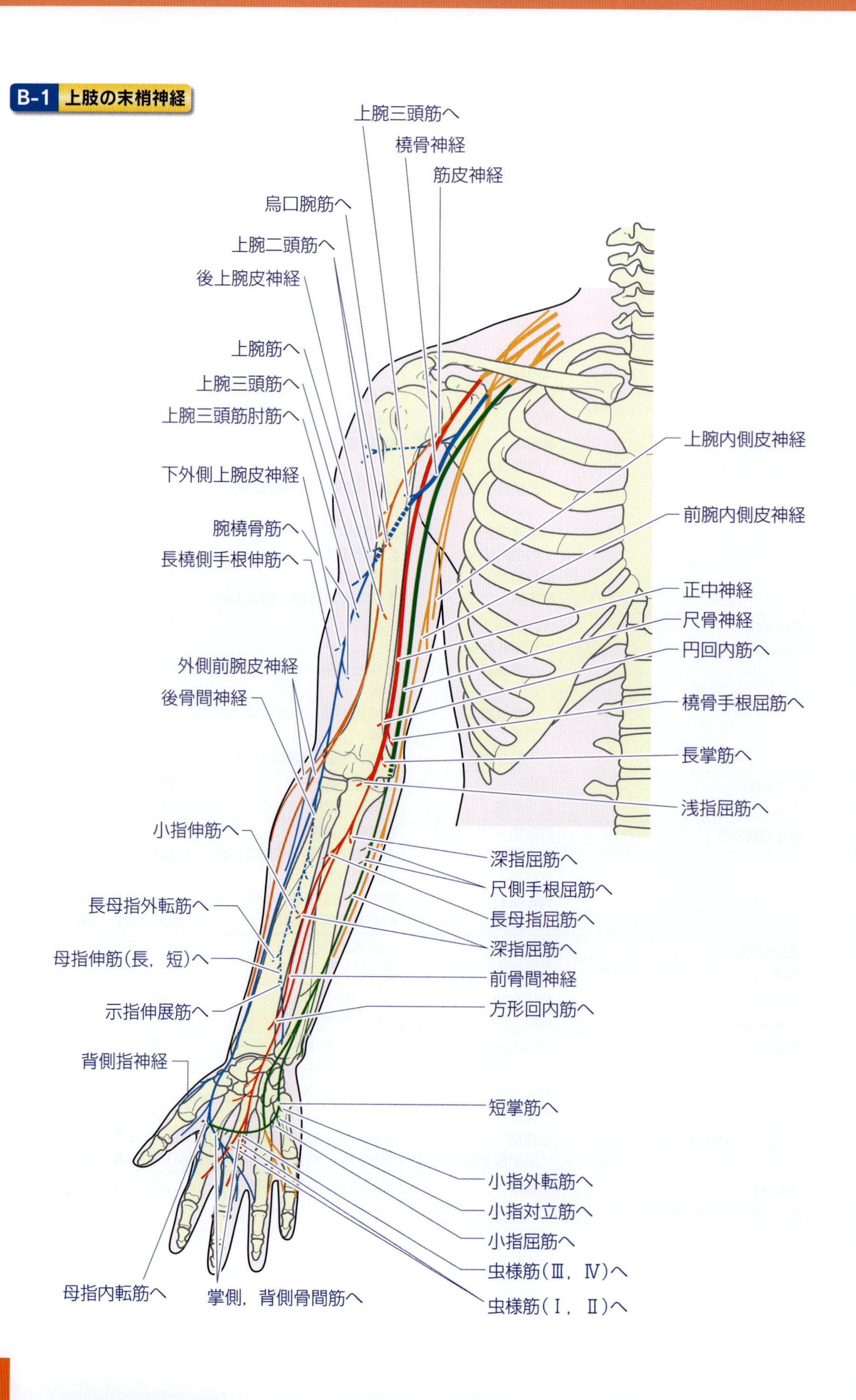

上腕三頭筋へ
橈骨神経
筋皮神経
烏口腕筋へ
上腕二頭筋へ
後上腕皮神経
上腕筋へ
上腕三頭筋へ
上腕三頭筋肘筋へ
下外側上腕皮神経
腕橈骨筋へ
長橈側手根伸筋へ
外側前腕皮神経
後骨間神経
小指伸筋へ
長母指外転筋へ
母指伸筋(長，短)へ
示指伸展筋へ
背側指神経
母指内転筋へ
掌側，背側骨間筋へ
上腕内側皮神経
前腕内側皮神経
正中神経
尺骨神経
円回内筋へ
橈骨手根屈筋へ
長掌筋へ
浅指屈筋へ
深指屈筋へ
尺側手根屈筋へ
長母指屈筋へ
深指屈筋へ
前骨間神経
方形回内筋へ
短掌筋へ
小指外転筋へ
小指対立筋へ
小指屈筋へ
虫様筋(Ⅲ，Ⅳ)へ
虫様筋(Ⅰ，Ⅱ)へ

B-2 腕神経叢の構造および簡略図

①腕神経叢の構造

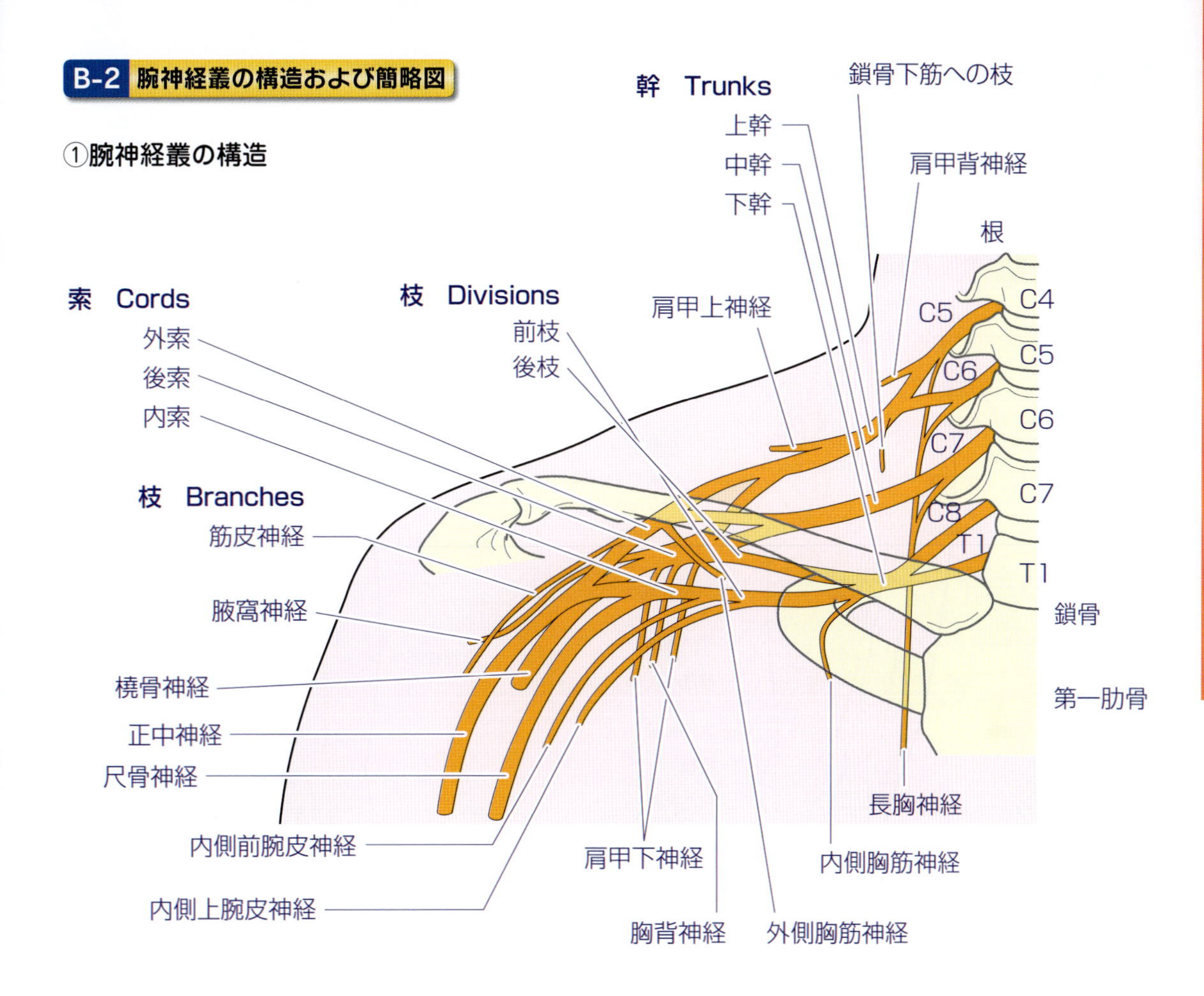

②腕神経叢の簡略図

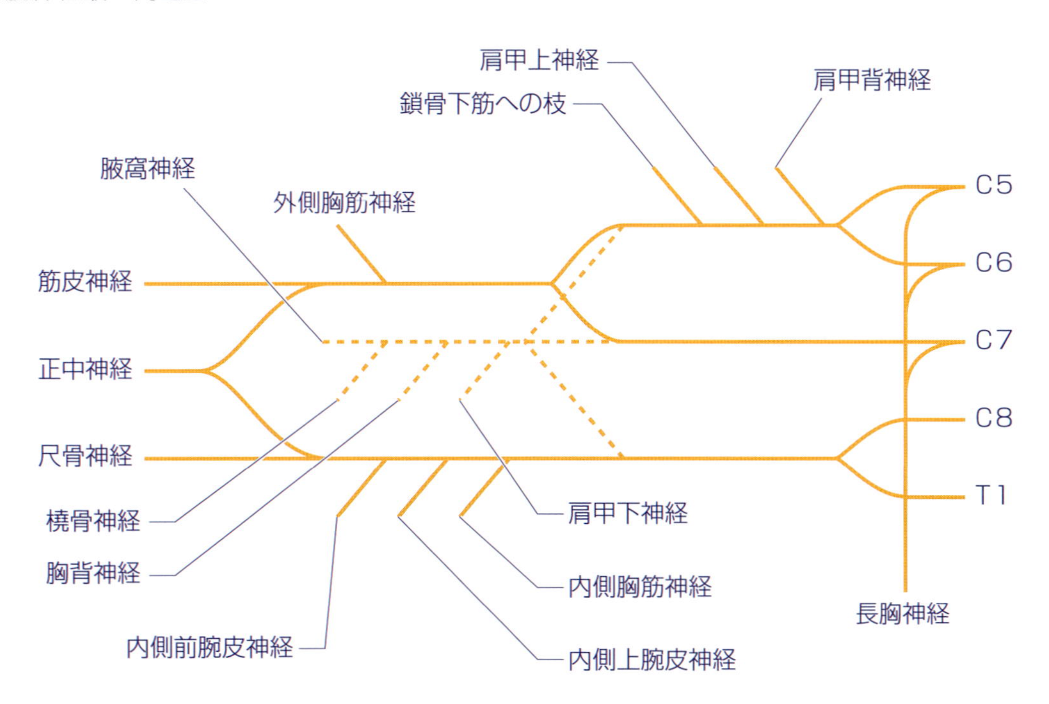

B-3 下肢の末梢神経と支配筋

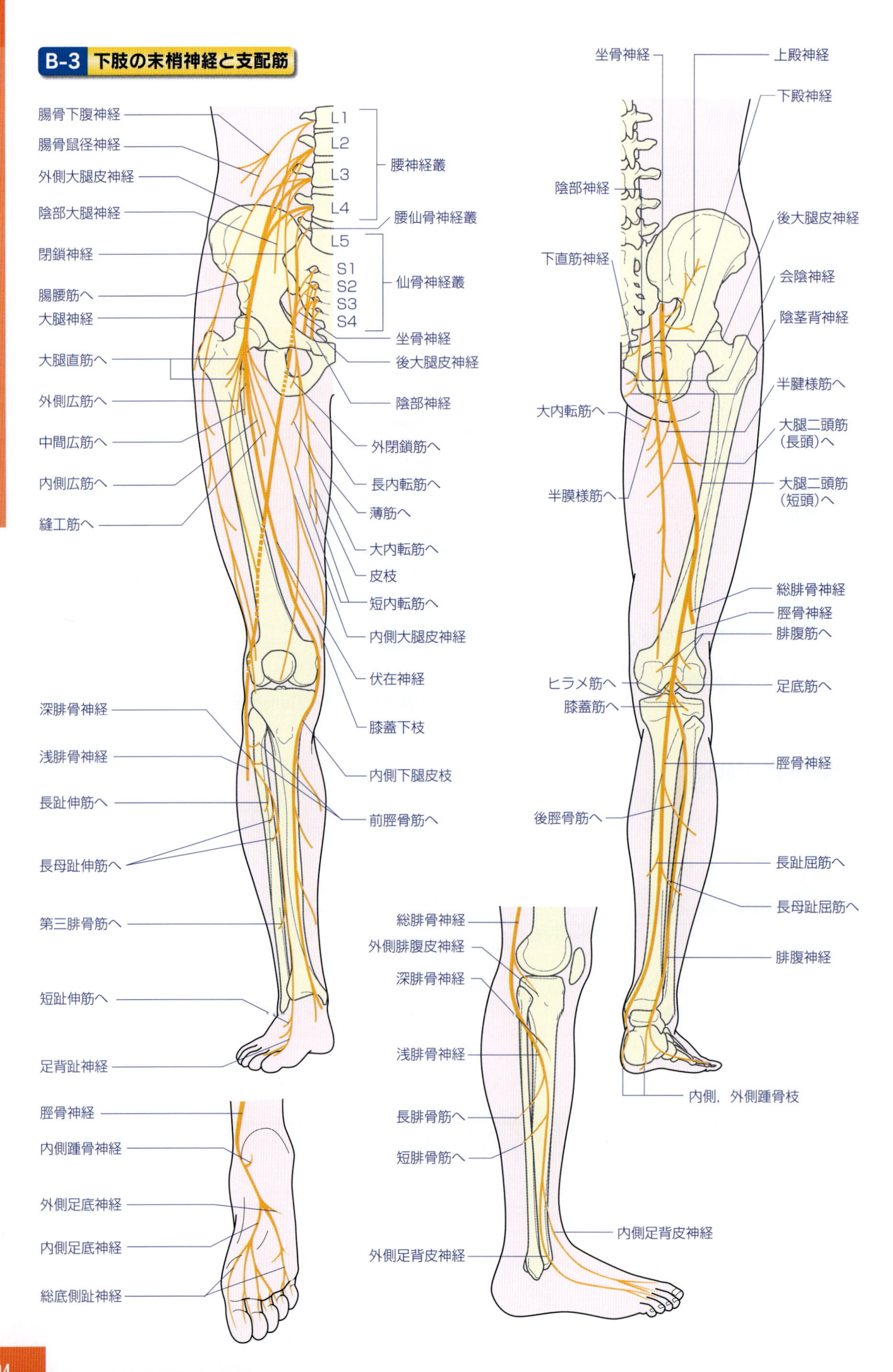

B-4 腰仙髄神経叢の構造および簡略図

①腰仙髄神経叢の構造

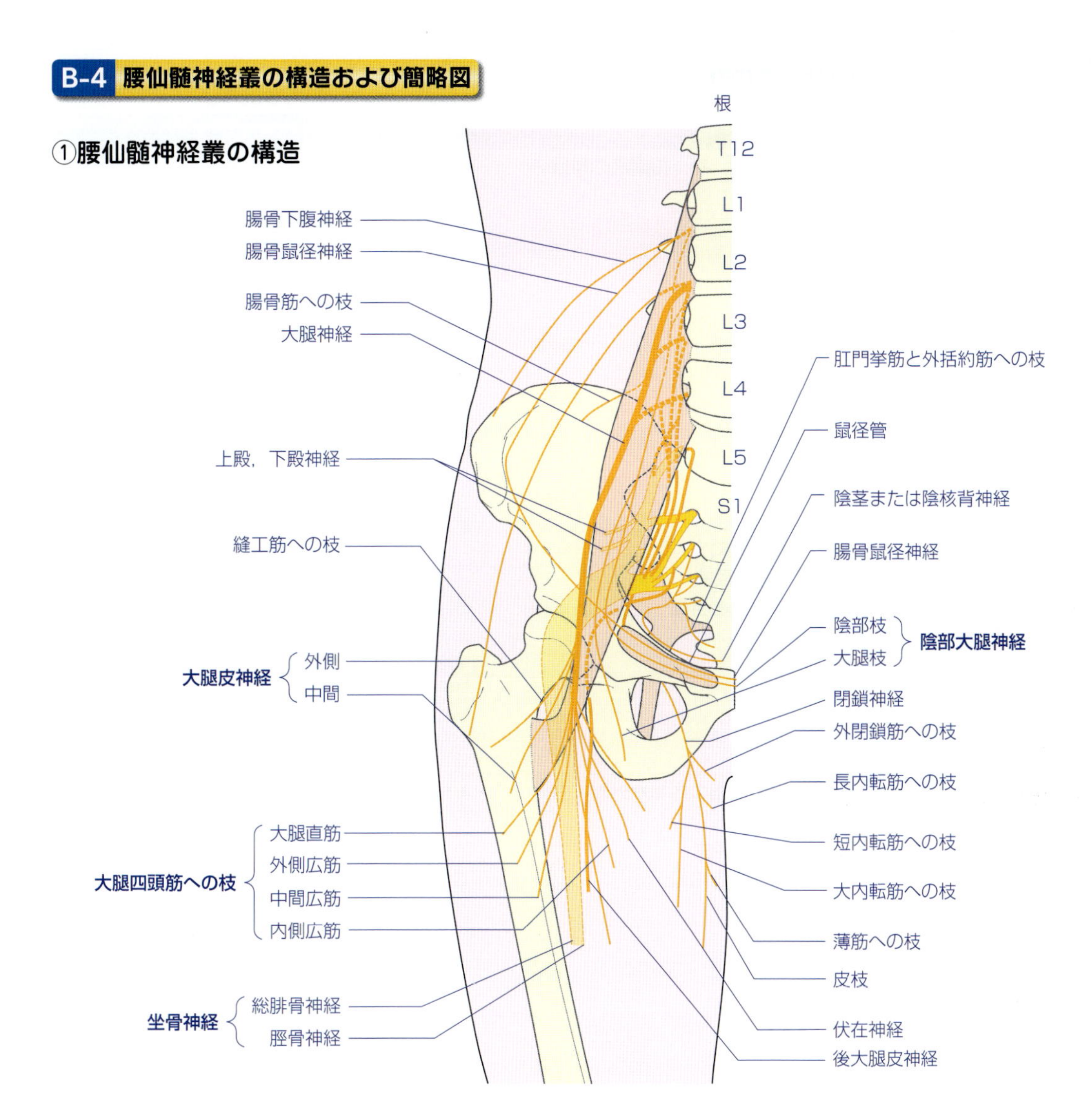

②腰仙髄神経叢の簡略図

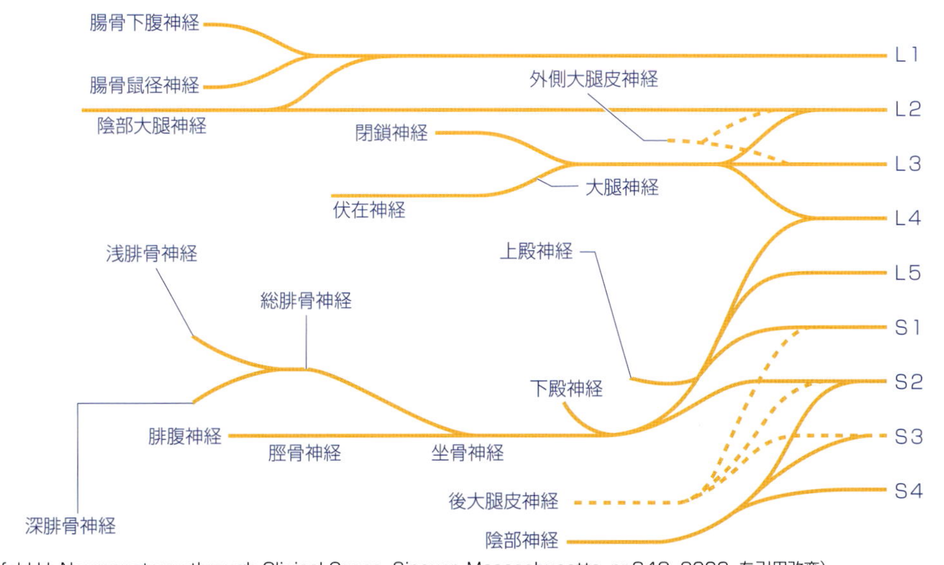

(Blumenfeld H: Neuroanatomy through Clinical Cases. Sinauer, Massachusetts, pp342, 2002. を引用改変)

表2 上肢に分布する主な神経とその役割

神経	運動機能	感覚支配域
橈骨神経 （radial nerve）	肩以下，腕，手，指関節の伸展 前腕の回外 母指外転	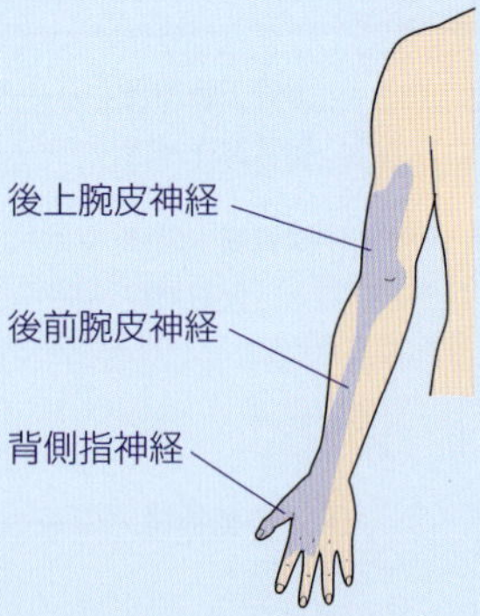 後上腕皮神経 後前腕皮神経 背側指神経
正中神経 （median nerve）	母指屈曲と対立 第2,3指の屈曲 手首の屈曲と外転 前腕の回内	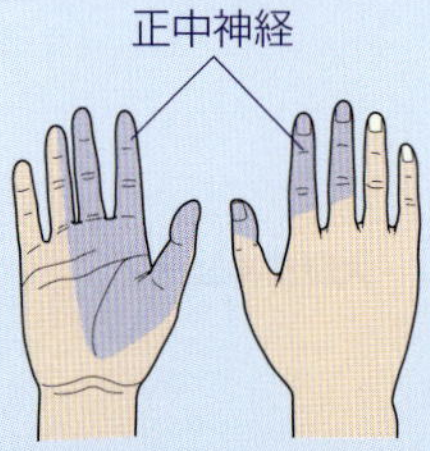 正中神経
尺骨神経 （ulnar nerve）	母指以外の指の内転と外転 母指内転 第4,5指の屈曲 手首の屈曲と内転	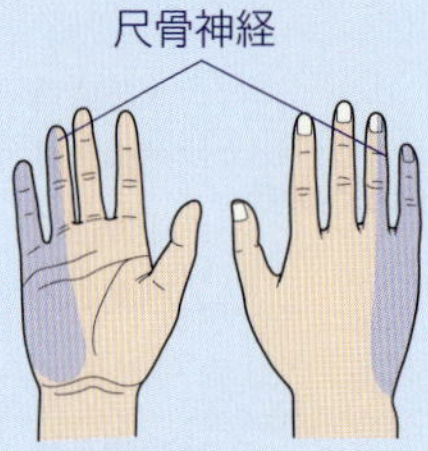 尺骨神経
腋窩神経 （axillary nerve）	上腕の外転（15°以上から）	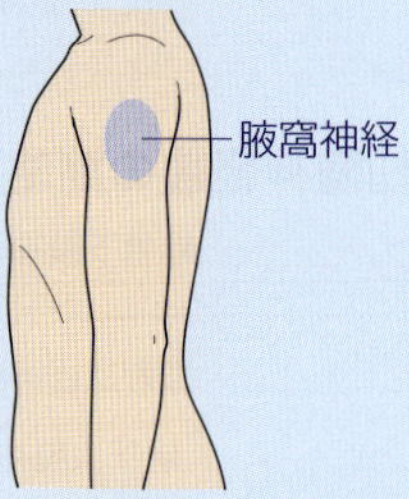 腋窩神経
筋皮神経 （musculocutaneous nerve）	肘関節での上腕と前腕の屈曲 前腕の回外	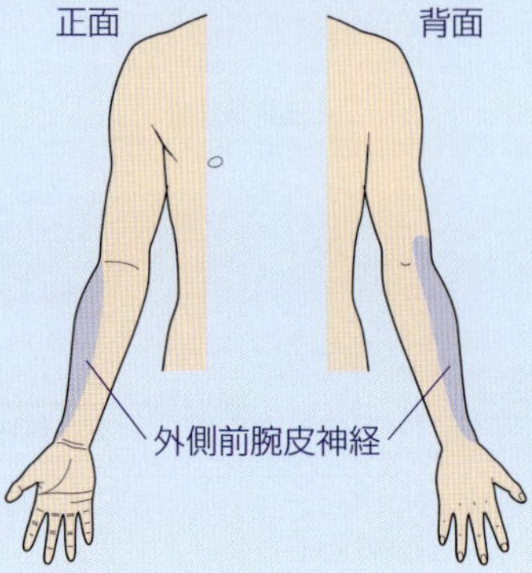 正面 背面 外側前腕皮神経

（Blumenfeld H: Neuroanatomy through Clinical Cases. Sinauer, Massachusetts, pp342, 2002. を引用改変）

表3 下肢に分布する主な神経とその役割

神経	運動機能	感覚支配域
大腿神経 （femoral nerve）	股関節での下肢伸展 膝関節での下肢伸展	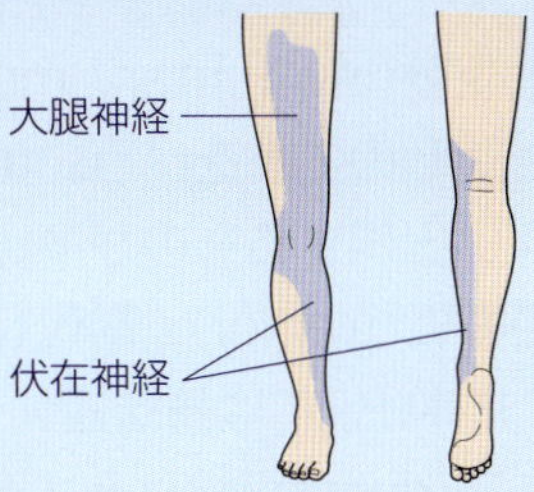 大腿神経 伏在神経
閉鎖神経 （obturator nerve）	大腿内転	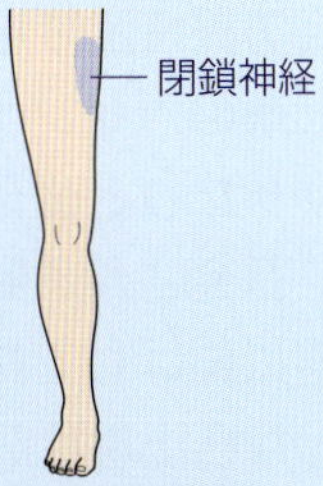 閉鎖神経
坐骨神経（sciatic nerve）	膝関節での下肢屈曲	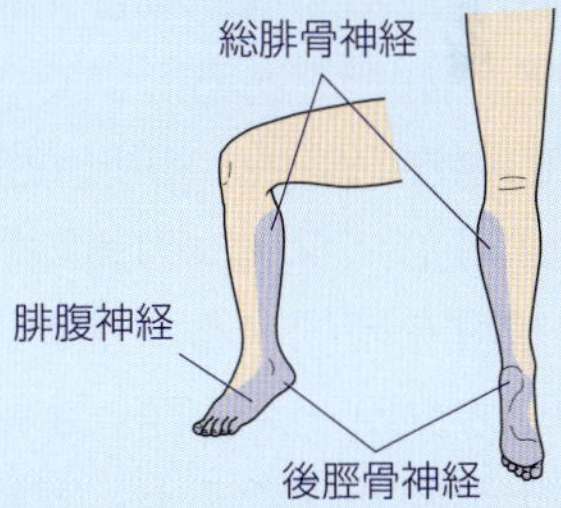 総腓骨神経 腓腹神経 後脛骨神経
脛骨神経（tibial nerve）	足関節の底屈と内反 趾の屈曲	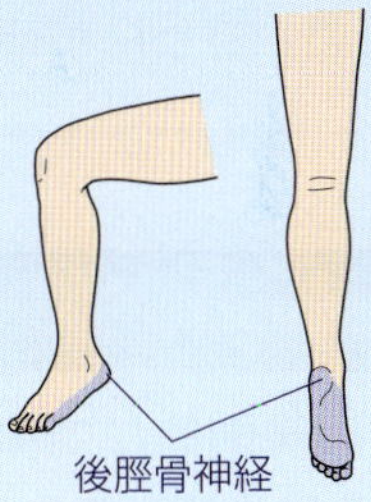 後脛骨神経
浅腓骨神経 （superficial peroneal nerve）	足関節の外反	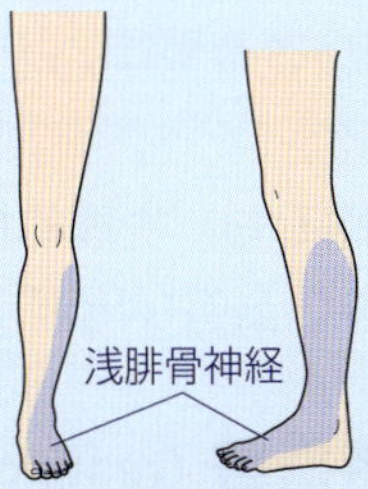 浅腓骨神経
深腓骨神経 （deep peroneal nerve）	足関節の背屈 趾の背屈	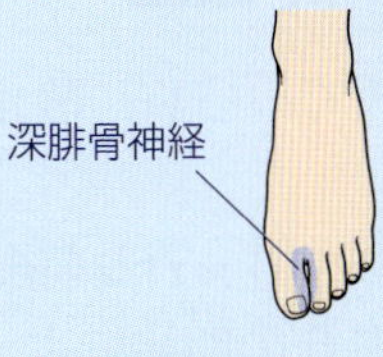 深腓骨神経

（Blumenfeld H: Neuroanatomy through Clinical Cases. Sinauer, Massachusetts, pp345, 2002. を引用改変）

運動系／不随意運動

診察の方法

不随意運動(involuntary movement)は，身体の一部または全身に不随意的に出現する異常な運動のことをいう。中枢神経系，とくに大脳基底核を中心とする錐体外路系の病変に伴い出現するものが多い。律動性のものと非律動性のものに大別され，律動性には種々の振戦(tremor)，間代(clonus)，律動性ミオクローヌス(rhythmic myoclonus)などが，非律動性には舞踏運動(chorea)，アテトーゼ(athetosis)，バリズム(ballism)，ジストニア(dystonia)，ミオクローヌス(myoclonus)，アステリキシス(asterixis，固定姿勢保持困難)，ジスキネジア(dyskinesia)，チック(tic)などが含まれる。

診察のポイントはその運動をよく観察することである。まず患者さんに手を膝においてゆったりと坐位をとらせて，安静時における不随意運動の有無を観察する。姿位や動作で誘発される動きは，それを診察室で行ってみないと観察できない。通常，両上肢を前方に伸ばして指を少し広げてもらい，手指の姿勢時振戦の有無を観察する。また患者さんから出現状況をよく聞くことも大切である。

①どの部位に不随意運動が出現するかを問診する。遠位筋か，近位筋か，頸部や顔にも出現するかなどである。いくつかの筋肉に不随意運動がある場合は，それら違った筋肉の間での動きの関係，相反性があるか，同期して動いているかなども観察の対象となる。

②どのようなパターンの運動かを観察することである。規則的か，不規則か，規則的ならその頻度を確認する。運動の速度が速いか，遅いかも重要なポイントである。最も速いのがミオクローヌスで，最も遅いのがジストニアと考えられる。

③いつ出現するかである。安静時か坐位，立位またある姿勢をとった時に出やすいかなどである。さらに精神的ストレス(計算など)で増強するかなども注意点の1つとなる。

振戦(tremor)

- 骨格筋の規則的かつ律動的な反復運動により生ずる異常運動である。
- 中立的な姿位を中心とした反復性の往復運動である。
- 正常状態でも，生理的振戦とよばれる8〜12Hz前後の振戦が出現する場合がある。

静止時振戦 (resting tremor) Parkinson病 A-1

- Parkinson病でみられ，静止時の身体部位に生じる。
- 規則的，律動的(4〜7Hz前後)。
- 姿勢保持や動作の開始によって振戦が消失，改善する(ただし，一部の症例では，姿勢保持してから数秒〜数十秒の潜時を認めた後に静止時振戦と類似した性状の振戦が再出現することが知られる：re-emergent tremor)。
- 会話や暗算負荷などの精神的な緊張で増悪。
- 通常，左右差がみられる。
- 丸薬を丸める動き(pill rolling tremor)が有名である。
- 睡眠中は消失。

姿勢時振戦 (postural tremor) 本態性振戦 (essential tremor) A-2

- 体肢を一定の姿位に保つと出現する振戦で，　手指では7〜11Hz前後。

●常染色体優性遺伝を示し，家族性に出現する。
●姿勢を取った身体部位に直ちに出現する（潜時はなし）。
●上肢と頸部に多くみられる。
●規則的，律動的で，振幅は小さく，周波数は7～11HzとParkinson病の振戦より早い。
●飲酒にて改善することが知られる（患者さん自身が気づいていることが多く，問診上きわめて有用な情報である）。

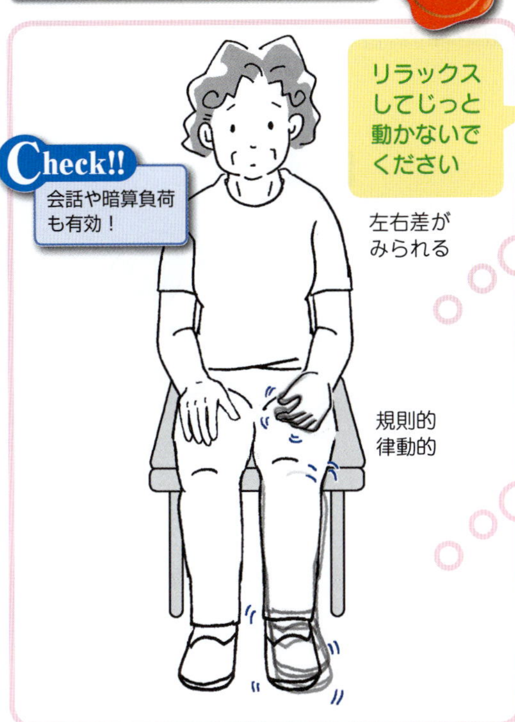

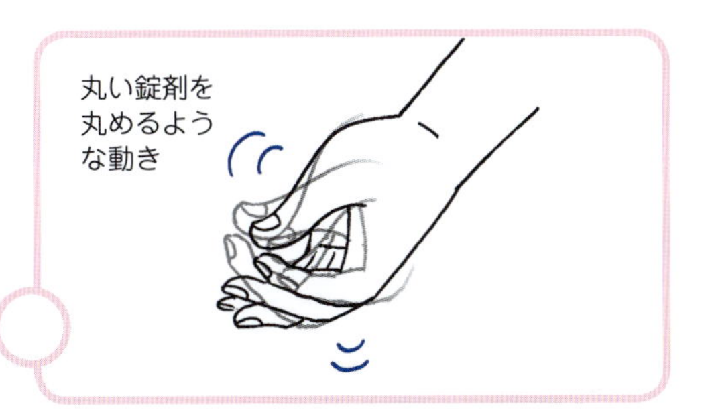

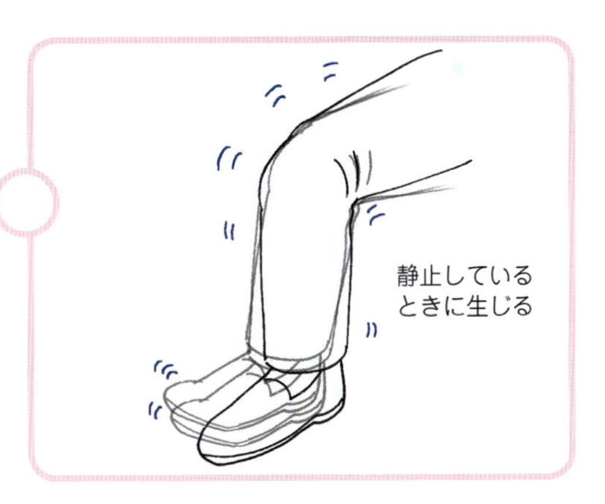

A-2 姿勢時振戦，本態性振戦 OSCE

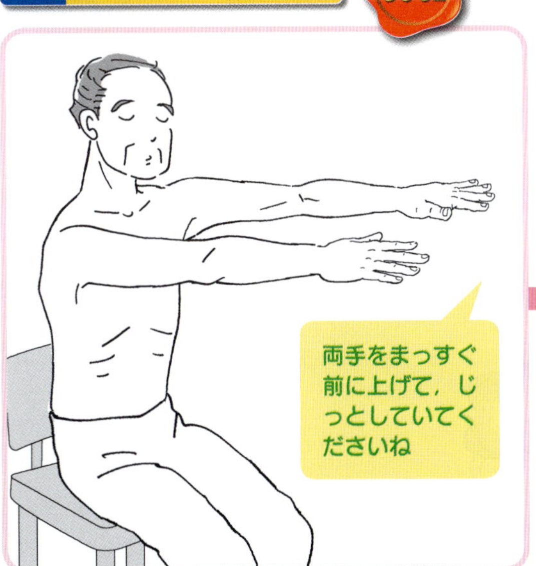

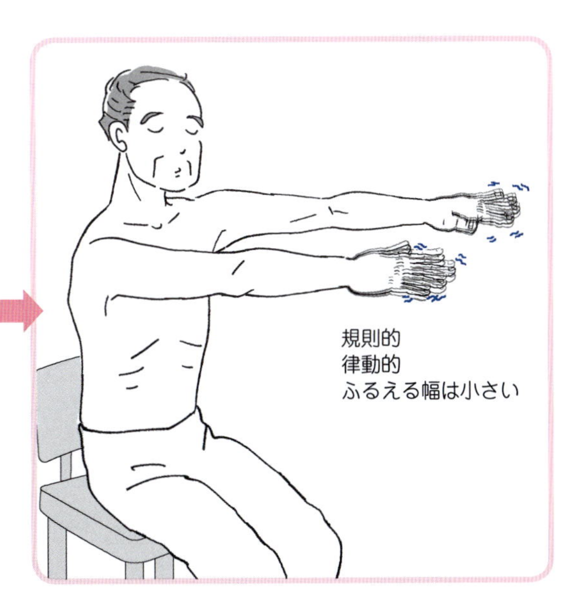

舞踏運動(chorea) A-3

- 目的のない速い不随意運動で，あたかも落ち着きなく踊っているように見える。
- 顔面や四肢に多いがその他の身体各部でも認められる。
- Huntington病や小舞踏病でみられる。
- 不規則で，速く，唐突な不随意運動。
- 四肢の遠位部や顔面に多い。
- 会話や暗算負荷などの精神的な緊張や随意運動で増悪。
- 安静にて改善，睡眠にて消失。

チック(tic) A-4

- 瞬間的な運動。
- 健常者の身振りに類似している。
- 常同性がみられる。
- 精神的緊張で減少する。

A-3 舞踏運動

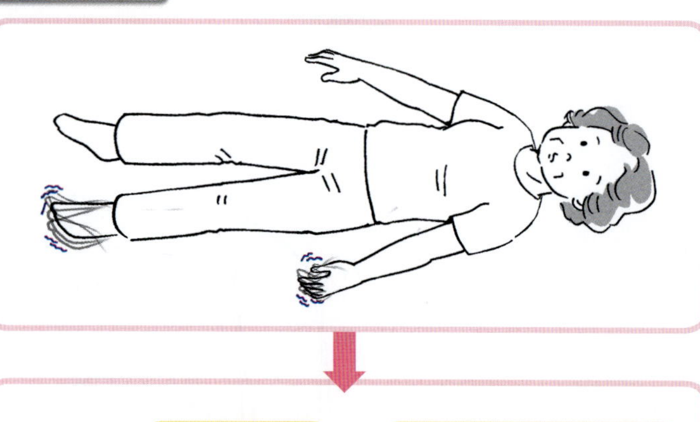

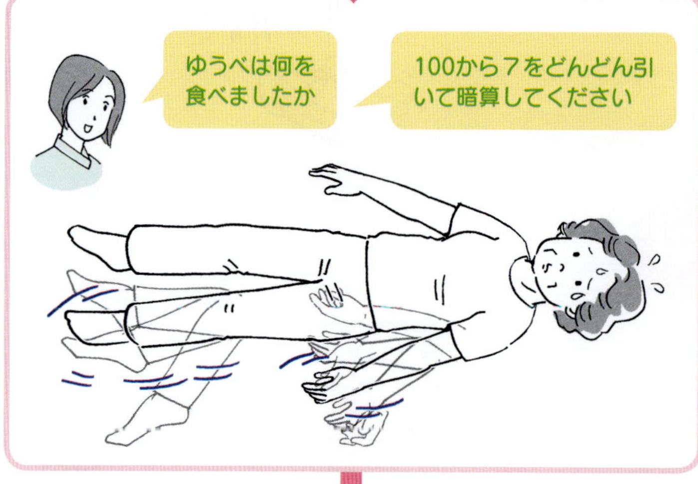
ゆうべは何を食べましたか
100から7をどんどん引いて暗算してください

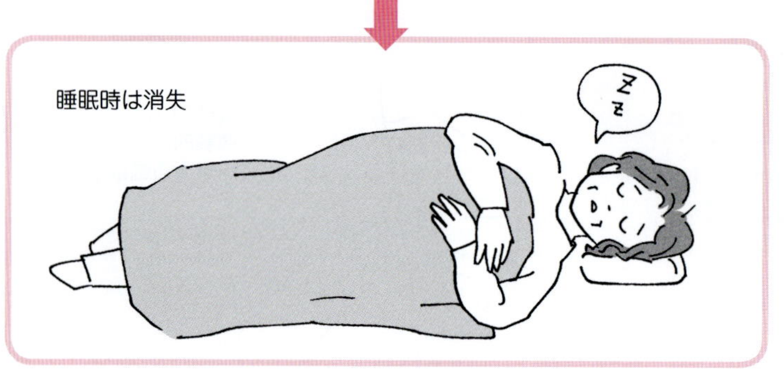
睡眠時は消失
Zz

A-4 チック

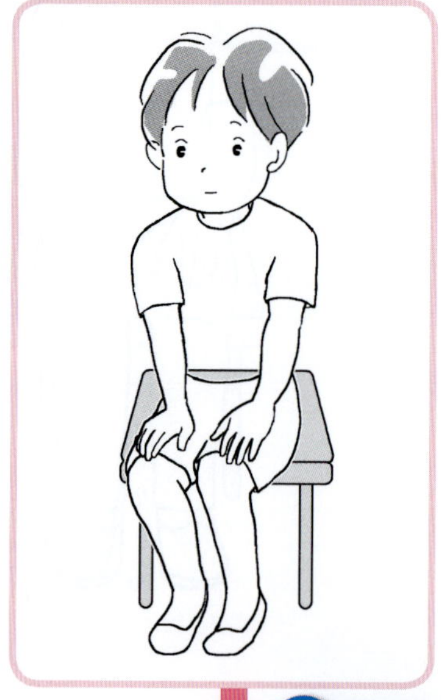

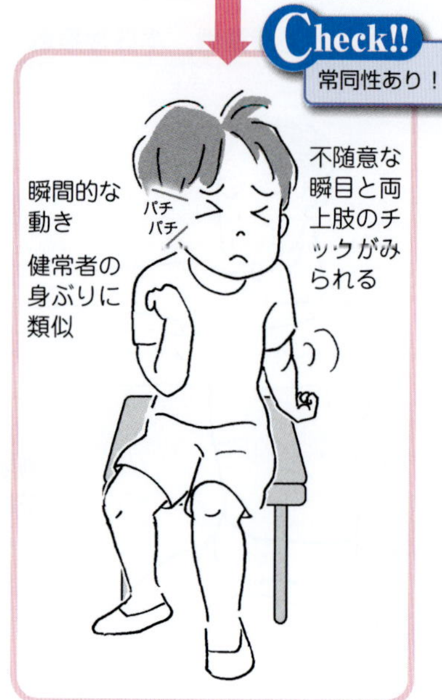
Check!!
常同性あり！
瞬間的な動き
健常者の身ぶりに類似
パチパチ
不随意な瞬目と両上肢のチックがみられる

アテトーゼ(athetosis) A-5

- 舞踏運動よりゆっくりで，たえずくねるような持続的運動である。アテトーゼの語源は“一定の姿位を維持できない”。上肢の伸展と回内，手指の屈曲と伸展を繰り返すものが多い。
- 多くは先天性で核黄疸や脳性麻痺などにみられる。
- 力が入ったような奇異な運動で，動きは緩慢で不規則である。
- 四肢の遠位部，顔面，頸部に多い。
- 精神的な緊張，随意運動，感覚刺激で誘発され，増悪する。
- 安静にて改善，睡眠にて消失。

A-5 アテトーゼ

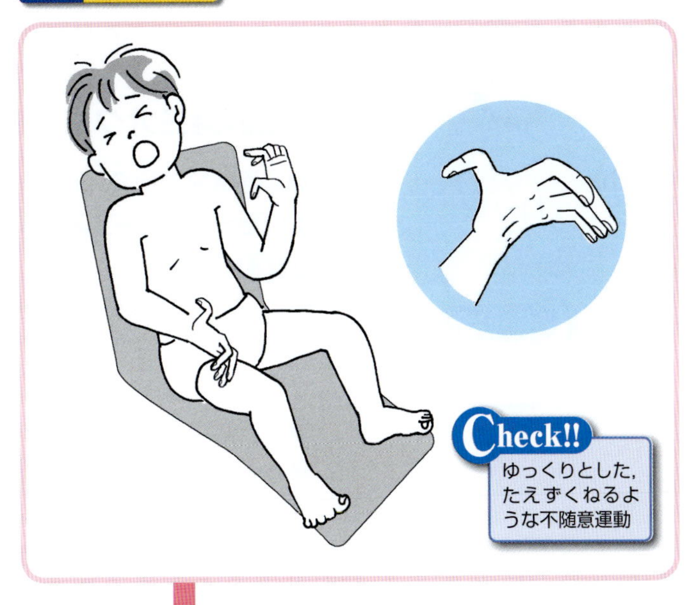

Check!!
ゆっくりとした，たえずくねるような不随意運動

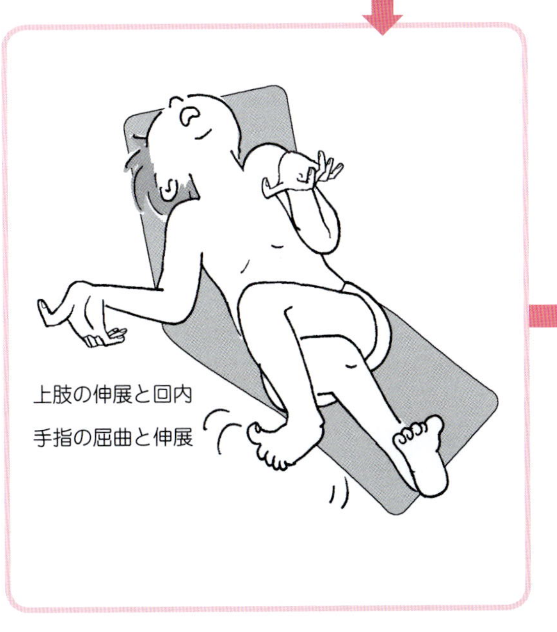

バリズム(ballism) A-6

●体幹に近い四肢に起こり，急速で粗大，四肢を投げ出すような運動が持続する。

●常同性がみられるが，不随意運動そのものは非律動的。

●一側の上下肢にみられるとヘミバリズムとよぶ。

●自己の意思で止めることはできない。

●精神的な緊張や随意運動で増悪。

●睡眠中は中断するが，激しい不随意運動のため，入眠困難となる。

●反対側の視床下核の障害で出現する。

A-6① ヘミバリズム

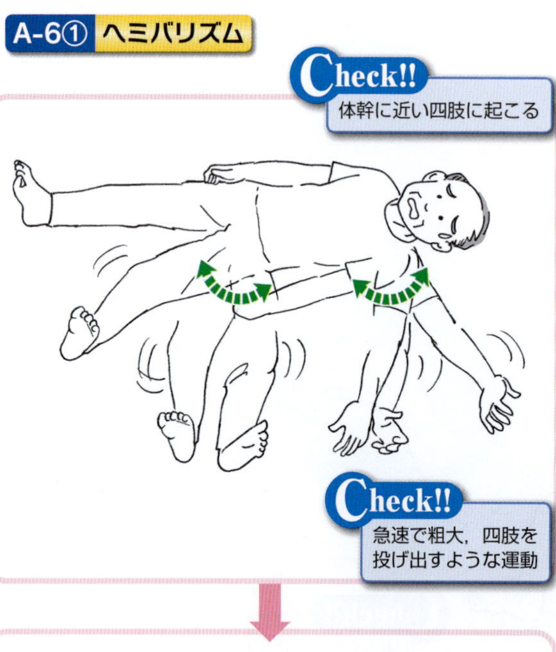

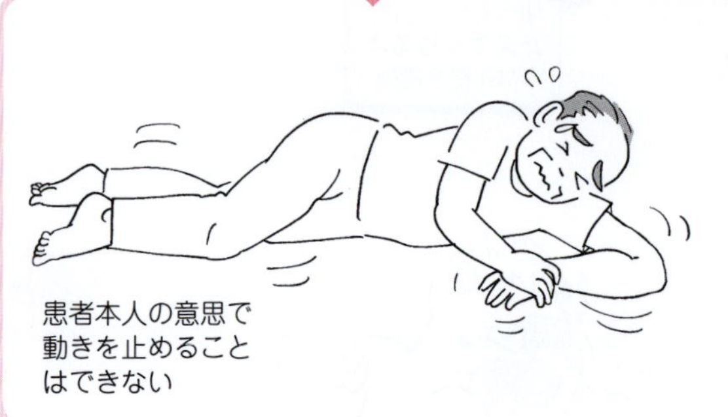

患者本人の意思で
動きを止めること
はできない

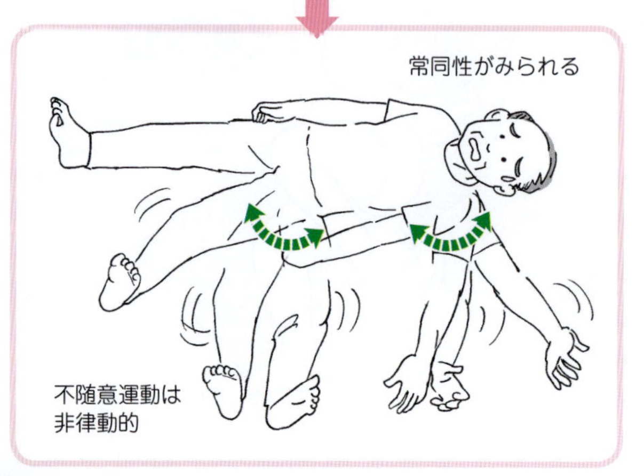

ミオクローヌス(myoclonus)

●急速で瞬間的な，不随意の筋収縮で，それが連続的に，または間隔をあけて，反復性に繰り返される。

●多数の筋に認められることもある。

安静時ミオクローヌス

●安静状態で自発的に出現する。

軟口蓋ミオクローヌス(palatal myoclonus A-7)

●軟口蓋の律動的，規則的な収縮がみられる(その規則性から，palatal tremorとよぶ立場もある)。

●周波数は1～3Hz程度。

●障害部位は，Guillain-Mollaret三角(p.188を参照)。

●咽頭，喉頭，眼球，横隔膜にも拡大することがある。

A-6② ヘミバリズム

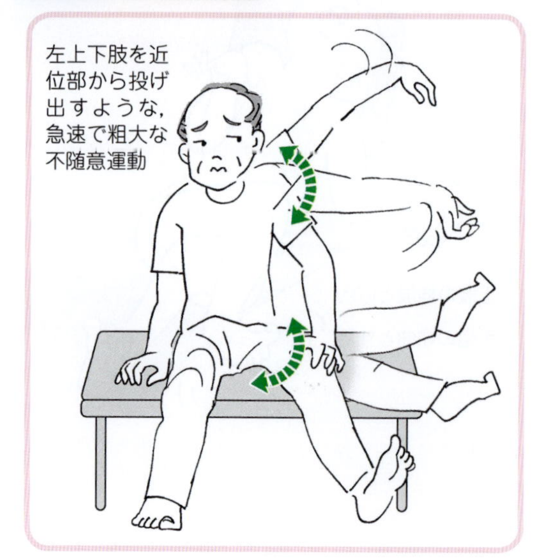

左上下肢を近
位部から投げ
出すような，
急速で粗大な
不随意運動

大脳皮質性ミオクローヌス A-8

- 全身性の規則的な律動性の筋収縮。
- 周期は数秒に1回程度。
- 身体の各筋肉が大脳皮質の放電に伴い，同期性に収縮する（脳波上の周期性同期性放電；periodic synchronous dischargeに一致する）。

A-7 軟口蓋ミオクローヌス

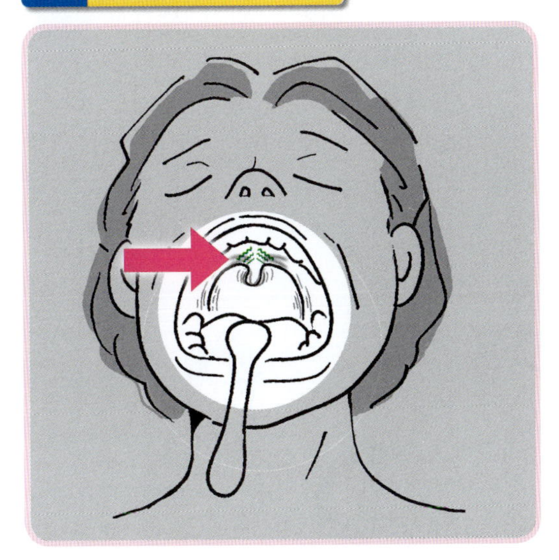

A-8 大脳皮質性ミオクローヌス

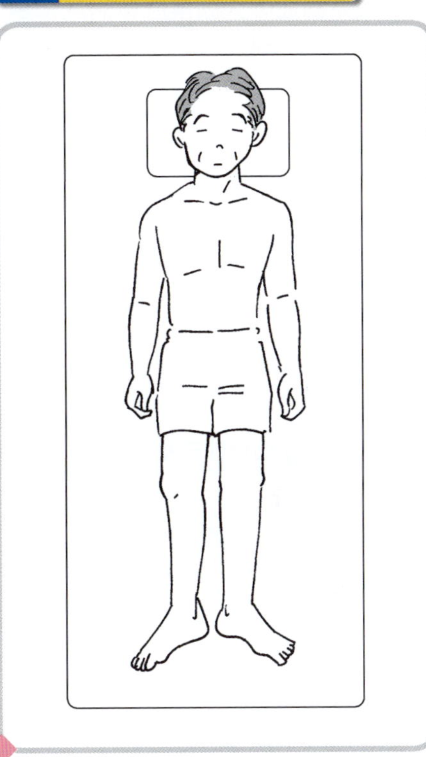

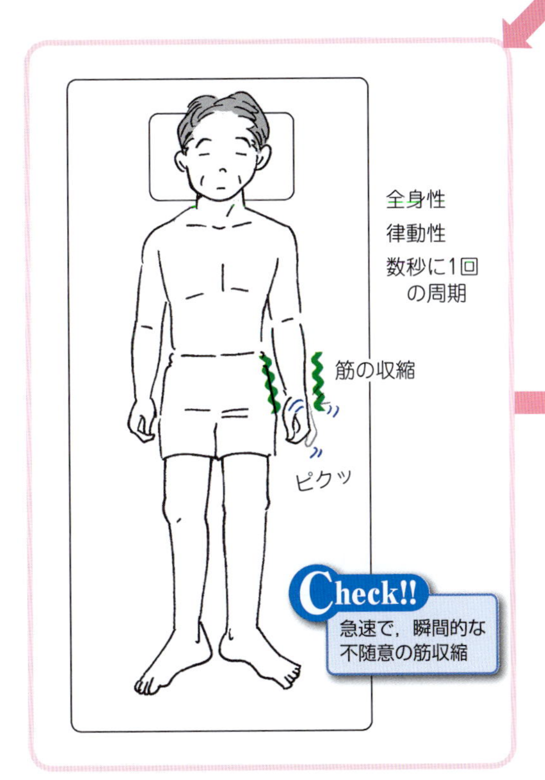

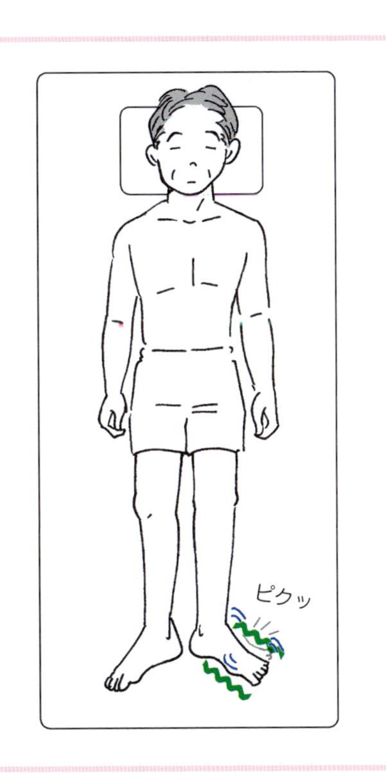

動作性ミオクローヌス

●動作により誘発／増強する A-9。

Lance-Adams症候群

●低酸素脳症の大脳基底核病変によって出現することが多い。

●動作で誘発される非周期性，非律動性の筋収縮。

●意思や企図動作にて増悪し，心身の安静で改善する。

●感覚刺激等各種の刺激でも誘発されることがある。

ジストニア(dystonia)

●筋緊張の異常亢進に伴う異常姿勢で，体幹の捻転，頸部捻転や上下肢の過伸展，捻転などがある。痙性斜頸(spasmodic torticollis)もジストニアの一種である。

●坐位／立位などの一定の体位にて出現してくる異常姿勢である(臥位をとると消失する)。

●同じ体位を取ると，常に同様な異常姿勢が出現し，特定の患者さんにおけるジストニアの異常姿勢または運動パターンは程度の差はあっても一定であり，変動しない(常同性；stereotypy)。

A-9 動作性ミオクローヌス

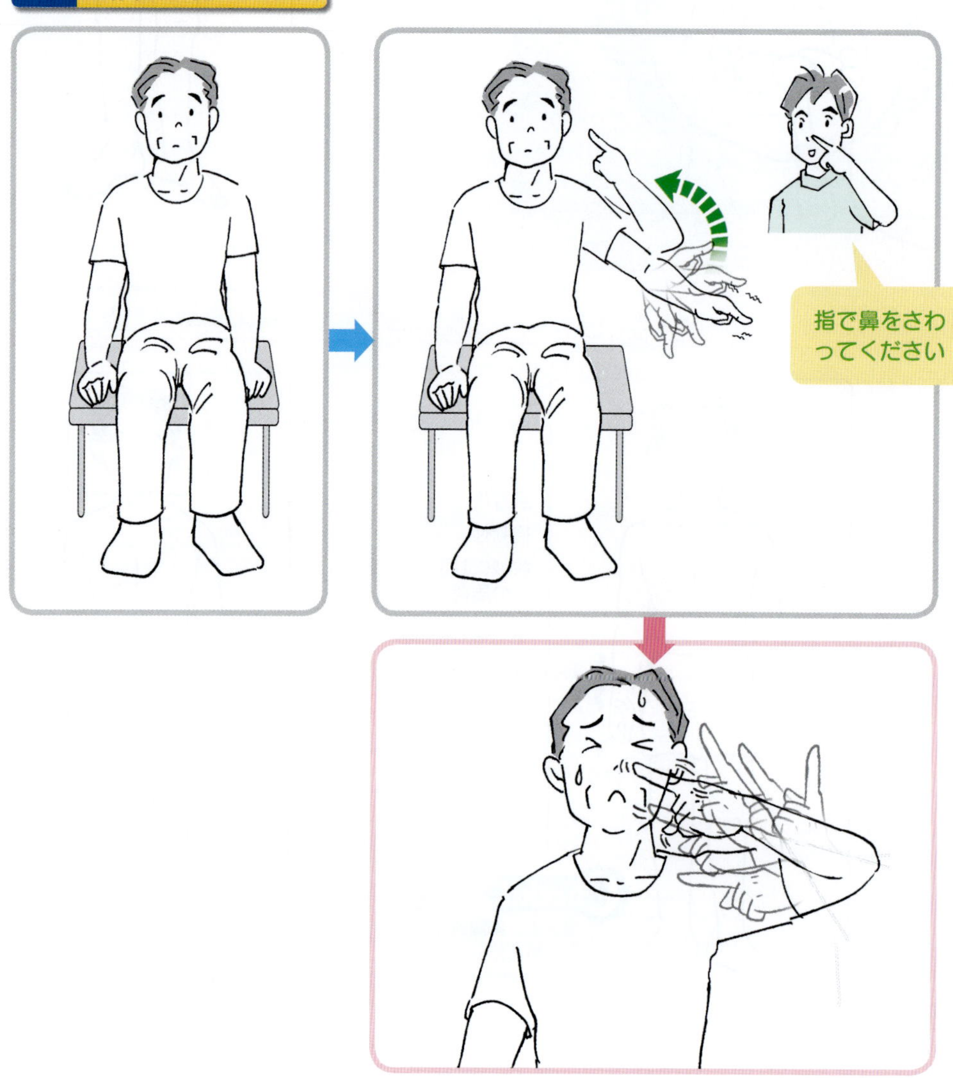

●特定の動作や環境によって，出現することもある(動作特異性；task specificity)。
●特定の感覚刺激によってジストニアが軽快する。その動作をさして感覚トリック(sensory trick)とよぶ。

●異常姿勢がみられる部位によって局所性と広汎性に分類される A-10。
・**局所性ジストニア**：痙性斜頸，書痙など
・**広汎性ジストニア**：捻転性ジストニア

A-10 ジストニア

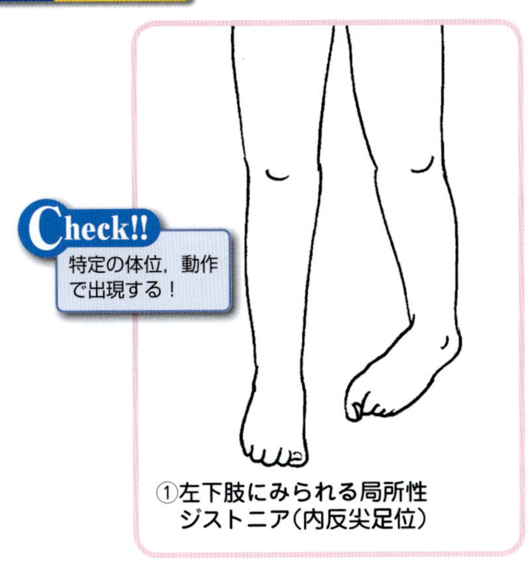

Check!!
特定の体位，動作で出現する！

①左下肢にみられる局所性ジストニア(内反尖足位)

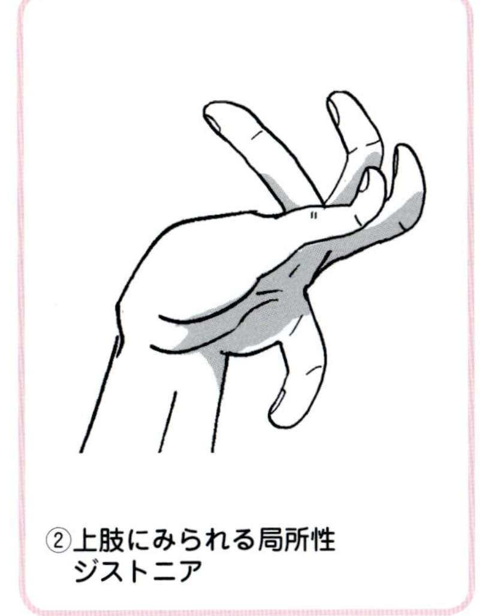
②上肢にみられる局所性ジストニア

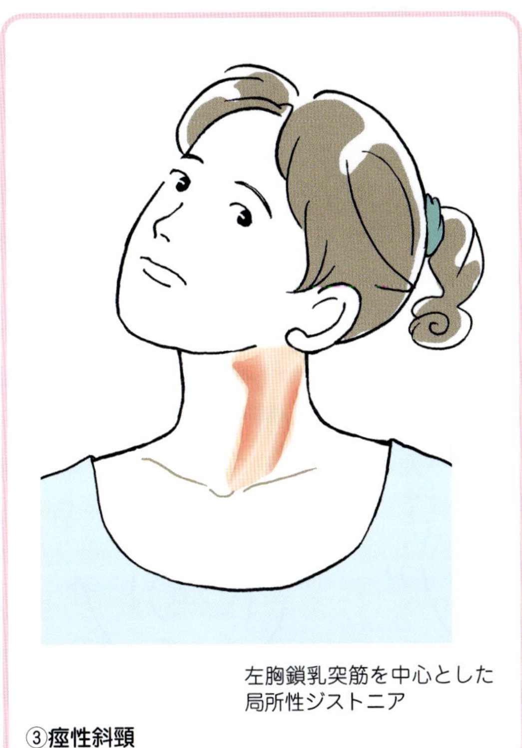
左胸鎖乳突筋を中心とした局所性ジストニア
③痙性斜頸

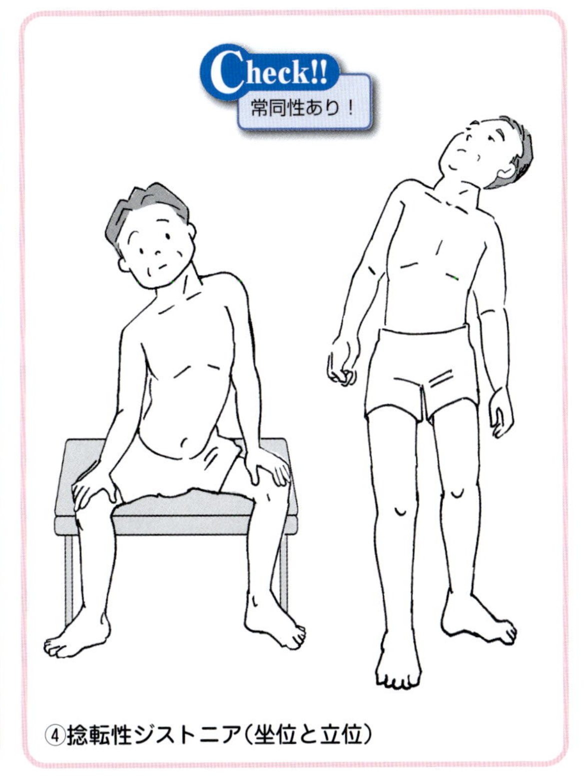

Check!!
常同性あり！

④捻転性ジストニア(坐位と立位)

ジスキネジア(dyskinesia)

- 当初は，抗精神病薬による長期治療の副作用として出現する遅発性異常運動をさしていた。
- 現在は，抗Parkinson病治療薬(L-dopa)による副作用などに拡大して使用されている。
- 特定の不随意運動の形式を示すわけではなく，概念的な症候名ととらえるべきである。
- 運動形式とともに舞踏運動様のジスキネジア A-11，振戦様のジスキネジア，バリズム様のジスキネジア A-12 などと記載される。

口舌ジスキネジア(orolingual dyskinesia) A-13

- 口周囲と舌にみられる。
- 本態性(高齢者)と薬物性がある。
- 口周囲，舌，下顎に常同性のある舞踏運動様の不随意運動が反復する。

A-11 舞踏運動様のジスキネジア

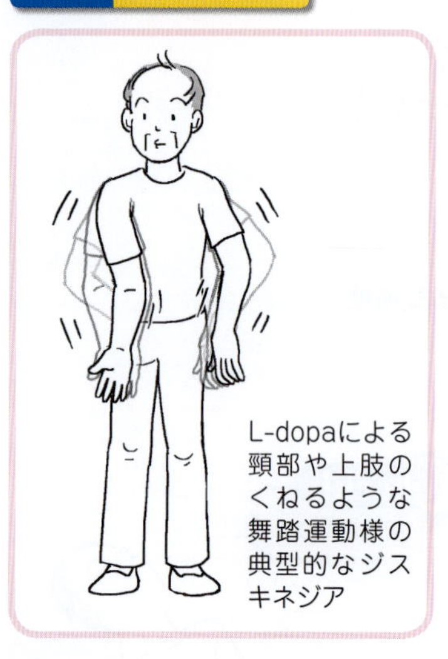

A-12 バリズム様のジスキネジア

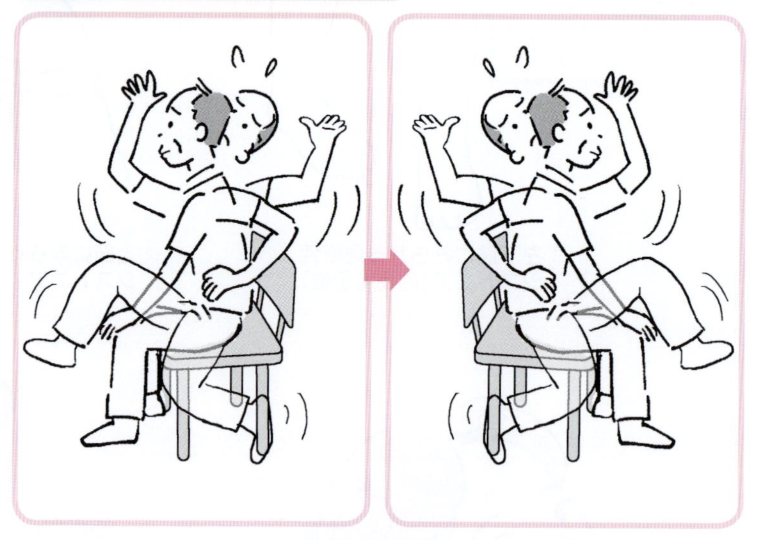

A-13 口舌ジスキネジア

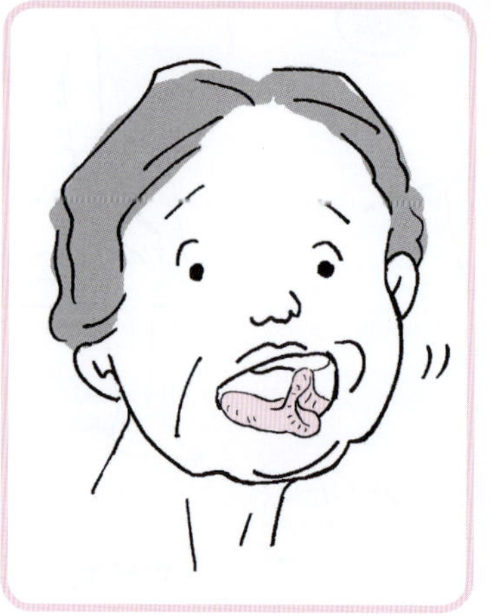

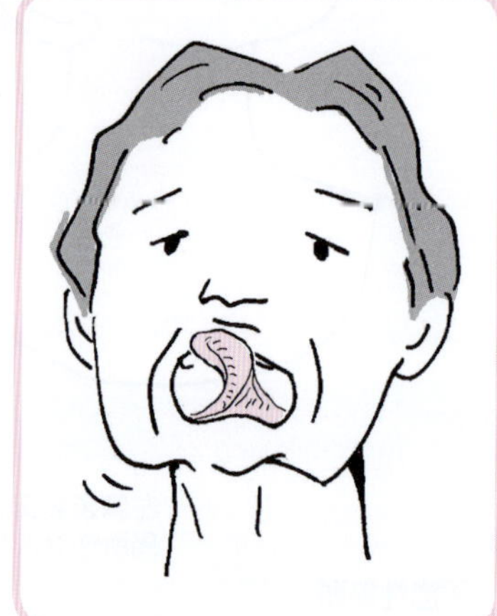

アステリキシス
(asterixis，固定姿勢保持困難，A-14)

●固定姿勢保持困難(asterixis)または羽ばたき振戦(flapping tremor)とよばれ，指を伸展したまま手首を背屈させると手関節と中手指関節の急激な掌屈と背屈位への戻りが繰り返される。

●肝性脳症などの代謝性脳症で認められる。

●姿勢時ミオクローヌスに一見類似し，四肢などの随意的な姿勢の保持に際して出現する急激で不規則な不随意運動である。しかしアステリキシスは姿勢を保持する筋の持続性収縮が瞬間的に中断することにより発現するものであり，筋の異常収縮により引き起こされるミオクローヌスとは明らかに機序が異なる。しかし，外見上の類似性から“negative myoclonus”とよばれることもある。

偽性アテトーゼ
(pseudoathetosis)

●深部感覚／位置覚(自己固有感覚，proprioceptive sensation)障害に伴って出現する。

●手指に多く，静止時や姿勢時に出現し，偽性アテトーゼ(pseudoathetosis)とよばれる。

●母指さがし試験や関節の位置覚の異常を認める。

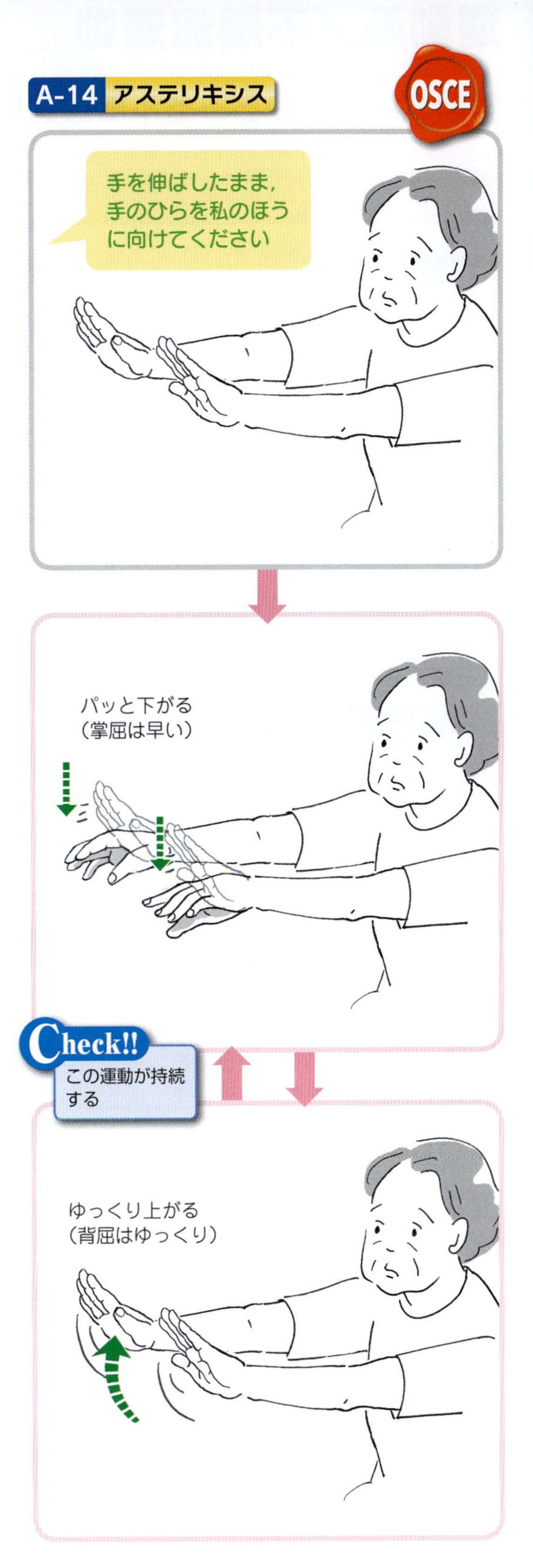

運動系／不随意運動

診断プロセスからみる不随意運動の診察

錐体外路について

定義

現在，臨床的には“錐体路，小脳系以外で運動機能を制御する系”の意味で用いられていると考えてよい。Wilsonが提唱したが，その定義は当初から曖昧である。錐体路や感覚路の障害にあたっては，各神経学的異常所見から，その病巣部位を推定し，神経局所診断を行っていくことが可能だが，錐体外路系では同様のアプローチがやや困難である。しかし，不随意運動をきたす責任部位と考えられる。

錐体外路の神経回路

錐体外路は以下の4つの部位，すなわち，①大脳基底核に含まれる尾状核・被殻・淡蒼球・黒質・視床下核（線条体：尾状核と被殻，レンズ核：被殻と淡蒼球），②視床，③大脳皮質，④大脳皮質から脊髄への下行路，から構成される。

また，相互の連絡路はきわめて複雑で，①尾状核・被殻を中心とした求心路と遠心路，②淡蒼球を中心とした求心路と遠心路，③黒質を中心とした求心路と遠心路，に分けて考えることができる。

基底核を中心とした神経回路は，閉鎖回路と考えられている。

中核は“線条体→淡蒼球→視床（前側腹側核と外側腹側核）→大脳皮質運動野→線条体”であり，これに“線条体⇔黒質”と“淡蒼球⇔視床下核”の副回路が関与する。

基底核は，基本的に視床に対して抑制的に働いており，この障害で回路の“視床→大脳皮質運動野”の過活動が引き起こされて，不随意運動が出現する。回路そのものは同側性であるため，臨床症状としての不随意運動は，大脳半球から交差後の錐体路を介して，病巣部位と対側に出現する B-1，2。

B-1 尾状核・被蓋を中心とした求心路と遠心路，ならびに淡蒼球を中心とした求心路と遠心路

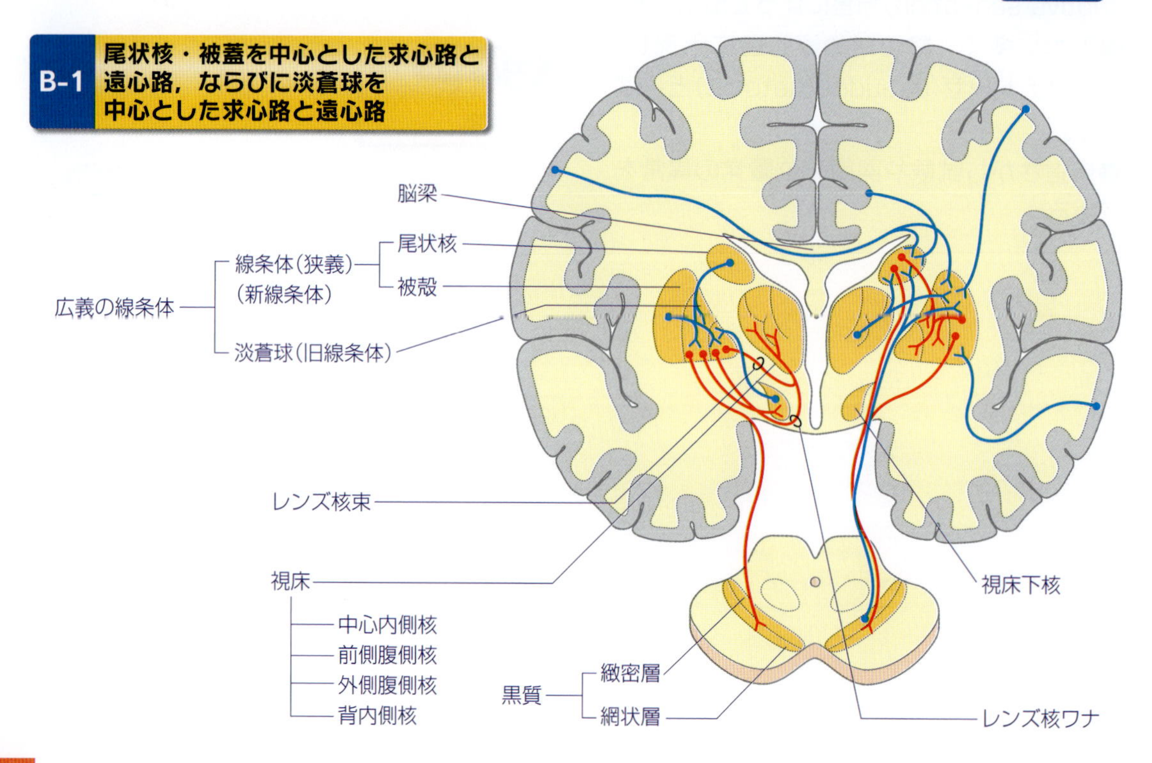

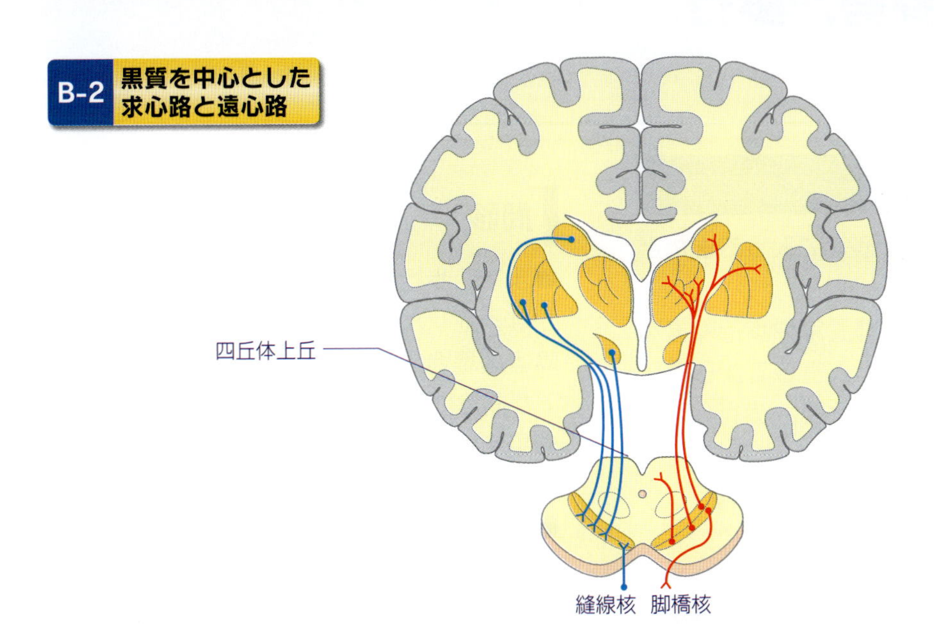

各種の不随意運動の出現と病巣部位の関係

不随意運動(振戦，舞踏運動，バリズム，アテトーゼなど)の病巣部位と，筋トーヌスの障害などの錐体外路症状の関係，その病因などを，主な疾患ごとに表1にまとめた。

表1 疾患ごとの不随意運動，病巣部位，その他の錐体外路徴候，原因に関して

疾患	不随意運動	筋トーヌス	その他の神経症状	大脳基底核の病巣部位	その他の病巣	原因
Parkinson病	振戦 (静止時)	筋強剛	無動, 姿勢保持障害, 非運動症状	中脳黒質	青斑核 無名質 迷走神経背側運動核 縫線核	神経変性 (一部, 遺伝性)
Huntington舞踏病	舞踏運動	低下	認知機能低下	尾状核 被殻	大脳皮質	神経変性 遺伝性
片側バリズム	バリズム	低下		対側の 視床下核		主に局所性の 血管障害
アテトーゼ	アテトーゼ	亢進		被殻 尾状核 淡蒼球	視床	出生時の 脳障害など
Wilson病	羽ばたき振戦	亢進	アステリキシス	尾状核 被殻	大脳皮質 歯状核 上小脳脚 肝臓 角膜 (Kayser-Fleischer輪)	銅代謝異常 遺伝性

運動系／姿勢，歩行

診察の方法

姿勢，歩行の診察

●診察は患者さんが診察室に入ってきたときから始まる。

●疾患により特有な姿勢異常や歩行障害を呈することがあるため，入室してから椅子に座るまでの姿勢(posture)，歩行(gait)の様子を詳細に観察する。

●表1に歩行障害の原因，分類を示す。

表1 歩行障害の原因，分類

1．神経系の異常
①麻痺によるもの
ⓐ上位運動ニューロン障害（大脳，脳幹，脊髄）
ⓑ下位運動ニューロン障害（前角，前根，末梢神経）
ⓒ神経筋接合部障害
ⓓ筋障害
②筋トーヌスの異常によるもの
ⓐ痙縮：錐体路障害
ⓑ筋強剛/固縮：錐体外路障害
③姿勢反射障害や無動によるもの
ⓐ前頭葉障害
ⓑ錐体外路障害
④不随意運動によるもの
ⓐ舞踏病
ⓑアテトーゼ
ⓒジストニア
⑤失調によるもの
ⓐ小脳性
ⓑ前庭迷路性
ⓒ感覚性（脊髄性，末梢神経性）
2．間欠性跛行によるもの
①動脈硬化性
②脊髄性
③馬尾性
3．精神系の異常
①ヒステリー性
②躁うつ病や精神分裂病
4．骨，関節疾患
5．疼痛や発熱，貧血などのその他の要因

問診

●まず，歩行に関して問診する。問診はいかなる症状に関しても重要だが，特に歩行障害の場合，診察室で確認できないポイントが問診によってのみ判明することがある。

●易疲労性（重症筋無力症など）と間欠性跛行（動脈硬化性や馬尾性）との鑑別

●階段の昇降の異常（小脳性失調や鶏歩など）や，逆に階段での症状改善（Parkinson病における奇異性運動[kinésie paradoxale]など）

●暗闇での増悪（深部感覚障害に伴う失調性歩行）

歩行の観察

●診察室内の空いた場所を示し，座位から立ち上がって通常どおりに歩行するように指示する。可能であれば廊下などを使用する。なお，患者さんの病態によっては，転倒を配慮して，付き添いを心がけることも大切である。通常の歩行の観察ポイントは，

・左右対称性
・幅と歩隔
・腕の振りや不随意運動
・歩行開始（すくみ足の有無），停止時や方向転換時の様子
・歩行の安定性
・股，膝，足関節の角度と動き（足の上げ方，つけ方など）
・疼痛の有無
・前方突進現象（歩行中，前のめりになり止まれない）の有無
・歩行時の不随意運動の有無
・長く歩いたときの歩行の変化
・階段の昇降時の症状
・服薬との関連性

などであるA-1。

つぎ足歩行と方向転換
(tandem gait, on turn)

●一方の足の先と他方の足のかかとが交互につくようにしながら直線上をまっすぐ歩かせ，つぎ足歩行が可能か診察する。運動失調があるとつぎ足歩行をしたとき，ふらつきやよろめきを示すため，危険のないよう患者さんの近くにいて安全に十分配慮する。また運動失調がある患者さんでは，方向転換(まわれ右)もうまくできない場合がある A-2。

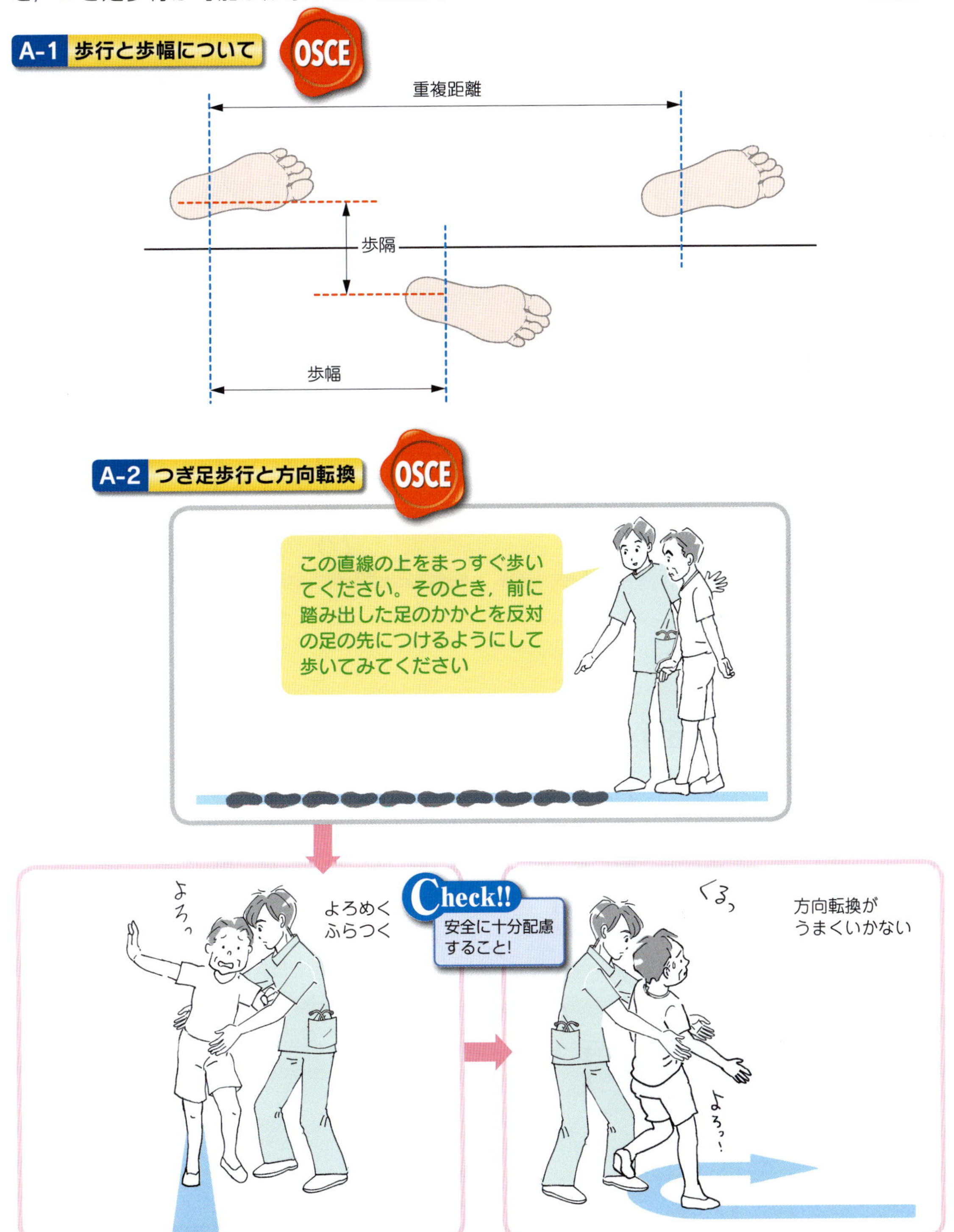

かかと歩行，つま先歩行
(gait on toes, gait on heels)

●前脛骨筋麻痺ではかかと歩行，腓腹筋麻痺ではつま先歩行ができず，下肢筋力のスクリーニングに役立つA-3。

●つま先歩き(gait on toes)の障害
→ 腓腹筋麻痺

●かかと歩き(gait on heels)の障害＋鶏歩
→ 前脛骨筋麻痺

A-4 かかと歩行，つま先歩行

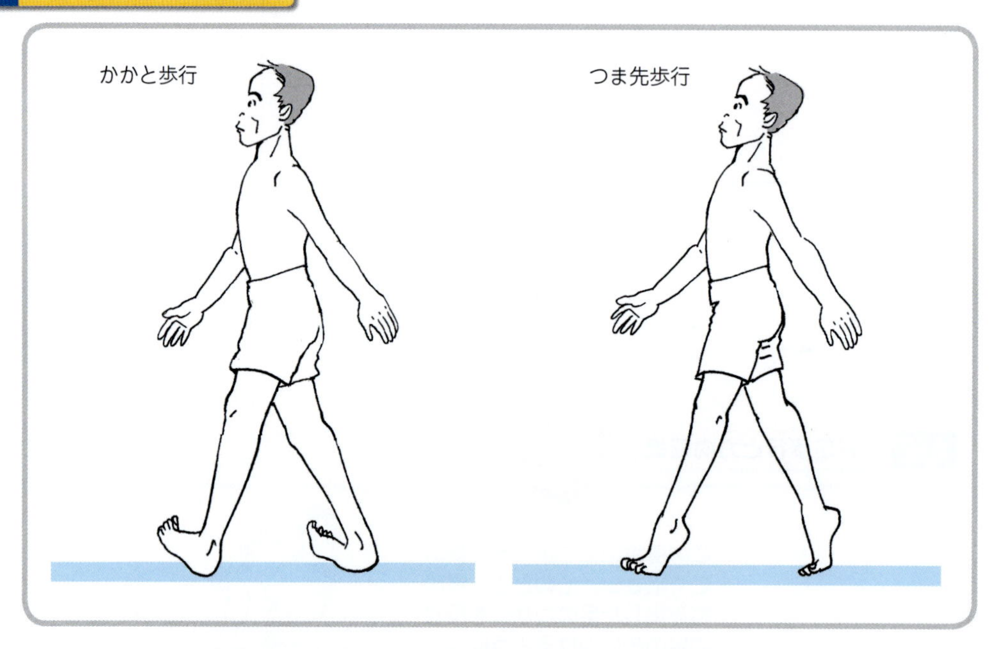
かかと歩行
つま先歩行

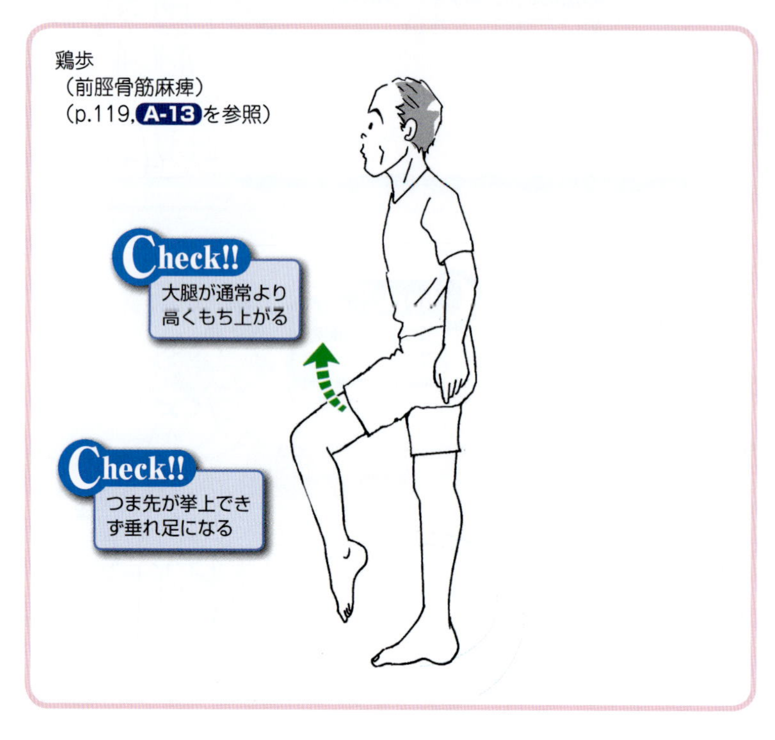
鶏歩
(前脛骨筋麻痺)
(p.119, A-13を参照)
Check!!
大腿が通常より
高くもち上がる
Check!!
つま先が挙上でき
ず垂れ足になる

片足立ち

●片足で立つように指示する。運動失調があると転倒しそうになり，また筋力低下があると片足では立てない A-4 。

A-4 片足立ち

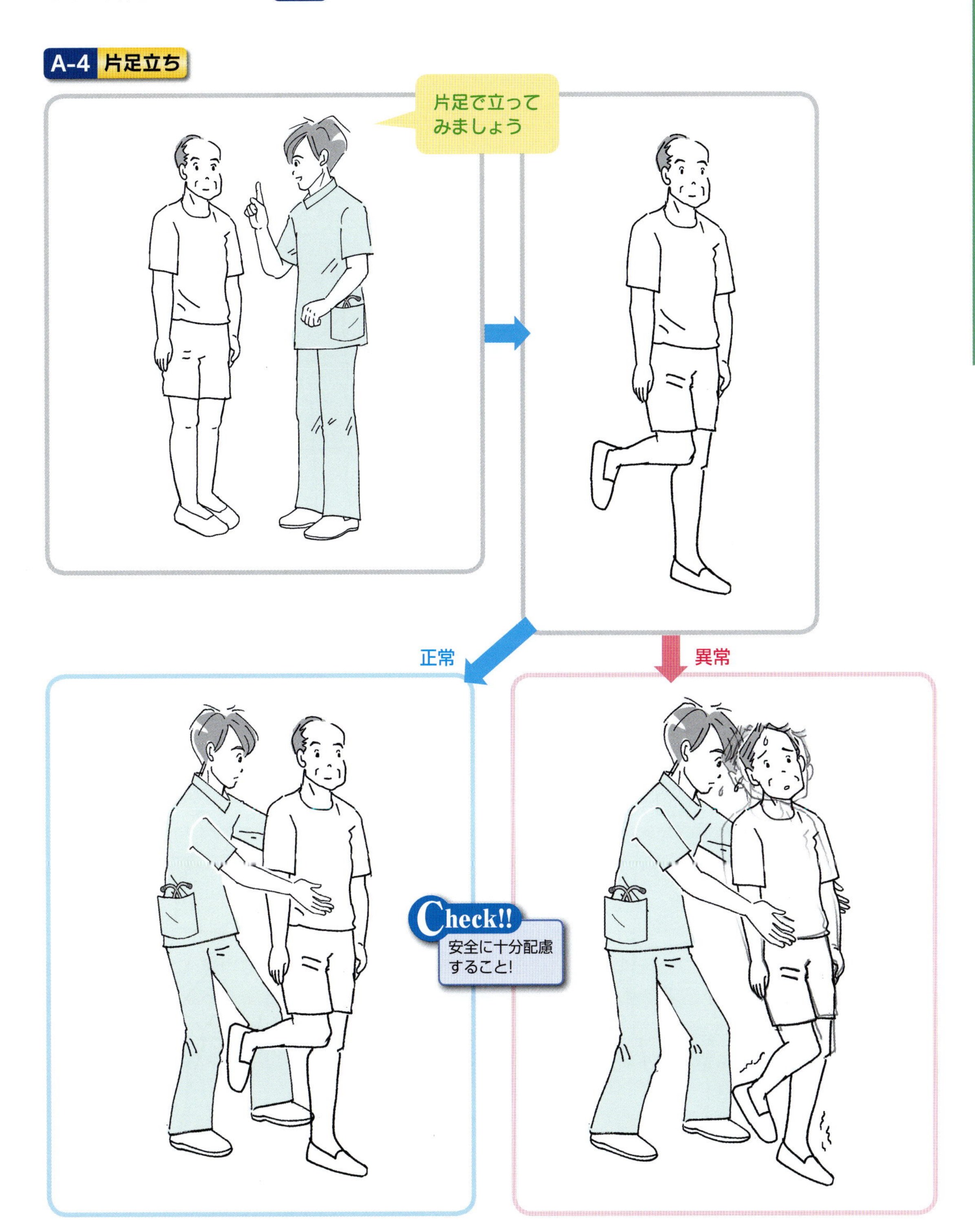

Romberg徴候

●開眼で立位姿勢をとった後に閉眼をさせる。急に動揺し転倒しそうになれば陽性である。深部感覚障害（脊髄癆など）では，視覚による代償機転が働かなくなるために陽性となる。ふらつきやよろめきを示すため危険のないよう患者さんの近くにいて安全に十分配慮する A-5。

A-5 Romberg徴候 OSCE

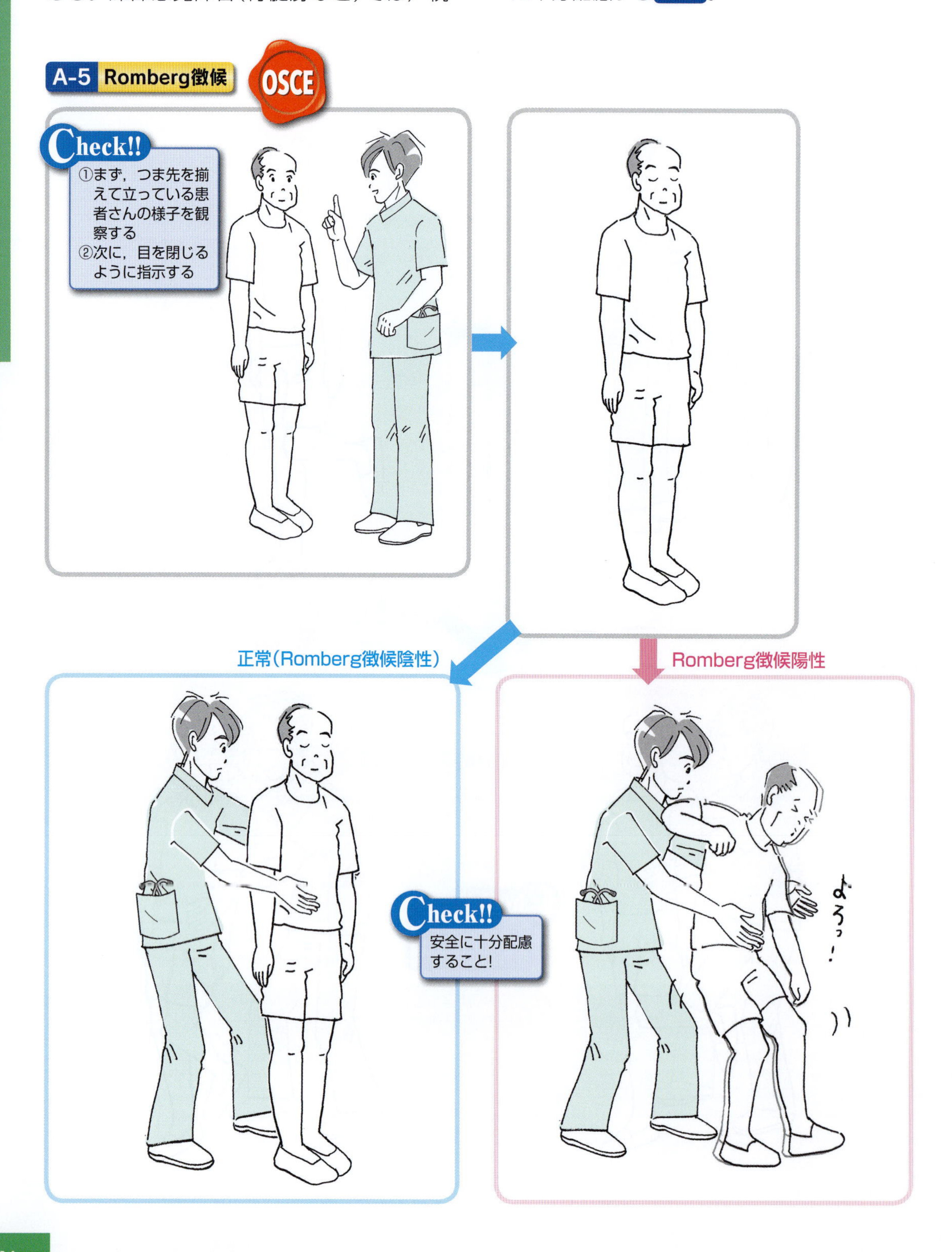
Check!!
①まず，つま先を揃えて立っている患者さんの様子を観察する
②次に，目を閉じるように指示する
正常（Romberg徴候陰性）
Romberg徴候陽性
Check!!
安全に十分配慮すること！
よろっ…！

閉眼足踏みと星形歩行

●閉眼してその場で足踏みをさせて，しばらく観察し，どちらかに偏倚するかをみる A-6①。偏倚した側の前庭小脳系に障害がある。

●閉眼したまま，前後方向に交互に5～6回歩行を繰り返すよう指示する。小脳障害では前後とも，患側に寄るが，前庭迷路障害では前進は患側に，後退は健側に寄るために足跡は図のような星形となる A-6②。

A-6 閉眼足踏みと星形歩行

①閉眼足踏み

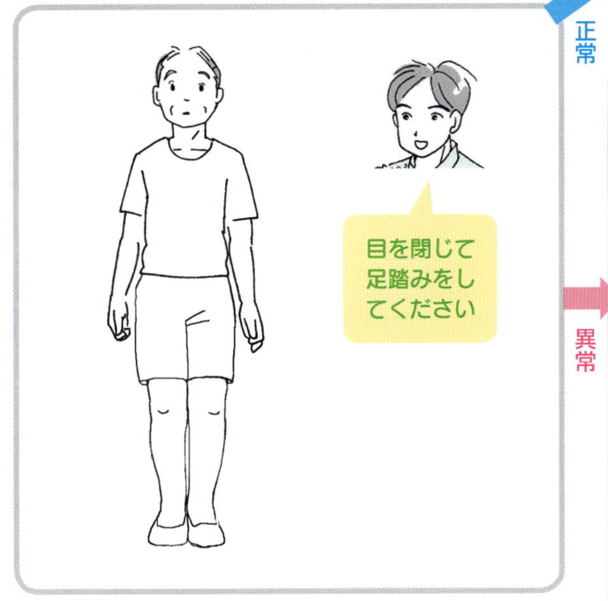

②正常者と「迷路障害患者さんの星形歩行」の比較

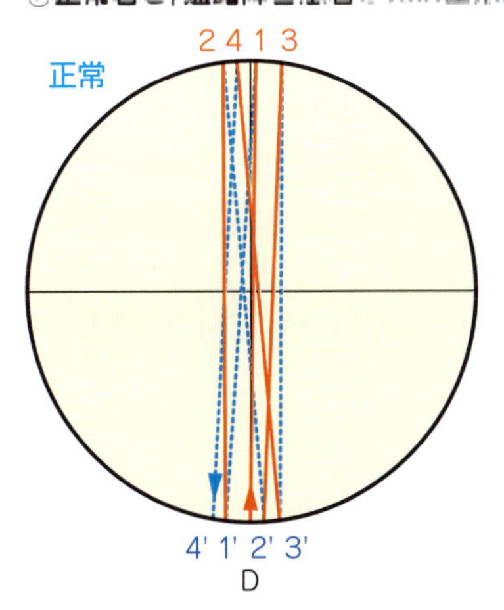

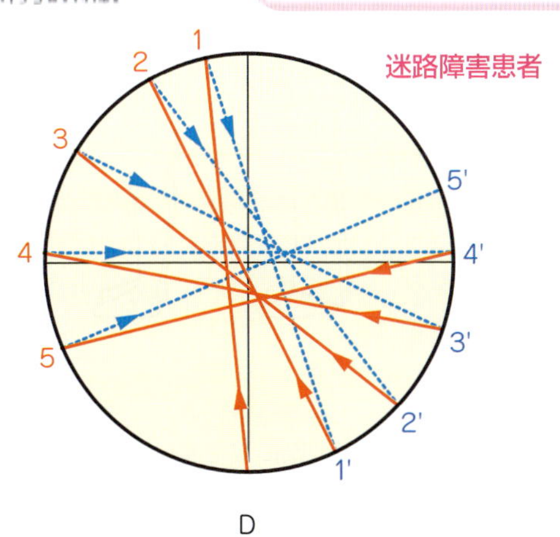

push test／pull test

●患者さんを自然な姿勢で楽に立たせて，検者は相手の両肩を持ち前方へ引く。また左右へも押してみる。

●その後，患者さんの後方へ回り，後方へ引く。

●踏みとどまれず，小刻み歩行が出現し，転倒しそうになる場合は，突進現象（pulsion）陽性とする。

●主にパーキンソニズムの姿勢保持障害をみる。Parkinson病患者さんでは後方突進現象（retropulsion）が出現しやすい A-7 。

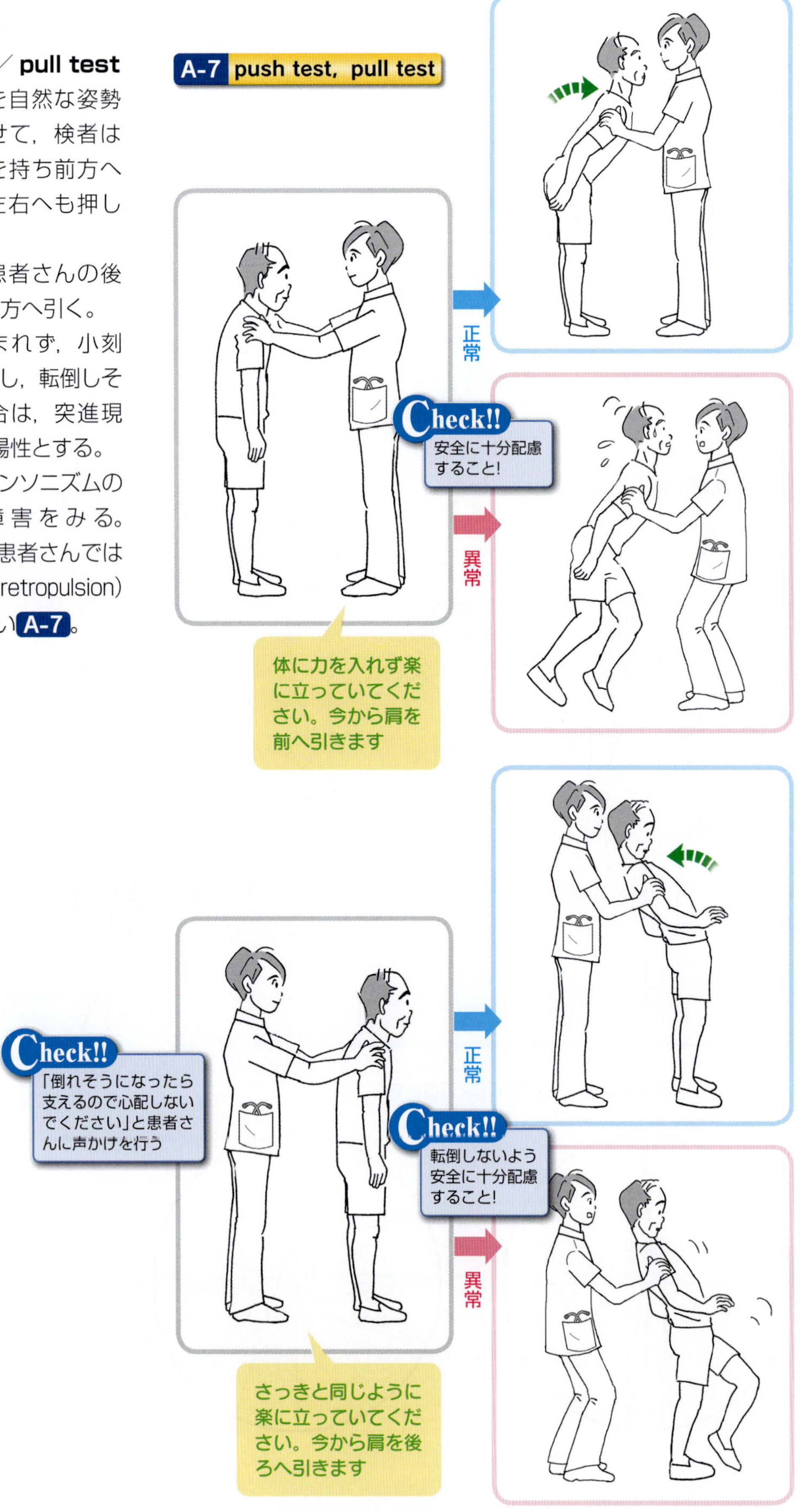

A-7 push test，pull test
体に力を入れず楽に立っていてください。今から肩を前へ引きます
正常
異常
Check!!
安全に十分配慮すること!
Check!!
「倒れそうになったら支えるので心配しないでください」と患者さんに声かけを行う
さっきと同じように楽に立っていてください。今から肩を後ろへ引きます
正常
異常
Check!!
転倒しないよう安全に十分配慮すること!

運動系／姿勢，歩行
診察の方法

push & release test

●もう1つの姿勢保持障害の診察方法である。

●立位の患者さんの肩甲骨部に検者の両手を当てて支え，検者の両手に少し寄りかかってもらうように指示する。

●そして，突然その支えを解放する。

●正常では，上体が反る反応が起き，足を後ろに送る必要がない，あるいは足を後ろに送るとしても3歩以内に自分で立ち直ることが可能である。

●踏みとどまれず小刻み歩行が出現し，転倒しそうになる場合は，後方突進現象（retropulsion）陽性とする。

●pull testに比較して感度と特異度もよく，検者による違いも少ないとされる A-8。

A-8 push & release test

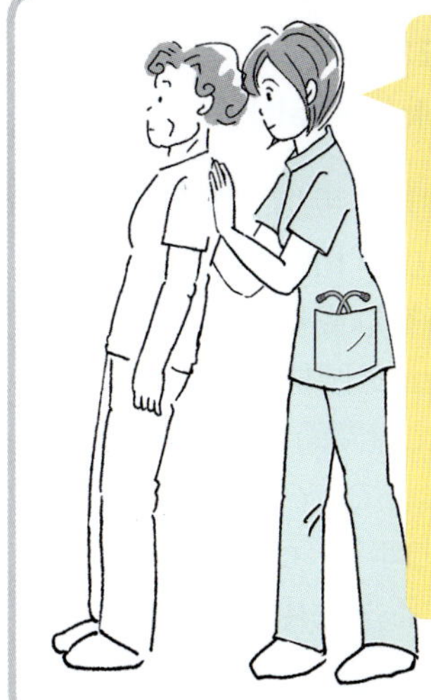

うしろでおさえていますから，私の手に寄りかかっていただけますか。
今から手を放します。ご自分で立ち直ってみてください。
倒れそうになったら支えますので，心配しないでください

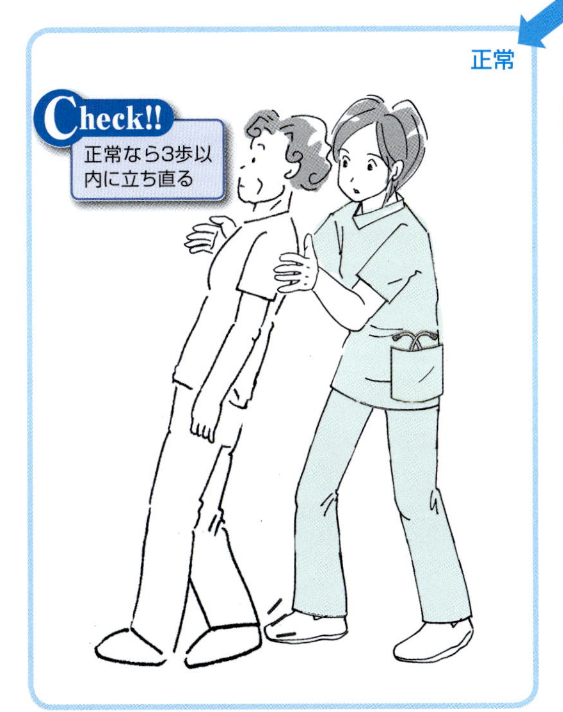

主な歩行異常

痙性片麻痺歩行
(spastic hemiplegic gait)

●上肢は内転屈曲し，手指，手首，肘関節は屈曲位にかたまり，下肢は伸展位のまま，固定してしまう特有な姿勢をとることが多い(Wernicke-Mannの肢位)。
●歩行時には外側に股関節を中心に伸展した下肢で半円を描くようにして歩き，つま先は地面を引きずる(草刈り歩行；circumduction)。
●脳血管障害による痙性片麻痺でよくみられる A-9。

痙性対麻痺歩行
(spastic paraplegic gait)

●両下肢が痙性麻痺の場合，下肢は伸展したまま，床からあまり足を上げずに，内反尖足で，足の外縁のみで床をこすりながら，狭い歩幅で歩く。
●下肢を鋏のように組み合わせて歩くため，はさみ脚歩行(scissor gait)という A-10。
●脊髄の障害，痙性対麻痺でよくみられる。

動揺性歩行(waddling gait)

●腰帯筋の筋力低下の時にみられる。
●骨盤の固定が悪いため，腰と上半身を左右に振って歩く。
●筋ジストロフィー，多発性筋炎などでみられる。
●これらの疾患では傍脊柱筋の筋力低下があるため，脊柱の前彎も伴い，腰を突き出すようにして歩く A-11。
●Gowers徴候：筋ジストロフィー，特にDuchenne型筋ジストロフィーではGowers徴候(登攀性起立；床や大腿に手をついて補助しながら起立する)がみられる A-12。

鶏歩(steppage gait)

●足と足趾の背屈筋の末梢性の麻痺，特に前脛骨筋や長・短腓骨の麻痺の際にみられる。
●麻痺側の足が下垂して背屈できないため，その側の大腿を高く挙上して歩く。
●患側では，かかと歩きができない。
●足が床に着地する際に，まず足先が着地し，次いで踵が着地するため，通常のようにトンと1つの着地音がする代わりに，パタ・コンと2つの着地音が聞こえる(steppage:馬の足音)。
●鶏歩は歩行の視覚的特徴に基づく用語である。
●小児麻痺，腓骨神経麻痺，多発性神経炎などの疾患でみられる A-13。

A-9 痙性片麻痺歩行

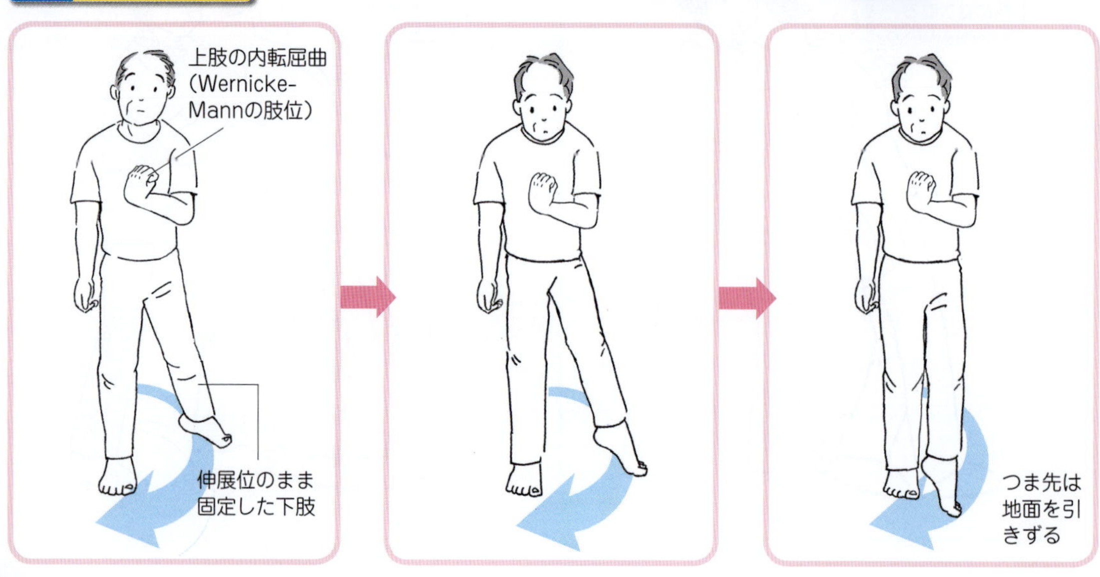

A-10 痙性対麻痺歩行（はさみ脚歩行）

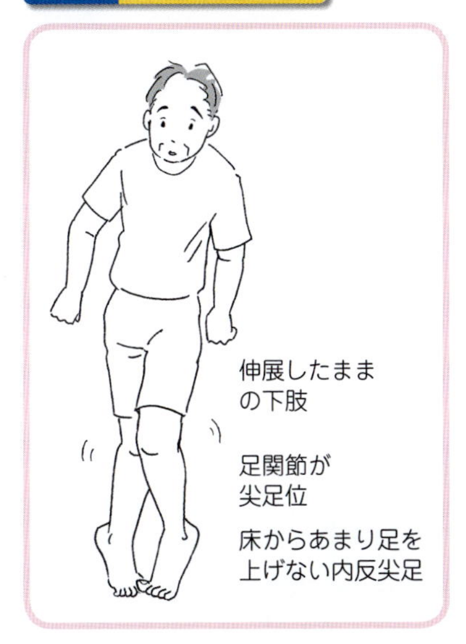

A-11 動揺性歩行

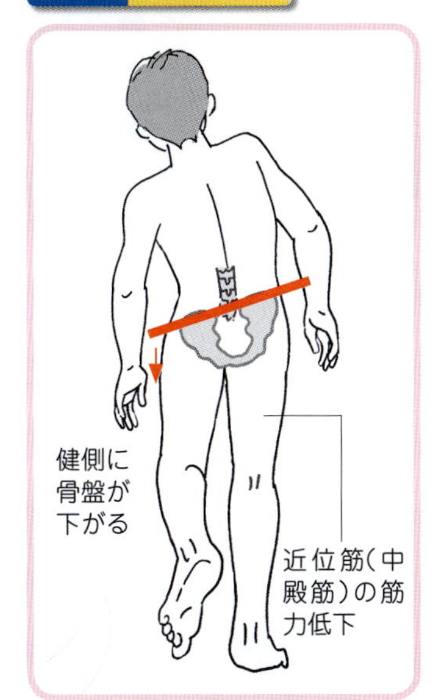

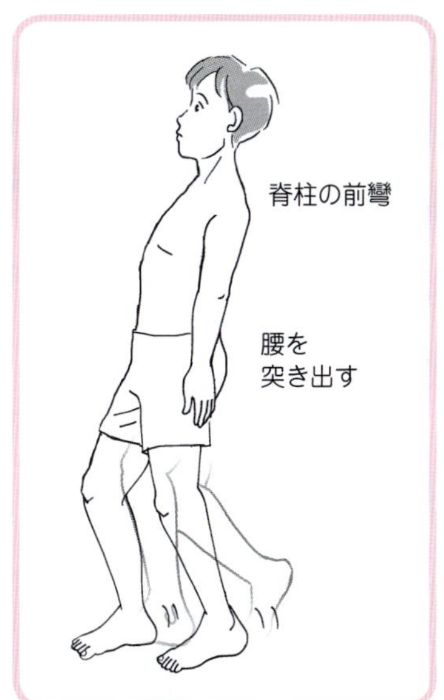

A-12 Gowers徴候（登攀性起立）

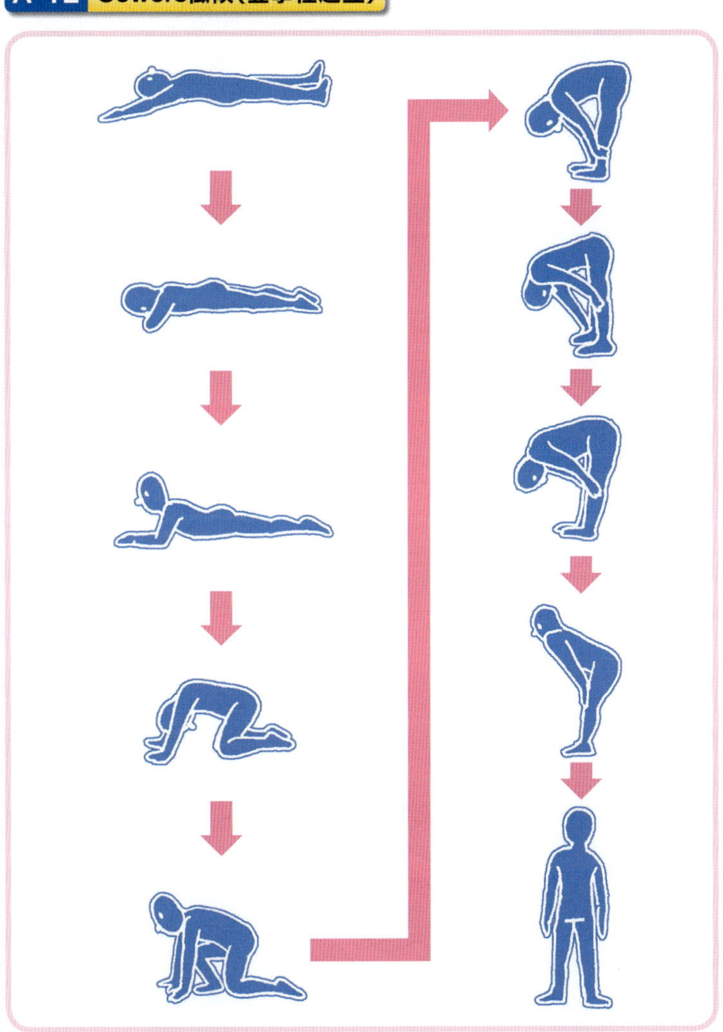

A-13 鶏歩

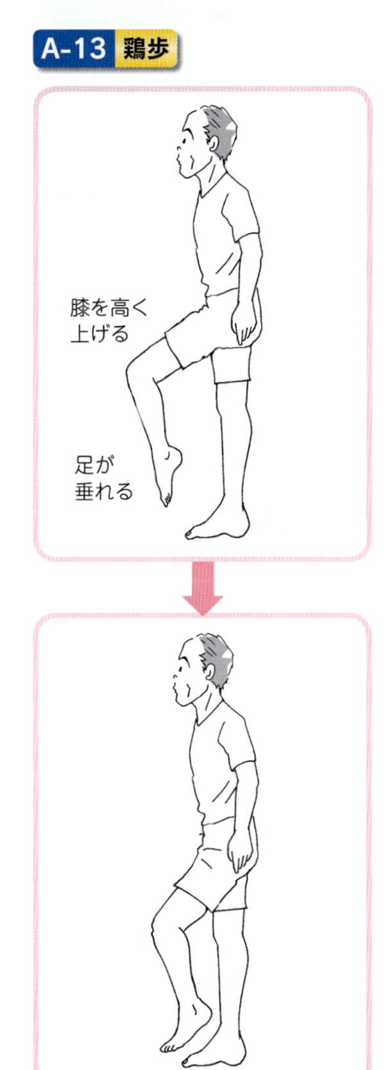

失調性歩行(ataxic gait)

●失調性歩行には以下の３つの病態がある。それぞれ特徴的な診察所見を示すため，診察室での鑑別が可能である A-14。

- ・小脳性
- ・深部感覚障害(脊髄後索障害)
- ・前庭迷路性

小脳性運動失調

●両下肢を広く開き(wide based)，全身性の動揺が強く不安定である。

●軽度のものは，つぎ足歩行，まわれ右をさせると異常が明らかになる。

●小脳性運動失調の場合，閉眼しても増悪しない。

●小脳虫部の障害では四肢に運動失調がなくても，体幹運動失調(truncal ataxia)により起立，座位，歩行が障害される。

A-14 失調性歩行

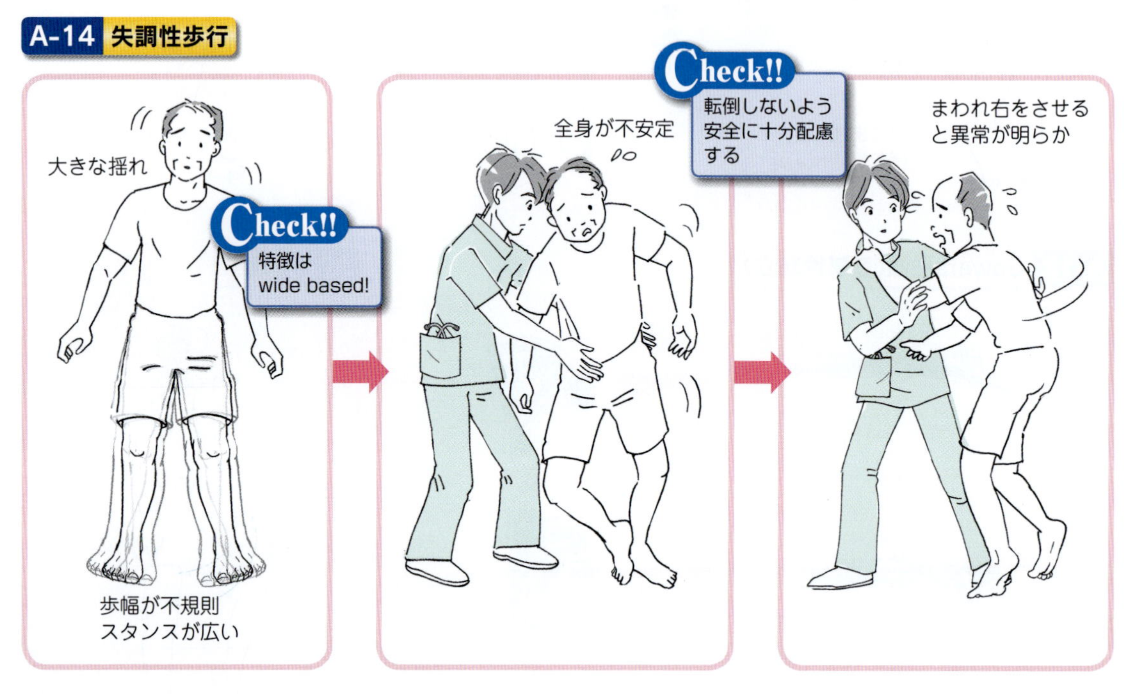

A-15 深部感覚障害に伴う失調性歩行

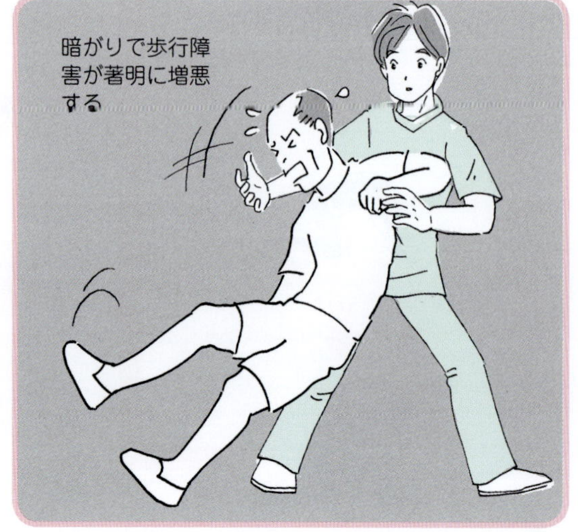

深部感覚障害(脊髄後索障害)に伴う失調性歩行 A-15

- 下肢を勢いよく高く投げ出すように前に出す。高く上がった下肢を踵で地面を叩くようにおろす。
- 協調性がなく，動揺し，平衡を失う。
- 歩行中眼はたえず床に注いでおり，暗がりでは歩行障害が増悪する。
- 閉眼にての増悪も著明で，歩行できなくなることもある。
- Sjögren症候群に伴うsensory ataxic neuropathyや脊髄癆などでみられる。

前庭迷路性失調性歩行 A-16

- 両下肢を広く開き(wide based)，全身性の動揺が強く不安定である。
- 軽度のものは，つぎ足歩行，まわれ右をさせると異常が明らかになる(p.111，A-2 を参照)。
- 閉眼しても増悪しない。
- 一側性障害では，つぎ足歩行ができず，患側にかたよっていく。これを矯正しようとするためジグザグ歩行になる。
- 両側性障害では下肢が交叉し，歩行時にもつれやすく，転倒しやすい。

A-16 前庭迷路性失調性歩行

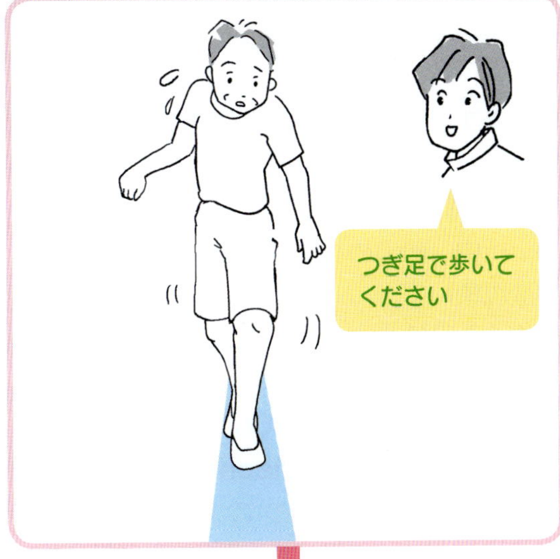

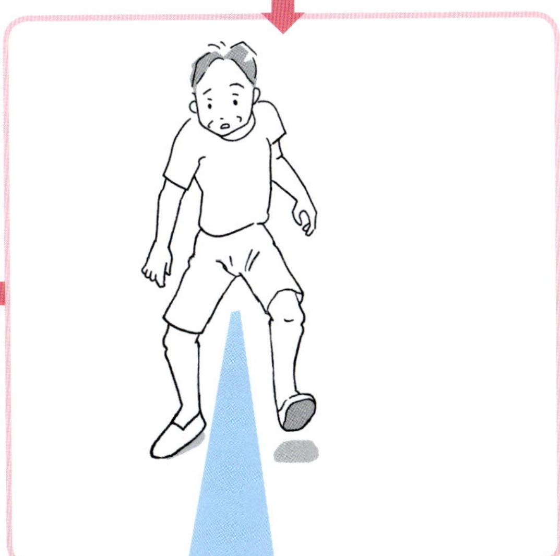

錐体外路障害

●錐体外路障害による歩行には以下の３つの病態がある。小脳性失調と同様に，それぞれ特徴的な診察所見を示すため，診察室での鑑別が可能である。

- ・パーキンソン歩行(parkinsonian gait)
- ・その他のパーキンソニズムでみられる歩行(lower body parkinsonism)
- ・ジストニア歩行

Parkinson病でみられる歩行障害(parkinsonian gait) A-17

●小刻み歩行(marche à petits pas)

●歩隔も狭く，足の内側をすりあわせるように歩行する(A-18のfoot printを参照のこと)

●引きずり歩行(limping gait)

●腕の振りが乏しい(poor arm swing)

●加速歩行(festination)

●歩行中，前のめりになり止まれない(前方突進現象)

●すくみ足(freezing)

その他のパーキンソニズムでみられる歩行(Lower body parkinsonism)

●脳血管性パーキンソニズム(vascular parkinsonism：VP)は，通常，大脳基底核の多発性ラクナ梗塞や大脳皮質下白質の広範な梗塞で生じ，歩行障害を中心とした病態を呈する症候性パーキンソニズムである。VPでは，lower body parkinsonismとよばれる特徴的な歩行障害が出現し，これはParkinson病の歩行とは異なる。

●正常圧水頭症(normal pressure hydrocephalus：NPH)にてみられる開脚，小刻み・すり足歩行は，VPに類似している。

A-17 Parkinson病患者さんの前傾姿勢

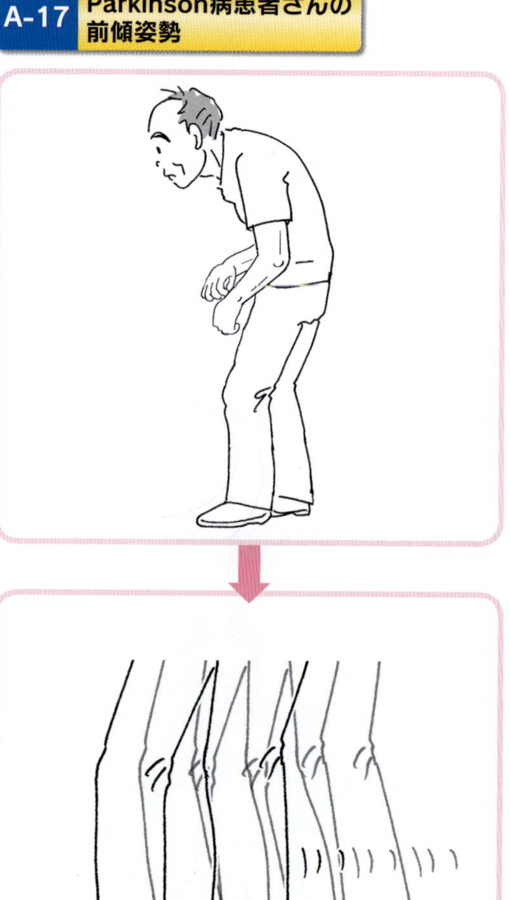

●特徴としては

- 発症と経過が緩徐進行性ではない
- 左右差が不明瞭
- 体幹は直立姿勢で，Parkinson病でみられるような前屈や前傾はみられない
- 両側下肢をやや外転気味にして伸展し，これを突っ張ったまま足底をほとんど床から持ち上げることなく，少しずつちょこちょこと前方にすり動かして歩く。また足を広げ(wide-based)，やや外旋傾向を示す点が特徴的である。foot printは図のような逆ハの字を呈する **A-18**
- 特徴的な歩行障害が初発症状となるか，病初期から出現する
- 上肢の振戦は静止時にも歩行時にもみられない
- 筋強剛が鉛管様，前頭葉症状としてのGegenhalten(抵抗症)*がみられることもある
- 下半身の症状が主体で，顔面や上肢の症状が軽度である
- 錐体路徴候が多く認められ，仮性球麻痺や皮質下性認知障害の合併も多い

などがあげられる。

＊：受動運動に際し無意識に力の入る現象。

A-18 パーキンソン症候群(VPやNPH，右)とParkinson病(PD，左)のfoot printの比較

PD：PDでは，歩隔も狭く，足の内側をすりあわせるように歩行する。

Check!! 前傾あり。すり足で小刻み歩行

床から足を上げずにちょこちょこ歩く

lower body parkinsonism(VPやNPH)：開脚で，小刻み・すり足歩行になる。foot printは図のような逆ハの字を呈し，PDとは異なる。

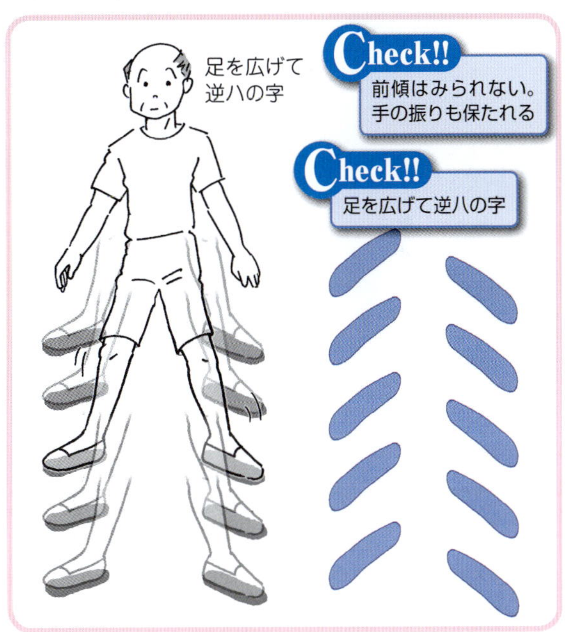
足を広げて逆ハの字
Check!! 前傾はみられない。手の振りも保たれる
Check!! 足を広げて逆ハの字

ジストニア歩行(dystonic gait) A-19

●捻転ジストニアや症候性ジストニアに伴う。
●ジストニアに左右差のみられることが多く，歩行異常にも左右差があることが多い。
●痙性対麻痺のはさみ脚歩行に似ていることもあるが，下肢の突っ張りの程度に比べて体幹や上肢の姿勢異常が著明である。
●脊椎の後彎，側彎，捻転がみられ，上肢は内旋・伸展位で背中側に回し，しばしば内転させることも多い。腰に手を当てて歩行したり，上肢を背中側に大きく屈曲させて歩いたりすることもある。
●しばしば前進に対して，後退がよいことは特徴の1つである。後ろ向き歩行では異常所見が軽減・消失し，歩行そのものがスムーズになることがある。

A-19 ジストニア歩行の一例

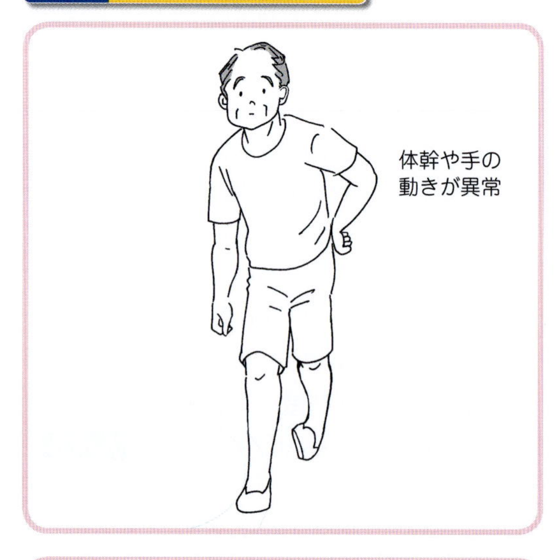

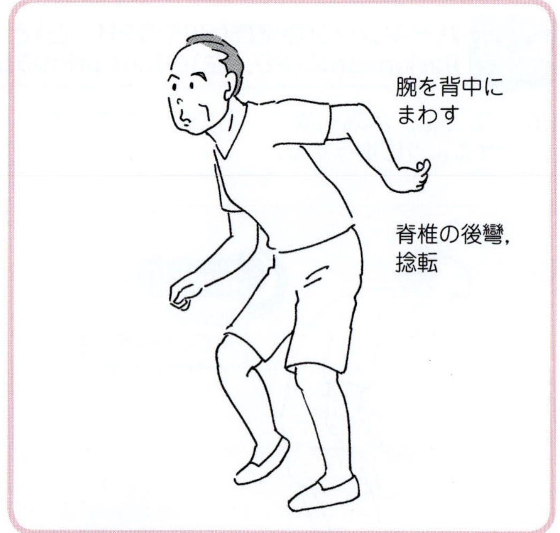

運動系／姿勢，歩行

診断プロセスからみる姿勢，歩行の診察

これまでに解説した歩行障害の種類と，その原因となる主な疾患についてまとめた。

歩行障害の種類	主な疾患
痙性片麻痺歩行（spastic hemiplegic gait）	脳血管障害による痙性片麻痺など
痙性対麻痺歩行（spastic paraplegic gait）	脊髄の障害，痙性対麻痺など
動揺性歩行（waddling gait）	筋ジストロフィー，多発性筋炎などの筋疾患
鶏歩（steppage gait）	脳性麻痺，腓骨神経麻痺，多発性神経炎など
失調性歩行（ataxic gait）	
①小脳性運動失調	小脳萎縮症，脊髄小脳変性症など
②深部感覚障害（脊髄後索障害）に伴う失調性歩行	Sjögren症候群に伴うsensory ataxic neuropathyや脊髄癆
③前庭迷路性失調性歩行	前庭神経炎など耳鼻科的疾患
錐体外路障害に伴う歩行異常	
①Parkinson病でみられる歩行障害（parkinsonian gait）	Parkinson病
②その他のパーキンソニズムでみられる歩行（lower body parkinsonism）	脳血管性パーキンソニズム，正常圧水頭症
③ジストニア歩行（dystonic gait）	全身性，局所性ジストニア

反射

診察の方法

反射とは感覚受容器からの刺激が反射弓を介し効果器を無意識に興奮させる現象で，臨床では腱反射，表在反射，病的反射などがあり，局在診断には重要となる。反射の最大の利点は，客観性があり，かつ簡単な道具を用いて実施可能なことである。また反射を正確にとり，かつ理論立てて考えることができれば，神経疾患の局在診断に有用な情報を得ることができる。反射の誘発にはハンマーを用いることが多い。ハンマーは握りしめずにバランスのよい部分を持ち，適切な強さとスピードで手首のスナップをきかせながら叩打する。

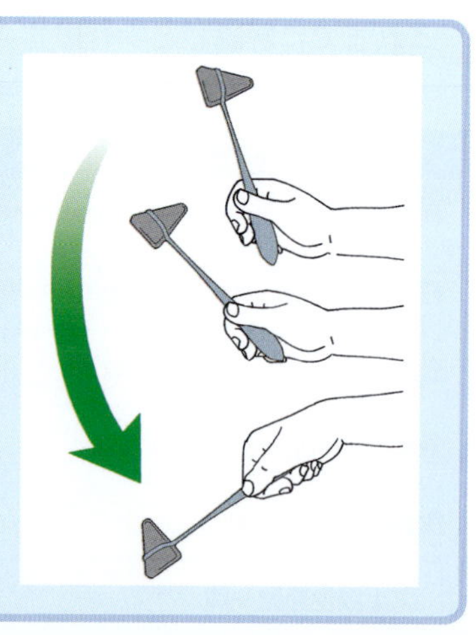

腱反射の診察

●腱反射(tendon reflex)は健常人にもみられる基本的な反射で，深部反射(deep reflex)，あるいは深部腱反射(deep tendon reflex)ともよばれる。

●腱反射をとる際には以下の点に注意する。

①患者さんの緊張感，不安感を取り除き，リラックスした状態で検査する。必要に応じて患者さんの注意を検査からそらす工夫をする(会話やイェンドラシック(Jendrassik)*増強法など)。

[*：しばしば「ジャンドラシック」と発音される。]

②刺激の位置，強さが適切であること。

③適切な体位，肢位をとらせ，刺激を加える筋に適度の伸展を加えておくこと。

●しばしばみられる誤った手技として以下のようなものがある。

①関節の過伸展や過屈曲位がある。

②筋の完全なリラックスが得られておらず，特に拮抗筋に持続的な随意収縮がみられる。

③刺激部位が不適切で，腱からずれたところ，特に筋腹を叩打している。

④刺激の繰り返し頻度が早すぎる。

A-1 下顎反射の求心・遠心路および中枢

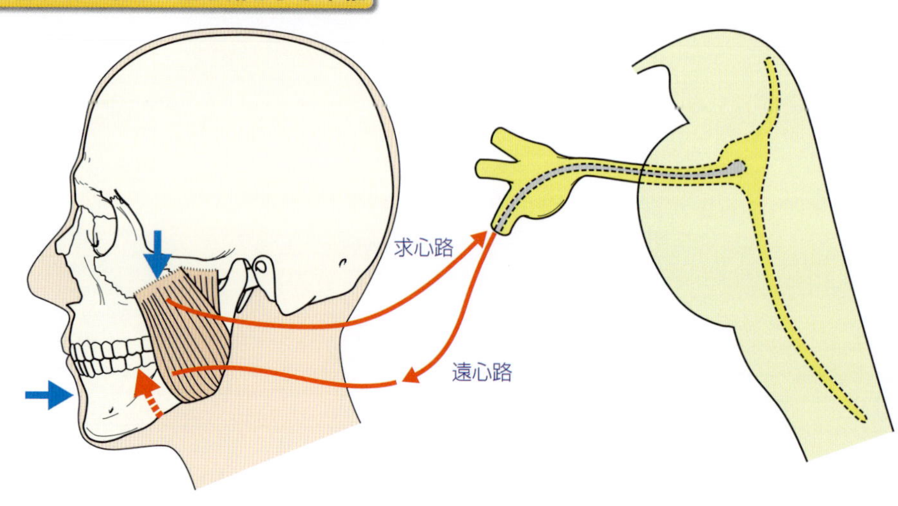

下顎反射

●下顎反射(jaw reflex)とは，咬筋の深部反射で，反射路は求心路，遠心路ともに三叉神経第３枝にあり，中枢は橋の三叉神経運動核にある A-1 。

●患者さんを軽く開口させ，下顎の真ん中に検者の第２指の掌側指先を水平にあてがい，指のDIP関節付近をハンマーで叩くと両側咬筋の収縮で下顎が上昇する反射である A-2 。

●正常ではこの反射はほとんど出現しないため，誘発された場合は亢進と判断する。三叉神経より高位の両側錐体路障害の時に亢進する。

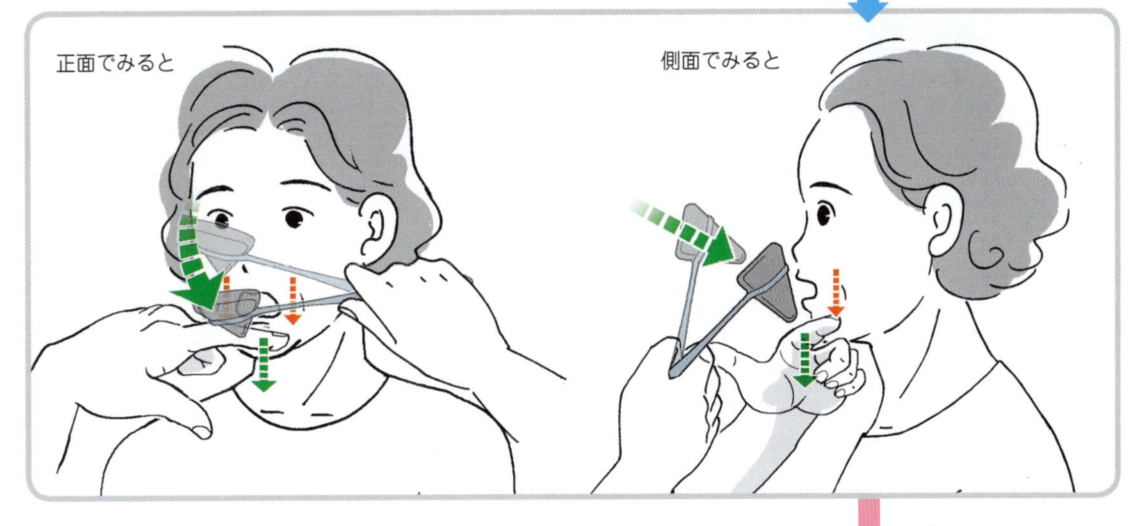

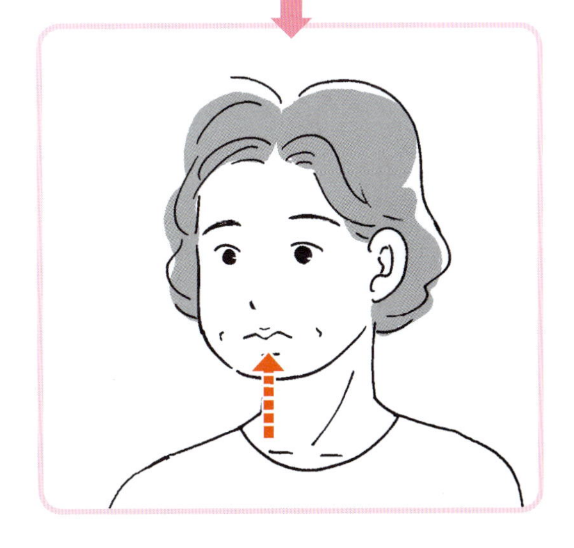

上腕二頭筋反射

●上腕二頭筋反射(biceps reflex)とは，上腕二頭筋の固有反射で，反射中枢はC5，6，反射弓を形成するのは筋皮神経である A-3。

●上腕を軽く外転し，前腕を軽く屈曲させ，上腕二頭筋の腱を検者の第1指で抑え指をハンマーで叩くと反射により前腕が屈曲する。

●臥位あるいは坐位で行う場合がある A-4。

●反射が亢進する場合には大脳皮質から上部頸髄に至る錐体路の病変の存在を示す。

●減弱あるいは消失する場合にはC5，6レベルの下位運動ニューロンの病変が示唆される。

A-3 上腕二頭筋反射の求心・遠心路および中枢

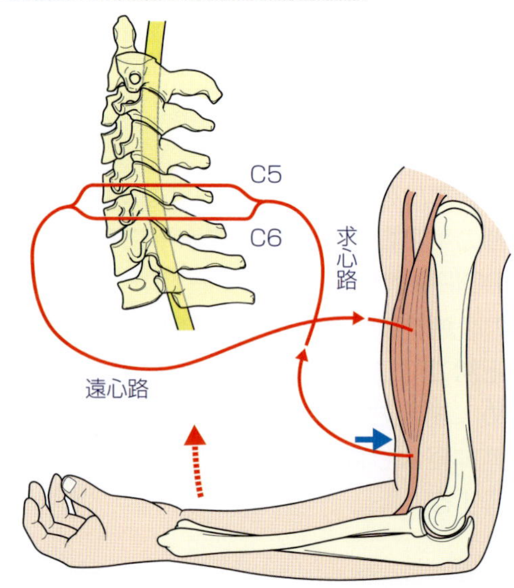

A-4 上腕二頭筋反射 OSCE

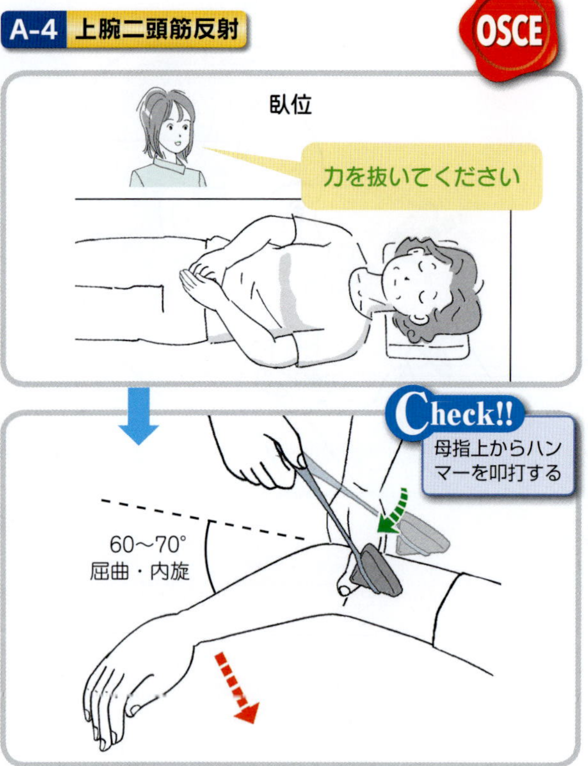

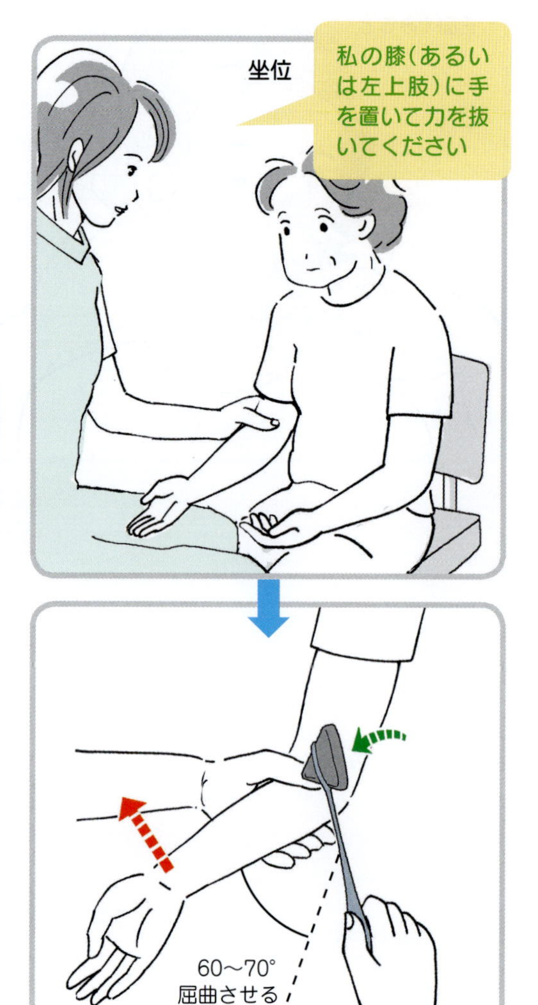

上腕三頭筋反射

●上腕三頭筋反射（triceps reflex）とは，上腕三頭筋の固有反射で，反射中枢はC6-8，末梢枝は橈骨神経に含まれる A-5。

●筋を軽く伸展させるため前腕を軽くつかみ肘を半屈位にし，肘頭の上の三頭筋腱を直接叩くと前腕が伸展する。

●臥位あるいは坐位で行う場合がある A-6。

●立位で患者さんの手を腰に軽く当てておいて検査する場合は，検者の操作が患者さんに見えないので緊張がとれやすいという利点がある A-6。

●反射の意義については上腕二頭筋反射と同様であるが，正常者では一般に上腕二頭筋反射より弱く，出現させるのが困難なことも多い。

A-5 上腕三頭筋反射の求心・遠心路および中枢

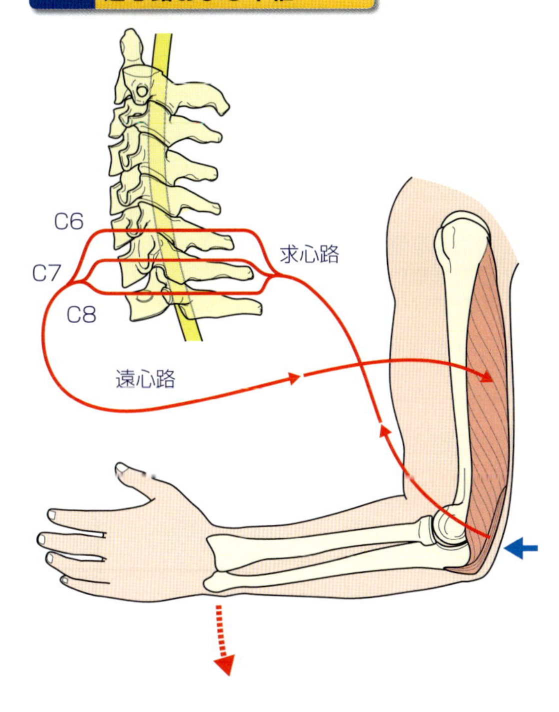

A-6 上腕三頭筋反射

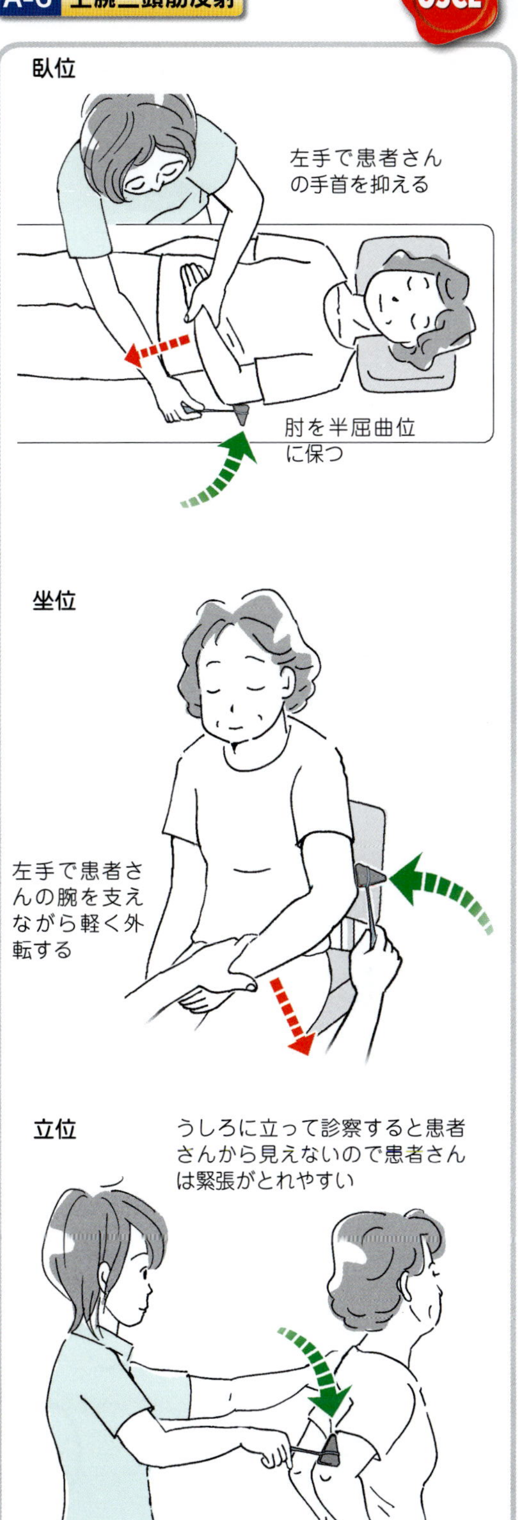

腕橈骨筋反射

●腕橈骨筋反射（brachioradialis reflex）とは，腕橈骨筋に加えて，回外筋などの前腕伸筋群の固有反射であり，反射中枢はC5，6，末梢枝は橈骨神経に含まれる A-7 。

●前腕を肘で半屈位にして回内，回外の中間位にする。

●橈骨遠位端を垂直にハンマーで叩くと反射により前腕が回外，屈曲する。

●臥位あるいは坐位で行う場合がある A-8 。

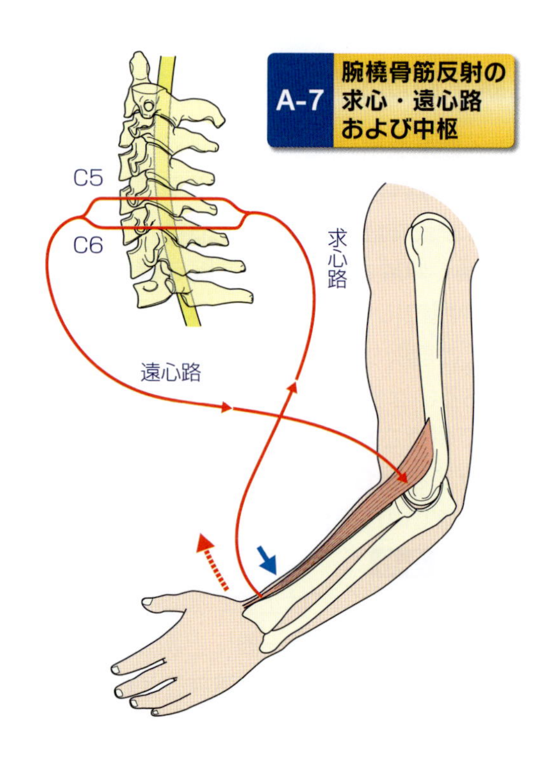

A-7 腕橈骨筋反射の求心・遠心路および中枢

A-8 腕橈骨筋反射

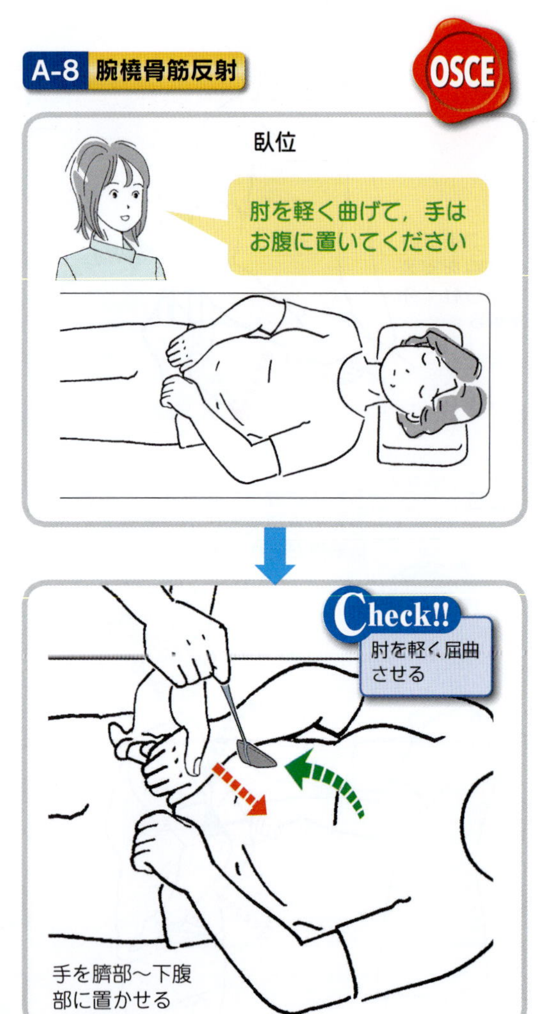

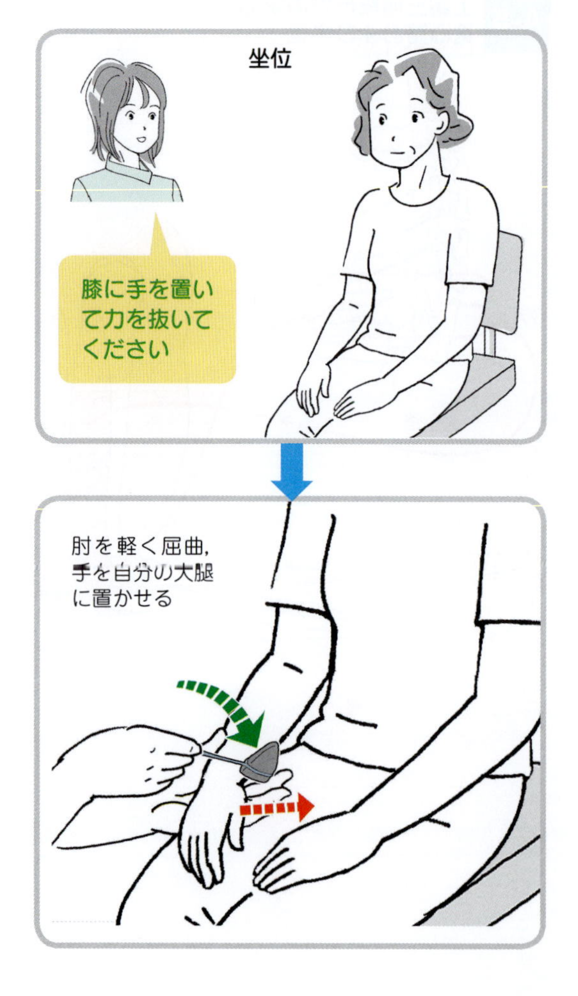

膝蓋腱反射

●膝蓋腱反射(quadriceps reflex)は別名としてKnee Jerk, Patellar tendon reflexともいう。

●大腿四頭筋の筋伸展反射で，反射中枢はL2-4，末梢枝は大腿神経に含まれる A-9 。

●坐位で検査する場合は患者さんを深く腰掛けさせ，仰臥位では両膝を約120～150°に屈曲させ膝蓋骨の下にある四頭筋の腱を叩く。

●この時，大腿四頭筋に検者の左手を軽く当てておくとその収縮が感じられる。

●反射が減弱または消失している場合には仰臥位で足を組んだり，被検者に両手を強く引っ張らせた瞬間に腱を叩打するイェンドラシック(Jendrassik)増強法などが行われる A-10 。

●健常者では，左右同程度に大腿四頭筋が収縮し，下肢が伸展するが個人差があり，左右差が重要である。

A-10 膝蓋腱反射 OSCE

臥位A

臥位B
足を組ませ伸展を強くする

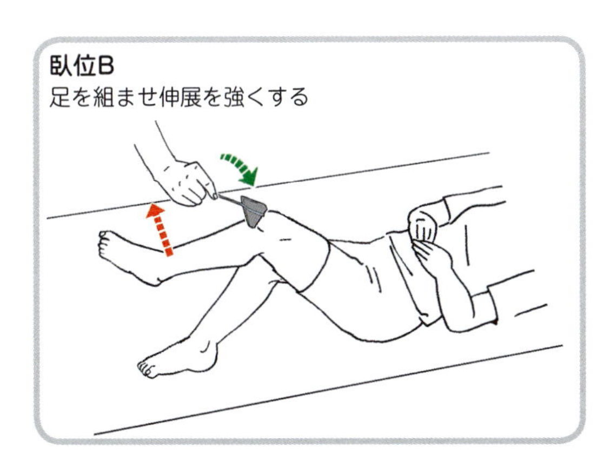

●反射が亢進する場合には，大脳皮質から腰髄に至る上位ニューロンの障害を示す。

●減弱あるいは消失する場合には，末梢神経，後索，前角細胞の障害，完全な横断性脊髄麻痺が考えられる。

A-9 膝蓋腱反射の求心・遠心路および中枢

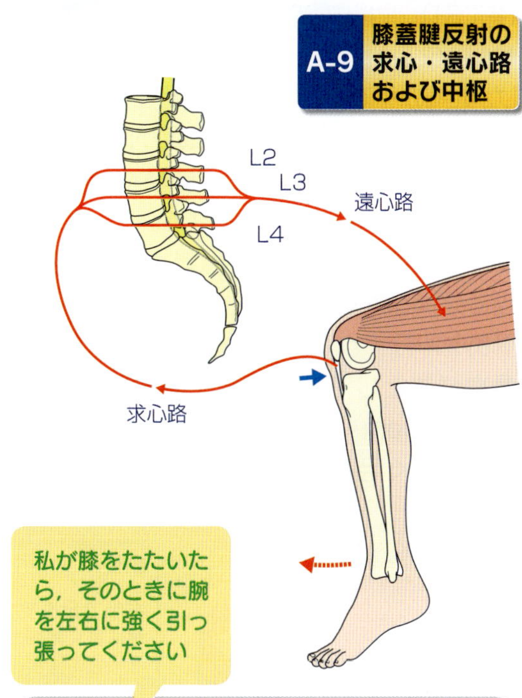

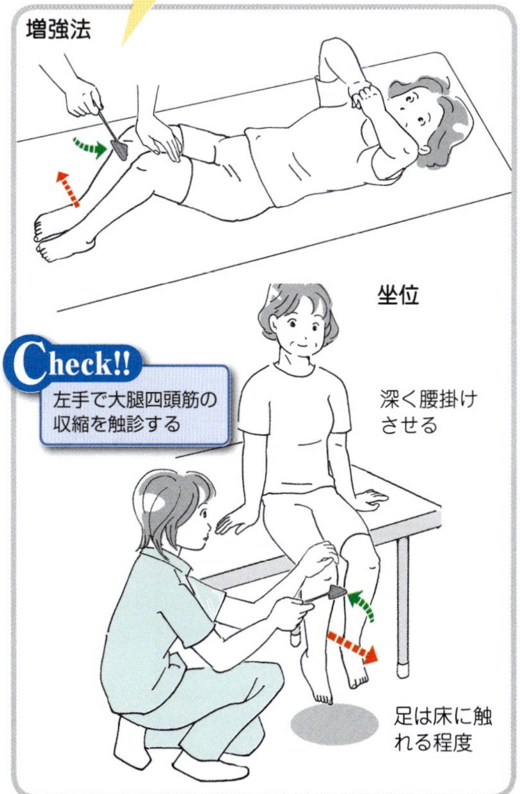

アキレス腱反射

●アキレス腱反射(Achilles reflex)は別名としてankle jerkともいう。

●下腿三頭筋の筋伸展反射で，反射中枢はL5-S2(特にS1)，末梢枝は脛骨神経に含まれる A-11。

●仰臥位で下肢を軽く外転させ膝関節を軽く曲げ，足を左手で持ち，足関節を背屈した位置でアキレス腱をハンマーで叩くと足が底屈する。

●検足をもう一方の足の上に軽くのせるとハンマーの操作がしやすくなる。

●坐位では検者の左手を患者さんの足底に当て足関節を軽く背屈させながらアキレス腱部を叩打する。

●増強法として患者さんを後向きにさせ，足部を10cmくらいベッドの縁から出させ，左手で軽く足底部を抑えながらアキレス腱

A-11 アキレス腱反射の求心・遠心路および中枢

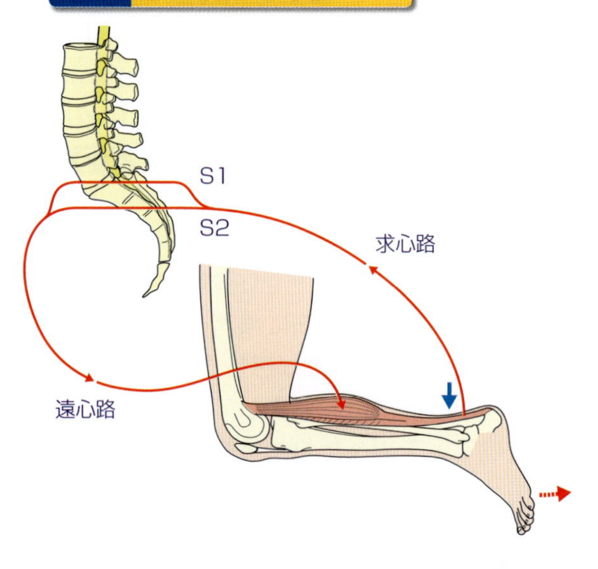
S1
S2
求心路
遠心路

A-12 アキレス腱反射

OSCE

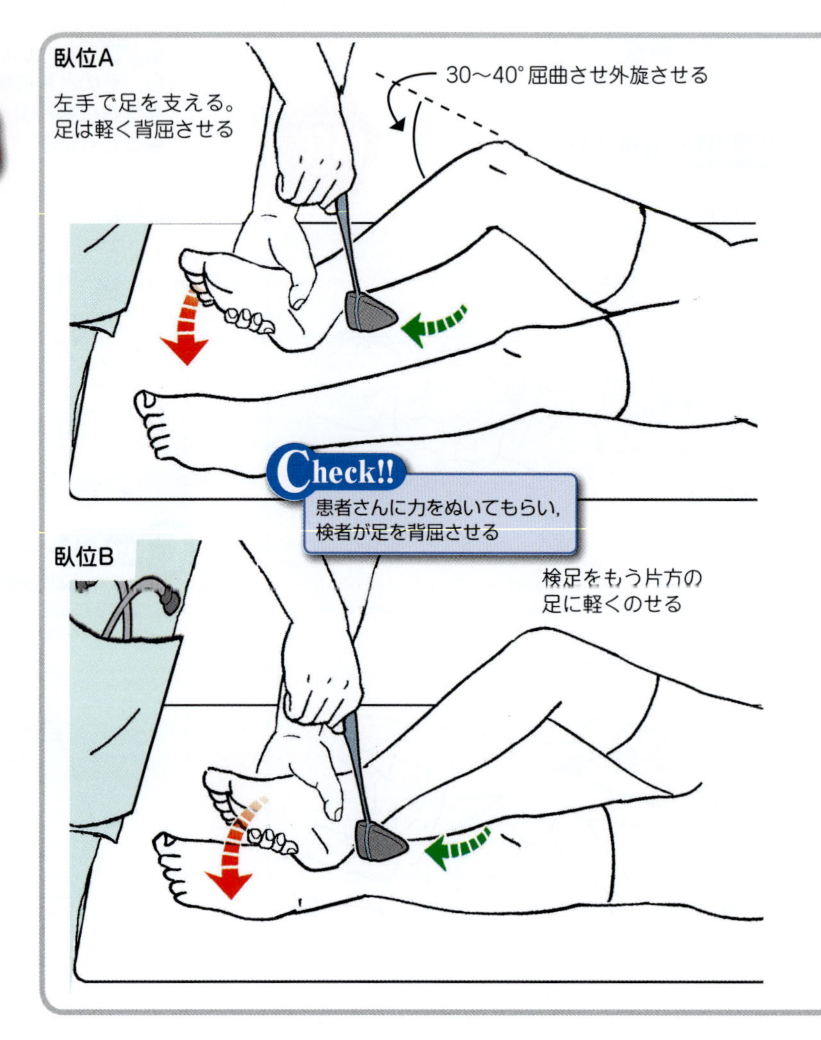
臥位A
左手で足を支える。
足は軽く背屈させる
30～40°屈曲させ外旋させる
Check!!
患者さんに力をぬいてもらい，
検者が足を背屈させる
臥位B
検足をもう片方の
足に軽くのせる

部を叩打する方法がある A-12 。

●反射が亢進する場合には，多くの場合，膝蓋腱反射亢進を伴い錐体路徴候として考えられる。減弱あるいは消失する場合には，反射弓を形成する神経根や末梢神経の障害が考えられる。

●甲状腺機能低下症では，本反射の遅延が特異的である。

●馬尾症候群では膝蓋腱反射が保たれているにもかかわらず，アキレス腱反射は消失する。

手指屈筋反射

●手指屈筋反射（finger flexor reflex）は手指屈筋に認める腱反射で，それぞれ反射の誘発法を提唱した人の名で呼ばれているが，その臨床的意義は同じである。

●以前は病的反射として扱われていたが，現在では腱反射に分類されている。

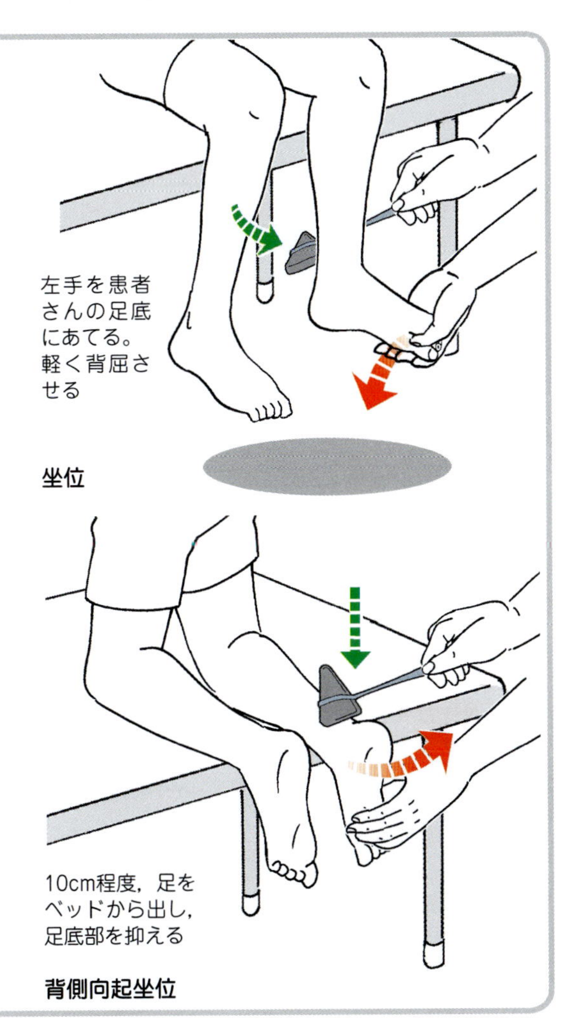
左手を患者さんの足底にあてる。軽く背屈させる
坐位
10cm程度，足をベッドから出し，足底部を抑える
背側向起坐位

●手指屈筋の伸展反射で，反射中枢はC6-Th1，末梢枝は正中神経に含まれる。

●錐体路障害では亢進し，一側のみに陽性の場合は病的意義がある。

●患者さんの第3指をやや背屈させ検者の第1指と第2指または第3指で患者さんの第3指末節を手掌側にはじくのがホフマン反射（Hoffmann reflex），掌側面よりはじくのがトレムナー反射（Trömner reflex）である。いずれも手指が屈曲すれば陽性である A-13 。

A-13 ホフマン反射，トレムナー反射

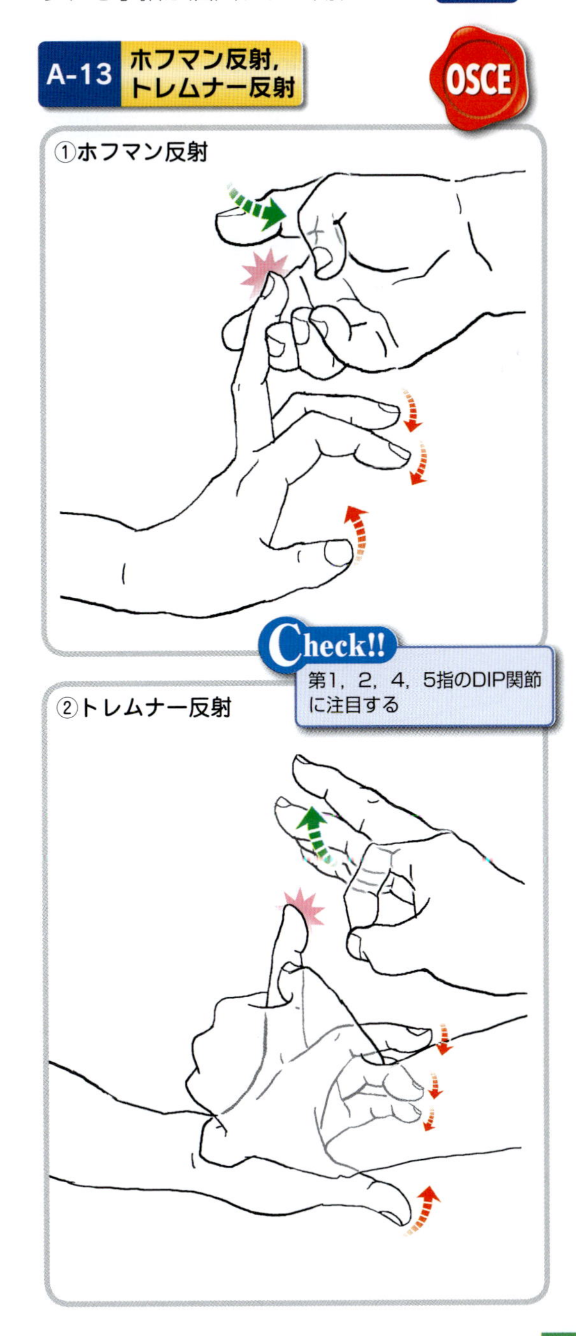
OSCE
①ホフマン反射
Check!!
第1，2，4，5指のDIP関節に注目する
②トレムナー反射

間代の診察

●膝蓋腱反射あるいはアキレス腱反射が亢進している場合に，大腿四頭筋あるいは下腿三頭筋に持続的に緊張を加えると，これらの筋が律動的に収縮する現象がみられる。これを間代(clonus)とよび，反射が著明に亢進したのと同じ意義がある。

●数回の収縮しかみられない場合を偽クローヌス(pseudoclonus)とよぶ。

膝間代(patellar clonus)

●下肢を伸展させて検者は第1指と第2指で患者さんの膝蓋骨をつかみ，急激に強く下方に押し下げ，そのまま力を加え続けると膝蓋が連続的に上下に動く A-14。

A-14 膝間代

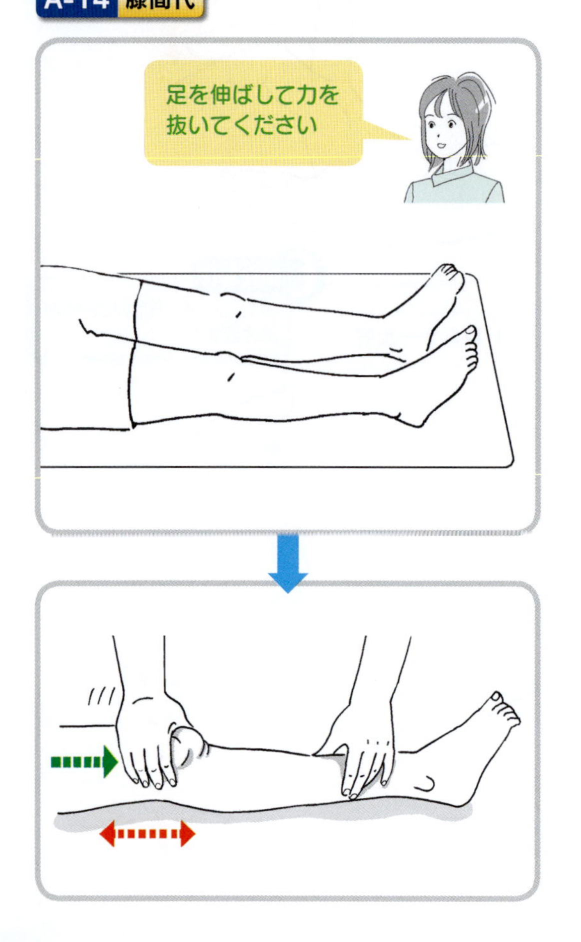

足間代(ankle clonus)

●仰臥位で膝を軽く屈曲させ検者の左手で膝の内側を支え，検者の右手を足底にあて急激に足を背屈させ，そのまま軽く力を加え続けると下腿三頭筋の間代性収縮が起こり，足が上下に連続的にけいれんする A-15。

A-15 足間代

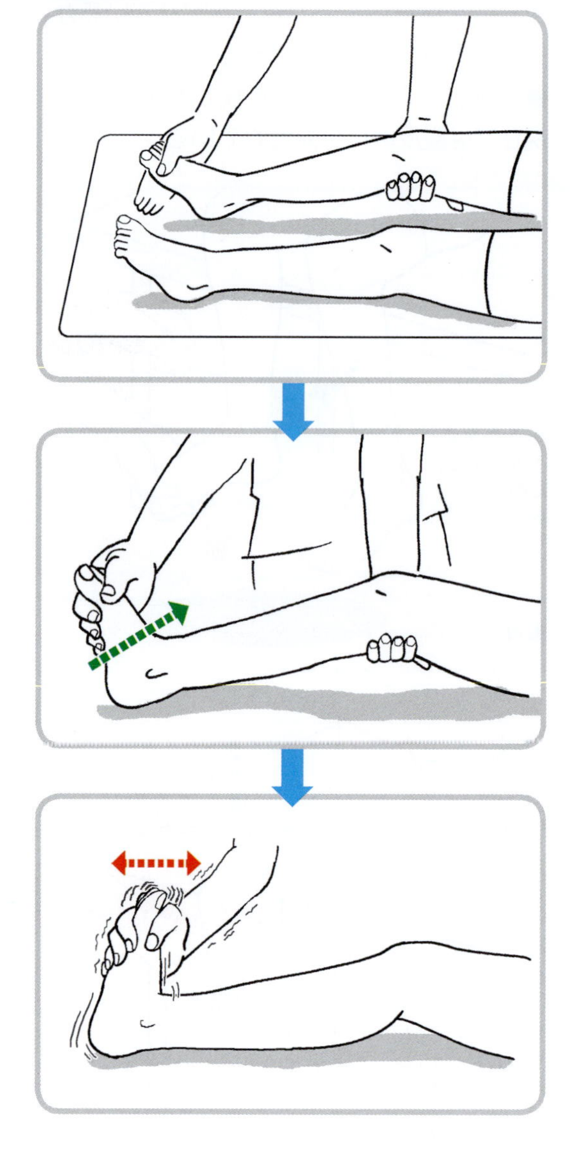

表在反射の診察

●皮膚または粘膜に加えた刺激により，筋が反射的に収縮する場合を表在反射(superfical reflex)という。

腹壁反射

●腹壁反射(abdominal reflex)は上，中，下に分かれており，それぞれTh7-9，Th9-11，Th11-L1の肋間神経を求心路とし，それぞれの高さの脊髄に中枢を有する A-16 。
●患者さんを仰臥位に寝かせリラックスさせ，腹壁を先を鈍くしたピンやルーレットでこすり腹壁筋の収縮をみる。
●臍と肋骨縁との間を水平(上)，臍の高さを水平(中)，臍より下を水平(下)にそれぞれこする A-17 。
●肥満者などでは両側消失している場合が多く，一側消失の場合に診断的価値がある。
●錐体路障害では同側で反射が消失する。
●胸髄レベルの高位診断では四肢筋力や末梢神経の情報が頸髄や腰髄に比べて少ないので，重要な指標となる。

挙睾筋反射

●挙睾筋反射(cremasteric reflex)は下部腹筋の皮膚反射の1つであり，末梢神経は陰部大腿神経であり，中枢はL1，2にある。
●上部大腿内側面を上から下にピンなどでこすると，同側の挙睾筋の収縮により，睾丸が挙上する A-18 。
●錐体路障害で消失する。

肛門反射

●肛門反射(anal reflex)は肛門括約筋の皮膚反射であり，末梢神経は陰部神経であり，中枢はL5-S2にある。
●肛門周囲をピンなどでこするか指を肛門に挿入すると，肛門括約筋が収縮する A-19 。
●両側錐体路障害で消失する。

A-17 腹壁反射

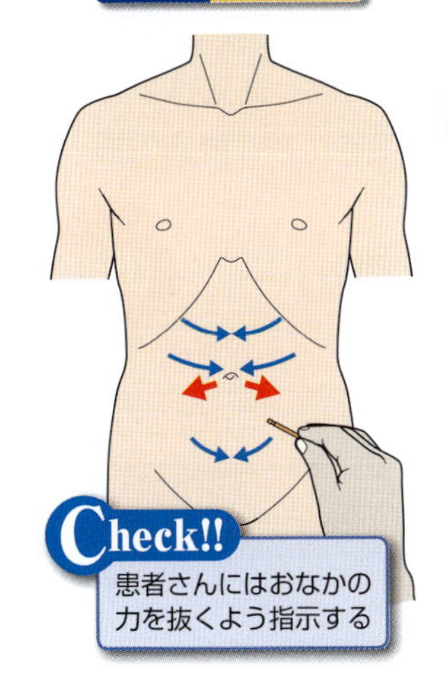

Check!!
患者さんにはおなかの
力を抜くよう指示する

A-18 挙睾筋反射

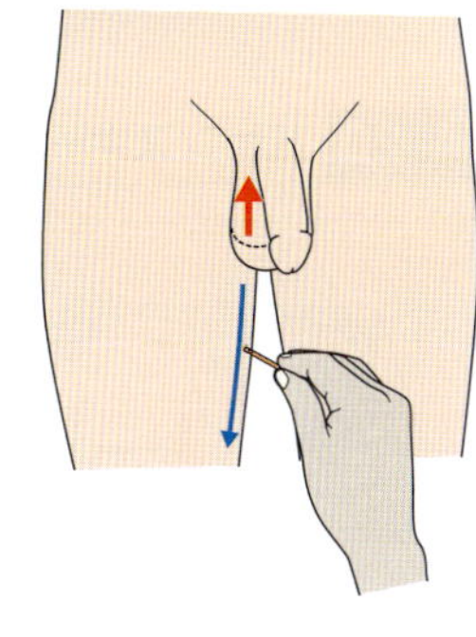

A-16 腹壁反射の求心・遠心路および中枢

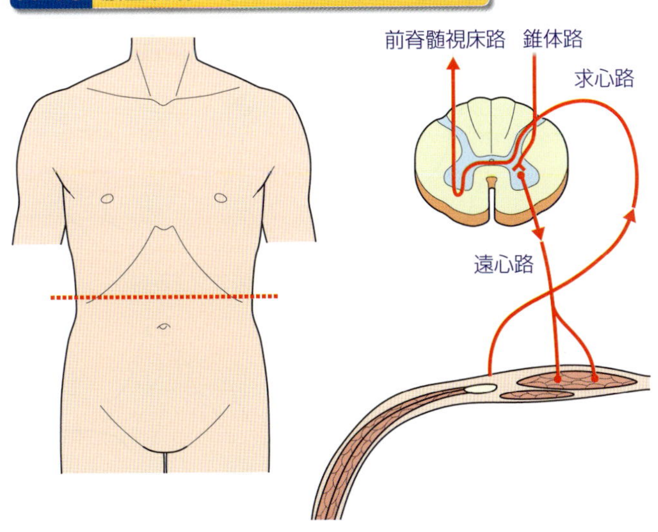

A-19 肛門反射

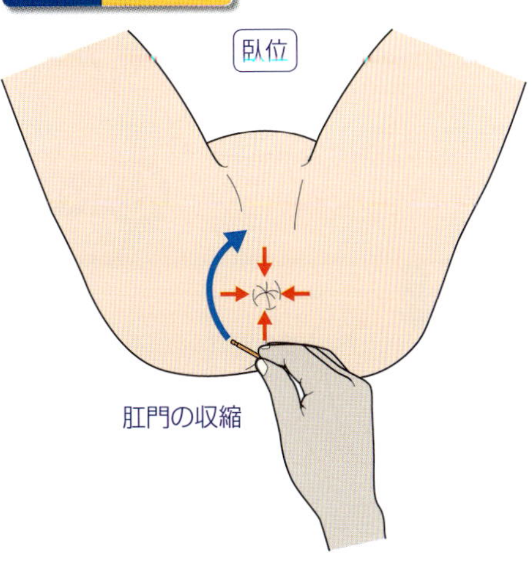

病的反射（pathologic reflex）の診察

●正常では認められない反射であり，この反射の多くは錐体路障害で出現し，その意義は大きい。

バビンスキー徴候（反射）

●ビンスキー徴候（反射）（Babinski sign（reflex））は最も重要な病的反射で，第1趾の背屈現象と第2〜4趾の開扇現象とからなる。
●求心路はL5-S1，遠心路はL4，5にある。
●患者さんを側臥位にして，足底の外側を踵から上にゆっくりと第3趾のつけ根付近までこする。
●第1趾の背屈がみられれば陽性である A-20。
●正常者ではバビンスキー反射の手技により，通常足趾の屈曲が起こる A-20。
●第1趾のつけ根までこすると，健常者でも第1趾の背屈がみられるので注意が必要である。バビンスキー徴候の検査具には，従来ハンマーの柄や鍵などが用いられてきたが，皮膚の損傷や感染予防の観点から楊枝の頭部などディスポーザブルなものの使用が推奨されている。

チャドック反射

●チャドック反射（Chaddock reflex）はバビンスキー反射の変法の１つである A-21。
●チャドック以外にも，シェーファー（Shaeffer），オッペンハイム（Oppenheim），ゴードン（Gordon），ゴンダ（Gonda），ストランスキー（Stransky）などの変法があるが，いずれも刺激の部位や手技が異なるだけで，バビンスキー反射と変わるものではない A-22。
●足の外果の下を後ろから前へこする。
●第1趾が背屈すれば陽性である。

A-20 バビンスキー徴候（反射）

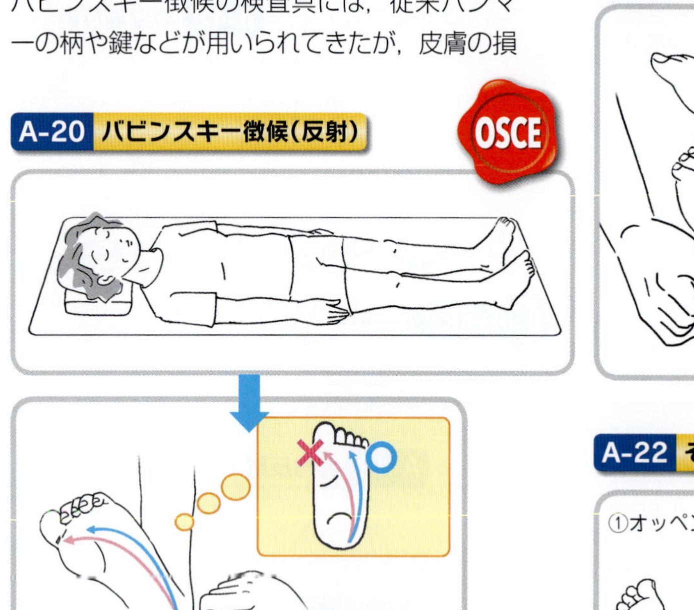

A-21 チャドック反射

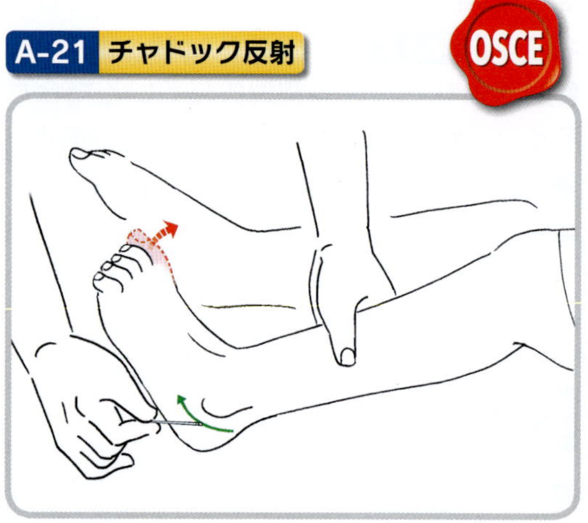

A-22 その他の病的反射

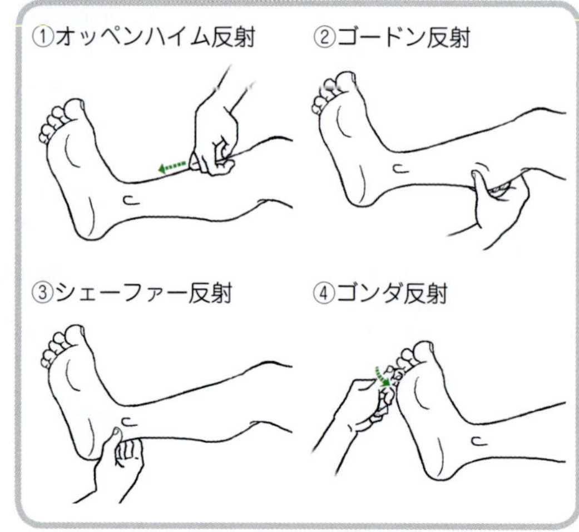

原始反射の診察

●新生児における発達の過程で，一定の順序で出現し消失する反射である。
●脳神経内科領域では，成人症例で大脳皮質や錐体路など上位の抑制機構が障害された時，脱抑制により原始反射が出現するとされている。

吸引反射

●吸引反射(sucking reflex)は口唇を口角から中央にむかって舌圧子などで素早くこすると，口唇が収縮することをいう A-23。
●成人では前頭葉の障害，両側大脳の広範な障害の時，出現する。

口とがらし反射

●口とがらし反射(snout reflex)は上唇の中央をハンマーで軽く叩くと，口をとがらす運動が起こることをいう A-24。

把握反射

●把握反射(grasp reflexまたはgrasping reflex)はハンマーの柄で手掌を軽くこすると，手指でこれをつかもうとする運動が起こることをいう。
●成人では前頭葉の障害で出現する A-25。

手掌おとがい反射

●手掌おとがい反射(palmomental reflex)は一側手掌の母指球を中枢側から末梢側に向けてこすると，同側のおとがい筋が収縮することをいう A-26。
●ときに眼輪筋や口輪筋の収縮を伴うことがある。
●前頭葉や錐体路障害のある患者さんではこの反射がみられる傾向があるが，正常でも出現することがある。

A-23 吸引反射

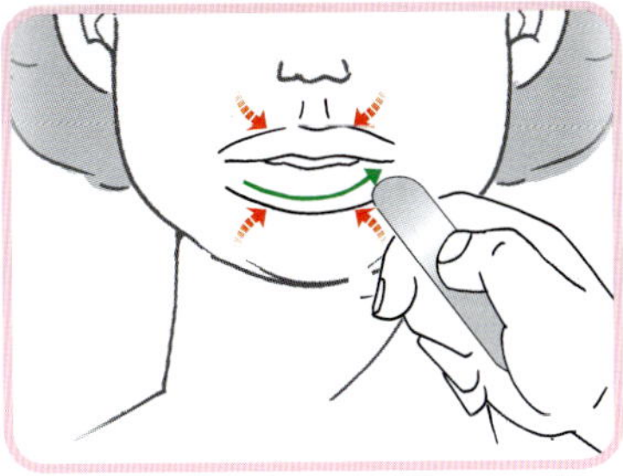

A-24 口とがらし反射

A-25 把握反射

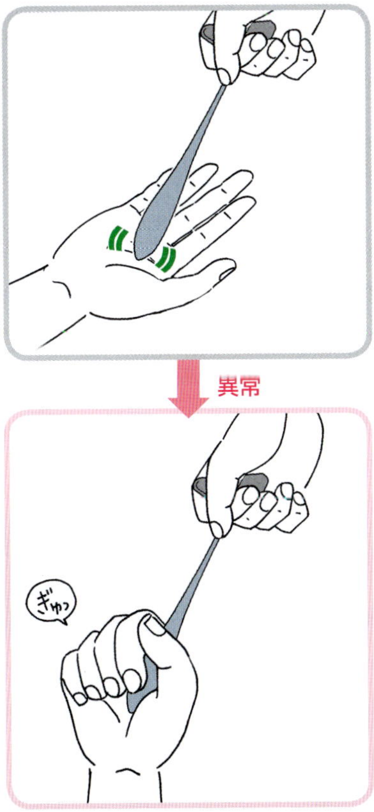

A-26 手掌おとがい反射

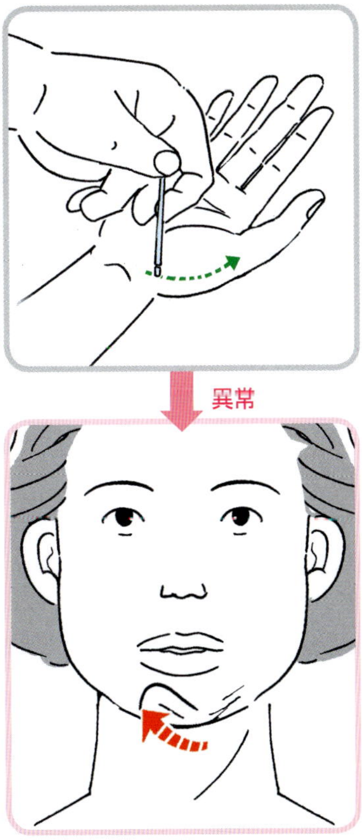

姿勢反射の診察

●姿勢反射(postural reflex)は姿勢が反射的に変わる現象で乳幼児の検査に用いる。

緊張性頸反射

●緊張性頸反射(tonic neck reflex)とは，頭位を変換することで四肢筋緊張や姿勢が反射的に変わる現象をいう。

●顔を左(または右)へ回転すると，左(右)上下肢の伸展と右(左)上下肢の屈曲が起こる A-27。

●前屈にて上肢屈曲，下肢伸展，後屈で上肢伸展，下肢屈曲が起こる。

●生後4カ月くらいまでは認められるが，成人でみられる場合は異常である。

A-27 緊張性頸反射(仰臥位で行う場合)

顔面を受動的に左(または右)に強く向けると，左(右)上肢の肘関節が伸展し，右(左)下肢が膝関節で軽く屈曲する。

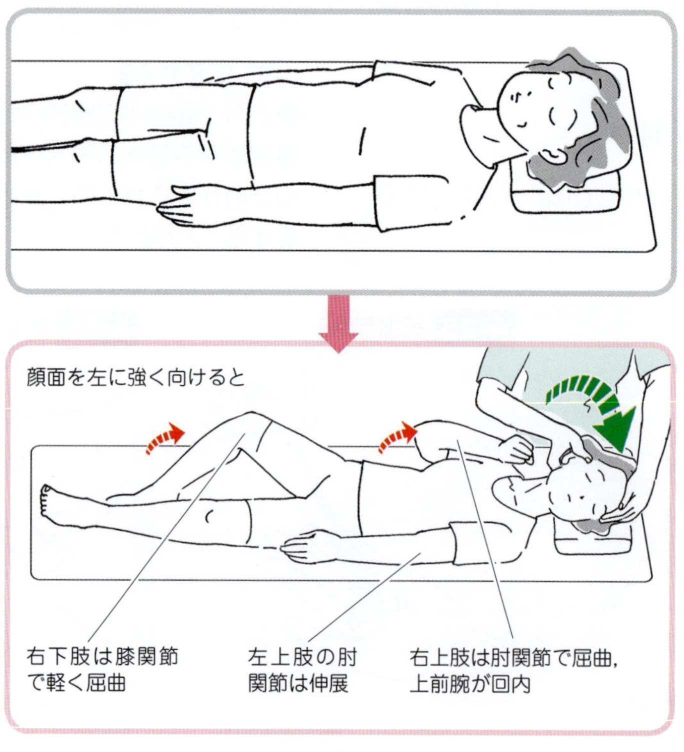
顔面を左に強く向けると
右下肢は膝関節で軽く屈曲
左上肢の肘関節は伸展
右上肢は肘関節で屈曲，上前腕が回内

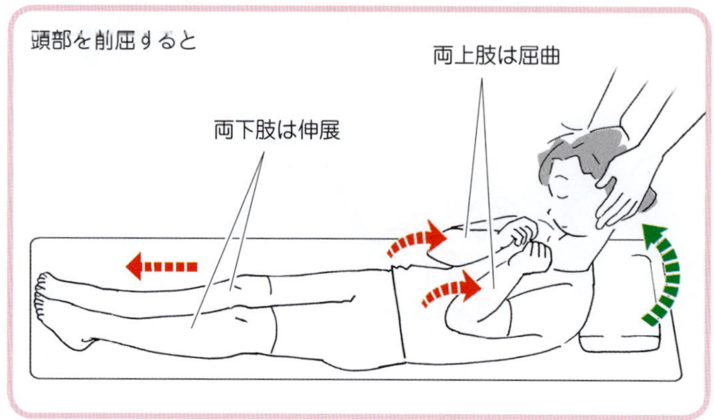
頭部を前屈すると
両上肢は屈曲
両下肢は伸展

反射
診察の方法

ランドー反射(Landau reflex)

- 1～2歳までの乳幼児を腹臥位で検者の手の上にのせ，体が床と平行になるようにすると，脊柱が伸展し頭が後屈して弓状になる。
- またこの位置で頭を腹側に曲げると，脊柱が屈曲し四肢も屈曲する A-28。
- 生後6カ月からみられ，2歳以後に消失する。

A-28 ランドー反射

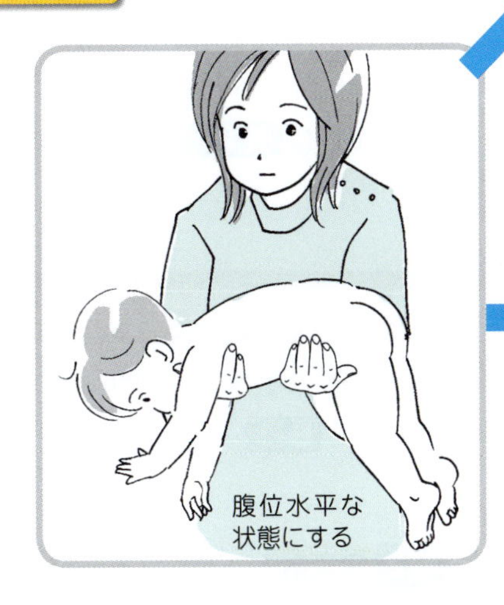

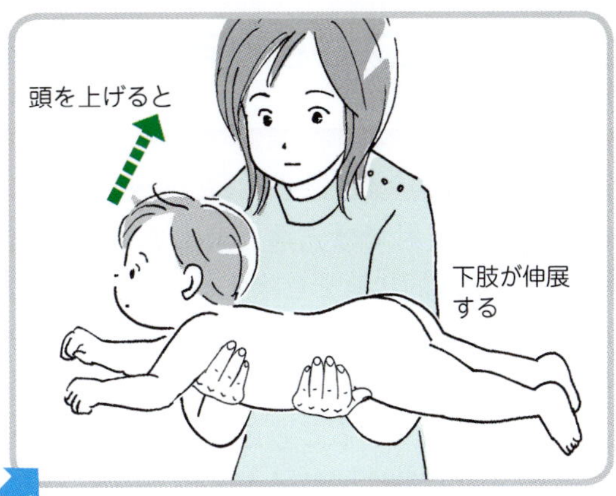

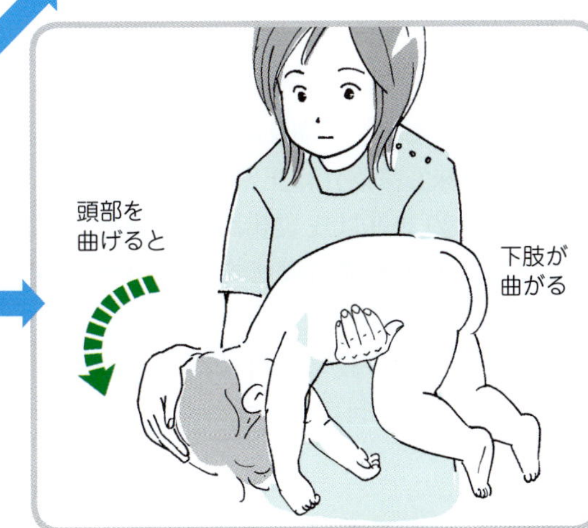

反射の記載法

- 腱反射の記録法は A-29 のような反射の図に記載するのが一般的である。

A-29 反射の記載例

右のような反射の図に記載する。

判定は6段階の符号で表す。

− ……… 消失(増強法を行っても反射が誘発されない)
± ……… 軽度減弱(増強法を行いはじめて反射が誘発される)
+ ……… 正常
++ …… やや亢進
+++ …… 亢進(下肢の場合はpseudoclonusが出現)
++++ … 著明に亢進(下肢の場合はclonusが出現)

表在反射も−消失，±減弱，+正常と記載する。また病的反射に関しては，病的反射名を記載し陽性+，陰性−，擬陽性±のいずれかを記載する。またバビンスキー反射などについて陽性は↑陰性は↓ 擬陽性は↕と反射図の中に書きいれることもある。

①：下顎反射　②：上腕二頭筋反射
③：上腕三頭筋反射　④：腕橈骨筋反射
⑤：膝蓋腱反射　⑥：アキレス腱反射
⑦：腹壁反射

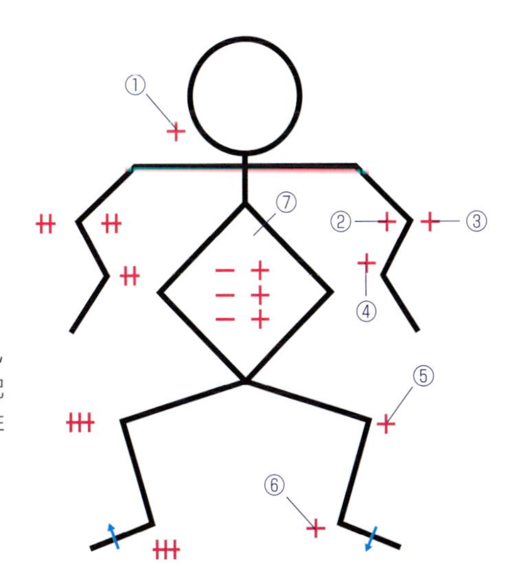

反射

診断プロセスからみる反射の診察

反射から病巣部位を考える

●四肢の腱反射では亢進と消失あるいは減弱の両方が病的状態を意味する。

●腱反射の亢進は反射弓より高位で皮質脊髄路(別名錐体路あるいは上位運動ニューロン)が障害されていると考えられる。

●腱反射の消失は反射弓が障害されていることを意味し，末梢神経あるいは中枢の脊髄前核細胞のいずれかが障害されているものと考える。ただし，下顎反射は亢進だけが病的状態を意味し，陰性は正常状態である。

●下顎反射の亢進は皮質橋路の両側性障害を意味し，嚥下や構音障害を伴う場合は仮性球麻痺と診断する。

●表在反射である腹壁反射は消失だけが病的であり，亢進の判定はしない。

●腹壁反射の消失は錐体路障害と反射弓障害の両方で起きる。

●四肢の腱反射消失あるいは腹壁反射の一部だけが消失している場合には反射弓の障害を考え，四肢の腱反射が亢進している場合には錐体路障害を考える。

●病的反射の判定は陽性，陰性で行う。

●重要なことは腱反射の亢進がなくても病的反射が陽性であれば，錐体路が障害されていると判断される。

●これらは**表1〜3**のようにまとめることができる。

具体例から考える

具体的に示す反射所見から病巣診断を考えてみる**B-1**。

表1 上位，下位ニューロン障害の鑑別

	上位ニューロン障害	下位ニューロン障害
腱反射	亢進	減弱ないし消失
表在反射	減弱	減弱ないし消失
病的反射	(+)	(−)
筋トーヌス	痙性	弛緩性
筋萎縮	(−)	(+)
線維束性収縮	(−)	(+)

表2 腱反射

反射	中枢
下顎反射	橋
頭後屈反射	C1〜4
上腕二頭筋反射	C5，6（主にC5）
上腕三頭筋反射	C6〜8（主にC7）
腕橈骨筋反射	C5，6（主にC6）
回内筋反射	C6〜8，Th1
胸筋反射	C5〜Th1
手指屈筋反射	C6〜Th1
膝蓋腱反射	L2〜4
アキレス腱反射	L5，S1，2
下肢内転筋反射	L3，4
膝屈筋反射	L4〜S2

表3 表在反射

反射	求心性神経	中枢	遠心性神経
角膜反射	三叉神経	橋	顔面神経
咽頭反射	舌咽神経	延髄	迷走神経
腹壁反射	5〜12胸神経	Th5〜12	5〜12胸神経
挙睾筋反射	大腿神経	L1，2	陰部大腿神経
足底反射	脛骨神経	L5，S1，2	脛骨神経
肛門反射	陰部神経	S3〜5	陰部神経

B-1 反射の具体例

①正常

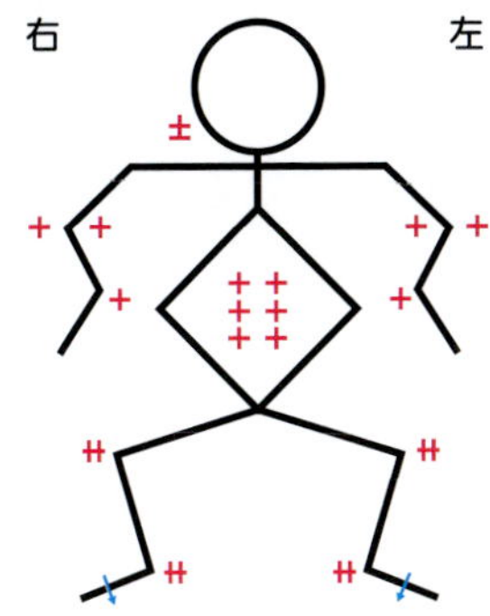

下顎反射(±)は正常，また下肢では左右差なく全体に(++)とやや亢進しているものの，病的反射も出現していないので正常である。

②両側橋より高位での中枢神経障害

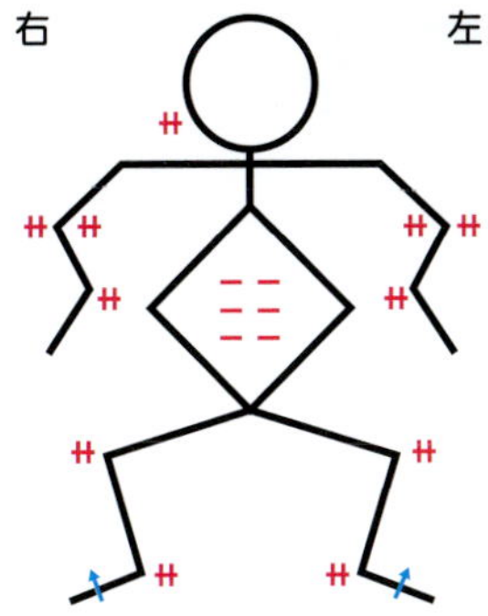

下顎反射(++)は異常であり，両側橋より高位での錐体路障害が示唆される。四肢腱反射はすべて(++)であり，腹壁反射消失，病的反射陽性であり，両側錐体路の所見である。

③両側延髄から高位頸髄の中枢神経障害

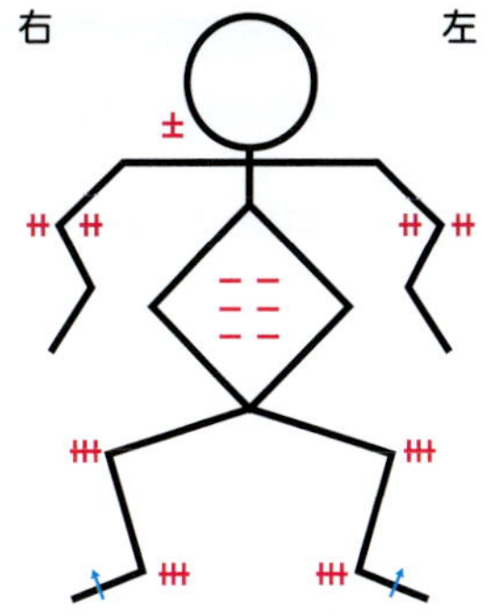

下顎反射(±)は正常であるが，上肢腱反射は両側亢進しているため，延髄より下，C4より高位に障害がある。腹壁反射消失，病的反射陽性でも錐体路の所見である。

④右延髄あるいは左頸髄の中枢神経障害

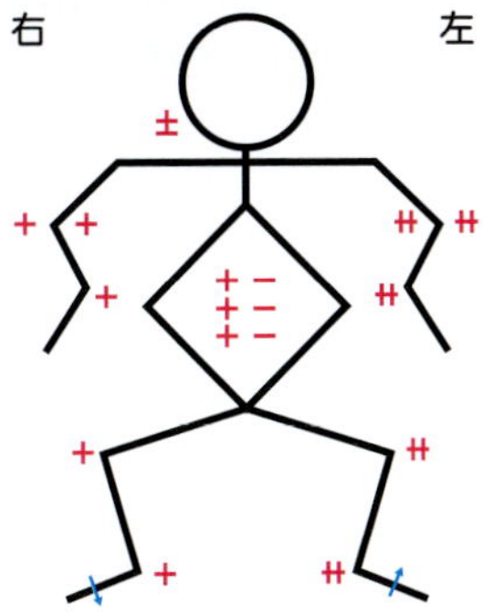

ここでは左右差があることが重要である。下顎反射(±)は正常であるが，左側の腱反射はすべて亢進しているため，C4より高位に障害がある。左腹壁反射消失，病的反射陽性でも錐体路の所見である。錐体路が交差する延髄下部より高位に病巣があれば腱反射亢進と対側である右に，延髄下部より下に病巣があれば同側である左に病巣がある。

⑤左C5-6レベルでの錐体路を含む脊髄障害

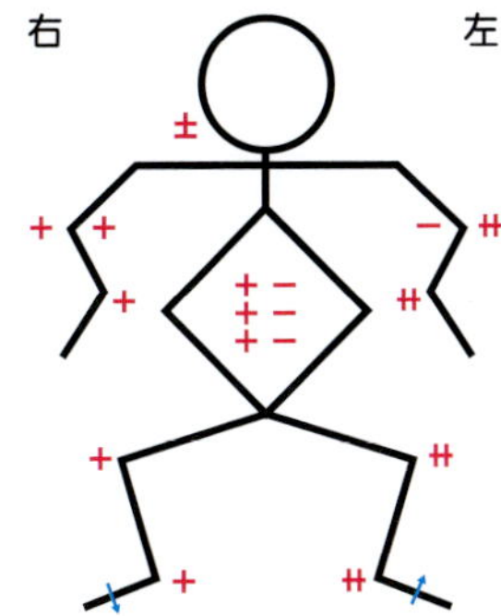

左上腕二頭筋反射が消失しているためC5，6の反射弓の障害がまず考えられる。さらに左側の上腕三頭筋反射，腕橈骨筋反射，膝蓋腱反射，アキレス腱反射がいずれも(++)と亢進し，腹壁反射消失，病的反射陽性からC5，6以下の錐体路障害が示唆される。

⑥両側上部胸髄(C8からTh6の間)の錐体路を含む脊髄障害

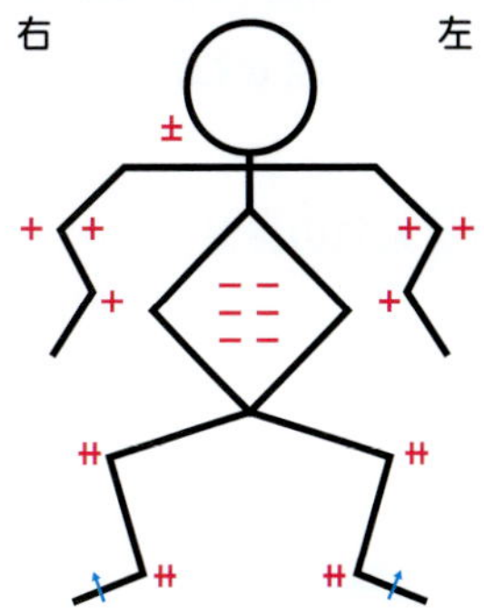

上肢腱反射はいずれも正常で，腹壁反射がいずれも消失しているため，C8以下Th6以上の病変が示唆される。下肢腱反射はすべて(++)，病的反射陽性も矛盾しない所見である。

⑦左Th9-11レベルの末梢神経障害

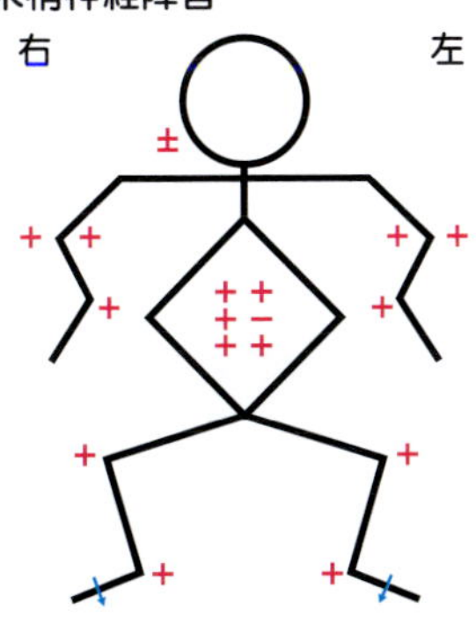

腹壁反射の左Th9-11レベルでの反射消失があるが，その他のレベルはいずれも正常である。かつ腱反射はすべて正常，病的反射はないことから錐体路障害はない。したがって，末梢神経障害による腹壁反射消失と考える。

⑧左L2-4レベルの錐体路を含む脊髄障害

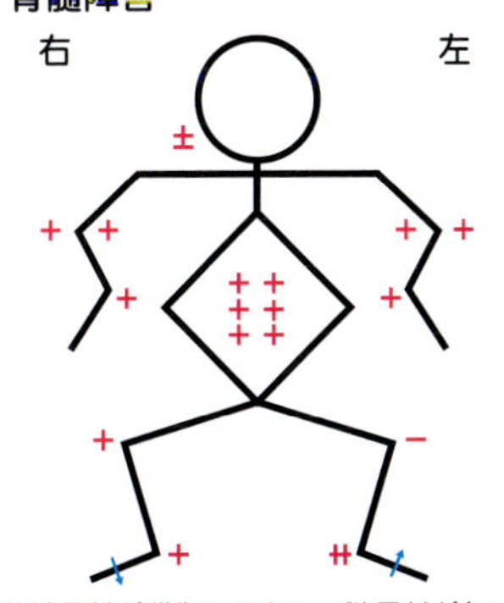

膝蓋腱反射が消失しアキレス腱反射が(++)と亢進していることから，腰髄L2-4レベルでの反射弓の障害かつ錐体路障害が考えられる。左病的反射陽性も錐体路障害の存在を示唆する。

⑨末梢神経障害，特にpolyneuropathy

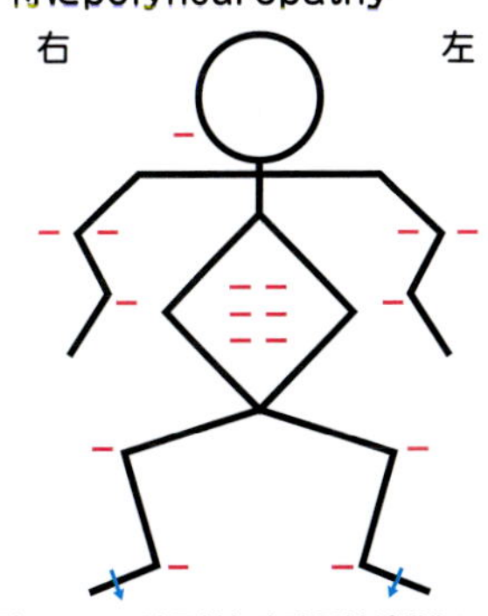

四肢すべての腱反射と腹壁反射が消失しており，全身の反射弓が広範に障害されている点からpolyneuropathyと考えられる。

感覚系

診察の方法

表在感覚(superficial sensation)

触覚(tactile sensation)の診察

●脱脂綿，ティッシュペーパーなどディスポーザブルなものを用い，先端を細く整えて用いる。以前は毛先をほぐした柔らかな毛筆などを用いたが，感染予防の点から推奨されない。

●患者さんに検査用具を見せて四肢・躯幹の触覚を検査することを告げる。

●躯幹の診察も行うため，患者さんは仰臥位のほうがよい。

●圧覚を刺激しないようにできるだけ軽く触れる。1点でわかりにくいときは，少しなでるようにしてもよい。なでるときは皮膚分節にそって，四肢では長軸と平行に，胸部では肋骨に平行にし，常に同じ長さをこするようにする。

●検査は，上肢，躯幹，下肢と順序よく進めていく。

●大まかな感覚異常の分布を知るためには，2カ所を比較しながら鈍いところを明らかにする方法と，閉眼させ触れたらすぐに「ハイ」と答えさせるやり方がある。2カ所の比較では，左右差，上肢と下肢の差，近位部と遠位部の差に注意し，だいたいの感覚異常部

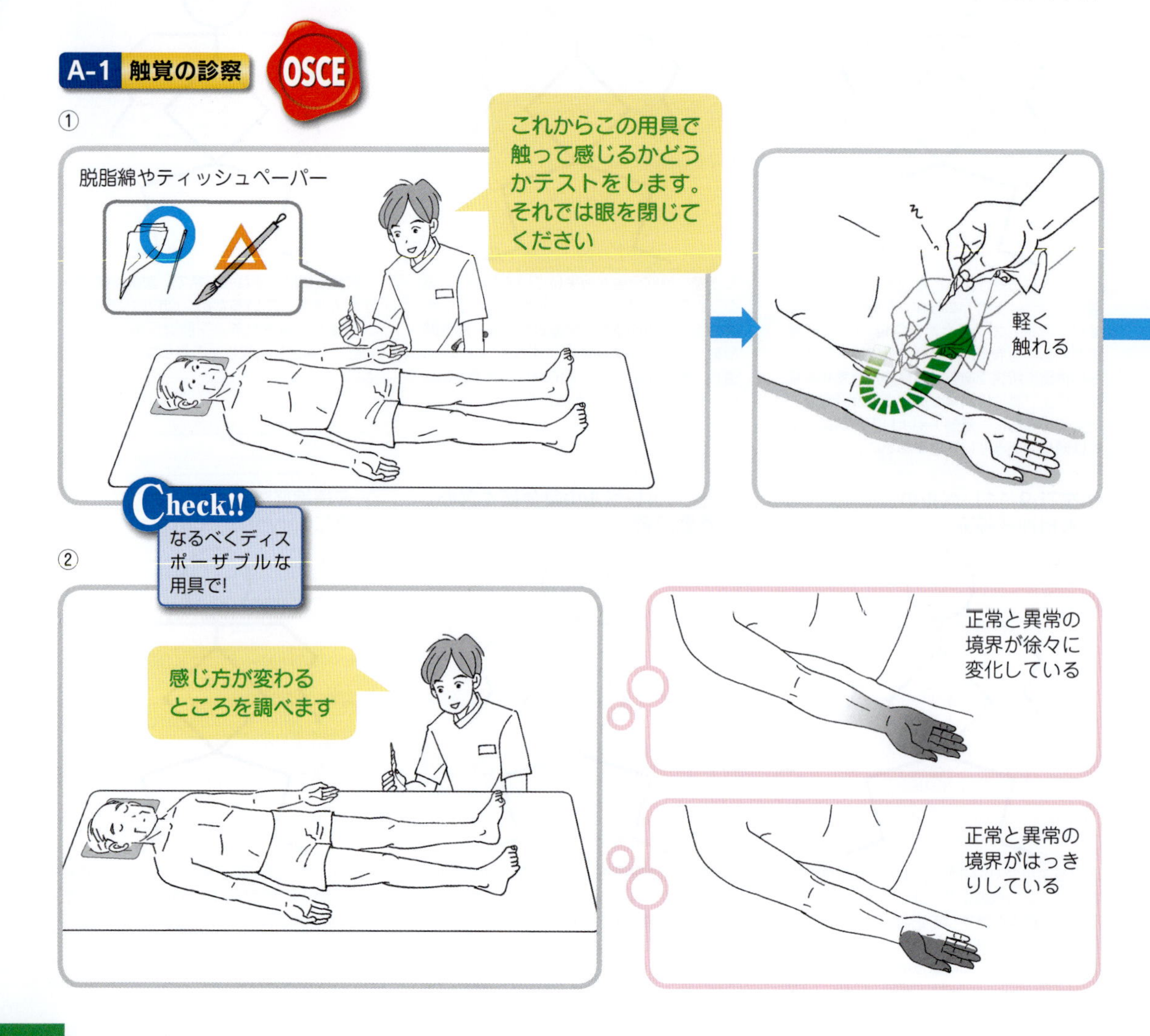

A-1 触覚の診察
OSCE
①
脱脂綿やティッシュペーパー
これからこの用具で触って感じるかどうかテストをします。それでは眼を閉じてください
軽く触れる
Check!!
なるべくディスポーザブルな用具で!
②
感じ方が変わるところを調べます
正常と異常の境界が徐々に変化している
正常と異常の境界がはっきりしている

位の分布を検出する A-1①。

●患者さんを閉眼させ加えた刺激を見せないようにして検査するとより客観性が得られる。

●刺激したり，刺激するふりをしたりして，患者さんが的確に答えているかを検査し本当に感覚が保たれているかを確認する。

●これにより感覚障害に対する患者さんの“思いこみ”や“意図的な主張”をある程度取り除くことができる。

●大まかな感覚異常の分布がわかったら，さらに末梢神経の分布に従っているか，脊髄分節に基づく皮膚分節（dermatome）（p.164参照）に一致するかを念頭に四肢の同じレベル（膝関節の上10cmのレベル）などを1周して細かく調べる。

●境界線に注意する。正常と異常の境界が線を引いたようにはっきりしているか，徐々に感覚が変わるか A-1② を調べる。

●障害部位は，皮膚分節，あるいは末梢神経支配（p.163参照）の記入されたヒトの絵に記入するとわかりよい。

●触覚の鈍麻はtactile hypesthesia（触覚鈍麻），触覚の消失はtactile anesthesia（触覚消失）である。触覚の過敏はtactile hyperesthesia（触覚過敏）である。

●外界からの刺激によらずに自発的に生じる異常な自覚的感覚を異常感覚，外界から与えられた感覚刺激によりそれとは異なった感覚を感じるものを錯感覚という。

●こうした用語に対応する英語にはdysesthesia，paresthesiaがあるが，それぞれが異常感覚，錯感覚どちらにも用いられることがあり，使用を控えるか補足説明するなどの注意が必要である。

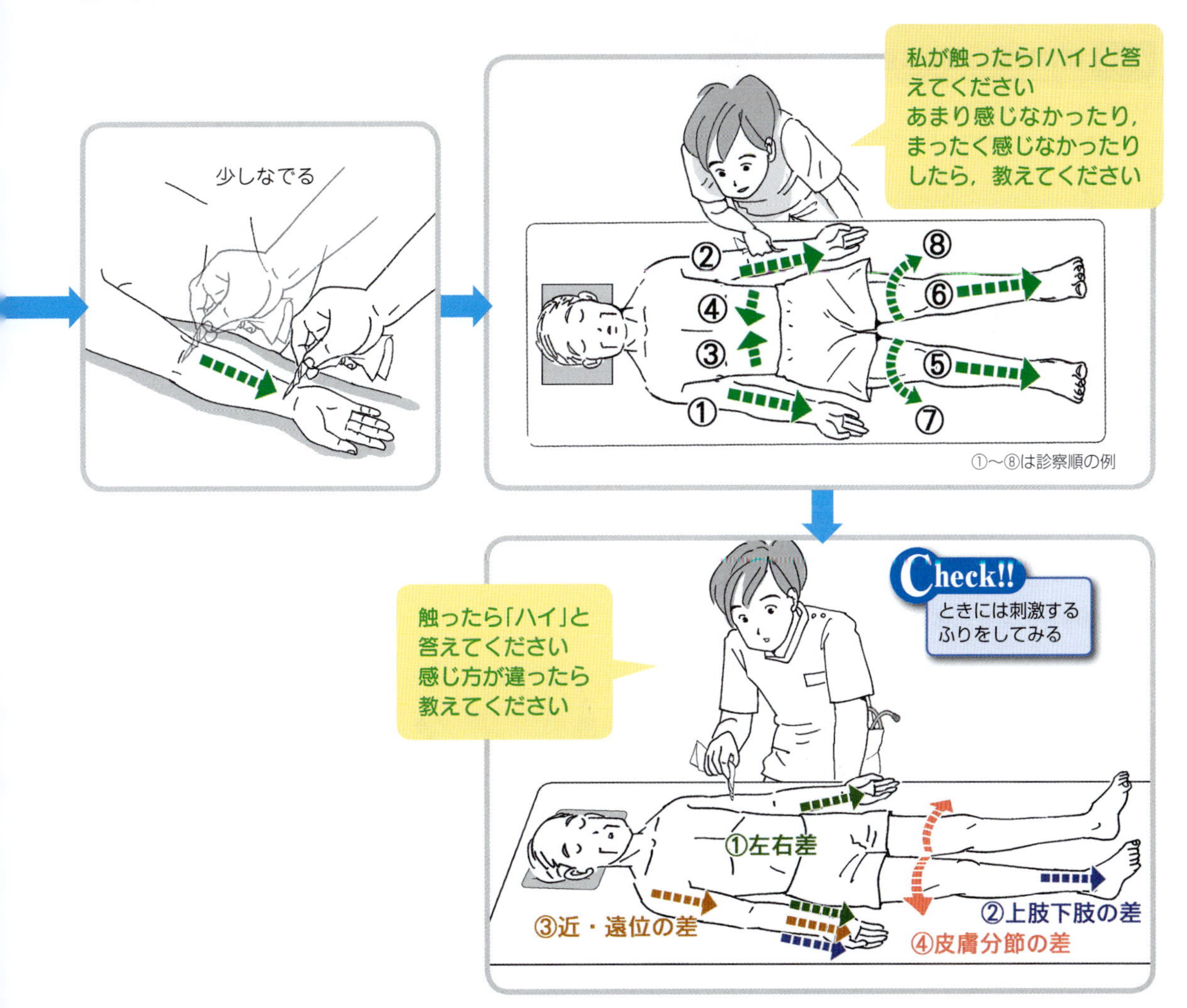

圧覚(pressure sensation)の診察

●圧覚は，単独で障害されることはなく検査が困難であること，病巣診断にあまり役立たないことから日常の臨床では検査されることは少ない。

●圧覚の検査には，Freyの刺激毛(Frey' s irritation hair)を用いる。これは細い棒の先に直角に毛をつけたもので，毛の先端を皮膚に当てると毛の弾性に応じて一定の圧力が皮膚にかかる。こうして加えられた圧に対する感覚を調べる。

●感覚障害を検査するにあたっての注意

感覚障害の検査は患者さんの判断に依存するところが大きく，感覚障害の分布，その程度を客観的に判断するのはしばしば困難である。例えば頭のてっぺんからつま先までくまなく検査しても，患者さんを疲れさせるばかりでかえって正確で必要な情報は得られない。患者さんの意識レベル，知能レベル，精神状態に応じて，患者さんの協力が十分に得られるよう気をつけながら，検査は要領よく行う。

痛覚(sense of pain)の診察

●爪楊枝は安全で使い捨てもできるため，痛覚の刺激に推奨される。

●安全ピンや針は鋭利なため，軽くつつい

A-2 痛覚検査とその検査器具 OSCE

①

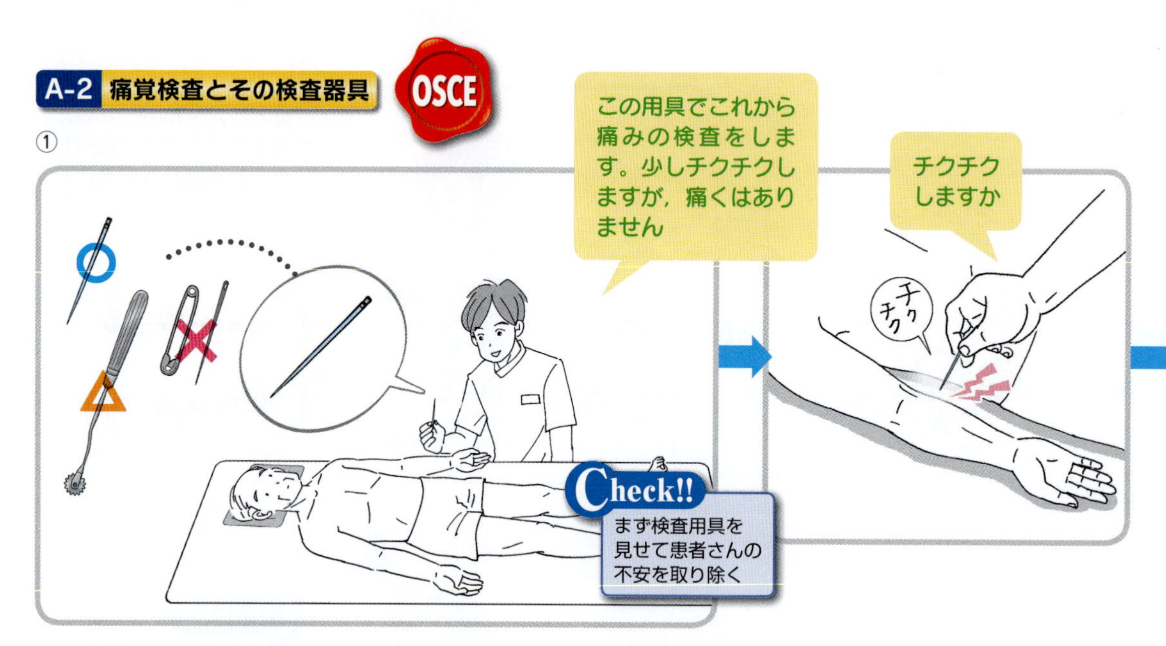

② 意識障害のある患者の場合

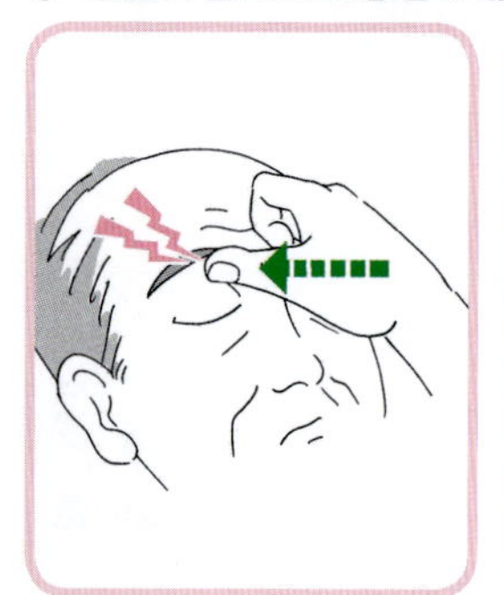

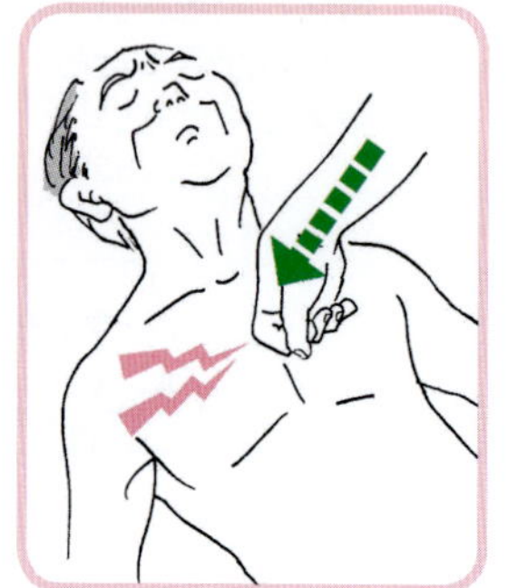
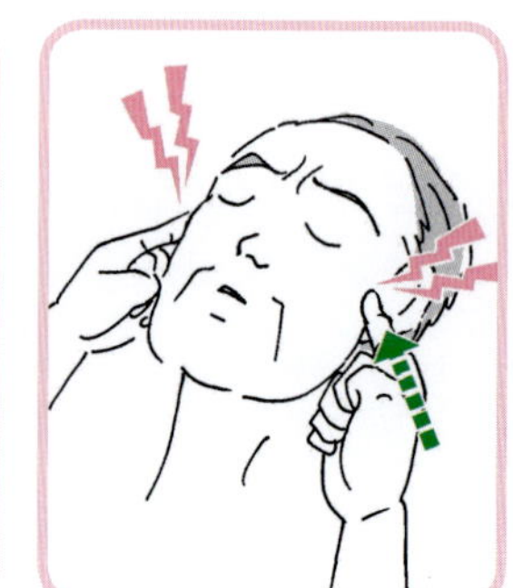

ても傷を作ったり，再使用により感染を広げたりする恐れがあるため用いるべきではない。

●障害の分布を調べたり境界を検査したりするにはルーレット(roulette)，ピン車(pin wheel)が便利であるが，上記の理由から推奨できない A-2①。

●患者さんに検査用具を見せて，四肢・躯幹の痛覚を検査することを告げる。

●躯幹の診察も行うため，患者さんは仰臥位のほうがよい。

●「チクチクする」程度の強さ，あるいは「とがっているものでつつかれている」ことがわかる強さで，皮膚を軽くつつく。痛覚の検査ではあるが，患者さんが痛がるような強さは過剰で不適切である。

●検査は，頭から足まで最初は大まかに行い，左右，上下を比較する。

●意識障害のある患者さんや，応答のできない患者さんでは少し強い刺激を加えると，手足を動かしたり顔をしかめたりするのである程度の痛覚評価の目安にはなる A-2②。

●極度な痛み刺激は，表在感覚だけでなく深部痛覚をも引き起こし，その病巣診断における意義が異なってくる可能性がある。

●大まかな感覚異常の分布がわかったら，さらに末梢神経の分布(p.163参照)に従っているか，脊髄分節に基づく皮膚分節(dermatome，p.164参照)に一致するかを念頭に細かく調べる。

●境界線に注意する。正常と異常の境界が線を引いたようにはっきりしているか，徐々に感覚が変わるかを調べる。障害部位は，

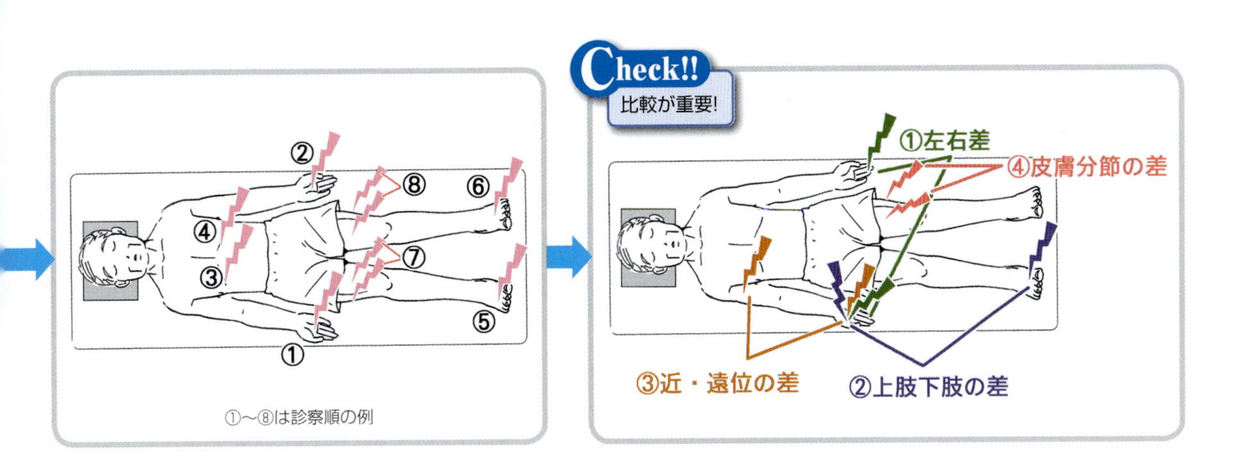
②
⑧
⑥
④
⑦
③
⑤
①
①〜⑧は診察順の例
Check!!
比較が重要!
①左右差
④皮膚分節の差
③近・遠位の差
②上肢下肢の差

③

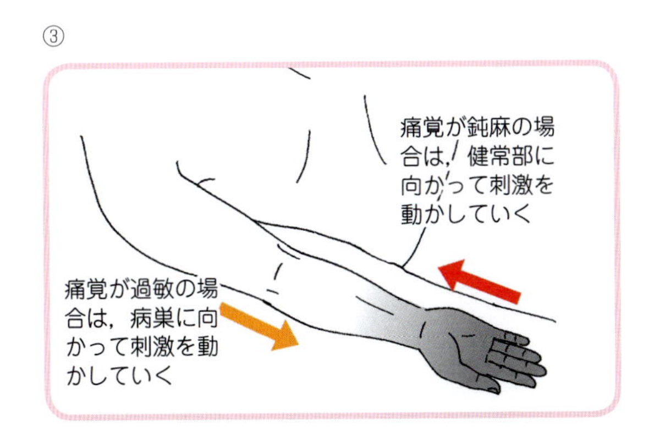
痛覚が鈍麻の場合は，健常部に向かって刺激を動かしていく
痛覚が過敏の場合は，病巣に向かって刺激を動かしていく

皮膚分節(p.164参照)あるいは末梢神経支配(p.163参照)の記入されたヒトの絵に記入するとわかりよい。

●痛覚鈍麻はhypalgesia，痛覚消失はanalgesia，痛覚過敏はhyperalgesiaとよぶ。

●ヒペルパチー(hyperpathia)というのは，刺激を与えると，異常に強い不快な痛みを感じるものである。その痛みは放散しやすいので痛みの起こっている場所を患者さん自身が正しく指摘することも難しいほどである。

●痛覚過敏では，刺激閾値が低下し，少しの刺激でも強い痛みを感じる。

●ヒペルパチーでは刺激閾値は上昇し，痛覚は鈍麻しているもののその閾値を超えると極度の痛みを生じる。

●ヒペルパチーを起こす代表的な病巣は視床である。

●一般に痛覚鈍麻では障害部から正常な部分に向かって検査し，痛覚過敏では正常部より障害部に向かって検査していくと，境界で刺激が強くなるため境界が決めやすいといわれる A-2③。

温度覚(sense of temperature)の診察

●検査にはガラスの試験管またはフラスコに温湯と冷水を入れたものを用いる。この際，試験管表面が濡れていないのを確かめておく。

●試験管は大きめのものを用い温度が変化しにくいようにする。温湯は40～50℃ぐらい，冷水は10℃ぐらいがよい。それ以上の高温や，それ以下の低温では痛覚を生じてしまう。

●検査用具を見せて，「これから温度の感覚を調べるため，温かい容器と冷たい容器で触れます」と伝える。

●試験管を皮膚に密着させ温度が伝わるまで3秒ほど待って判定する。

●温度覚は皮膚の部位による差が大きいため，必ず対称部を同一の状態で検査比較する A-3。

●温度覚刺激用の機器が市販されており，棒状の器具の先端を上記の高温および低温に簡単に設定できる。

●温度覚鈍麻をthermohypesthesia，温度覚消失をthermoanesthesia，温度覚過敏をthermohyperesthesiaという。

●極端な温度覚過敏は対側の視床の障害を考える。高齢者や末梢循環不全の患者さんでは明らかな神経障害がなくても温度覚が鈍麻しやすい。

A-3 温度覚検査

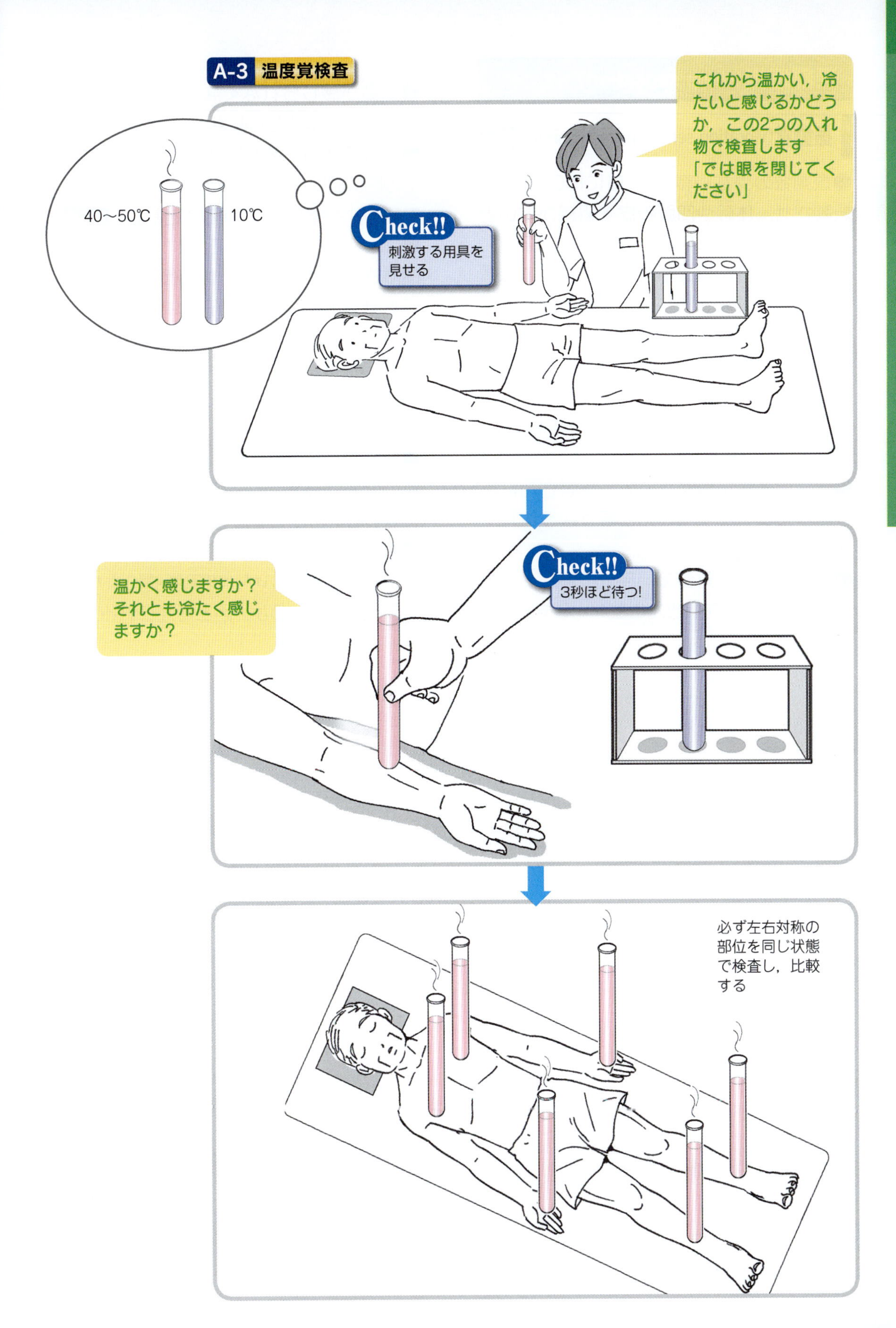

40〜50℃
10℃
Check!!
刺激する用具を見せる
これから温かい，冷たいと感じるかどうか，この2つの入れ物で検査します「では眼を閉じてください」
温かく感じますか？それとも冷たく感じますか？
Check!!
3秒ほど待つ!
必ず左右対称の部位を同じ状態で検査し，比較する

深部感覚(deep sensation)

振動覚(vibration sense, pallesthesia)の診察

●振動数の少ない音叉(一般にはC128)を振動させ，体幹や四肢の皮下組織が浅いところに存在する骨の突起に音叉を当てる。

●振動数が高い音叉や，小さい音叉ではすぐに振動が減衰してしまい評価が困難になるため適当ではない。

●検査する部位は①胸骨，②鎖骨，③肘頭，④尺骨の茎状突起，⑤手指末端，⑥上前腸骨棘，⑦脊椎棘突起，⑧膝蓋骨，⑨脛骨中央，⑩外果などである。

●一側の部位に音叉をあて，患者さんには振動が止まったら「はい」と言うように指示する。

●その後すぐに対側の同部位に移し，まだ振動しているかを訊き左右差を比較する。

●振動が感じられなくなるまでの時間を秒数で表示することもある。

●検者の関節にあて振動の閾値を調べたり，その際に振動がなくなるまでの時間を測定し，客観的な指標としたりすることもあるA-4。

●患者さんの返答があてにならないときは，閉眼させておいて検査中に音叉に手を当てて振動を止め，患者さんがなおも振動を感じるか否かを試すことも必要である。

●振動覚の鈍麻はhypopallesthesia，pallhypesthesia，消失はapallesthesia，pallanesthesiaとよぶ。

●振動覚は60歳以上の高齢者の下肢では，特に器質的障害がなくとも左右同様に減弱していることがあるので注意を要する。

●太っている人は痩せている人より鈍化していることが多いが，皮下脂肪により振動が伝わりにくいのが一因と考えられる。

A-4 振動覚検査 OSCE

①

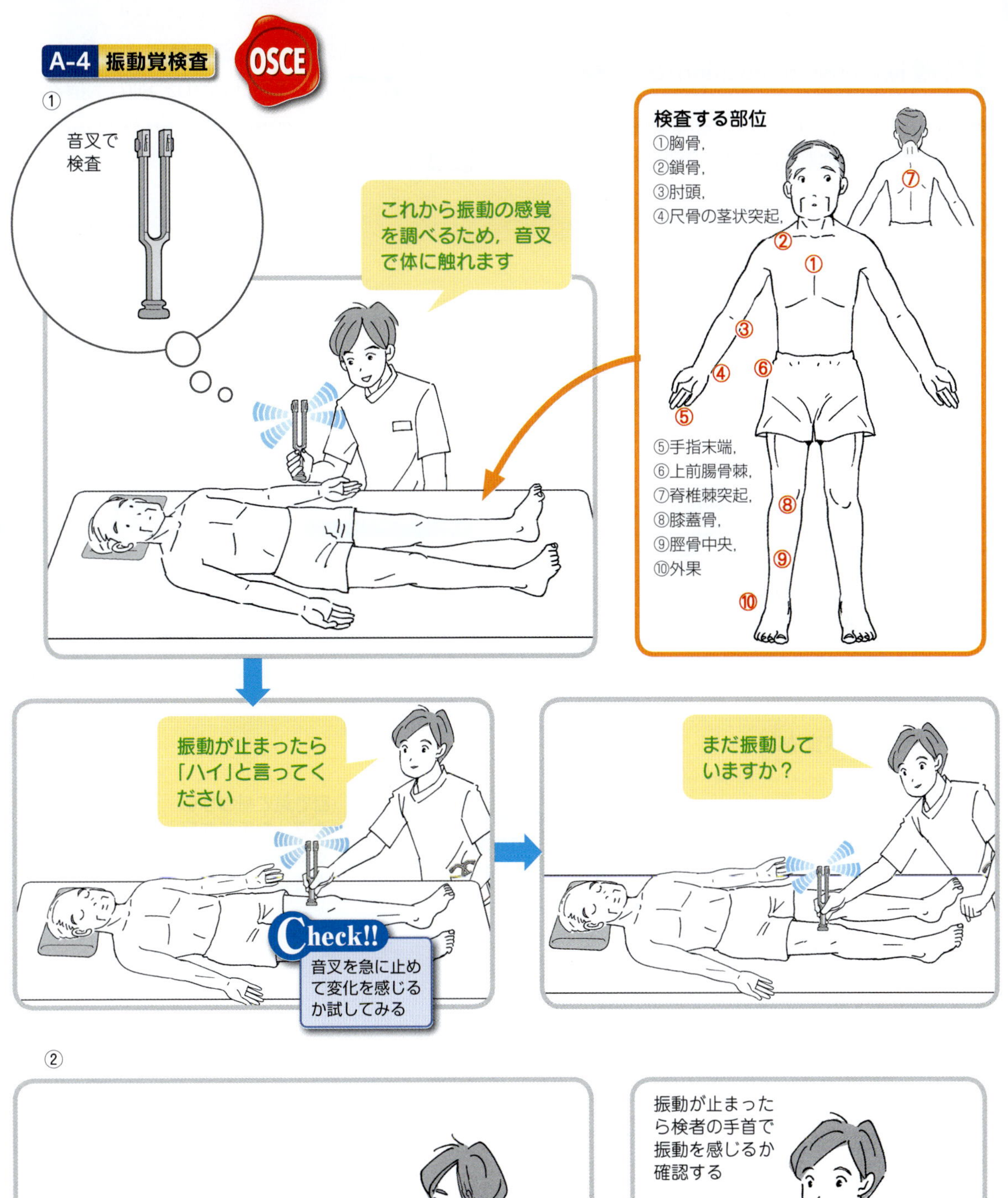

②

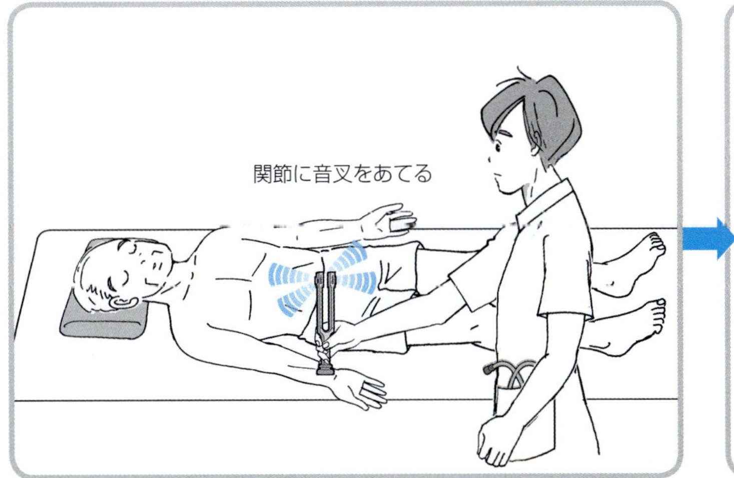

位置覚(sense of position)の診察

●位置覚をみるには，閉眼させ四肢関節のいずれか1つを他動的に一定の位置に屈曲させ，対側の四肢でその位置を真似させる(検査法1，A-5)か，動かしたのと別の示指で母指あるいは母趾を指ささせる(検査法2，A-6)。

A-5 位置覚の検査法1

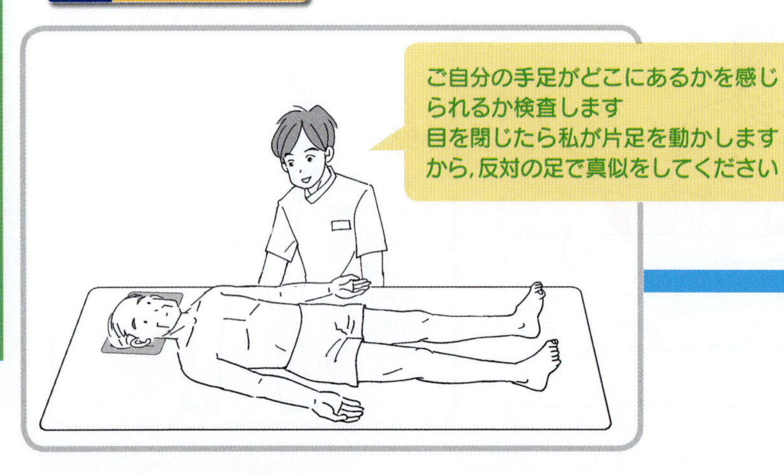

A-6 位置覚の検査法2

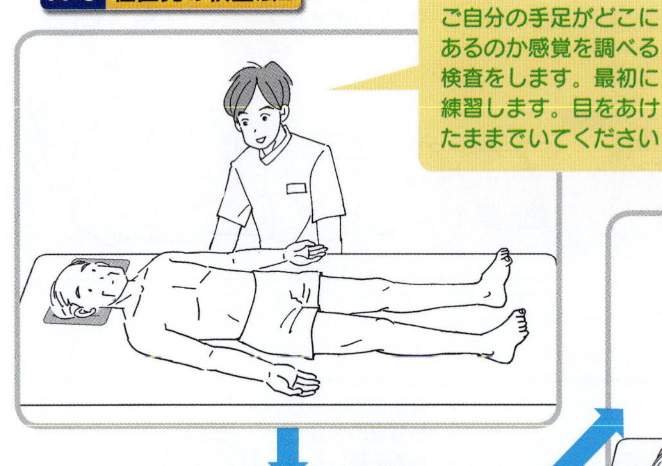

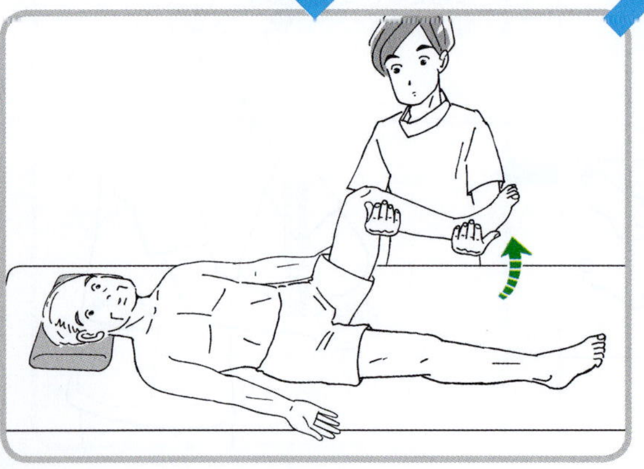

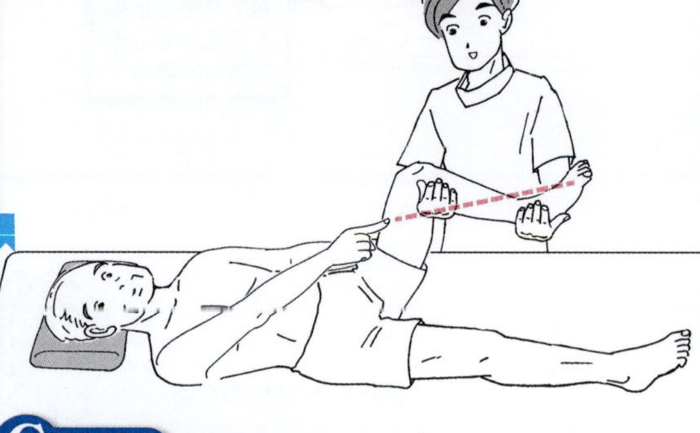

Check!!
患者さんは，まず開眼で練習する

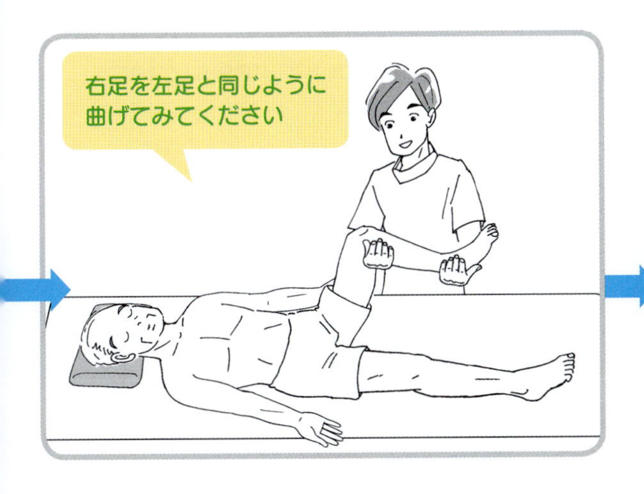
右足を左足と同じように
曲げてみてください

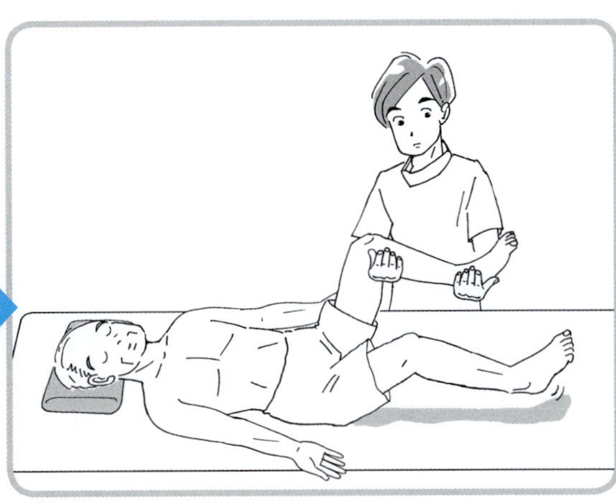

今度は目をつぶ
ってください

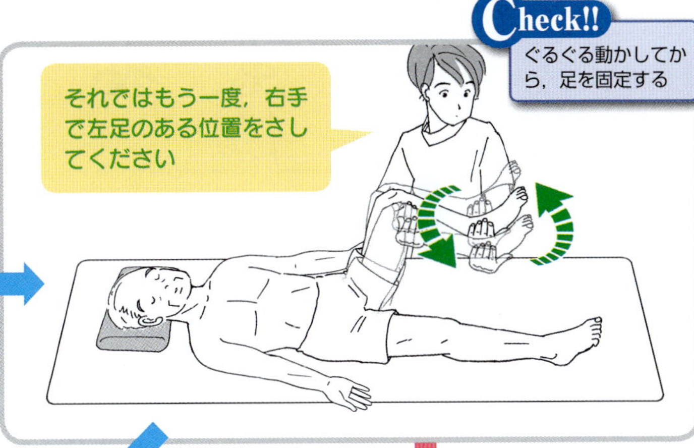
それではもう一度，右手
で左足のある位置をさし
てください
Check!!
ぐるぐる動かしてか
ら，足を固定する

正常

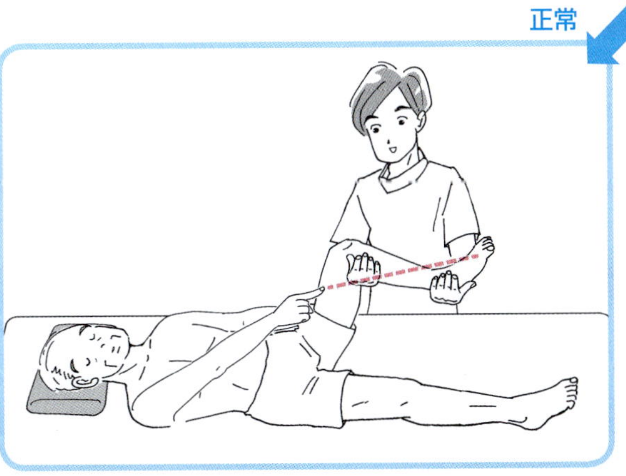

異常

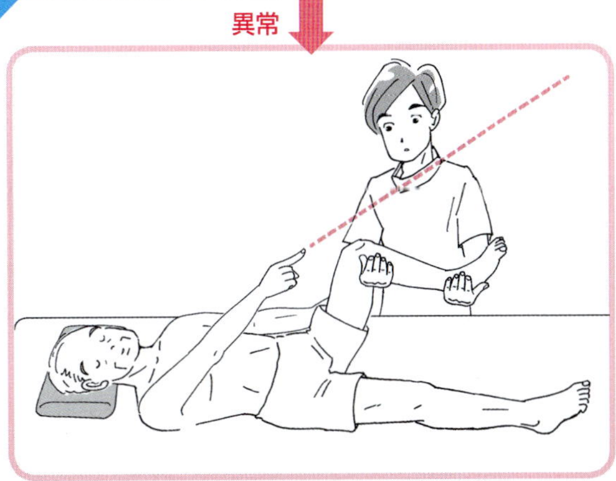

●ほかに位置覚を検査する方法として，母指さがし試験（検査法3，A-7）がある。これは片方の手について母指を立て，他の4本の指を握った状態にさせ，閉眼させたうえで患者さんの手を他動的に動かし，もう一方の手でこの母指を握るように指示するものである。

●閉眼状態で両腕を広げておき両側の示指を近づけていき，付け合わせる試験法（検査法4，A-8）もある。

●両手を開いて両上肢を水平に保持させ閉眼させると，位置覚の障害により上肢が不安定となって上下に動揺したり，それぞれ手指があたかもピアノを弾くように上下に動揺したりする（ピアノ弾き運動；piano playing movement）（検査法5，A-9）。アテトーゼに似た運動であることから，偽性アテトーゼ（pseudoathetosis）という。

A-7 位置覚の検査法3

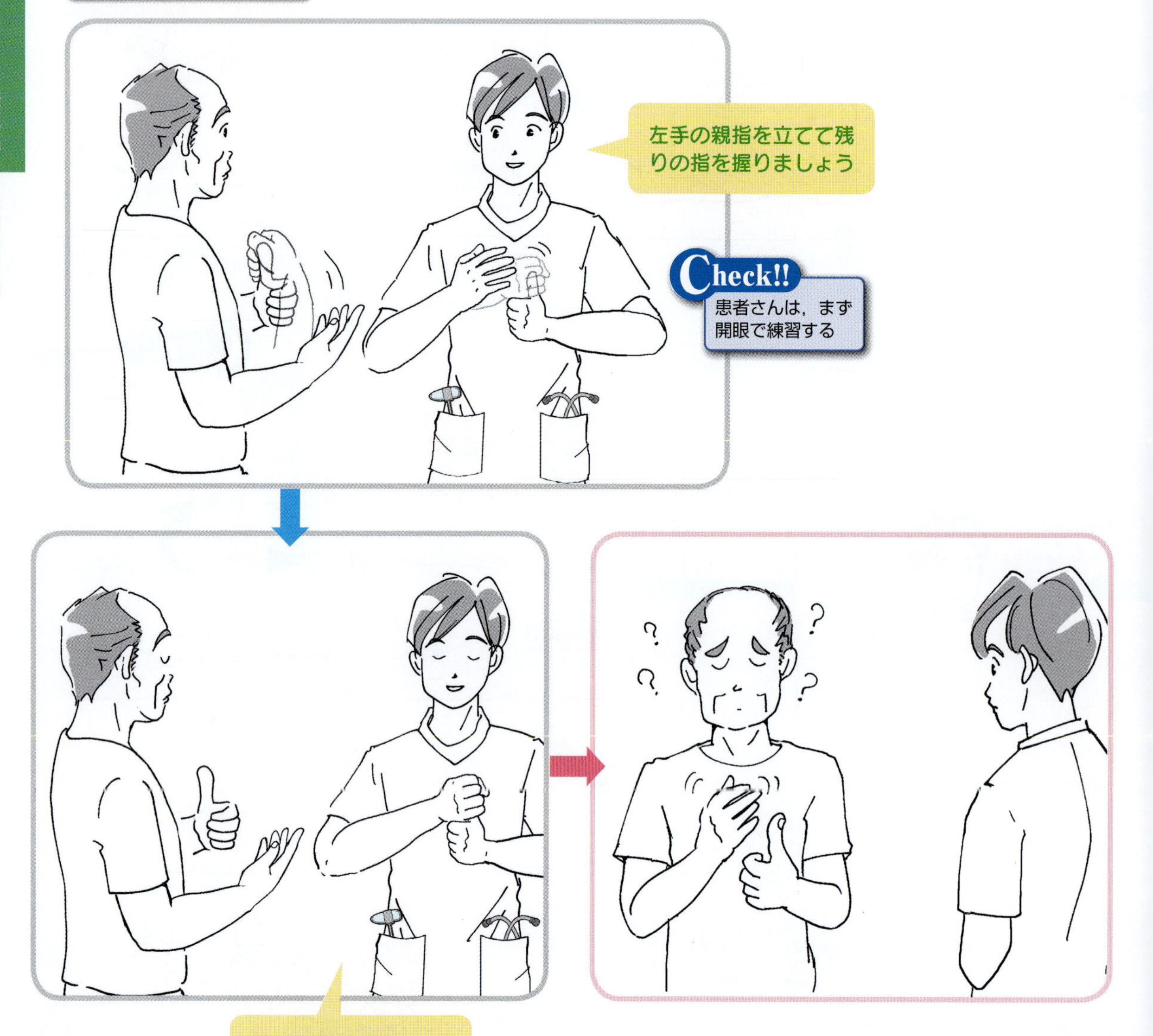

感覚系
診察の方法

A-8 位置覚の検査法4

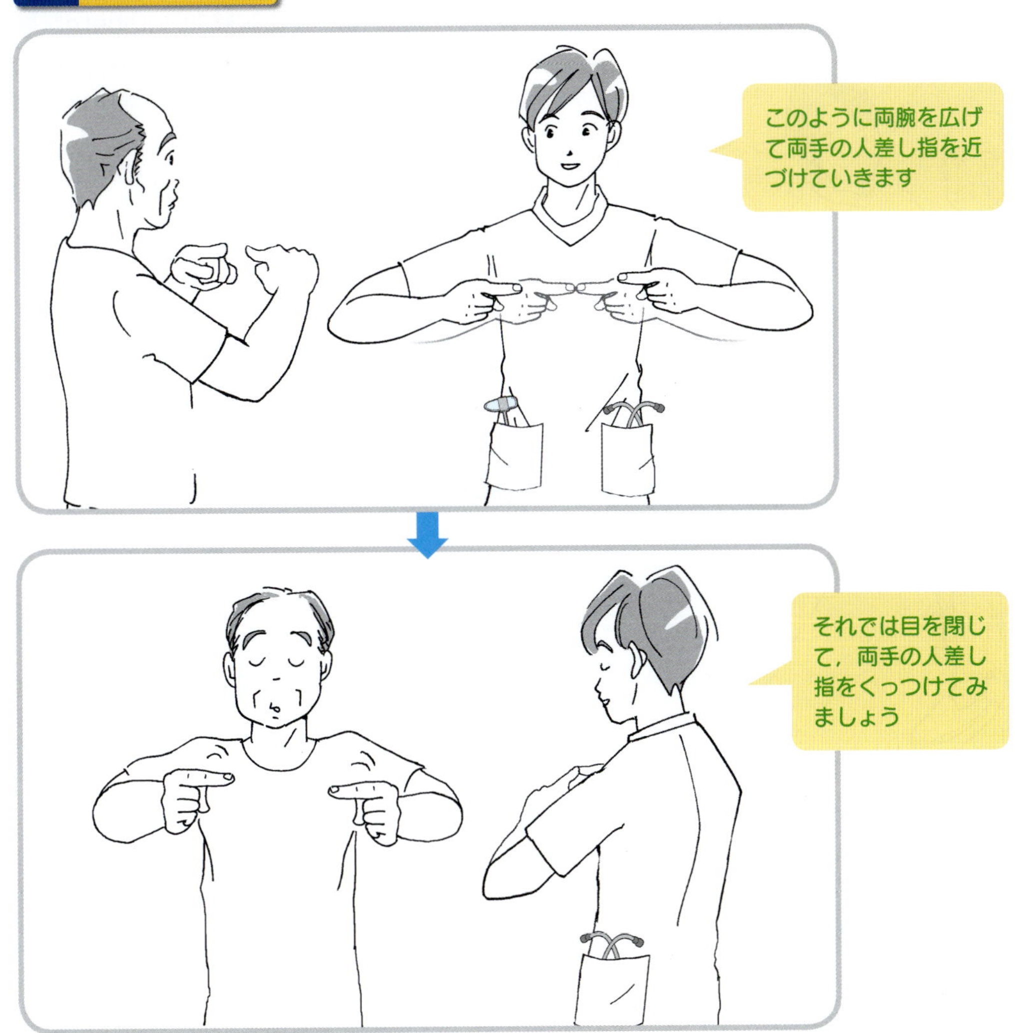

A-9 位置覚の検査法5

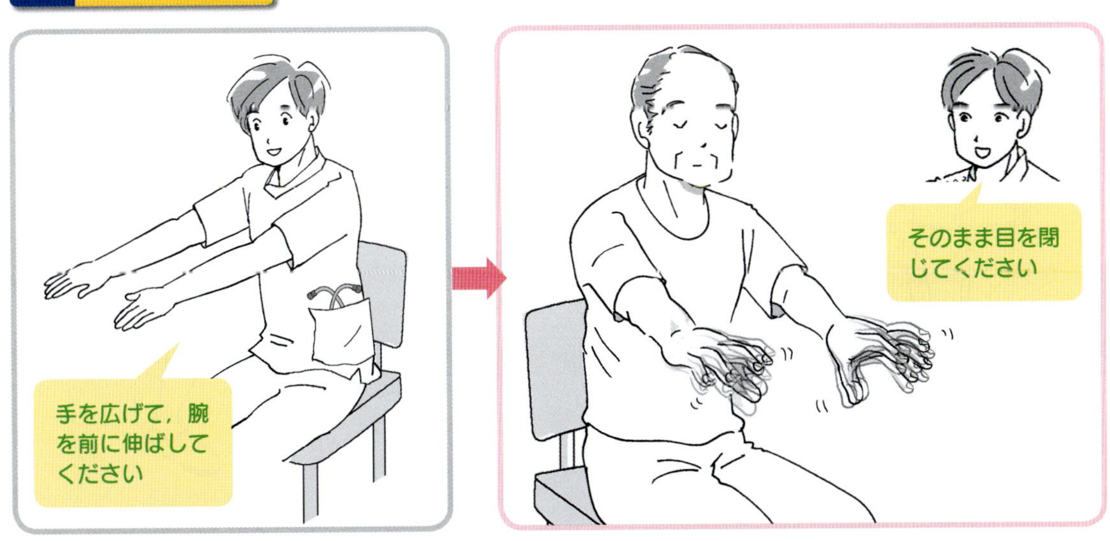

A-10 位置覚の検査法6：Romberg試験

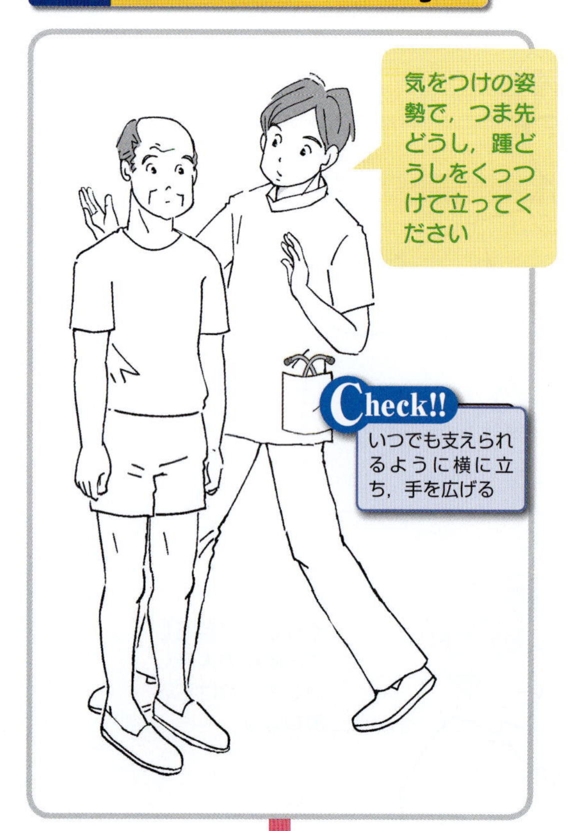

気をつけの姿勢で，つま先どうし，踵どうしをくっつけて立ってください
Check!!
いつでも支えられるように横に立ち，手を広げる

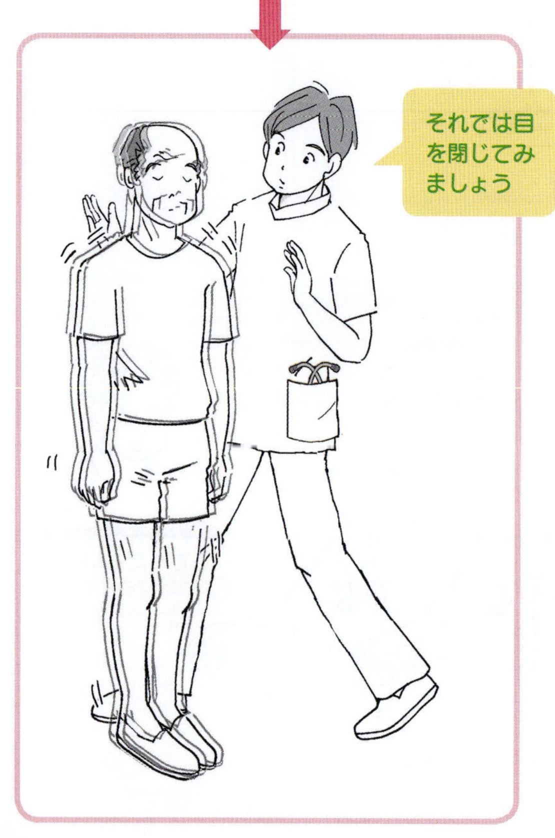

それでは目を閉じてみましょう

●立位にてつま先をそろえ，気をつけの姿勢をとらせ閉眼させる試験をRomberg試験という（検査法6，A-10）。この際急にバランスを崩すものをRomberg徴候陽性といい，位置覚の障害による。

●位置覚が障害されると歩行時に，こわごわと足下を見つめながら，下肢を大きく踏み出し足を床に打ち付けるように歩く（検査法7，A-11）。これはかつて脊髄癆の時にしばしば認められたため，一般的に脊髄癆性歩行（tabetic gait）といわれるが，他の

A-11 位置覚の検査法7

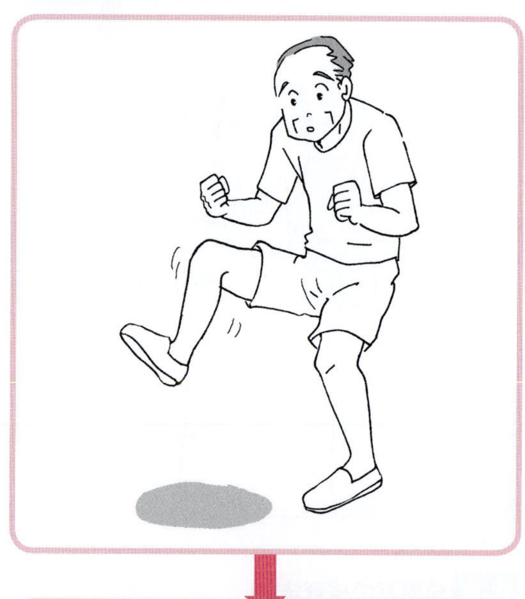

疾患による時には脊髄癆と区別するために偽性脊髄癆性歩行（pseudotabetic gait）ということもある。

●これら7つの検査法は感覚障害をみる重要な検査である。

●一定の肢位からの関節の移動を感じる感覚は運動覚といわれる。

●検査は手指あるいは足趾を他動的に屈曲あるいは伸展させ，これを閉眼にて判断させる。

●検者は検査する手指，足趾を側面からつまむようにする。前後からつまむときに加えた圧によって圧覚が刺激され方向がわかってしまうからである A-12。

●臨床的には運動覚は位置覚と厳密には区別されない。

●関節覚は四肢末端のものほど侵されることが多いので，この手指，足趾の検査は臨床的に関節覚を検査するうえで簡便で重要である。

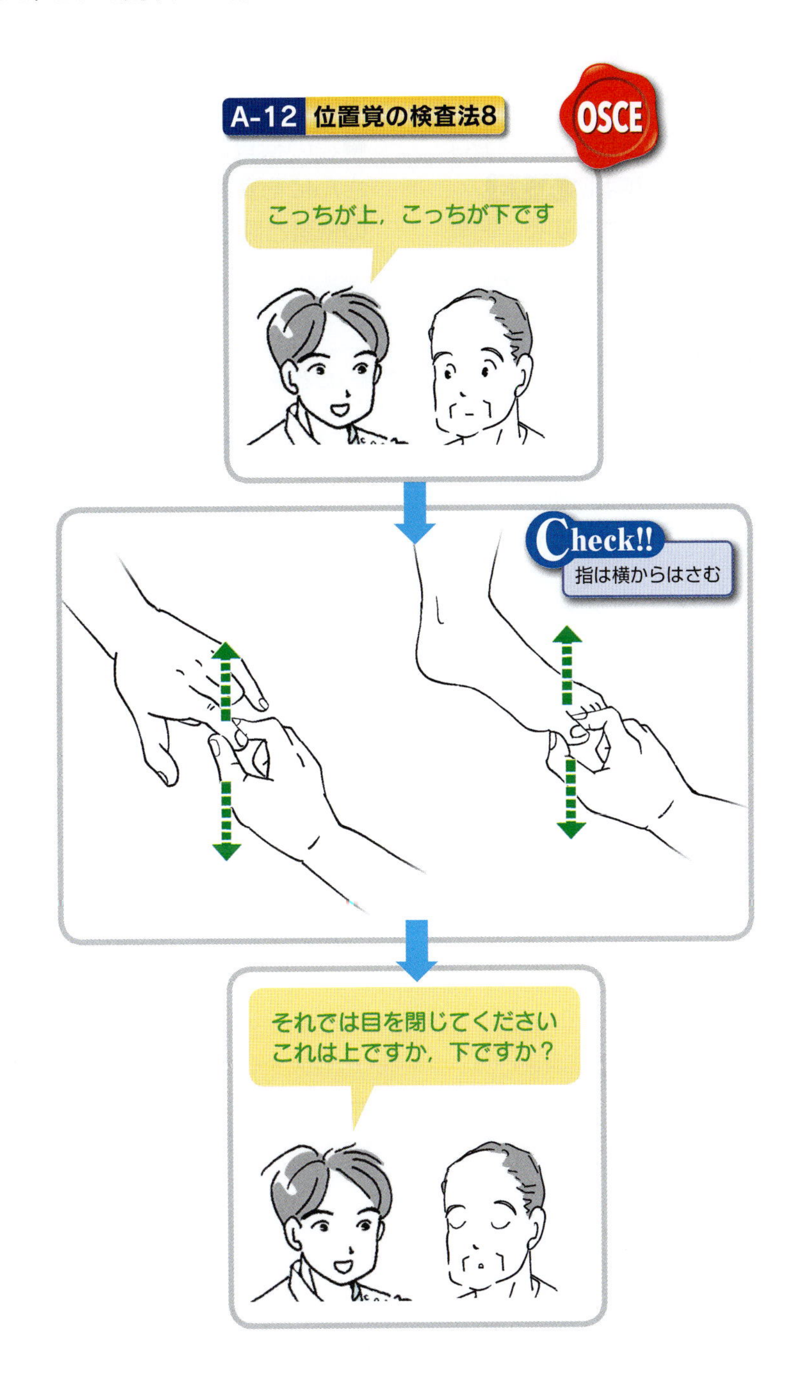

2点識別覚(two-point discrimination)の診察

●皮膚に同時に与えられた2つの刺激を2点として識別できるかどうかをみる。

●検査には先のあまりとがっていないコンパスやノギスを用い2点を刺激する。

●まず適当な部位で，十分識別できる程度の2点同時刺激を行って患者さんに検査の内容を知らせておく。

●開眼させ，2点で触ったと感じたら“2”，1点で触ったと感じたら“1”と答えるように教える。

●次に閉眼させてテストするが，2点刺激は体の長軸に沿って行うほうがよい A-13。

●2点は同時に触れるように注意する。時間的に少しでもずれがあると，2点の識別ははるかに容易になるので，軽い障害を見落とすことがある。

●2点刺激ばかりを繰り返さず随時1点刺激を交えて検査する。

●答えが正確な場合は2点間の距離を次第に縮めていく。2点識別能は身体の各部で大きな相違があり，指尖(3～6mm)，手掌・足底(15～20mm)，手背・足背(30mm)，脛骨面(40mm)が一応の目安となる。

●個人差もあり，軽度な延長の場合は左右差の有無が判定の参考になる。

●この検査は，時間がかかり医師にも患者さんにも負担となり疲労しやすいので，他の検査とは別の機会に行うなど注意する。

A-13 2点識別覚の診察

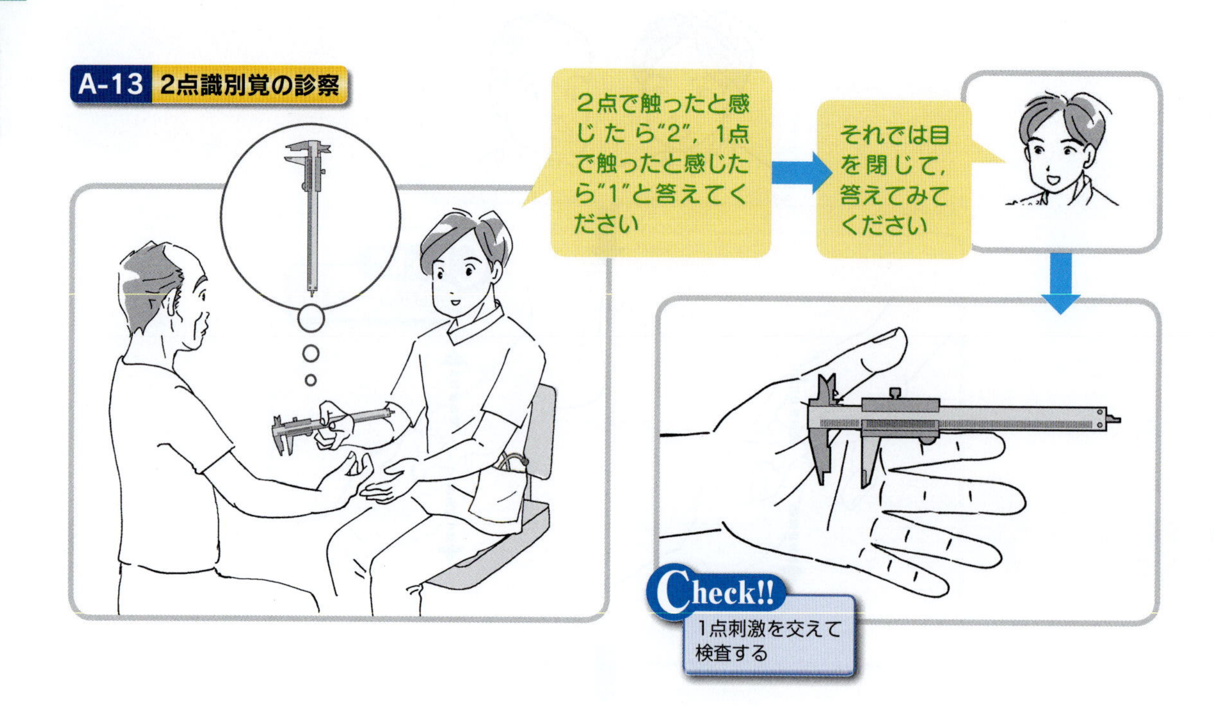

皮膚書字覚(graphesthesia)の診察

●皮膚書字試験(skin writing test, number writing test)を行う。

●皮膚に0から9までの数字を書き，これをあてさせる。指先など先端の鈍なものを用いて書く A-14。

●手掌，下腿前面，足背などで検査する。

●患者さんと対面しながら数字を書くと患者さんにとって文字が逆になってしまいわかりにくいから，患者さんと同じ向きになって数字を書くようにする。

●最初は開眼してテストし，要領がわかったら閉眼させる。

●0，1，7など簡単な形のものを試し，それができたら3，5，9などのより判定の難しいものを試みる。

●表在感覚が保たれているのに一側の皮膚書字試験の成果が悪い時は，対側頭頂葉の障害を考える。

●識別覚は後索を介しており，後索障害により障害部より上の皮膚に書かれた数字は容易に判定できるが，それより下に書かれた数字の判定ができないので，障害のレベルがわかる。

●皮膚書字覚消失をgraphanesthesiaという。

A-14 皮膚書字覚，皮膚書字試験

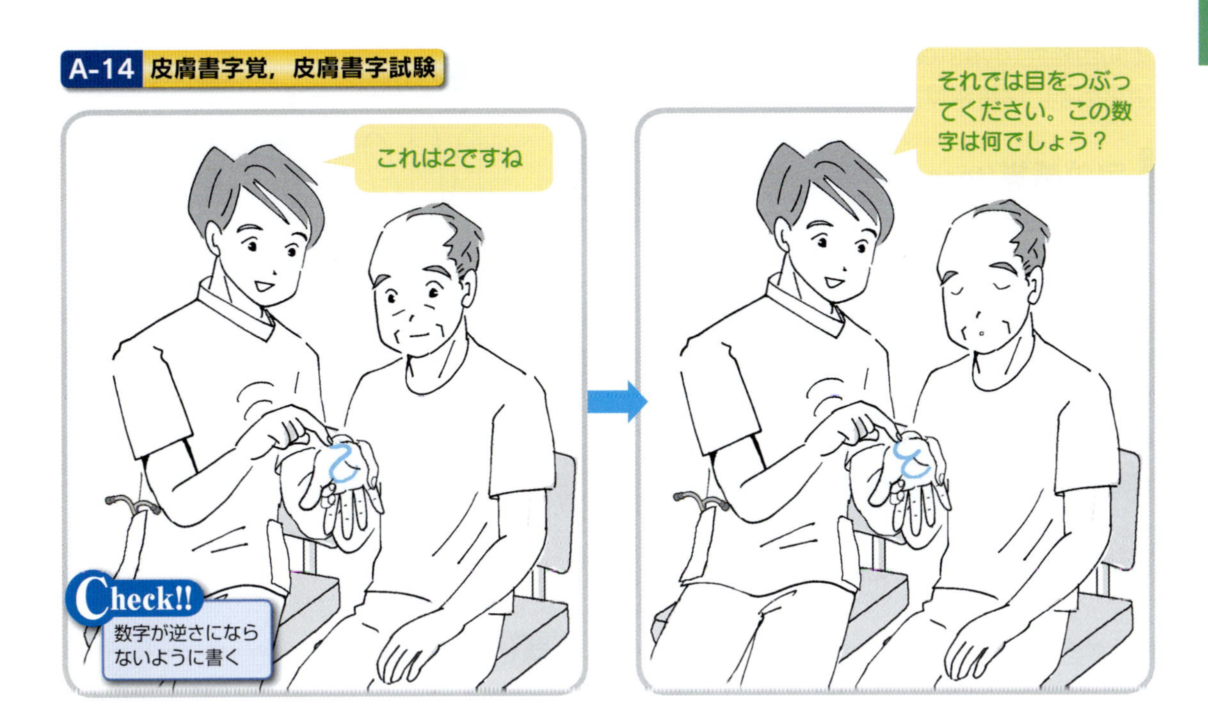

立体認知(stereognosis)の診察

●閉眼状態にて，日常よく使うもの，例えばペン，硬貨，鍵などを患者さんの手に握らせてそれをあてさせる。

●あまり大きいものは，片手だけで探れなかったり全体が把握しづらいので適当でない。また音がするもの，例えば鍵の束，マッチ箱などは，音で物体の見当がついてしまうため適当ではない A-15。

●表在感覚，深部感覚などの要素的感覚が保たれているのに物体を触覚にて認知できない状態を立体感覚消失(astereognosis, stereo agnosis)といい，識別するが困難で，答えるまでに時間がかかるものを立体認知困難症(dysstereognosis)という。頭頂葉あるいは後索障害で生じる。

定位感覚(topognostic sense, point location)の診察

●閉眼にて触覚の検査時にどこが刺激されたかを言わせたり，開眼後指させたりする。

●正常ならば2.5cm以内の誤差で部位を同定できる A-16。

●刺激の局所が識別できないのを部位失認(topagnosis)，部位感覚消失(topoanesthesia)という。

●頭頂葉障害あるいは後索障害で生じる。

A-15 立体認知の診察

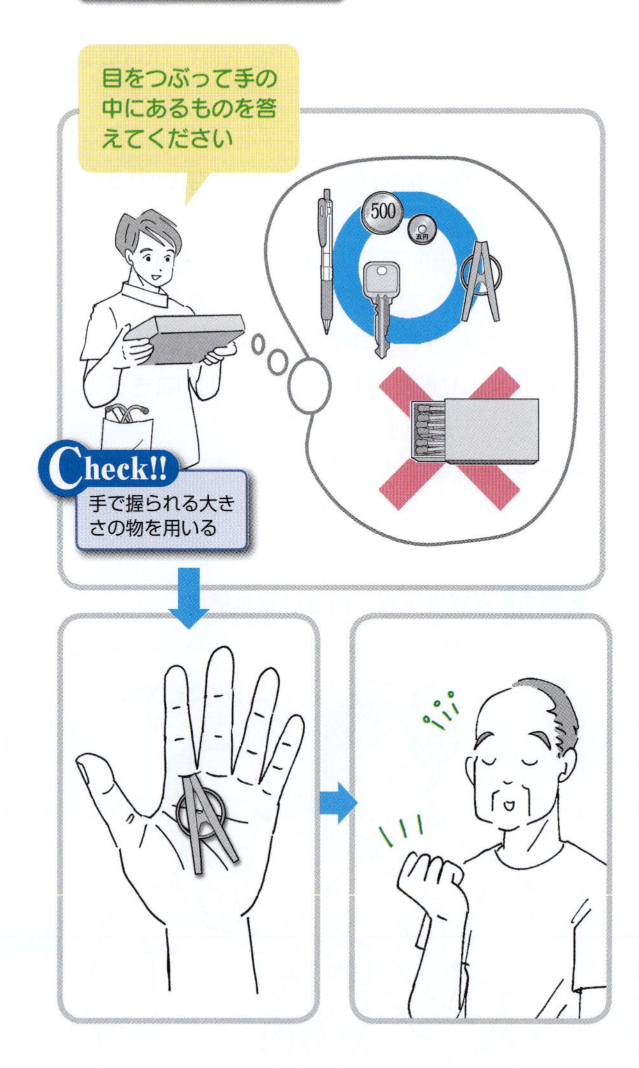

A-16 定位感覚の診察

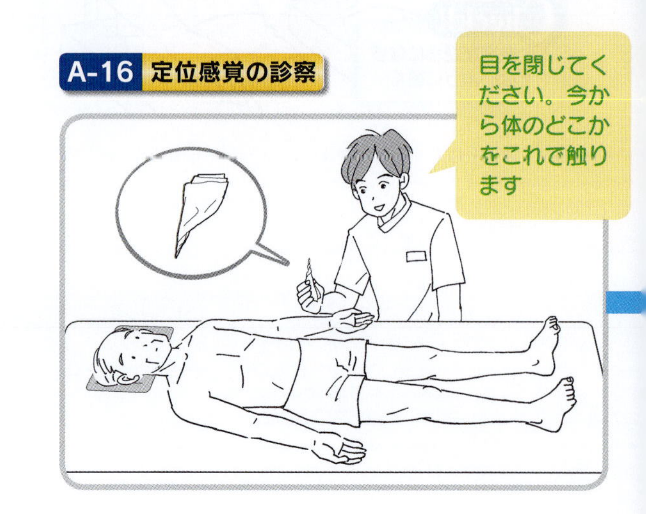

感覚系　診察の方法

2点同時刺激識別感覚の診察

●左右の対称となる2点を同時に同じ程度に刺激する(2点同時刺激；double simultaneous stimulation：DSS)と，正常ではこれを正確に2つの刺激として感じることができる。

●刺激方法としては検者が両手の指で軽く触れる A-17 。

●明らかに表在感覚の障害がないのに，両側の同じ部位を同時に刺激すると，一側のみしかわからず，対側からの感覚はまったくわからないことがある。これを消去現象(extinction)といい，感覚が無視されてしまったほうが障害側であり，その対側の頭頂葉の障害と考えられる。特に劣位半球の障害で出やすい。

A-17 2点同時刺激識別感覚の診察

これは右ですね

Check!! 片側ずつならわかることをまず確認する

これは左ですね

それでは目を閉じてください

これは左右どちらかですか，それとも両方ですか？

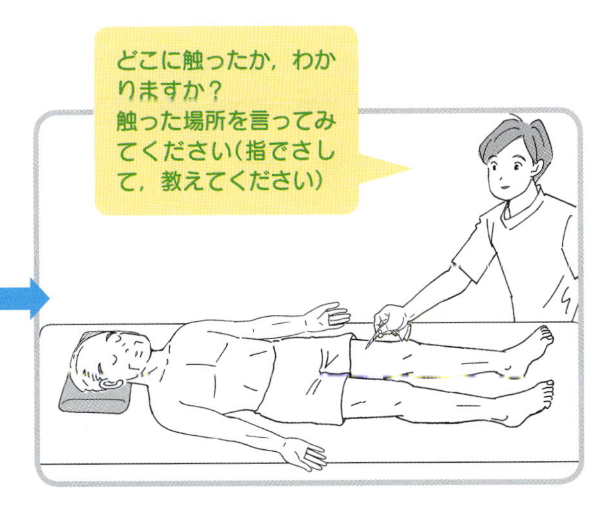

どこに触ったか，わかりますか？
触った場所を言ってみてください(指でさして，教えてください)

診断プロセスからみる感覚障害の診察

病巣部位

最初に検査する感覚の種類についてふれておきたい。神経学的検査において検査の対象となる感覚は，感覚の受容体の部位，感覚の発生する機序に基づいて表在感覚，深部感覚，複合感覚と大まかに3つのカテゴリーに分類される。それぞれのカテゴリーには，受容体や刺激の伝達経路が同定された独立した感覚要素とそれらが不明確な臨床経験的な感覚要素とが含まれる。

表在感覚(superficial sensation，皮膚感覚；cutaneous sensationともいう)

与えられた刺激を感じる受容体が皮膚にあると考えられるもの。痛覚，温度覚，触覚の3つがこれに属する。

痛覚の受容体は自由神経終末(free nerve endings)と考えられている B-1。

温度覚は自由神経終末，ルフィニ器官(corpuscle of Ruffini)やクラウゼ球(end-bulbs of Krause)が受容体である。触覚に対する受容体はマイスナー小体(corpuscles of

B-1 表在感覚の受容体

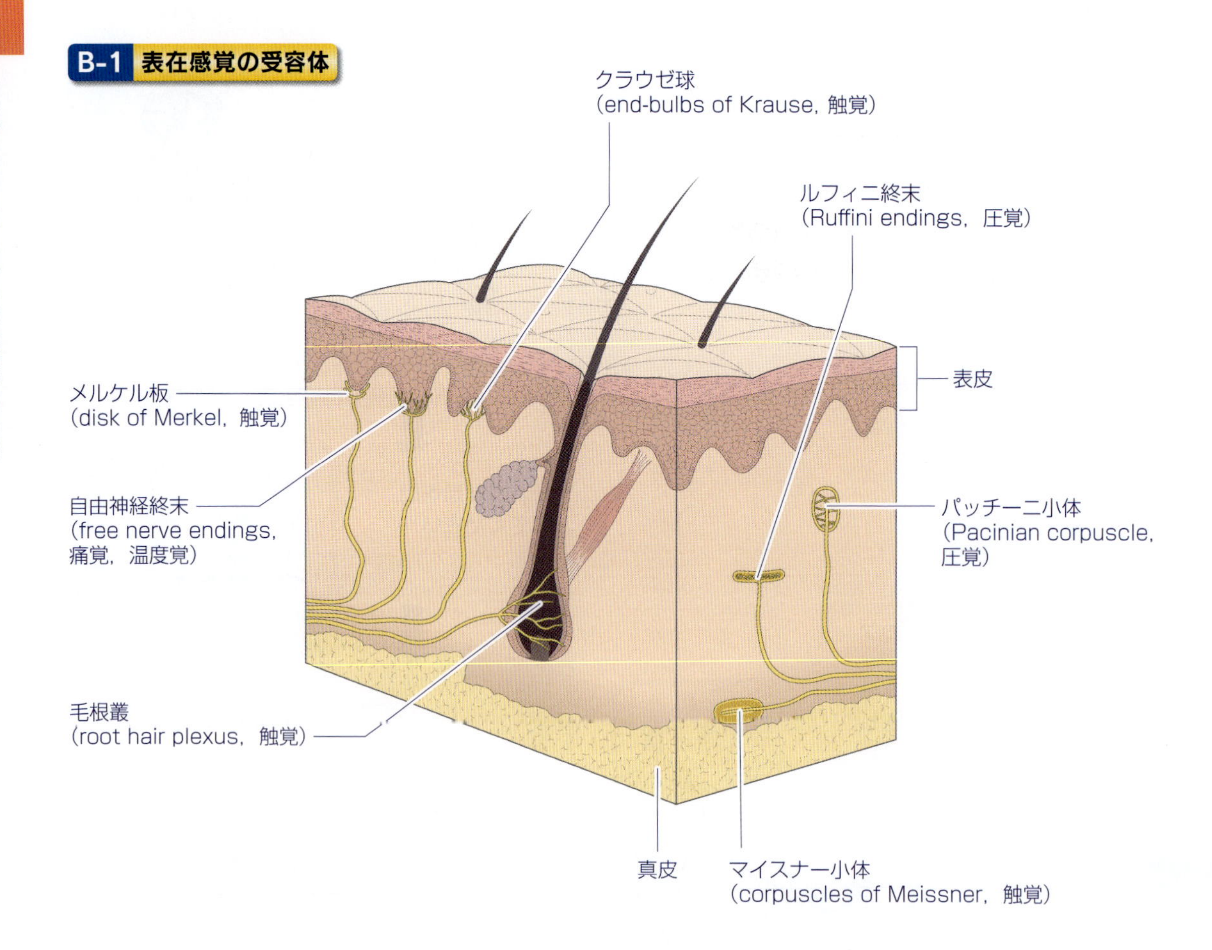

Meissner）およびメルケル板（disk of Merkel）が主と考えられている。また触覚に含められることがある圧覚はパッチーニ小体（Pacinian corpuscle）が受容器である。また皮膚の触覚刺激は不可避的に体毛をも刺激するため，臨床的には毛根神経叢が触角の受容体の一部として機能する。

また痛覚といっても皮膚や口腔・肛門などの粘膜に限ったものであり，筋や腱に強い圧迫を加えたときに感じられるものは深部痛覚といって，次項の深部感覚の一種類に分類される。また内臓痛は求心性自律神経を介するものであり種類が異なる。このほかパッチーニ小体は関節包にも存在し位置覚の受容体でもある。

深部感覚（deep sensation，固有感覚；proprioceptive sensationともいう）

関節や骨膜，筋肉に受容体があると考えられるもの。振動覚，位置覚（関節覚）がこれに属する。振動覚は，骨の突起に音叉を当てると骨膜にあるパッチーニ小体が刺激され，振動として感知されるものである。位置覚は関節がどんな位置にあるかを伝える感覚で，受容器は，関節包に存在するパッチーニ小体，筋肉にある筋紡錘，関節周囲の皮膚などが考えられている。位置覚に関連したもので，関節の運動そのものについての感覚は運動覚ともいわれるが，臨床的には相補する感覚であり区別は難しい。また，上述の深部痛覚を含めることがある。

複合感覚（combined sensation，識別感覚；discriminative sensationともいう）

複数の感覚が中枢神経内で統合された結果生じる。複合感覚を生じるのに必要な要素的感覚には表在感覚だけではなく，深部感覚も重要である。複合感覚を形成する基本的感覚が障害されているときには，複合感覚が障害されていても病的意義は認められない。2点識別，皮膚書字覚，立体認知，2点同時刺激識別感覚，局所感覚などがあげられる。これらの複合感覚の1つ1つは検査のしやすさなどから臨床的に想定された感覚であり，独立した感覚の要素ではない。複合感覚障害の症状が出現した側に対して，対側の頭頂葉や同側の後索の障害により症状が出現する。例えば後索の障害にて識別性触覚が障害されながらも前脊髄路が保たれている場合は，触覚の低下や脱失を伴わずに複合感覚だけが障害される。

また，刺激しなくても感じられる違和感や異常な感覚（ぴりぴり感，じんじん感）も感覚障害の現れのことがあり，病巣診断に有用となる。皮膚，末梢神経，神経根，中枢神経感覚伝導路のいずれが障害されても異常感覚を生じうる。こうした異常感覚は，極端に強まれば自発痛に分類される。

感覚の経路

●後索-内側毛帯により識別性触覚，位置覚，振動覚が伝えられる。

●脊髄視床路により非識別性触覚，温度覚，痛覚が伝えられる B-2。

B-2 感覚の経路

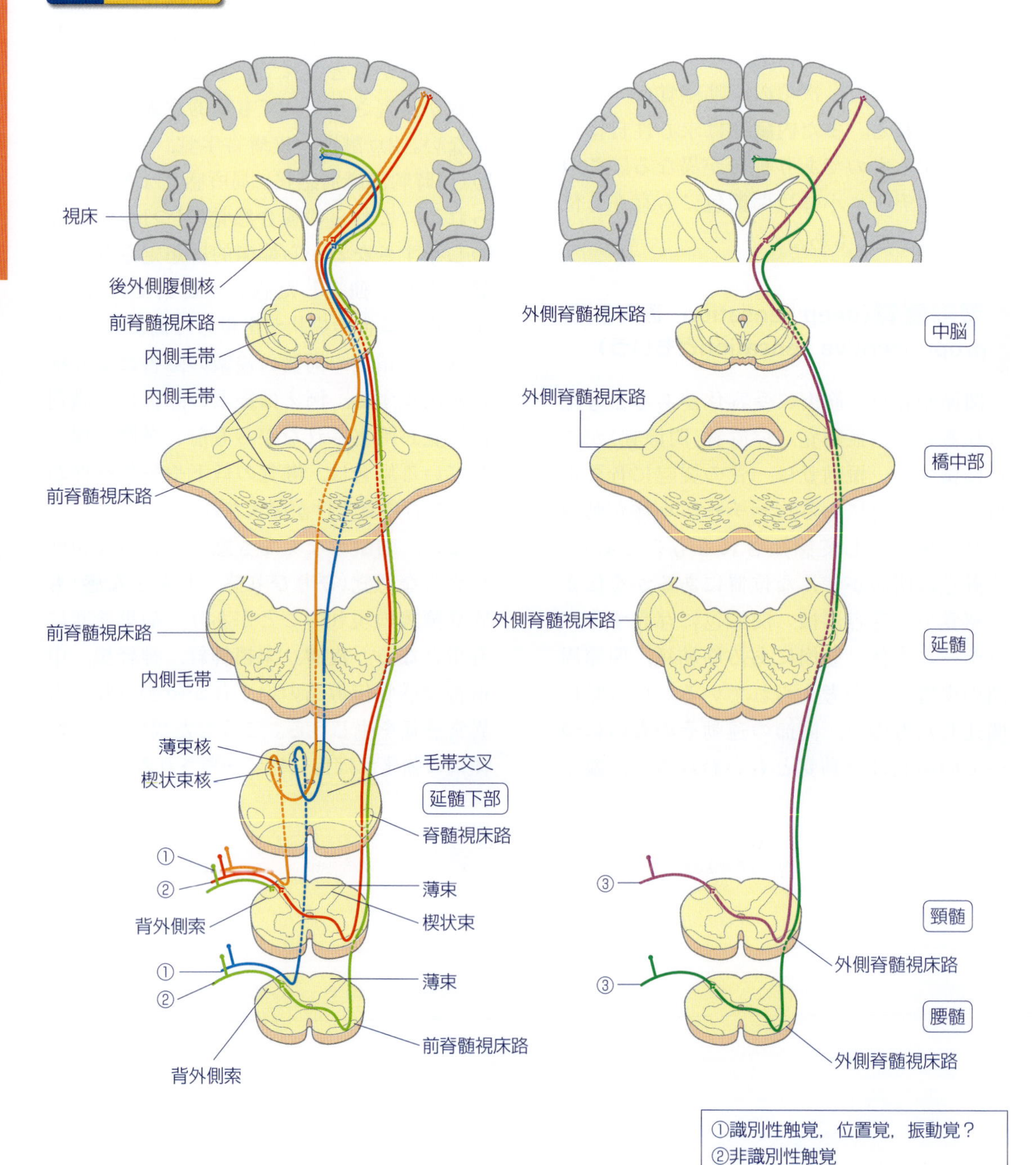

感覚障害の分布による局所診断

感覚障害のパターンと病巣局在の鑑別点

感覚障害をきたす病巣を，末梢性，脊髄性，大脳・脳幹性の3つに分類し，さらに細かな病巣診断について述べる。

❶末梢神経障害

皮膚や関節の感覚受容器によって得られた信号は，末梢神経を通って脊髄後根から脊髄内に伝えられる B-3。この途中のどこかで障害される場合が末梢神経障害であるが，その病巣は遠位から近位に向かって順に，四肢の遠位部へ行く長い神経の障害，末梢の神経束の障害，脊髄近傍での神経叢の障害，後根神経の障害などが考えられる。

B-3 末梢神経の皮膚支配領域

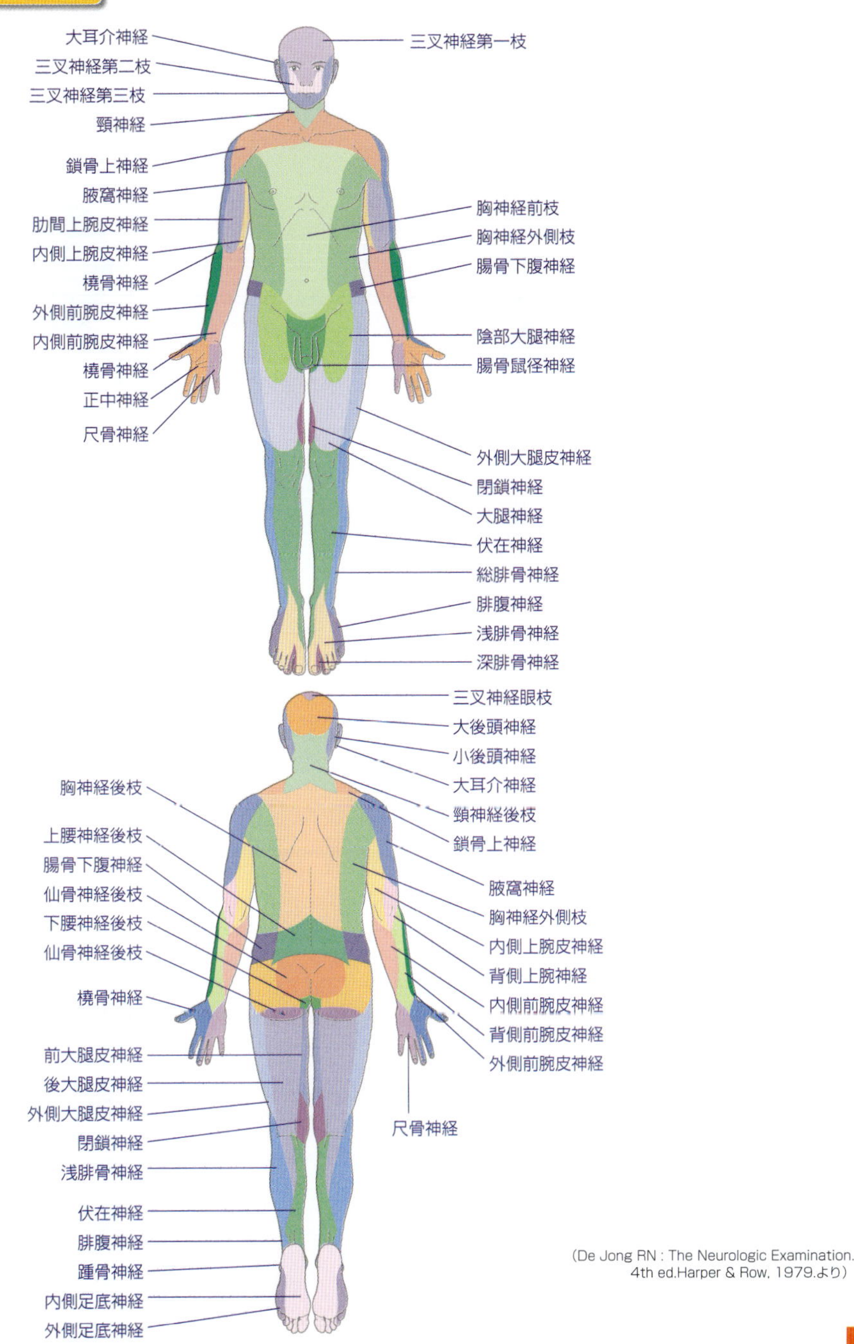

(De Jong RN : The Neurologic Examination. 4th ed.Harper & Row, 1979.より)

❷脊髄障害

上下肢を体幹に垂直に伸ばすと，吻側から尾側にかけて皮膚を支配する脊髄のレベルは1つ1つが細長いすじ状となって整然と並んでいることがわかる。これを皮膚分節（dermatome，B-4）という。この分布は，ヒトが進化する前に四つ足であったことの名残と考えられている B-5。

脊髄障害による感覚障害は，障害されたレベルでの入力線維の障害（これをshort-tract signという）と，障害されたレベルより下位のレベルからの脊髄を上行する線維の障害（long-tract sign）とに分けられる B-6。各レベルの障害（short-tract sign）は対応する皮膚分節に感覚障害となって分布し，脊髄を上行する線維の障害（long-tract sign）は障害部以下のレベルの感覚障害となって出現する。また，脊髄内においても各皮膚分節に由来する感覚線維は層状に配列しており（lamination）B-6，病巣レベルとは異なったレベルまでの感覚障害が出現することがあるので注意が必要　である。

❸大脳，脳幹障害

橋上部以上の障害では顔面を含んだ一側

B-4 皮膚分節（dermatome）

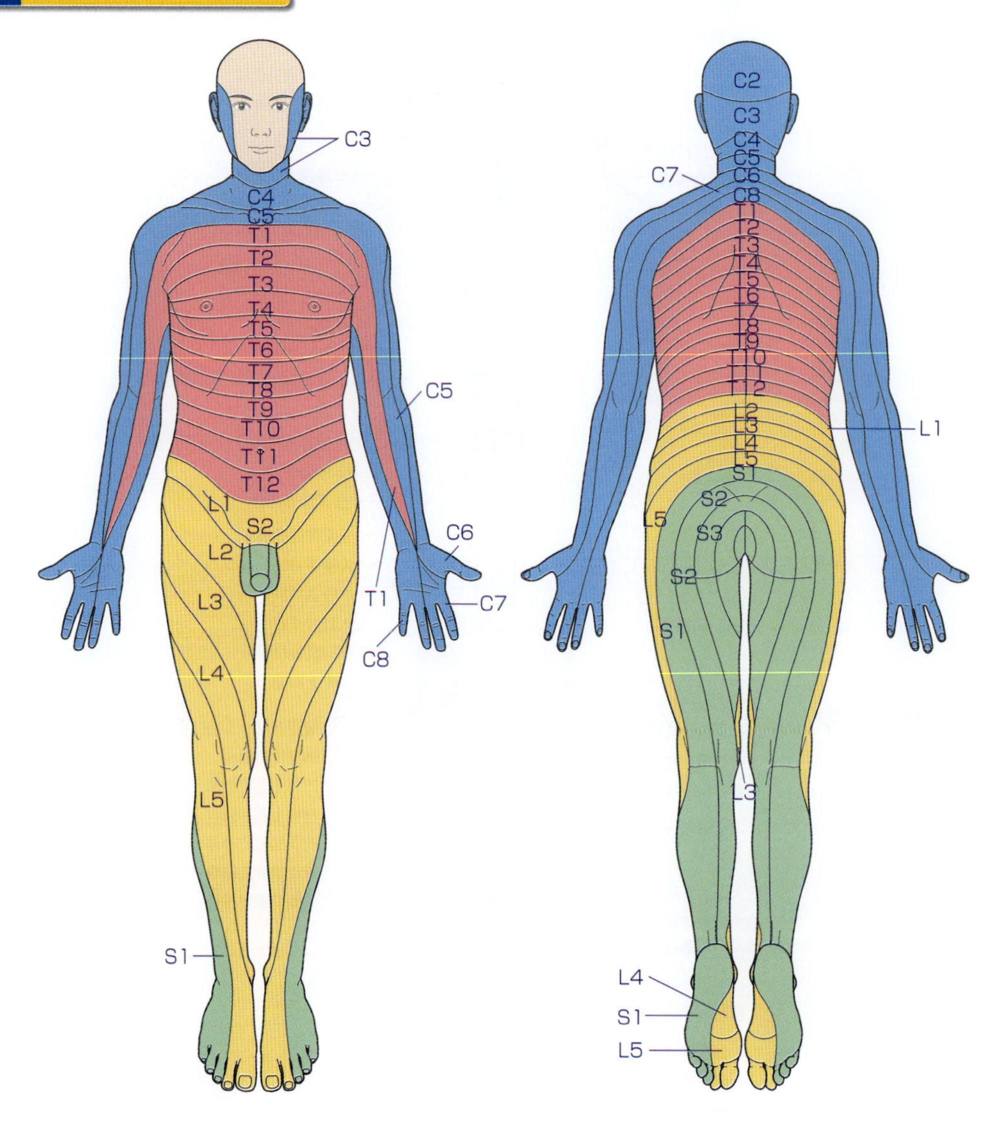

の感覚障害が起きやすいが，橋下部以下の脳幹部では，顔面の感覚障害は躯幹・四肢と対側になることがある。

感覚解離（sensory dissociation）

感覚を伝える経路が分かれているため，あるいは同じ神経内を通っていても障害されやすさが違うため，疾患によってある種の感覚は障害されるが，他の感覚は正常に保たれていることがある。これを感覚解離という。例えば脊髄レベルでは後索を深部覚，識別性触覚を伝える神経が走行し，脊髄視床路を痛覚と温度覚を伝える神経が走行しているため B-6，病巣の部位によっては特定の感覚障害のみが生じる（例：Brown-Séquard症候群）。同様に，脳幹レベルでも深部覚，識別性触覚を伝える内側毛帯と温痛覚を伝える脊髄視床路が離れているため，感覚解離が生じる（例：Wallenberg症候群）。

B-5 側面から見た皮膚分布

鼻が最も上位となり，肛門周囲が最も下位となる。

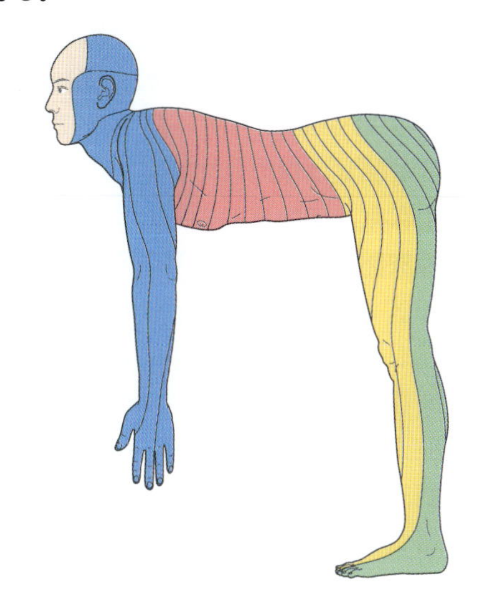

B-6 脊髄横断面

前索の脊髄視床路により非識別性触覚，温痛覚が伝えられる。後索により識別性触覚，位置覚，振動覚が伝えられる。

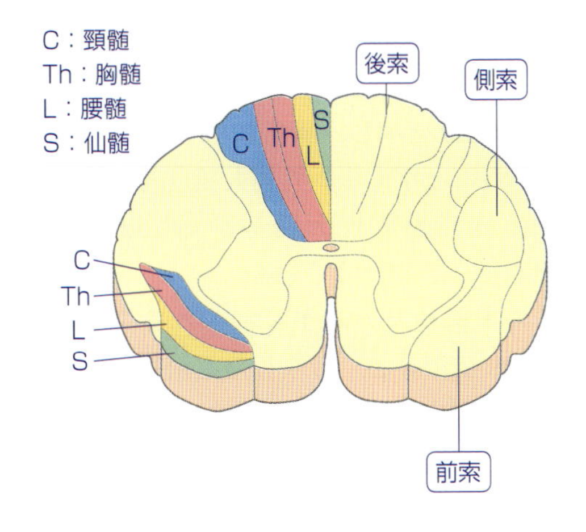

●脊髄障害

解剖学的な感覚路の走行の詳細については教科書を参考にしていただきたいが，病巣を診断するうえで必要な知識に，温痛覚線維，非識別性触覚線維が脊髄後根から入り，中心灰白質を通って対側の脊髄視床路を上行することと，深部覚，識別性触覚の線維は同側の後索を上行することがある。また，脊髄視床路は下位脊髄からの線維ほど外側を走行し，後索では下位脊髄からの線維ほど中心側を走行している層状構造（lamination）をとっていることが重要である B-6。したがって，同一脊髄レベル内であっても病巣の進展に伴い感覚障害の分布が病巣のあるレベルから次第に尾側へ進展したり，逆方向に広がったりすることがある。

病巣局在と感覚障害の分布

①単一末梢神経障害 B-7①：圧迫，外傷，神経を栄養する血管の炎症などにより単一の末梢神経に障害が起こると，その支配領域に限局した感覚障害を起こす。感覚障害部位と健常部の境界は一般に明瞭であるが，神経支配は一部重なりがあり，よく観察すると徐々に感覚が鈍くなる部分がある。またこの重なりのため感覚障害の広がりは解剖学的な神経支配領域よりは狭くなることが多い。触覚障害の範囲が最も広く，痛覚障害の範囲が最も狭いといわれる。末梢神経の損傷では，感覚障害のほかに運動障害や筋萎縮，腱反射の低下を伴う。また神経障害が不完全な場合には，障害部に異常感覚，錯感覚を認めたり，痛覚刺激に対するヒペルパチー(hyperpathia)を示し，異常に強い不快な痛みを生じることがある。外側大腿皮神経が障害される異常感覚性大腿神経痛(meralgia paresthetica)はその例である。

単一の末梢神経のみが障害される単神経炎(mononeuritis)と，こうした末梢神経障害が複数の末梢神経で生じる場合の多発性単神経炎(mononeuritis multiplex)がある。

②多発性神経障害 B-7②：多発神経炎(polyneuritis)の感覚障害は，四肢の末端に強く躯幹に近づくにつれ次第に弱くなる手袋靴下型(glove and stocking type)を示す。感覚障害部と健常部の移行ははっきりしない。一般に上肢よりも下肢が先に侵され，その程度も強い。感覚障害とともに運動麻痺や腱反射低下などを伴い，かつ感覚障害は左右対称性である。

③脊髄後根障害 B-7③：脊髄後根の病巣による感覚障害は，皮膚分節に一致した分布をとり，その部分に感覚鈍麻に加えて神経根痛(radicular pain, root pain)とよばれる特有な痛みを生じる。この痛みは，咳嗽，くしゃみ，起立などで増悪する。また，Laségue徴候のような神経枝を伸展させるような力を加えると痛みが誘発される。後根の障害ではすべての感覚線維が障害されうるが，触覚を伝える線維は温痛覚線維に比して太く，厚い髄鞘に被われているので抵抗が強く障害されにくいため，感覚解離をきたすことがある。神経根の炎症を神経根炎(radiculitis)という。

④完全な横断性障害 B-7④：横断性脊髄炎(transverse myelitis)ともいわれ，障害部以下に対称性に完全な全感覚の消失を認め，痙性対麻痺および膀胱直腸障害を伴う。障害部では病変により後根が刺激され感覚過敏や異常感覚を認めることがある。

⑤半側障害 B-7⑤：いわゆるBrown-Séquard症候群を呈し，障害側では障害部以下に深部感覚の障害があり，その上部には狭い全感覚消失帯がある。反対側では温痛覚は脱失するが触覚は保たれている。さらに障害側の痙性麻痺，病的反射の出現をみる。

⑥⑦脊髄視床路(前索)障害 B-7⑥：この障害により障害レベル以下の対側の温痛覚が消失する。上述のようにlamination構造をとるため，脊髄視床路を外側から障害する病変では下肢から躯幹に温痛覚障害が上行する。逆に髄内腫瘍など中心部から障害する場合は障害部の数節下のdermatomeから温痛覚障害が始まり，尾側へ進展する。この際，仙髄領域は最も外側にあたり障害されにくく，特に髄内腫瘍などにより両側性に脊髄視床路が中心から障害されていった場合，肛門周囲の感覚が残存することがある。これをsacral sparing B-7⑦といい，病巣が中心から進展していることを示唆する所見として重要である。また前脊髄動脈の障害では，両側の脊髄視床路が障害され障害部以下の両側性の温痛覚が脱失し対麻痺，膀胱直腸障害を伴うが，深部覚は正常である。

⑧後索障害 B-7⑧：後索の障害により深部感覚，識別性触覚が障害される。脊髄性失調症，Romberg徴候陽性，触覚の低下はないが複合感覚が障害される。

⑨中心灰白質障害 B-7⑨：温痛覚線維は中心灰白質を通って対側の脊髄視床路に入るため，この部位の障害で障害レベルの温痛覚が両側性に障害される。この障害は，脊髄空洞症でしばしば認められる。この際には頸髄から上部胸髄にかけて病巣が生じることが多いため，両上肢，胸部上部に温痛覚消失を認め，宙吊り型(forme suspension)とよばれる。

⑩円錐・馬尾障害 B-7⑩：円錐は第3～5仙髄および尾髄からなる。下肢筋の大半は第2仙髄以下の髄節支配を受けていないため，純粋な円錐障害では弛緩性膀胱直腸障害と肛門周囲の左右対称性の感覚消失のみを呈し，運動障害や腱反射の障害はない。この肛門周囲の感覚障害の分布は自転車のサドルにあたる部分に似ているためサドル状感覚消失(saddle anesthesia)という。馬尾はL2以下の神経根の集合であり，上部の障害では感覚障害に運動障害，腱反射低下を随伴するが，下部の障害では円錐障害と同様の症状を示し鑑別はきわめて困難である。

⑪⑫⑬脳幹障害：脳幹では，感覚障害のほか脳神経症状，運動神経症状を伴うことが多く，病巣の診断に有用である。また感覚障害パターンにおける脳幹病変の特徴を理解するには，顔面の感覚を伝える伝導路の走行について理解しておく必要がある。

顔面の温痛覚を伝える線維は三叉神経を介して同側の三叉神経脊髄路を下降するが，その際鼻周囲からの線維は最も吻側，耳周辺からの線維は最も尾側で三叉神経脊髄路核へ連絡する。その後対側に交叉し脊髄視床路の近傍を上行して視床に入る。一方，顔面の触覚を伝える線維は橋中部のレベルで三叉神経主知覚核に入り，対側の内側毛体に合流していく。したがって，延髄や橋下部の病変では顔面の触覚は障害されず，温痛覚のみが障害される(解離性知覚障害)。しかも，延髄外側症候群 B-7⑪ のように交叉前の線維(三叉神経脊髄路)が障害されると，病側顔面と，反対側半身の温痛覚障害が生じることになり，きわめて特徴的である。また，橋中部の病変では三叉神経が脳幹に入ってすぐで障害され，同側の顔面の全知覚障害が生じる B-7⑫。橋上部以上で視床までの病変では，反対側の顔面を含んだ感覚障害が生じる B-7⑬。

⑭⑮視床障害 B-7⑭：視床の障害では反対側のすべての感覚が侵され，ことに深部感覚が強く障害される。視床の外側核が侵されるときにはいわゆる視床症候群を呈し，反対側の半身に疼痛刺激を与えると不快感を伴う激痛すなわちヒペルパチー(hyperpathia)を生じる。同様にこのとき生じる自発痛を視床痛(thalamic pain)とよぶ。

視床後腹側核には明らかな体性局在のあることが知られており，顔面部からの入力は内側後腹側核(N. ventralis posteromedialis：VPM)に，頸部以下の躯幹・四肢からの入力は外側後腹側核(N. ventralis posterolateralis：VPL)に入ることが知られている。また，VPLのなかでは手に由来する感覚入力が最も内側に位置する。したがって，この領域の小さな病巣では口周囲と手に限局した感覚障害をきたし，特に他覚的感覚障害がなくぴりぴりとした自発的異常感覚を呈することがある。これを手口症候群(cheiro-oral syndrome)という B-7⑮。視床の病変でしばしば経験されるが，同様の症状は橋や中脳の病変や頭頂葉病変によっても生じることが知られている。

⑯大脳障害 B-7⑯：頭頂葉の感覚領野の皮質が障害されると反対側に複合感覚の障害が起こる。すなわち刺激部位の認識が障害され(topagnosis)，物を触ったり持ったりしてもその物体が何であるかわからない(astereognosis)，皮膚に書かれた文字を当てることができない(graphanesthesia)，2点識別覚の低下，消去現象(extinction)などの症候がみられる。

感覚領野の障害では，反対側に表在感覚の障害を生じるが，その程度は軽く感覚脱失を示すことはない。もし感覚脱失があれば皮質下の障害も存在すると考えねばならない。

深部感覚では位置覚や運動感覚は障害されるが，振動覚は原則として侵されない。

大脳性感覚障害があると，しばしば手の動作がぎこちなくなり，日常的な物品操作が下手になる。特に個々の手指の運動を必要とするような動作が侵されやすく，肢節運動失行(limb-kinetic apraxia)といえるような形の障害を呈する。このような動作障害は後中心溝より後方の頭頂葉領域にまで病変が及んだときに生じやすい。同様の動作障害は前中心回より前の前頭葉病変によっても生じる。両者の臨床像はよく似ているが，頭頂葉病変の場合には，視覚による動作の補正が明瞭であるのに対し，前頭葉病変による動作障害の場合には，視覚による補正は成功しがたいといわれる。

●ヒステリー

感覚障害の分布が，これまで述べた解剖学的な神経分布に一致しない場合ヒステリーの可能性を考慮すべきである。半身の感覚障害の境界がまったく中心線に一致したり，前腕の中程から先に，あるいは膝から下に境界の鮮明な感覚脱失が起こるなど，神経学的に説明不可能な奇異な分布の感覚障害を示す。また，これらの感覚障害は1日のうちにも次々分布を変えたり，消失したりと不自然な経過を示すこともある。閉眼したうえで触覚，振動覚を試すなどして客観性を検討すべきである。

B-7 病巣局在と感覚障害の分布

（青）：全感覚障害，（橙）：温痛覚障害，（緑）：深部感覚障害（位置覚，振動覚，識別覚），
（黄）：皮質性感覚障害（二点識別覚，立体覚，皮膚書字覚など）

	①単一末梢神経障害	②多発性神経障害	③脊髄後根障害	④完全な横断性障害
感覚障害のパターン	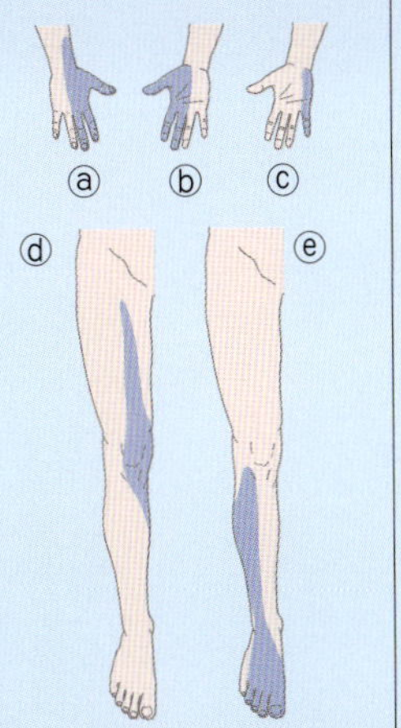 ⓐ ⓑ ⓒ ⓓ ⓔ	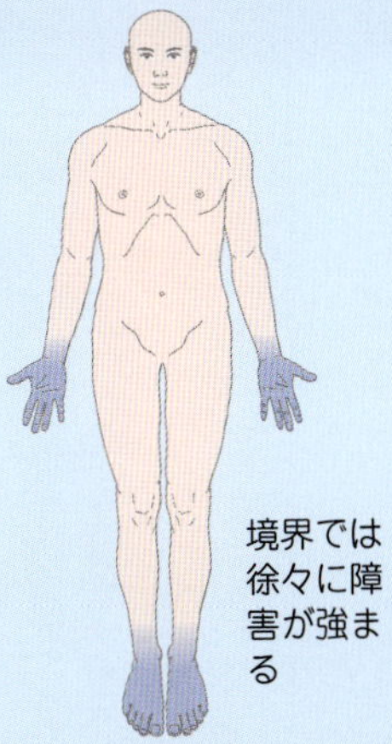 境界では徐々に障害が強まる	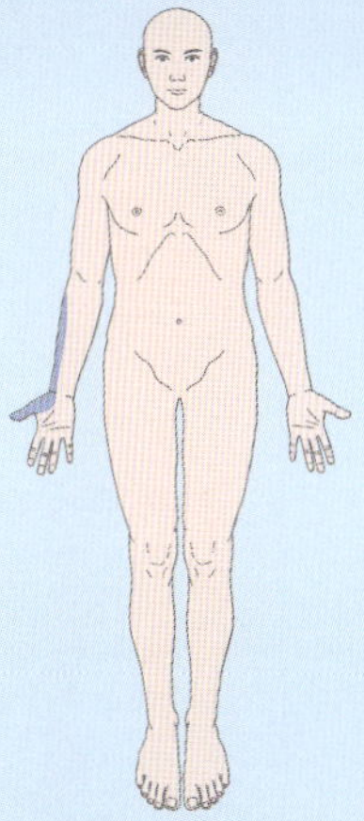	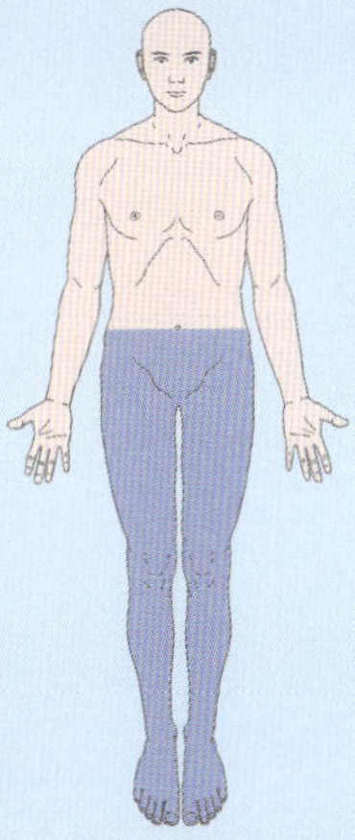
その他の症状	・障害された神経が支配する筋の筋力低下，萎縮 ・腱反射低下	・四肢遠位部の筋力低下 ・腱反射低下	・腱反射低下	・筋力低下（両側） ・腱反射亢進（両側） ・病的反射（両側）
病巣部位	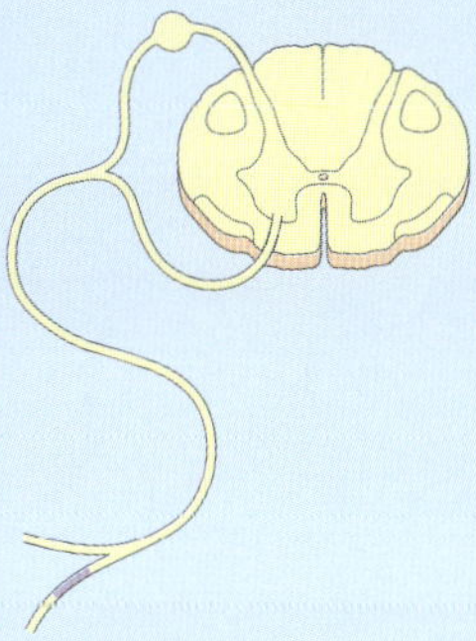		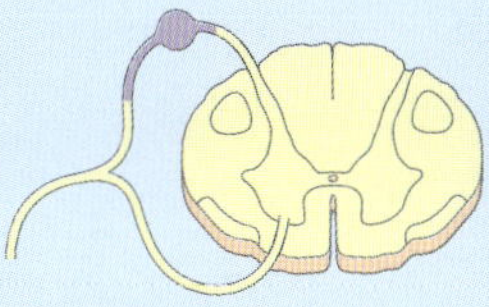	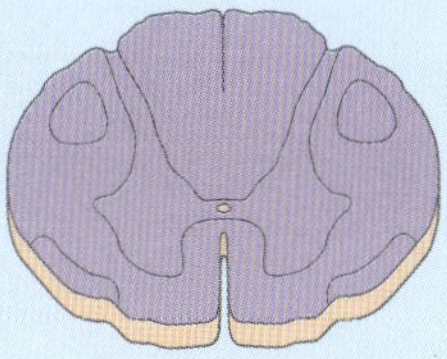
代表的疾患	・単神経炎 ⓐ橈骨神経麻痺 ⓑ正中神経麻痺 ⓒ尺骨神経麻痺 ⓓ大腿神経麻痺 ⓔ総腓骨神経麻痺 ・多発性単神経炎	多発神経炎 ・代謝性疾患 ・中毒性疾患 ・遺伝性疾患	圧迫性病変 ・変形性脊椎症 ・椎間板ヘルニア ・髄外腫瘍	横断性脊髄炎 ・膠原病 ・脱髄性疾患 ・脊髄腫瘍 ・圧迫性病変 ・放射線脊髄炎
鑑別に必要な検査	筋電図，採血（膠原病，凝固異常症）	筋電図，採血（代謝性疾患，中毒性疾患），腰椎穿刺	筋電図，脊椎MRI	脊髄MRI，採血（膠原病），腰椎穿刺

■：全感覚障害，■：温痛覚障害，■：深部感覚障害（位置覚，振動覚，識別覚），
■：皮質性感覚障害（二点識別覚，立体覚，皮膚書字覚など）

	⑤半側障害	⑥前索障害	⑦髄内病変	⑧後索障害
感覚障害のパターン	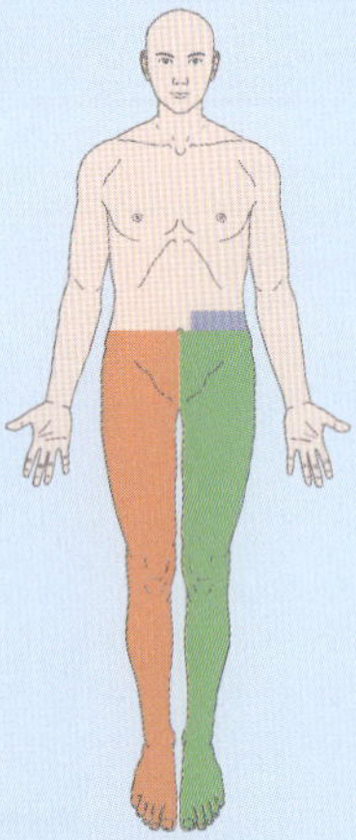	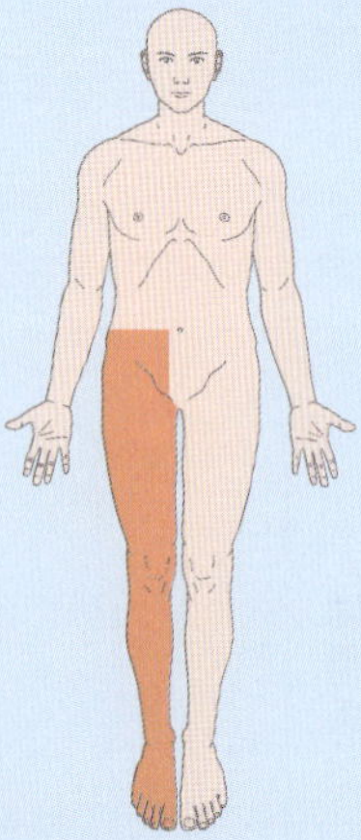	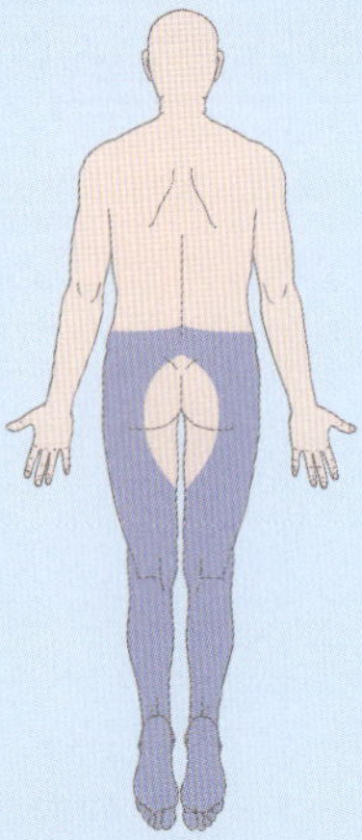	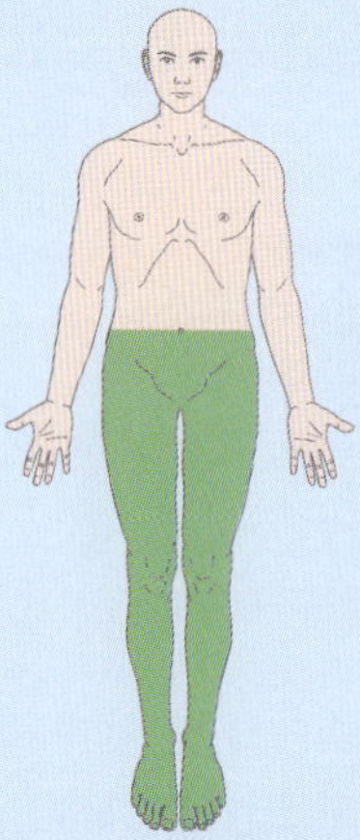
その他の症状	・筋力低下（障害側） ・腱反射亢進（障害側） ・病的反射（障害側）		・筋力低下（両側） ・腱反射亢進（両側） ・病的反射（両側）	・Romberg徴候陽性 ・脊髄性失調症
病巣部位	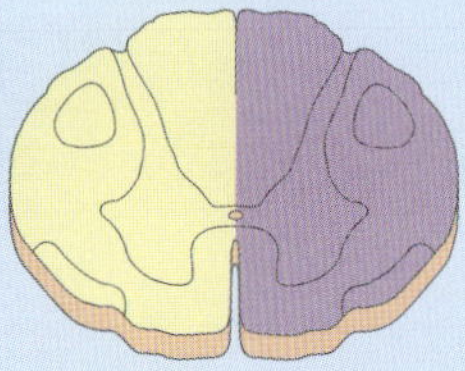	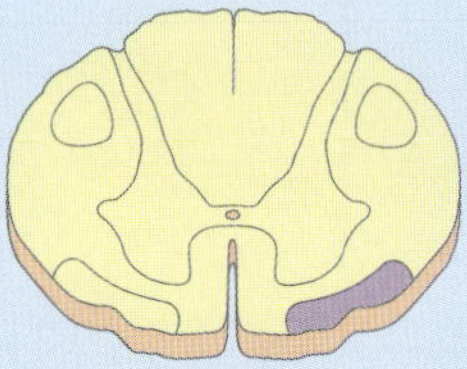	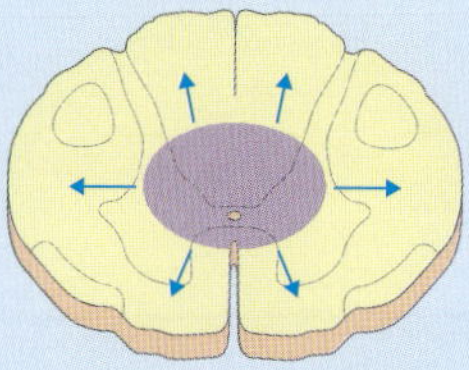	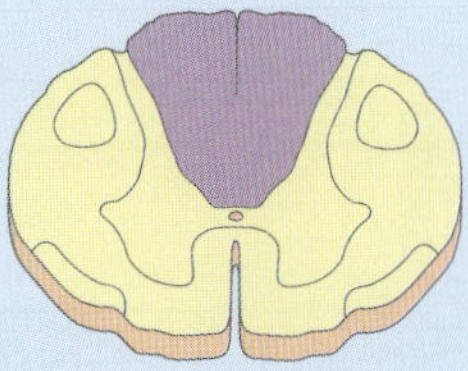
代表的疾患	Brown-Séquard症候群	・圧迫性病変 ・脊髄腫瘍 ・前脊髄動脈症候群（両側性）	sacral sparing ・髄内腫瘍進行期	・脊髄癆 ・後方からの圧迫 ・Friedreich失調症
鑑別に必要な検査	脊髄MRI	脊髄MRI	脊髄MRI	採血（梅毒），脊髄MRI，SEP（体性感覚誘発電位）

	⑨中心灰白質障害	⑩円錐・馬尾障害	⑪延髄外側症候群	⑫橋中部外側障害
感覚障害のパターン	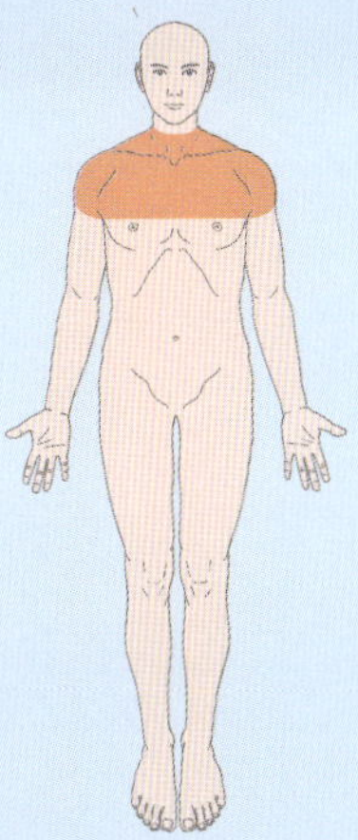	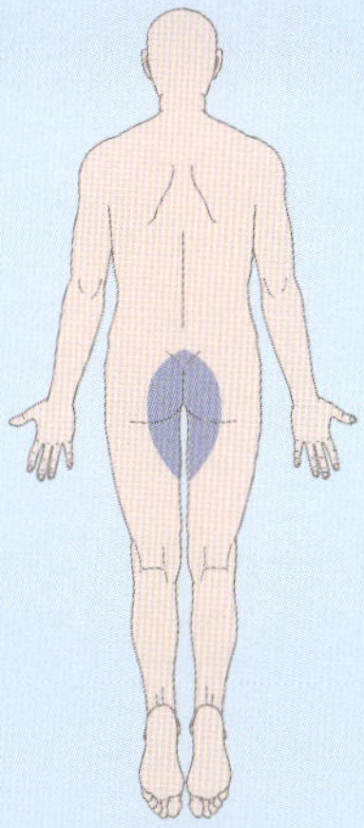	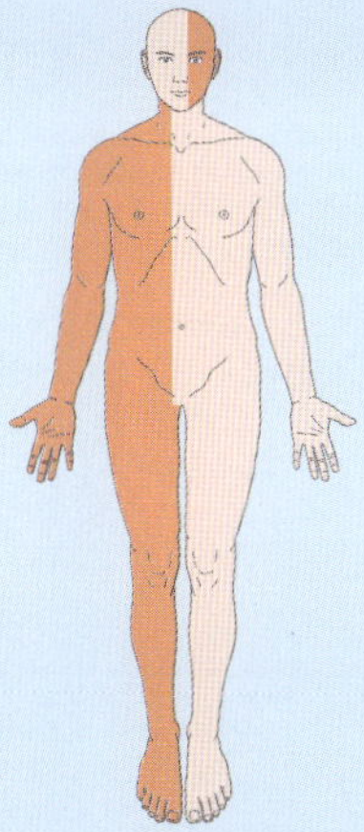	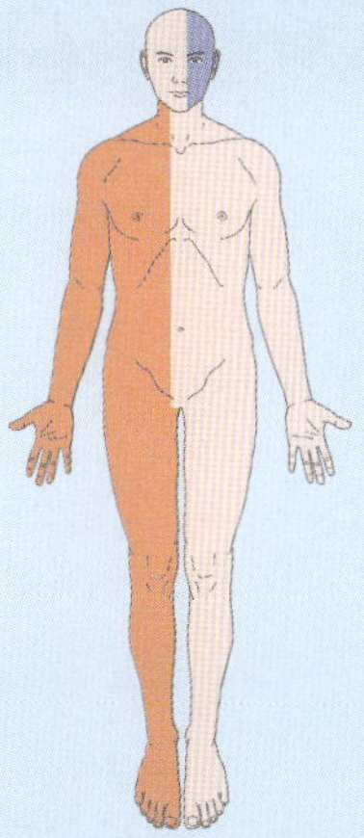
その他の症状		・弛緩性膀胱直腸障害 （・足趾・腓腹筋の筋力低下 ・アキレス腱反射の消失）	・小脳失調（障害側） ・Horner症候群（障害側） ・口蓋筋，声帯麻痺（障害側） ・悪心・めまい	・小脳失調（障害側） ・Horner症候群（障害側） ・悪心・めまい
病巣部位	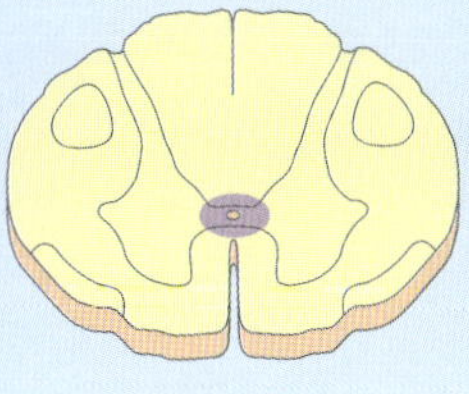	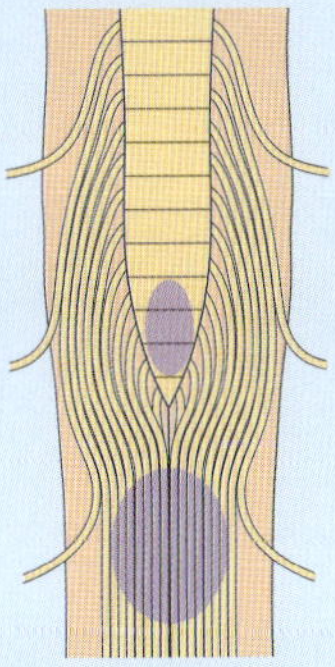	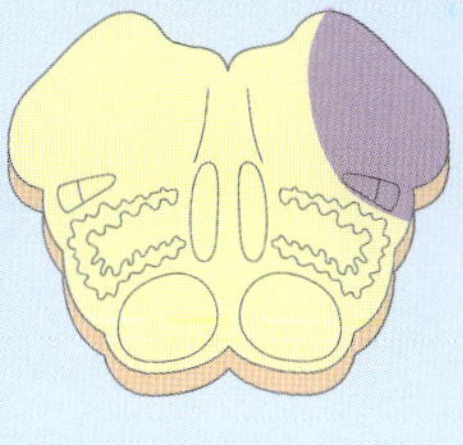	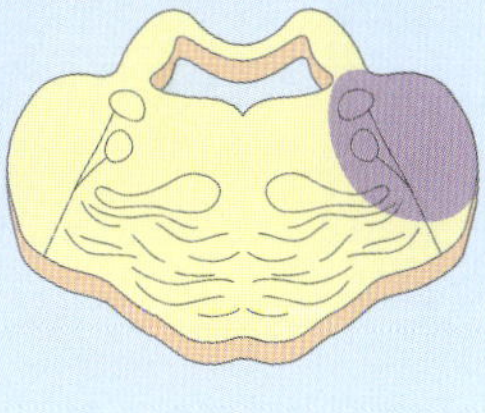
代表的疾患	・脊髄空洞症 ・髄内腫瘍初期	・圧迫病変 ・腫瘍	Wallenberg症候群 ・椎骨動脈または後下小脳動脈の閉塞	
鑑別に必要な検査	脊髄MRI	腰椎MRI，腰椎穿刺	頭部MRI， MR血管撮影	頭部MRI， MR血管撮影

■：全感覚障害，■：温痛覚障害，■：深部感覚障害(位置覚，振動覚，識別覚)，
■：皮質性感覚障害(二点識別覚，立体覚，皮膚書字覚など)

	⑬橋上部外側症候群	⑭視床障害	⑮手口症候群	⑯頭頂葉障害
感覚障害のパターン	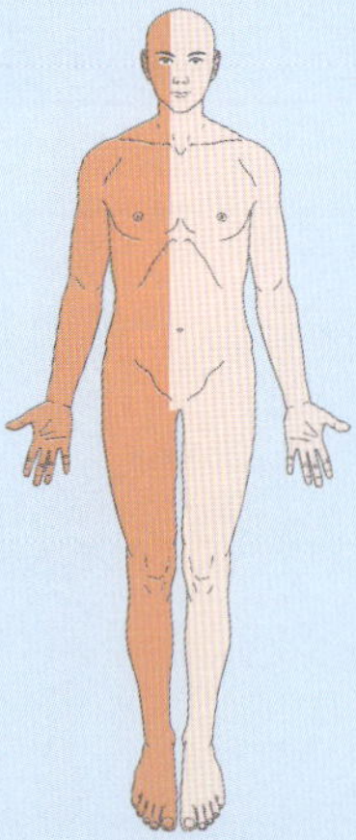	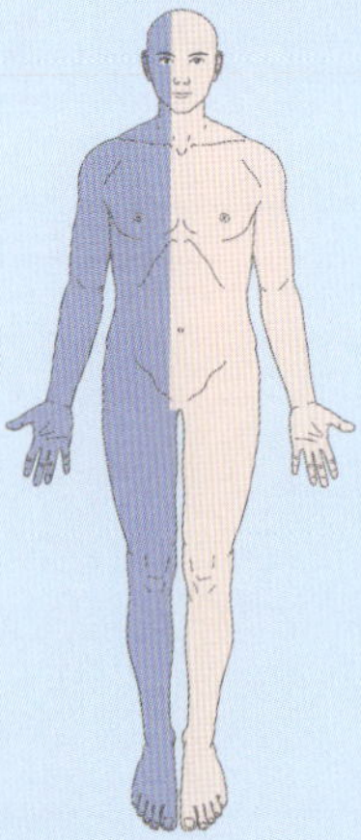	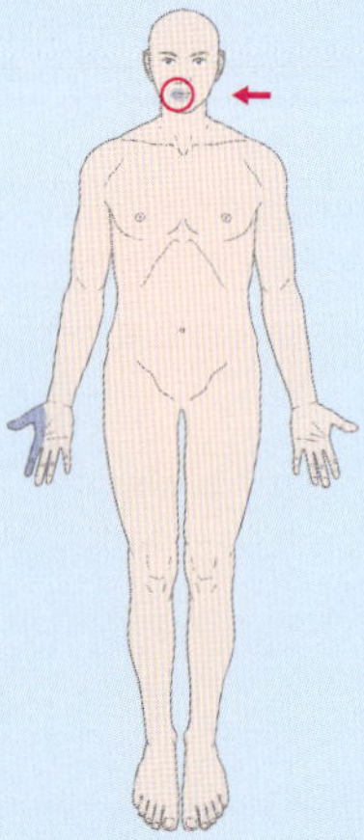	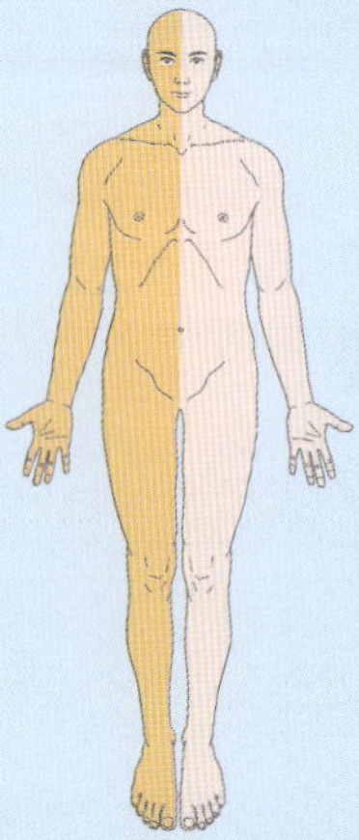
その他の症状	・小脳症状(障害側) ・Horner症候群(障害側) ・不随意運動(障害側) ・悪心・めまい	・視床痛 ・ヒペルパチー ・視床手 ・視床性失語		・位置覚低下 ・表在感覚障害はあっても軽度
病巣部位	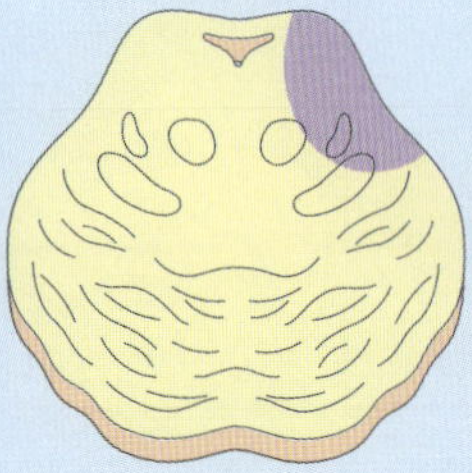	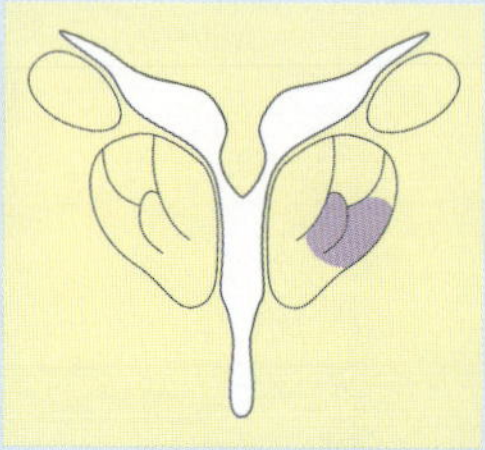	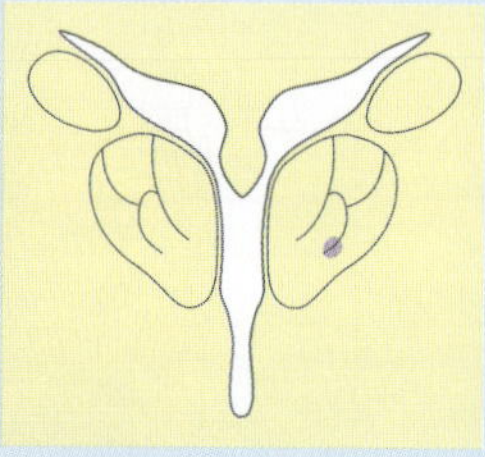	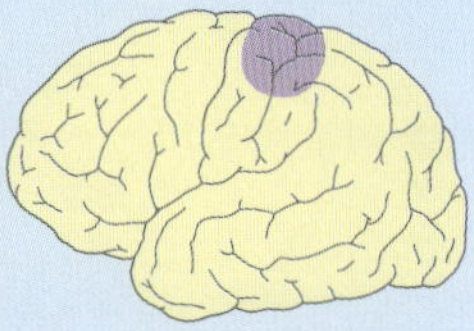
代表的疾患	・上小脳動脈閉塞	・脳血管障害		・脳腫瘍 ・脳血管障害
鑑別に必要な検査	頭部MRI，MR血管撮影	頭部MRI，MR血管撮影	頭部MRI	頭部CT，MRI

考えられる疾患，鑑別に必要な検査

病巣からみた感覚障害のパターン，鑑別疾患，鑑別のための検査をまとめる

<table>
<tr><th>病巣</th><th>感覚障害のパターン</th><th>考えられる疾患</th><th>鑑別に必要な検査</th></tr>
<tr><td colspan="4">末梢神経</td></tr>
<tr><td>①単一末梢神経</td><td>特定の神経支配領域の感覚障害</td><td>末梢神経圧迫病変</td><td rowspan="5">・採血（凝固異常症，膠原病，中毒性疾患）
・腰椎穿刺
・筋電図
・脊椎MRI</td></tr>
<tr><td>②多発性単神経炎</td><td>複数の神経支配領域の感覚障害</td><td>虚血性神経障害</td></tr>
<tr><td>③多発神経炎</td><td>手袋靴下型感覚障害</td><td>代謝性疾患，中毒性疾患</td></tr>
<tr><td>④脊髄後根</td><td>皮膚分節の感覚障害</td><td>脊髄圧迫病変</td></tr>
<tr><td>⑤馬尾</td><td>肛門周辺感覚障害
（saddle anesthesia）</td><td>脊柱管内馬尾圧迫病変</td></tr>
<tr><td colspan="4">脊髄</td></tr>
<tr><td>①横断性脊髄炎</td><td>両側全感覚消失</td><td rowspan="7">・髄内／髄外腫瘍
・圧迫性病変
・脊髄炎（膠原病，脱髄，放射線脊髄炎）
・前脊髄動脈症候群，硬膜動静脈瘻
・糖尿病，脊髄癆
・脊髄空洞症</td><td rowspan="7">・採血（膠原病，感染症，代謝性疾患）
・腰椎穿刺
・体性感覚誘発電位
・脊椎単純X線撮影，単純・造影MRI</td></tr>
<tr><td>②Brown-Séquard症候群</td><td>病側深部感覚，
対側温痛覚障害</td></tr>
<tr><td>③前索障害</td><td>対側温痛覚障害</td></tr>
<tr><td>④後索障害</td><td>病側深部感覚障害</td></tr>
<tr><td>⑤髄内進展性病変</td><td>障害レベルから尾側に進展する感覚障害，
肛門周囲の感覚残存
（sacral sparing）</td></tr>
<tr><td>⑥中心灰白質病変</td><td>宙吊り型温痛覚障害</td></tr>
<tr><td>⑦円錐，円錐上部</td><td>肛門周辺感覚障害
（saddle anesthesia）</td></tr>
<tr><td colspan="4">脳幹・大脳</td></tr>
<tr><td>①脳幹</td><td>対側上下肢の感覚障害，
病側／対側顔面の感覚障害</td><td rowspan="3">・脳血管障害
・脳腫瘍
・脳膿瘍
・血管炎（膠原病，放射線遅発性壊死）
・脱髄性疾患</td><td rowspan="3">・採血（膠原病，感染症，代謝性疾患）
・腰椎穿刺
・頭部単純・造影MRI
MR血管撮影</td></tr>
<tr><td>②視床</td><td>対側顔面を含む上下肢の感覚障害</td></tr>
<tr><td>③大脳皮質</td><td>複合感覚の障害</td></tr>
</table>

小脳症状

診察の方法

手回内・回外試験

●手回内・回外試験(hand promation supination test)は，両手を前に出し，軽く肘を屈曲して手の回内と回外をできるだけ速く反復させる(反復拮抗；diadochokinesis) A-1 。

●検査は「片手ずつ施行する場合」と「両手を同時に検査する場合」がある。

●両側同時に行うと障害側の症状が増強され異常が目立つ場合もある。

A-1 手回内・回外試験

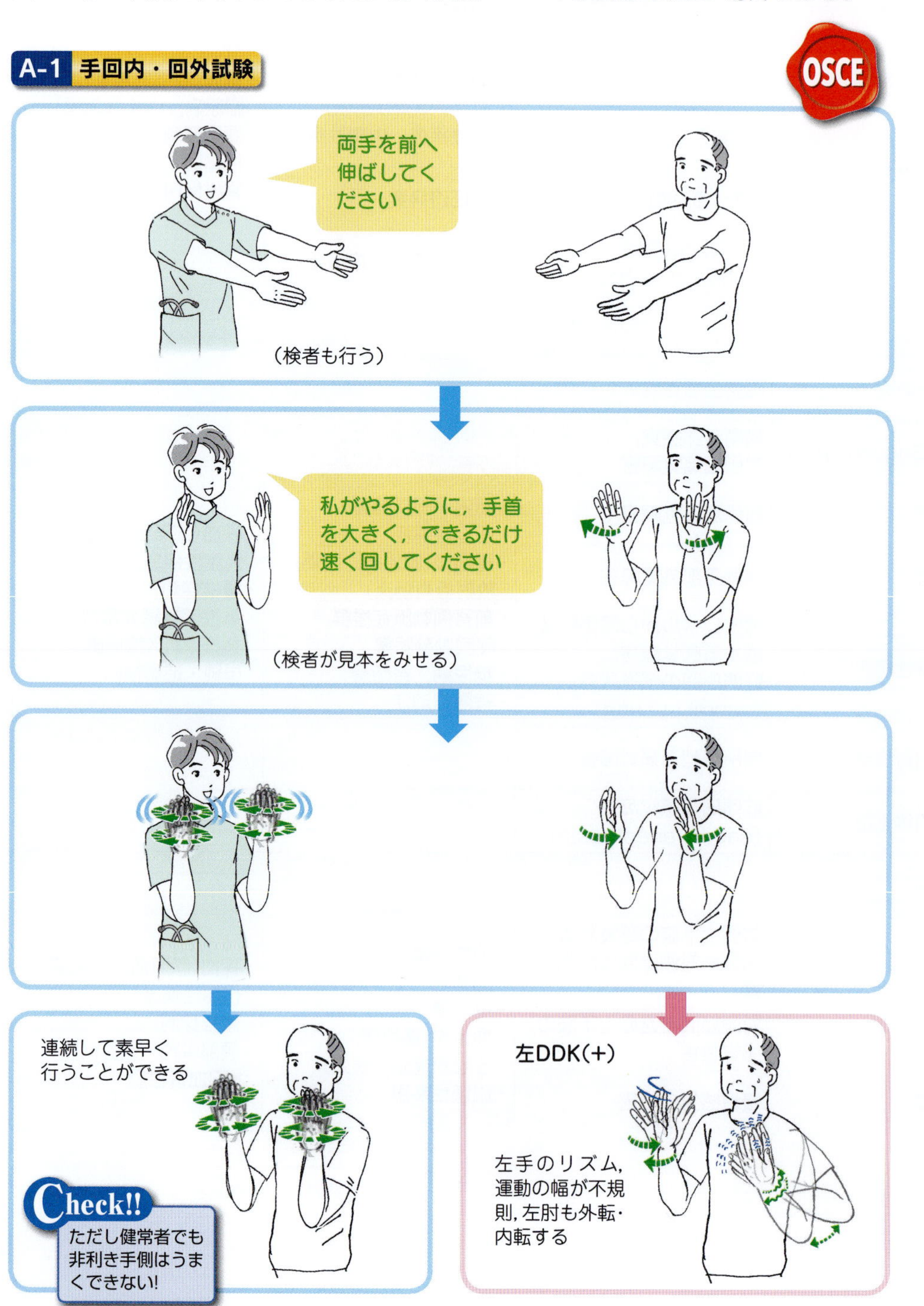

●健常者でも利き手に比べ，非利き手側では回内・回外の速度が遅い。

●小脳症状がある場合

①回内・回外のリズムが遅く，不規則(回内から回外へと運動を変換するとき休止が入ったり，躊躇がみられる)となり，運動の幅も極めて不規則で不安定となる。このような場合は反復拮抗運動不能(dysdiadochokinesis；DDK，adiadochokinesis)と判定され，DDK(＋)などと記載する。

②前腕の回内・回外に伴い肩関節が内旋・外旋を繰り返すため，肘が固定されず外転・内転しているように見える A-2 。このような現象は協働収縮不能(asynergia)とよばれ，小脳のもつ運動に対する量的，時間的，空間的な調節機能が障害されているため生ずると考えられている。

●Parkinson病患者では手回内・回外試験の運動の幅が小さくなる。

A-2 協働収縮不能の場合

小脳症状

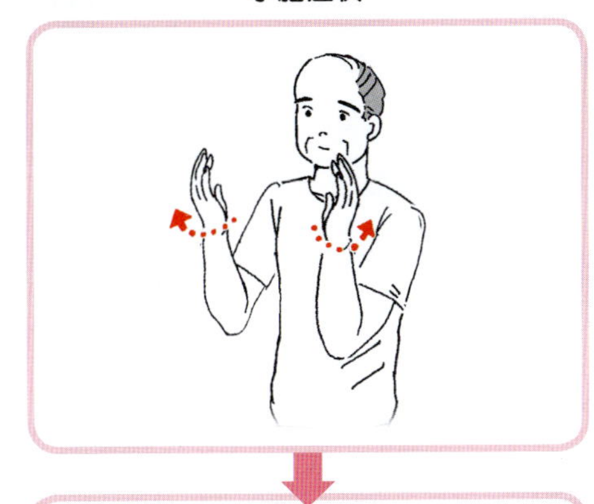

回内・回外の
リズムが遅く
不規則

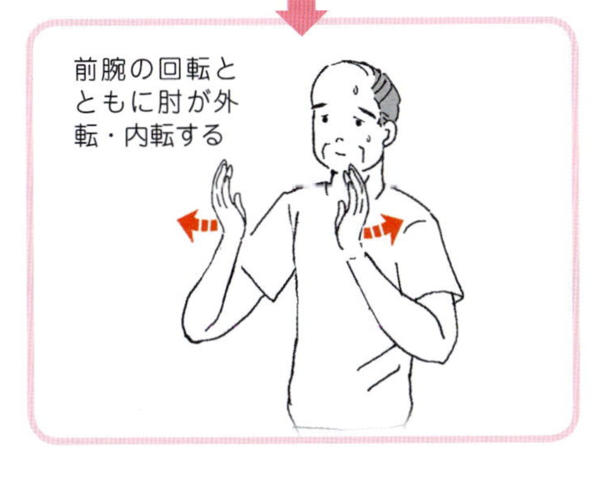
前腕の回転と
ともに肘が外
転・内転する

Parkinson病

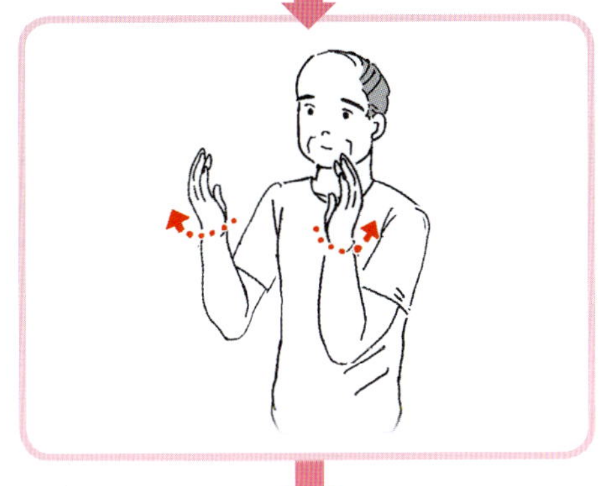

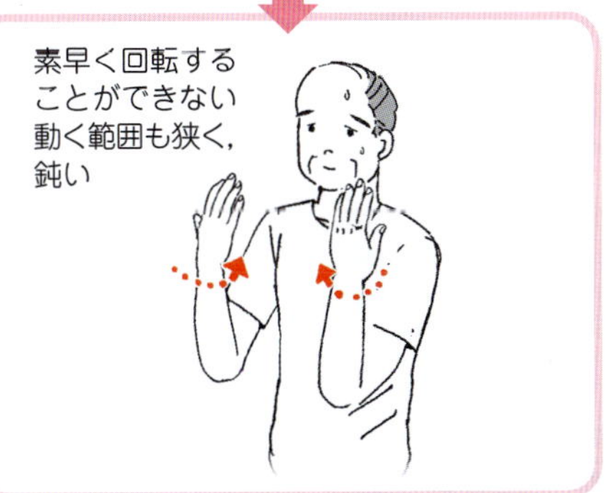
素早く回転する
ことができない
動く範囲も狭く，
鈍い

指鼻指試験

●指鼻指試験(finger-nose-finger test)あるいは鼻指鼻試験(nose-finger-nose test)は患者さんに第2指を出させ，検者の第2指の指尖と患者さんの鼻のあたまとの間を行ったり来たりする動作を繰り返させる A-3。

●検者は自分の指を，患者さんが手を伸ばすとようやく届く程度の距離におく A-4。

●測定障害(dysmetria)は，患者さんの指が正確に鼻先や検者の指に達するかどうかで診断する A-3。

A-3 指鼻指試験

正常では，肩関節の屈曲と肘関節の屈曲が同時に起こり，自分の指を鼻のあたまに持っていく。

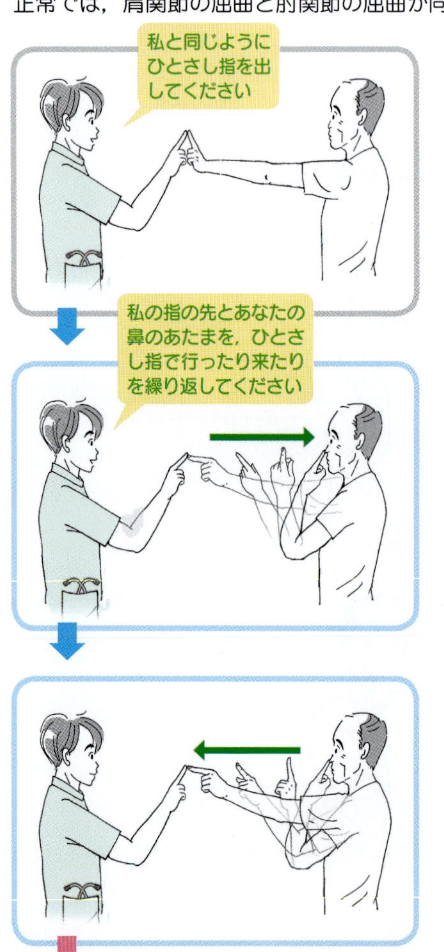

私と同じように
ひとさし指を出
してください
私の指の先とあなたの
鼻のあたまを，ひとさ
し指で行ったり来たり
を繰り返してください

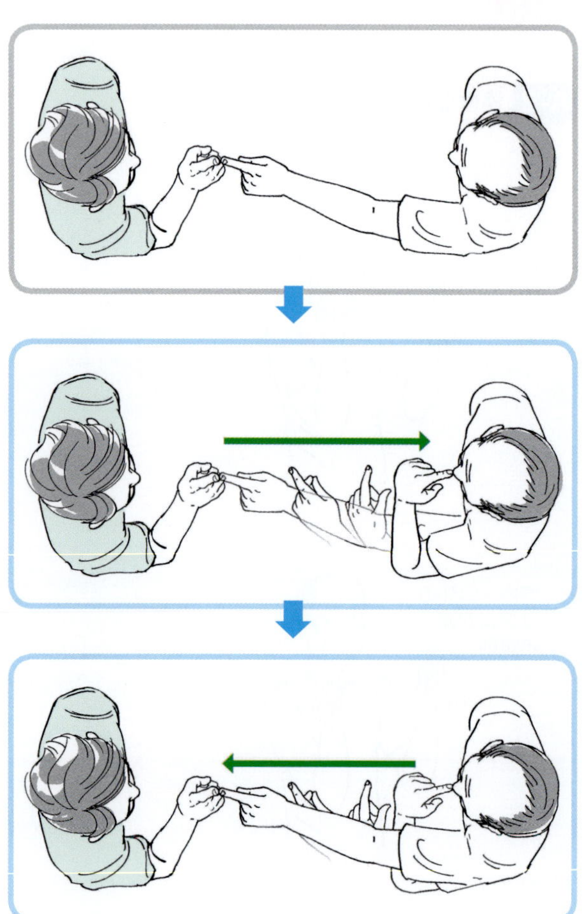

A-4 患者さんの腕が十分に伸びていない

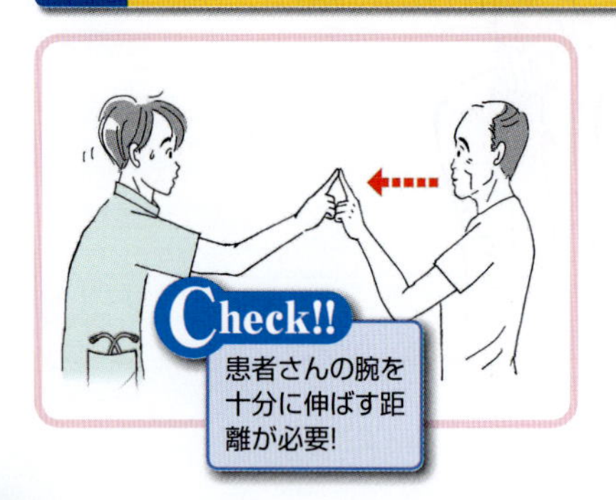

Check!!
患者さんの腕を
十分に伸ばす距
離が必要!

●企図振戦（intention tremor）は，指の振戦が目的物に近づくほど著明になることで判定する A-5。

●小脳症状がある患者さんの場合，指を自分の鼻のあたまに持っていく時に，肩関節と肘関節の屈曲が同時に生ずるのではなく，まず肩関節が屈曲して上腕が挙上してから肘関節が屈曲を始めるという現象がみられる A-6。このような現象は運動分解（decomposition）とよばれる。

●測定障害や運動分解は協働収縮不能に含まれるとされている。

A-5 測定障害，企図振戦

正常では，肩関節屈曲と肘関節の屈曲が同時に起こり，自分の鼻のあたまに指を持っていく。

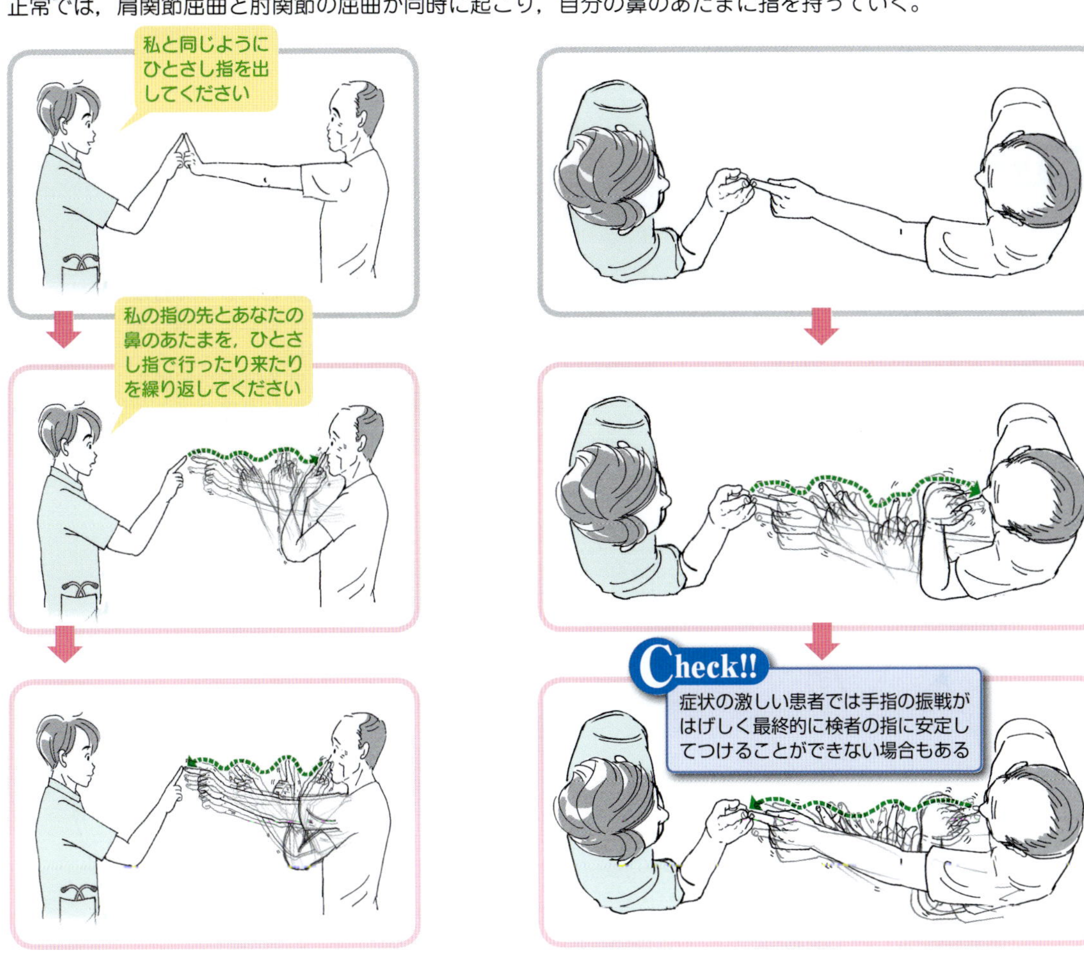

A-6 運動分解

肩関節が屈曲してやや上肢が上がりすぎてから，肘関節が屈曲し，自分の鼻のあたまに指を持っていく。

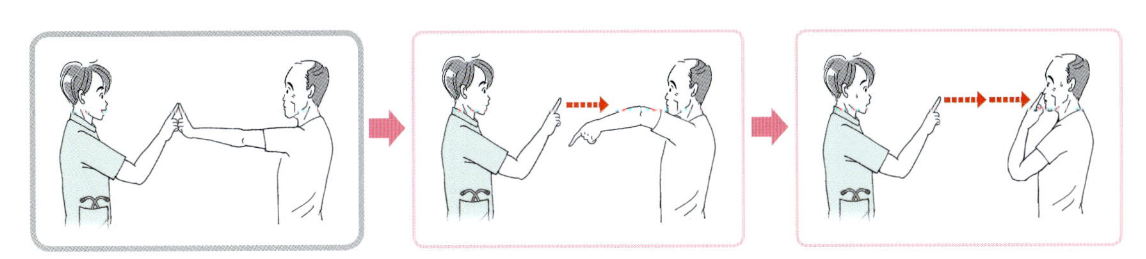

踵膝試験

●踵膝試験(heel-shin test, heel-to-knee testまたはheel-knee test)は患者さんを仰臥位にして，足関節を少し背屈した状態で踵を反対側の膝に正確にのせ，脛に沿って足首までまっすぐ踵をすべらせる A-7。

●小脳障害があると測定障害のため踵はうまく膝にのらずそれてしまう。

●測定障害のためむこう脛に沿って真っ直ぐまた円滑に動かすことができない。このため，ぎくしゃくし，しばしば速度が変化し，軌跡が左右に動揺する A-8。

●深部感覚による測定障害は視覚による補正を取り除くと明らかとなる。このため開眼にて踵膝試験がうまくできていても閉眼させて行うと検出することができる A-9。

A-7 踵膝試験

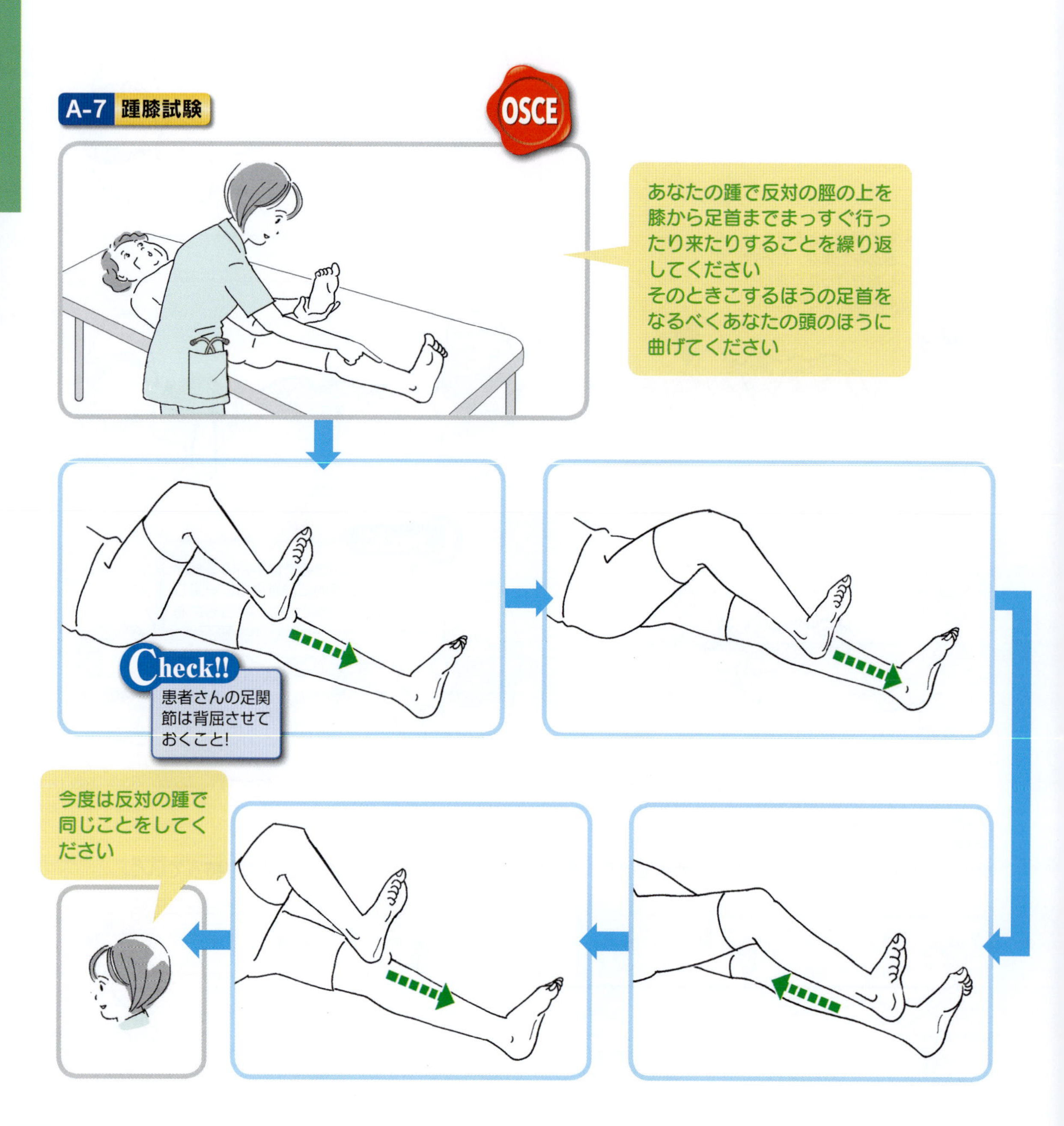

A-8 小脳に障害のある場合

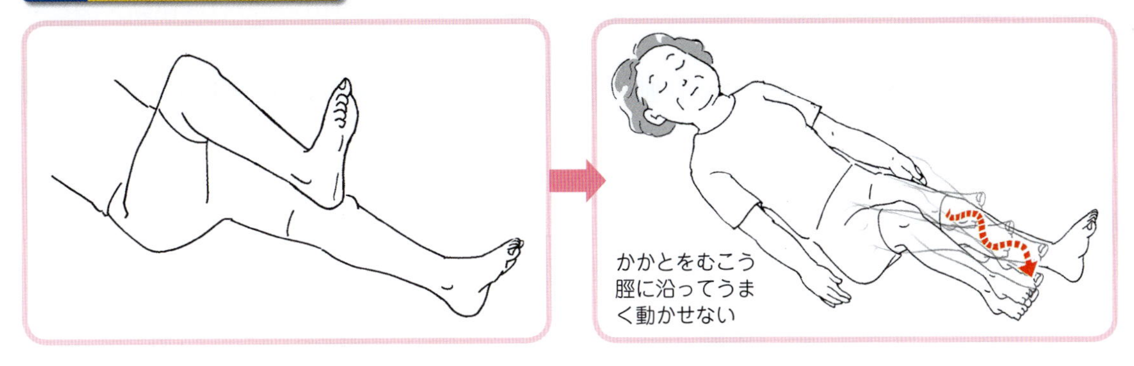

A-9 深部感覚障害のある場合

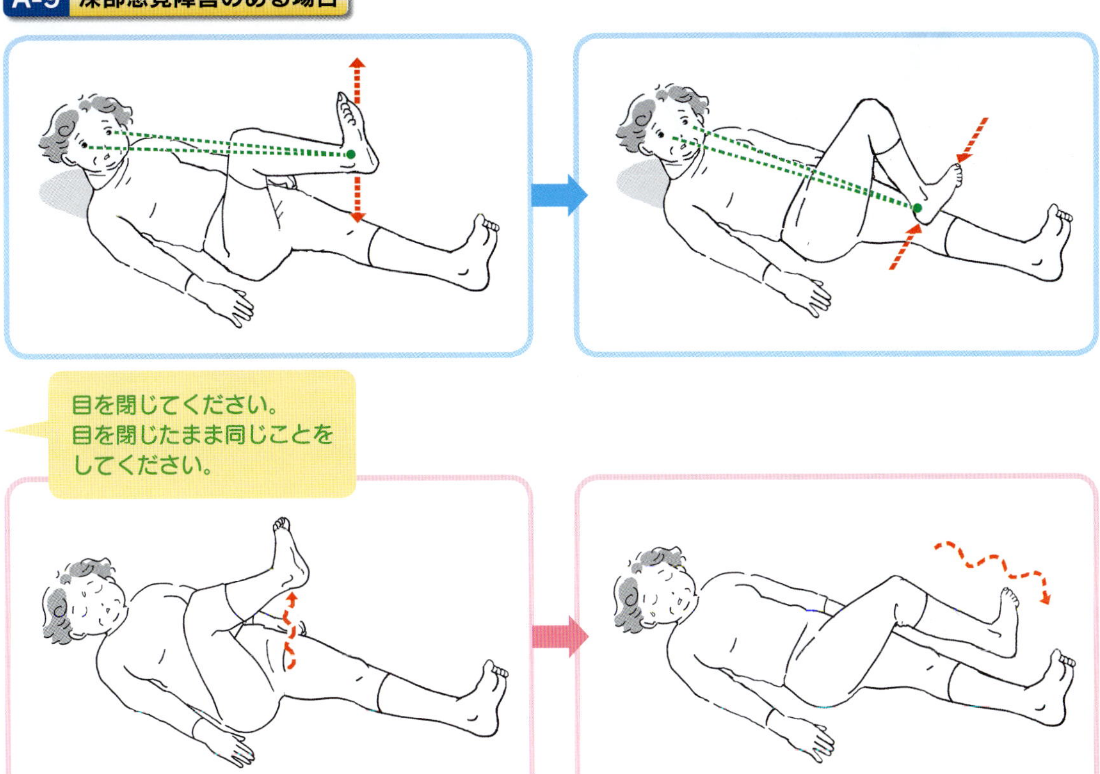

目を閉じてください。
目を閉じたまま同じことを
してください。

膝叩き試験

●膝叩き試験(knee-tapping test)は患者さんを仰臥位にして踵で自分の膝を叩かせる A-10。

●下肢における測定障害と反復拮抗運動を検査している。

●小脳障害があると，踵が正確に膝に到達せず，左右にずれる。また，踵の上下運動の幅が大きく，不規則となる A-11。

●一定の部位を叩かなければ運動失調と判定する。

●深部感覚障害のある患者さんでは，開眼では膝叩き試験がうまくできていても閉眼させて行うと異常を検出できることがある A-12。

A-10 膝叩き試験

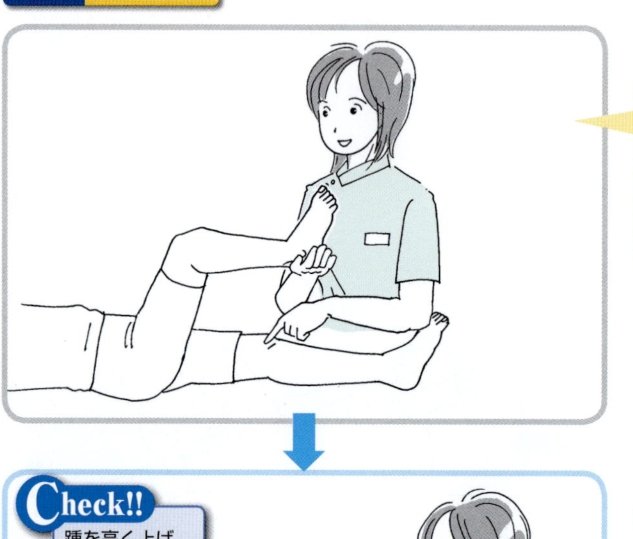

あなたの踵で反対の膝を叩いてください。なるべく踵を高く上げてみてください

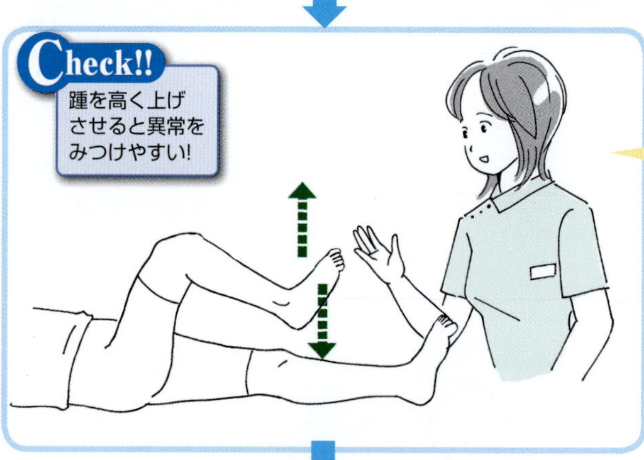

Check!!
踵を高く上げさせると異常をみつけやすい!
叩くときの足の上げかたが小さい場合
もう少し踵を高く上げてください

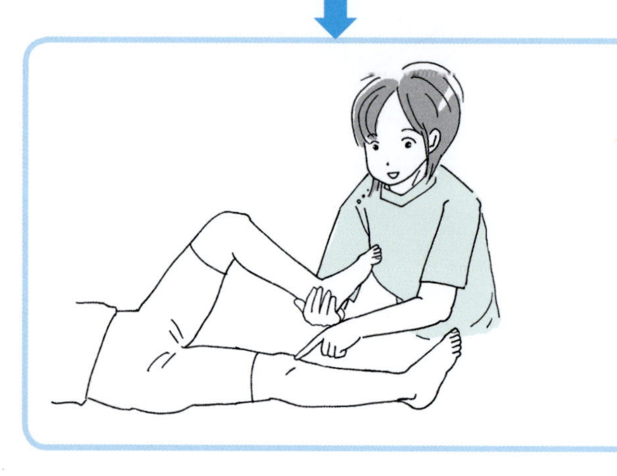

今度は反対の踵で同じことをしてください

A-11 小脳に障害のある場合

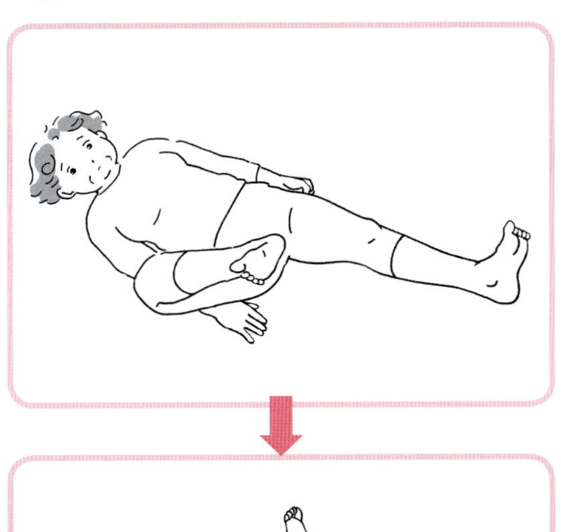

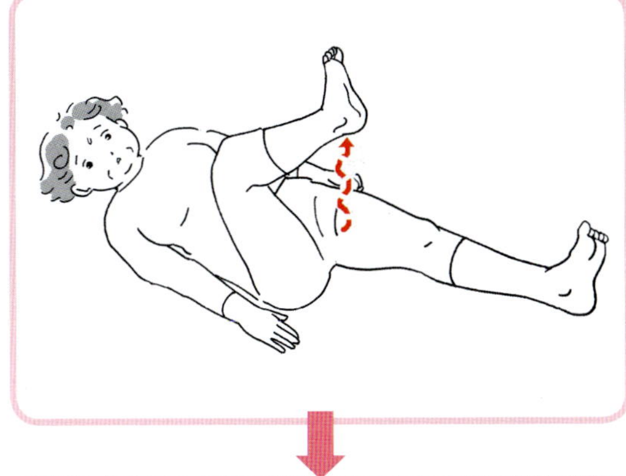

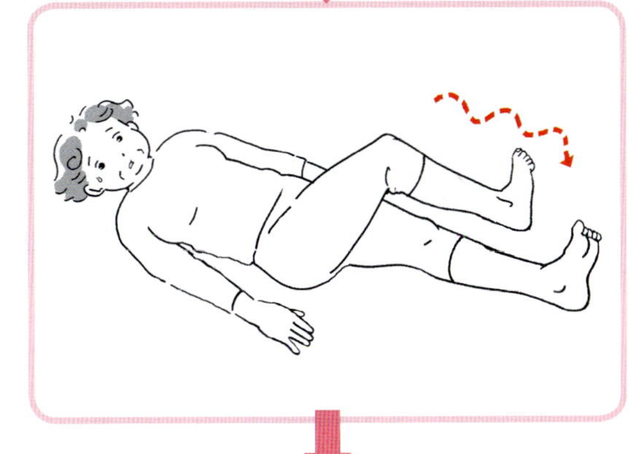

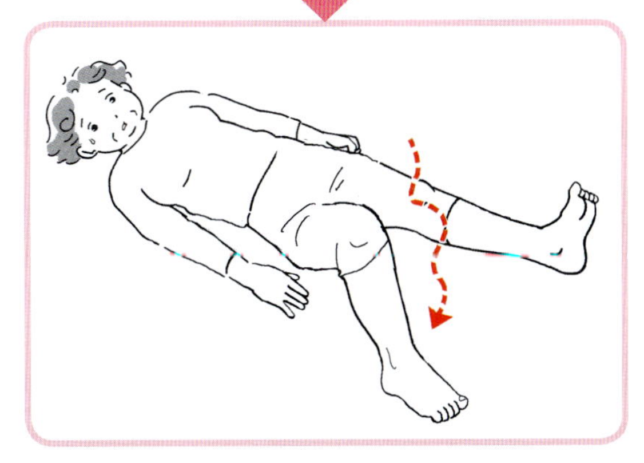

A-12 深部感覚障害のある場合

開眼

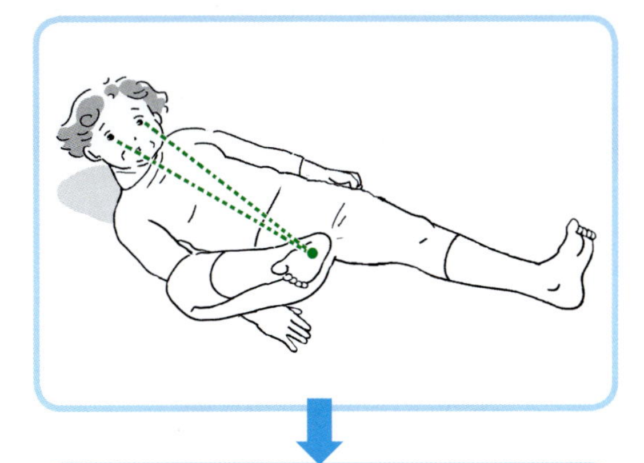

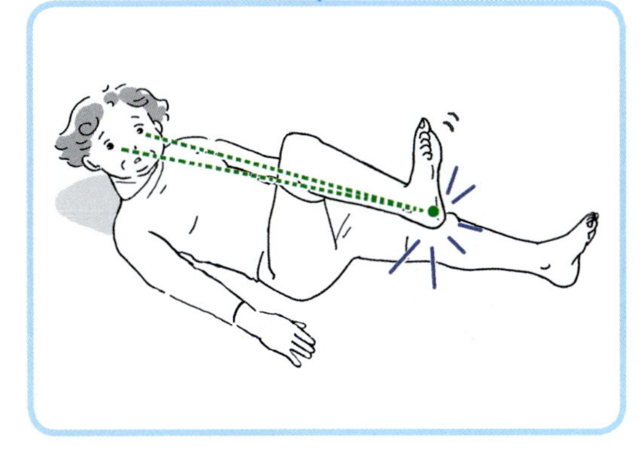

閉眼

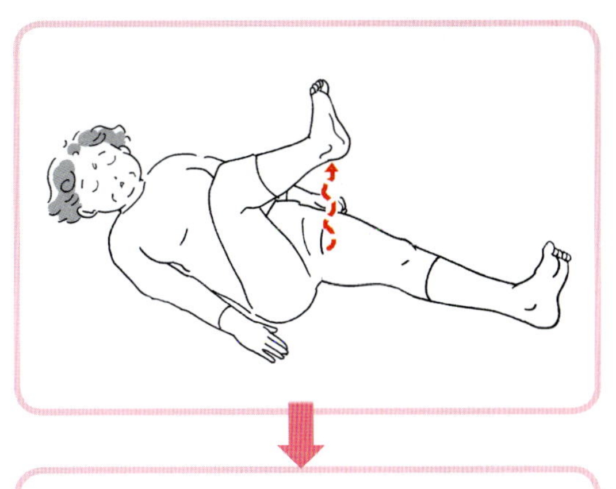

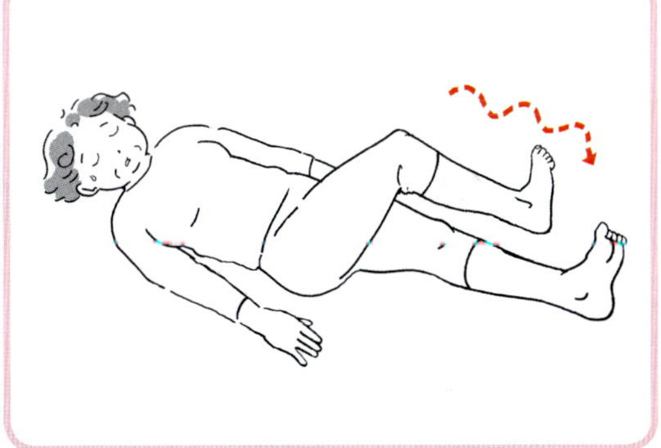

Stewart-Holmes反跳現象の診察

●患者さんの前腕に検者は抵抗を与え，患者さんの胸部に向かい強く肘を屈曲するように命ずる。その後，検者はいきなり抵抗を取り除く A-13。

●正常であれば胸を打つことはないが，筋トーヌスの低下があると自分の胸を強く打つ。

●この検査を行うとき，検者は患者の胸部の前に検者のもう一方の手をおいて，受け止めるようにする。

A-13 Stewart-Holmes反跳現象

自分の腕を胸の上で自分のほうに曲げてください

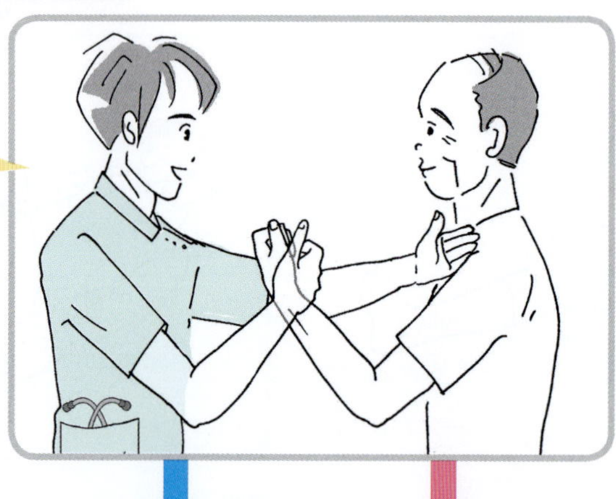

検者は自分の手を患者さんの手にあて患者さんの腕を伸ばすような動作をしながら

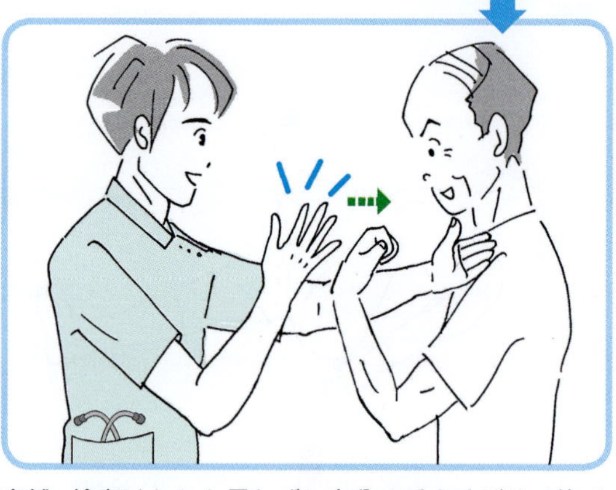

突然，検者はなにも言わずに自分の手をすばやく抜く

Check!!
患者さんが自分の胸を打たないように検者は必ず自分の手を患者さんの前胸部にあてる!

Pendulousness

●上肢のpendulousness（上肢の振り子性）

患者を立位にし，患者の両肩を持って体全体を前後に軽くゆさぶり，上肢がぶらぶらと揺れる様子を観察する。筋トーヌス低下があると正常よりも大きく，長い時間，揺れる。肩ゆすり試験（shoulder shaking test）とよばれる A-14。

●下肢のpendulousness（下肢の振り子性）

患者を足が床につかないように少し高めのベッドの端，または椅子に腰かけてもらい，両足を下垂させる。両下肢を同じ高さまで持ち上げ同時に落下させて，下肢の揺れ方に左右差があるかを調べる A-15。

A-14 上肢のpendulousnessの診察

患者さんの両肩を持って体全体を前後に軽くゆさぶる。筋緊張の低下している側の上肢は健側より大きく揺れて，体幹より遠ざかる。

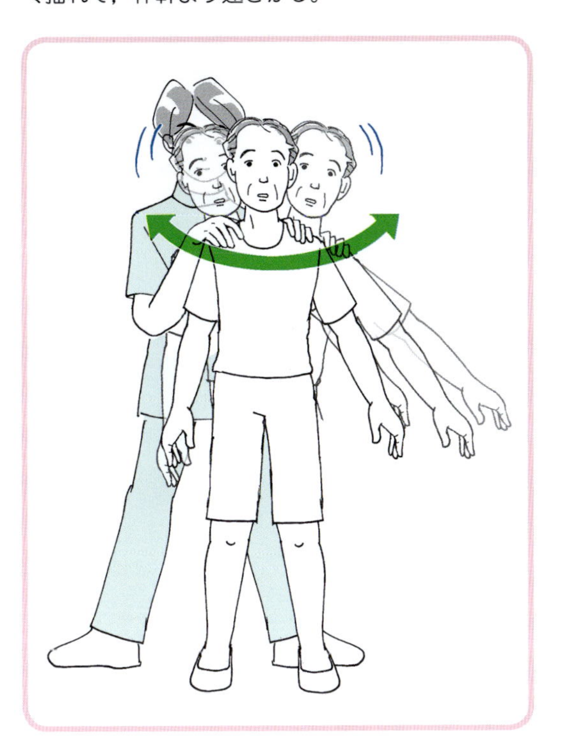

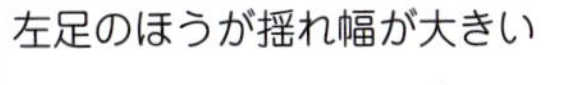

左足のほうが揺れ幅が大きい

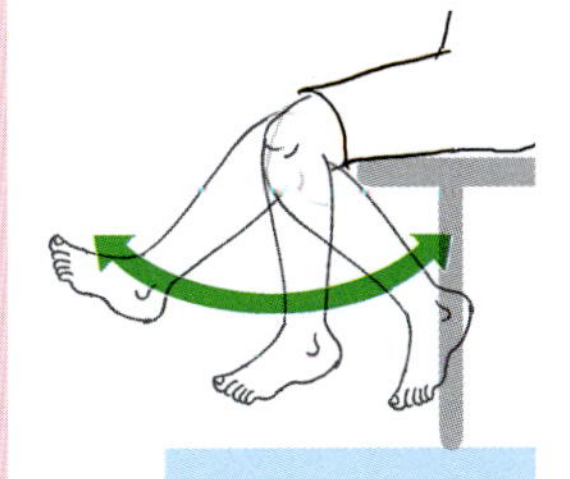

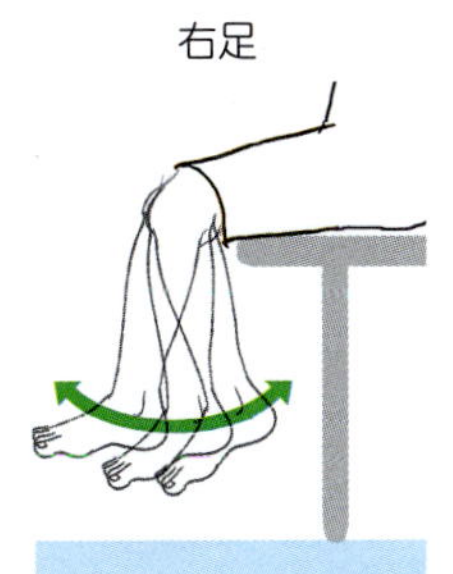

右足

A-15 下肢のpendulousnessの診察

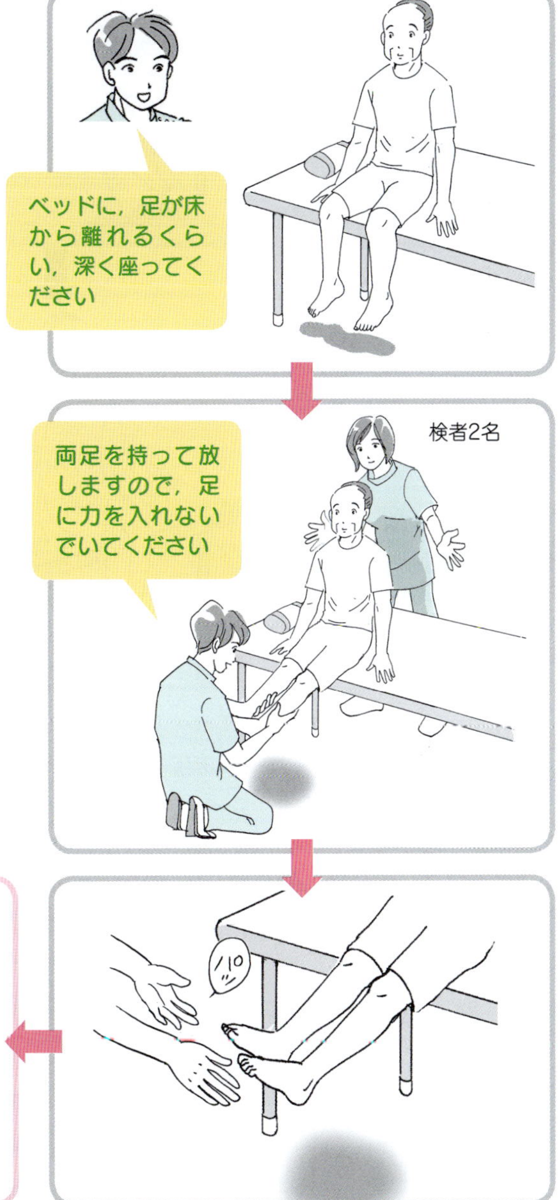

ベッドに，足が床から離れるくらい，深く座ってください
検者2名
両足を持って放しますので，足に力を入れないでいてください

体幹運動失調の診察

●体幹運動失調(truncal ataxia)は，患者さんをベッドに深く座らせて，足を床から離させる A-16。

●そのとき，上体が不安定となり，膝が開き両手で上体をささえる場合は，体幹運動失調があるのではないかと考える。

●さらに両膝をぴったりつけ，腕組みをさせ，座らせて，上体の動揺の出現の有無を診察する。

A-16 体幹運動失調の診察

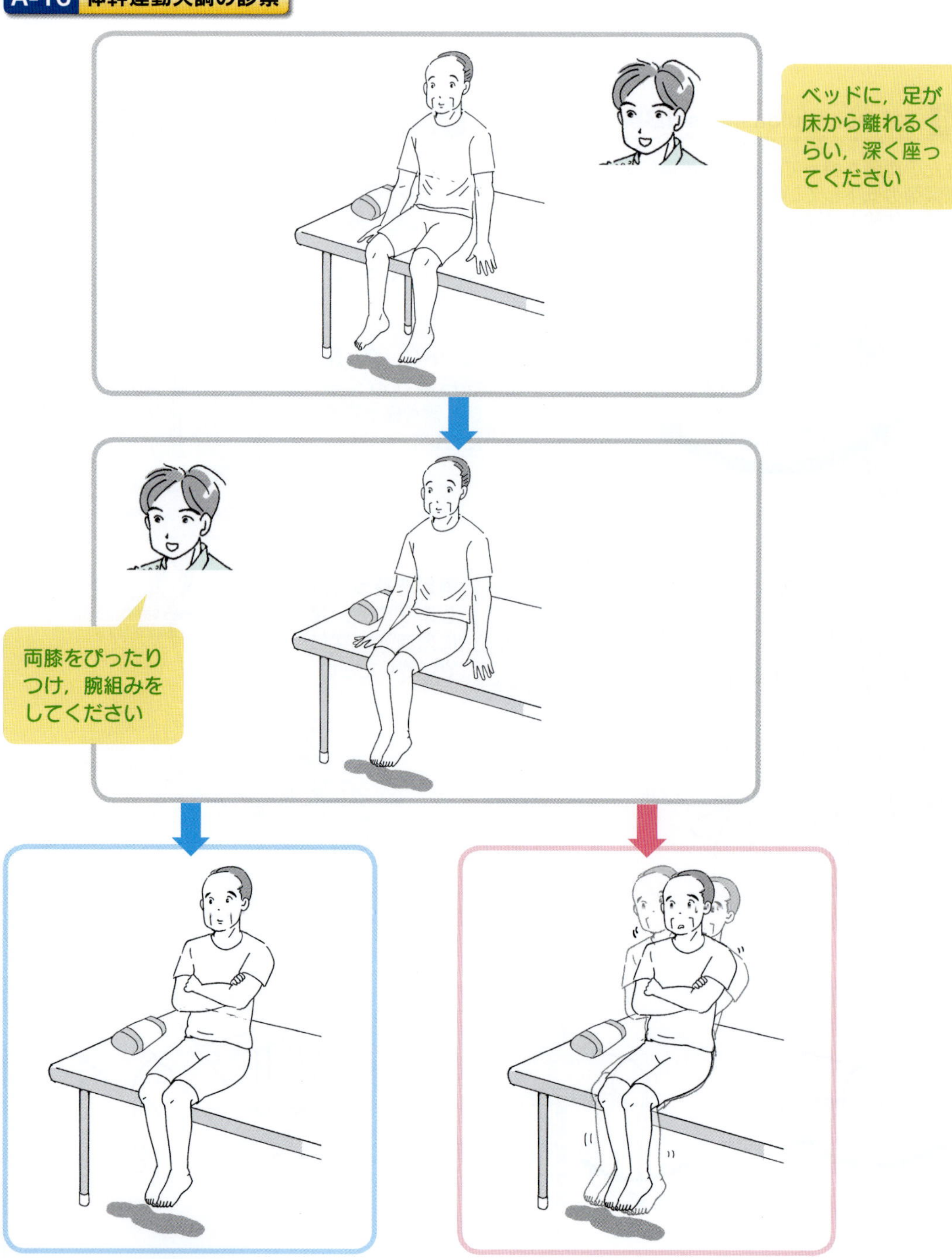
ベッドに，足が床から離れるくらい，深く座ってください
両膝をぴったりつけ，腕組みをしてください

構音障害

●小脳の障害では発語に関係する舌，口唇，咽頭および横隔膜などの協調運動が障害されることで運動失調性構音障害(ataxic dysarthria)とよばれる構音障害が生ずる。

●運動失調性構音障害の特徴は話し方が緩徐で，たどたどしく，とぎれとぎれであるが，ときに連続的となることもある。

●単語や音節の意図しないところに休止が入り予想できない部位で区切るため非連続的でとぎれとぎれな発語となる。このような状態を断綴性発語(scanning speech)という。

●また単語は不規則な声量と高低をもつ強さと速度で突然発せられるため爆発性に聞こえる。

●1つの音節から次の音節への転換が障害されるため前後の音節がつながって聞こえる不明瞭発語(slurred speech)を呈することもある。

●構音障害の診察では，患者との会話に加えに「パタカパタカ」を繰り返させたり，「るりもはりもてらせばひかる」を復唱させ，発語の流暢さ，会話の速度，リズム，抑揚などを観察する。ラ行の音が発音しにくいので，slurred speechの検査によい A-17 。

A-17 発語の診察

「るりもはりもてらせばひかる」
とおっしゃってください

その他

●小脳の障害が関係する眼球運動の異常，眼振についてはp.16～31，p.48～53「脳神経」の項参照。また，歩行障害については，p.110～111，p.120～121「運動系/姿勢，歩行」の項参照。

小脳症状
診察の方法

小脳症状

診断プロセスからみる小脳症状の診察

病巣部位

●小脳は，脳幹背側に位置し，それぞれ上小脳脚・中小脳脚・下小脳脚により中脳・橋・延髄と連絡している。

●機能的および発生学的見地から小脳半球，小脳虫部および片葉小節葉の3部に分類されている。

●さらに小脳半球は外側部と中間部に分けられる B-1①，②。

●また深部には小脳遠心路の中継地点的役割をもつ小脳核が存在し，外側から歯状核，球状核，栓状核，室頂核とよばれている。球状核と栓状核を機能的にまとめ中位核と称することもある B-2。

●また肉眼的には，第1裂により前葉と後葉に分けられる。前葉は四肢(特に下肢)，体幹の運動制御に関連し，後葉はこれ以外に関連するとされている。

●本書で解説した反復拮抗運動不能，測定障害，筋トーヌス低下，企図振戦などの症状は，主に小脳半球およびその出力系である遠心路の障害により認められるものとされているが，小脳症状の局在は必ずしも明確にされていない。

●しかし，一部明確にされているものもあり，また小脳の機能を理解する過程において，小脳への求心路および小脳からの遠心路は重要である。その主なものを記載する。

B-1①

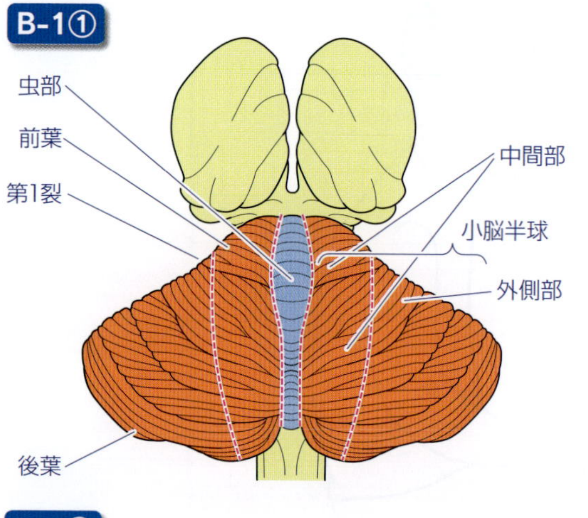

B-1②

上・中・下小脳脚を切断し，脳幹と切り離した小脳を腹側から見たところ

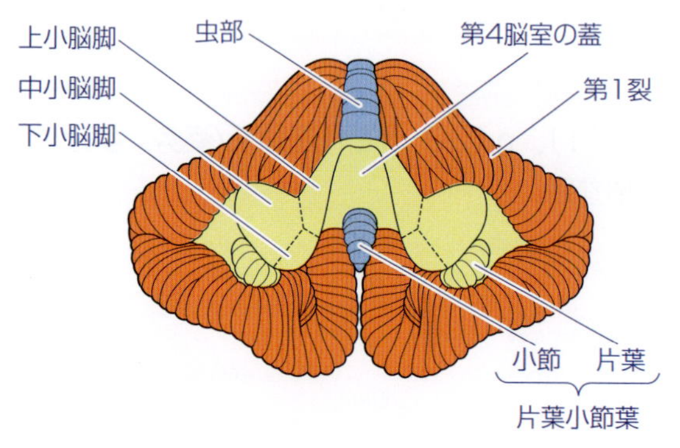

B-2

小脳核を示すレベルでの橋と小脳の横断面

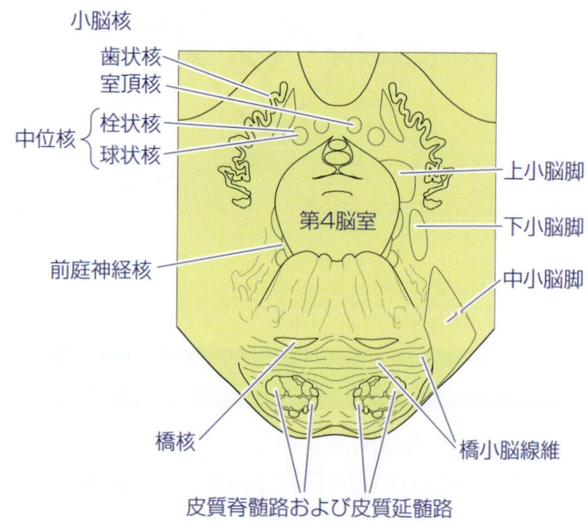

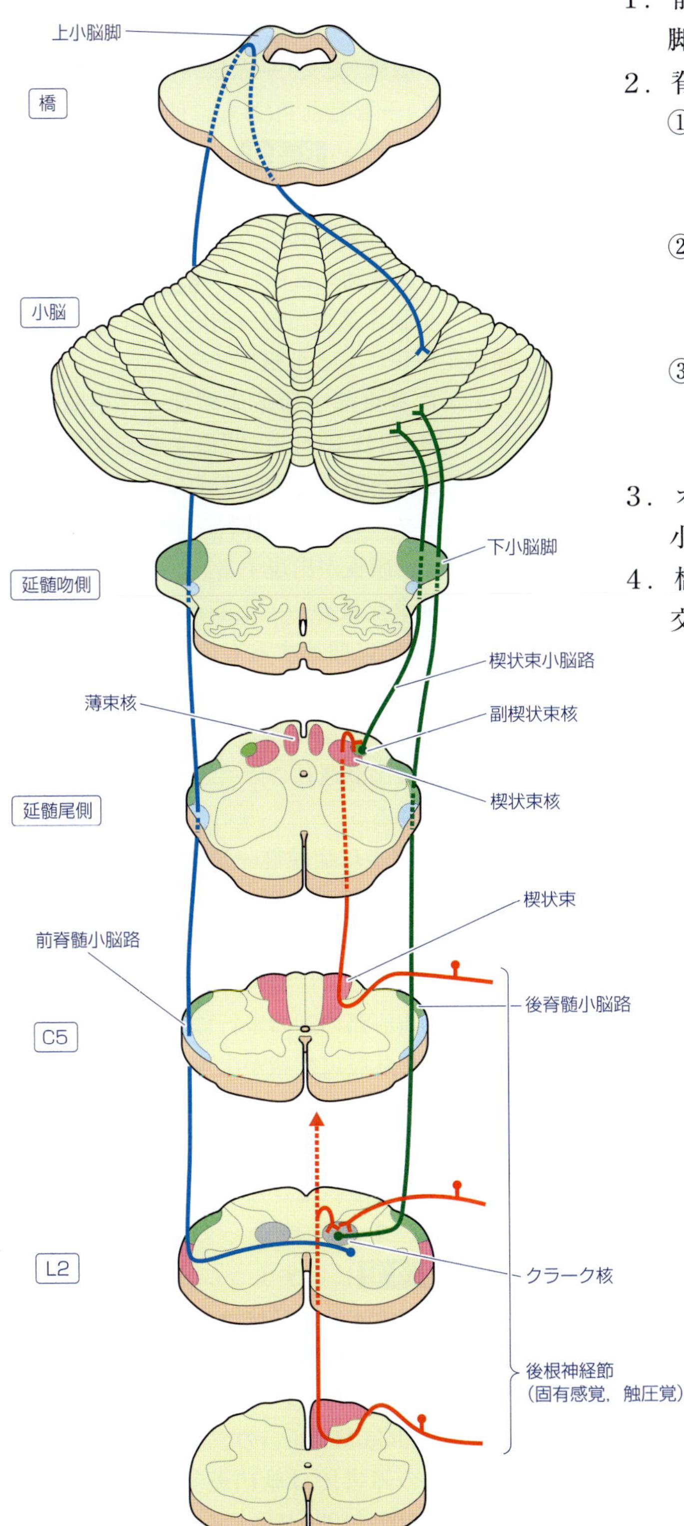

小脳求心路

1．前庭小脳線維：前庭神経核→下小脳脚→片葉小節葉

2．脊髄小脳路 B-3

①後脊髄小脳路：クラーク核（下部胸髄から腰髄）→同側脊髄側索後部→下小脳脚→同側小脳皮質

②前脊髄小脳路：前角と後角の基部（腰髄・仙髄）→対側脊髄側索前部→上小脳脚→交叉し同側小脳皮質

③楔状束小脳路：頸髄後根神経節→楔状束→副楔状束核→下小脳脚→同側小脳皮質

3．オリーブ小脳路：下オリーブ核→下小脳脚→対側小脳皮質

4．橋小脳路：大脳皮質運動野→橋核→交叉し中小脳脚→小脳皮質

小脳遠心路

1. 小脳皮質外側部→歯状核→上小脳脚(交叉)→赤核(一部はニューロンをかえる)→視床VL核→大脳皮質運動野 B-4①

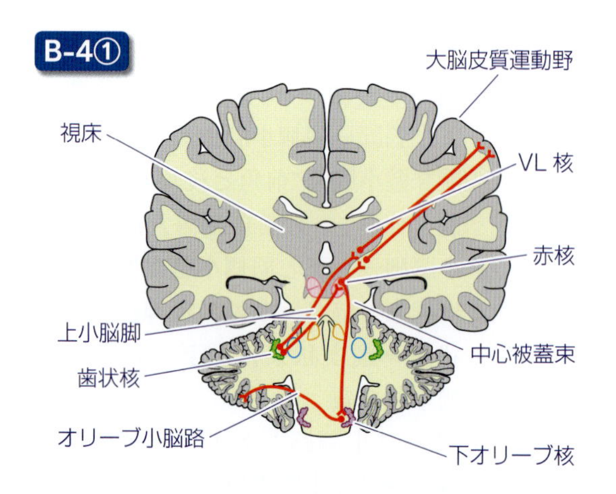

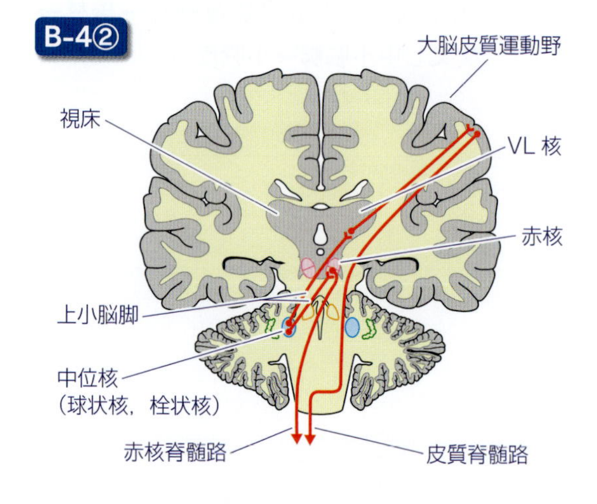

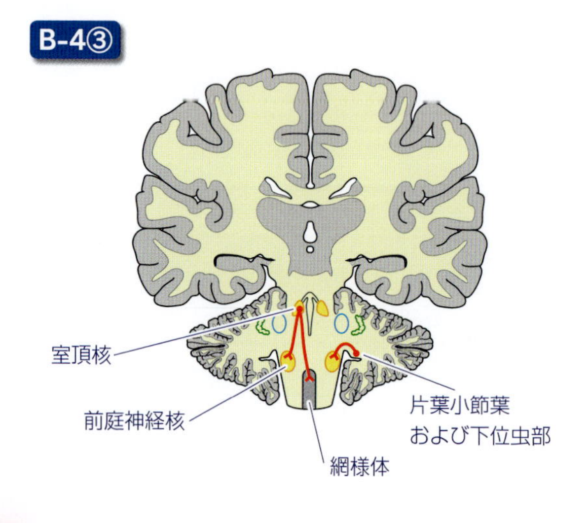

2. 小脳皮質中間部→中位核→上小脳脚(交叉)→赤核→大脳皮質運動野→皮質脊髄路(交叉)→脊髄前角(おもに四肢筋の運動ニューロン) B-4②
   または，小脳皮質中間部→中位核→上小脳脚(交叉)→赤核→赤核脊髄路(交叉)→脊髄前角(おもに四肢筋の運動ニューロン) B-4②
3. 小脳虫部→室頂核→前庭神経核または脳幹網様体→脊髄前角(おもに体幹筋の運動ニューロン) B-4③
4. 小脳片葉小節葉→前庭神経核 B-4③

病変局在による小脳症候群

1. 片葉虫部小節葉症候群―「小脳遠心路の3および4」に関係する症候群である。小脳虫部の障害では傍脊柱筋のトーヌス異常から体幹失調が起こる。同時に眼振が出現する。
2. 前葉症候群―「小脳求心路の2.脊髄小脳路」に関連するものである。小脳前葉の病変(アルコール性小脳失調症や晩発性小脳皮質萎縮症など)では，下肢の協働運動の障害と歩行障害が認められる。
3. 小脳半球症候群―反復拮抗運動不能，測定障害，筋トーヌス低下などが出現する。歯状核も障害されると企図振戦が加わる。片側性の症状を示すが，「小脳遠心路の2」の走行により，病変と同側の体肢に症状が出現する。
4. Guillain-Mollaretの三角―「小脳遠心路の1」の障害では著しい企図振戦を伴う失調症状をきたすことが知られている。また赤核からの出力の一部は B-4① に示すように赤核→中心被蓋束→下オリーブ核→オリーブ小脳路→対側小脳皮質に至る。これら小脳歯状核，赤核，下オリーブ核の3つをGuillain-Mollaretの三角とよび，同部位の障害では軟口蓋ミオクローヌス(p.102，103)が生じる。

考えられる疾患，鑑別に必要な検査

考えられる疾患	鑑別に必要な検査			
	小脳症状の診察以外に必要な診察	画像検査*	髄液検査	ほかの精査
脳血管障害 （小脳，脳幹出血および梗塞など）	眼球運動(p.16～20)，徒手筋力検査(p.74～88)，反射(p.126～139)，意識レベル(p.210～222)，など	○		
脊髄小脳変性症		○		
遺伝性運動失調症		○		遺伝子検査
歯状核赤核淡蒼球ルイ体萎縮症（DRPLA）		○		遺伝子検査
多系統萎縮症	眼球運動，眼振(p.16～20)，筋トーヌス(p.62～73)，反射(p.126～139)，など	○	○	
脳炎 （急性小脳炎，脳幹脳炎）	眼振，眼球運動(p.16～20)，髄膜刺激症状(p.190～193)，など	○	○	
亜急性小脳変性症 （傍腫瘍症候群）	反射(p.126～139)，感覚系(p.142～159)，など	○	○	抗神経抗体測定
脳腫瘍	顔面神経(p.40～43)，聴神経(p.48～51)，意識レベル(p.210～222)	○		
プリオン病	ミオクローヌス(p.98～107)，反射(p.126～139)，高次機能(p.196～207)	○	○	遺伝子検査
ビタミンB1欠乏症 （Wernicke脳症）	眼球運動(p.16～20)，反射(p.126～139)，意識レベル(p.210～222)，など	○	○	血中ビタミン測定
甲状腺機能低下症	筋膨隆現象(p.62～73)，反射(p.126～139)	○	○	血中甲状腺ホルモン測定
アルコール性小脳変性症	反射(p.126～139)，高次機能(p.196～207)，など	○	○	
中毒による小脳失調症 （有機水銀，フェニトインなど）	視野(p.10～11)，聴神経(p.48～51)，など	○	○	血中濃度測定

＊：頭部MRIなど

髄膜刺激症状

診察の方法

項部硬直の診察

- 患者さんを仰臥位にして枕をはずす。
- 「これから私が頭を動かしますが，自分では動かさないでください」と伝える。
- 頭部を支えて左右に回旋させ頸部の筋強剛がないことを確認する。
- 頭部を前屈させて頸部の抵抗を診る。通常は下顎が胸につくまで前屈できる A-1。

Kernig徴候の診察

- 「これから私が脚を動かしますが，自分では力を入れないでください」と伝え，膝裏と踵に両手をあて，股関節，膝関節が90°となるように保持する。
- ゆっくりと踵側を持ち上げて膝関節を伸展させていき，下腿と大腿の角度が135°以上となるまで伸展させる。135°未満で抵抗のため伸展できなければKernig（ケルニッヒ）徴候陽性と判定する A-2。

A-1 項部硬直の診察

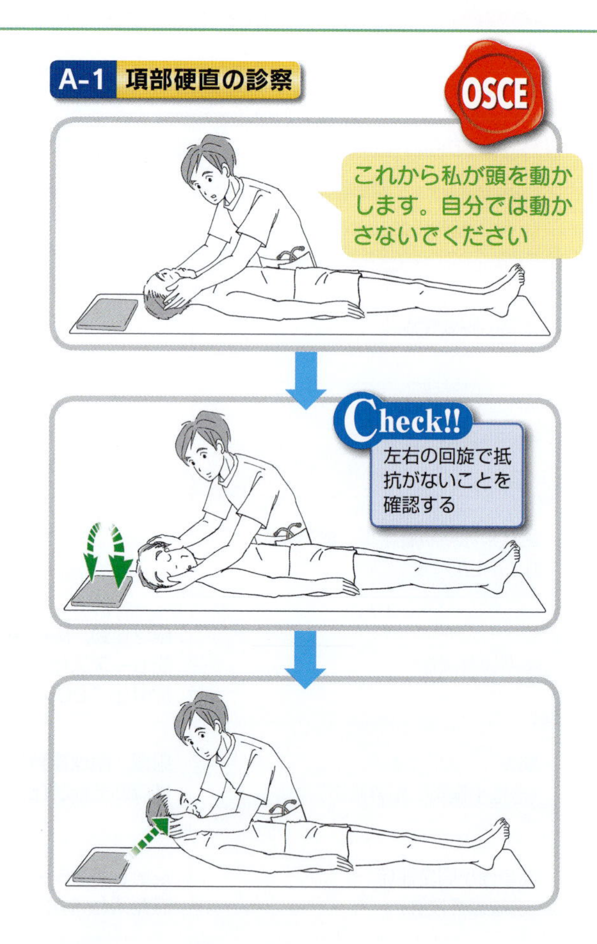

A-2 Kernig徴候の診察

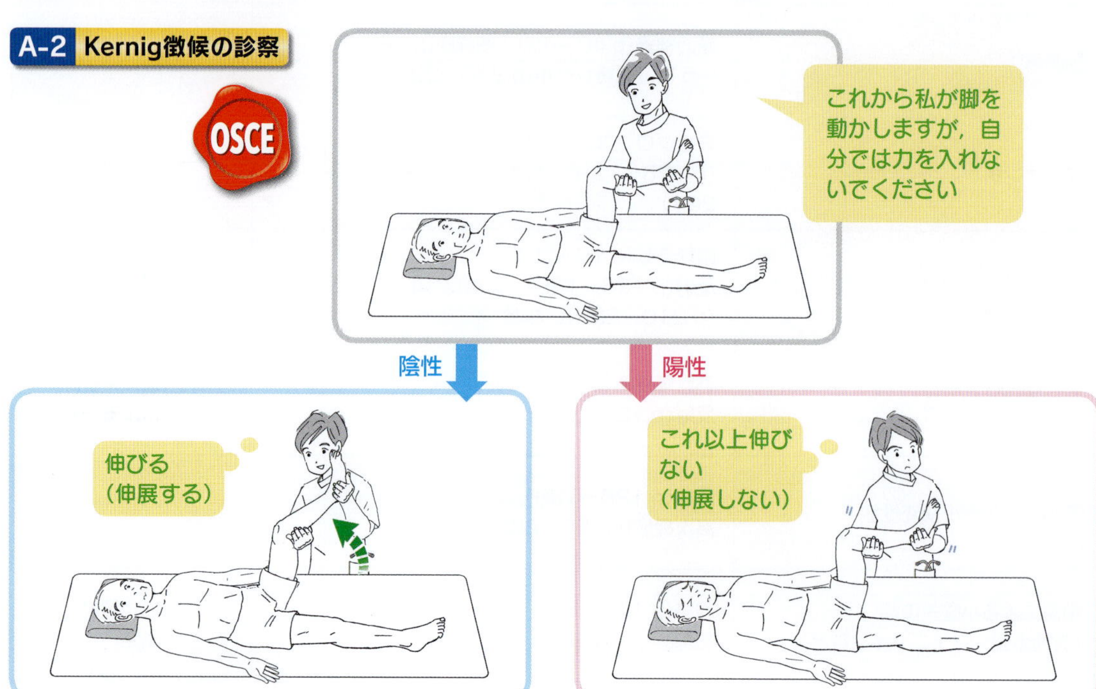

Brudzinski徴候の診察

●片方の手を頭のうしろにおき，他方の手を前胸部におく。

●「力を抜いたまま，リラックスしていてください」と伝える。

●前胸部を抑えながら 頸部を前屈させると，股関節と膝関節に屈曲がおきればBrudzinski（ブルジンスキ）徴候陽性と判定する A-3。

Jolt accentuation of headache試験

●「このように頭を左右に振ってください」と言って，検者が頭部を1秒間に2～3回旋の頻度で左右に回旋して見せた後で，患者さんに実施してもらう。

●患者さんが頭痛の増悪を感じれば jolt accentuation of headache試験陽性と判断する A-4。

A-3 Brudzinski徴候の診察

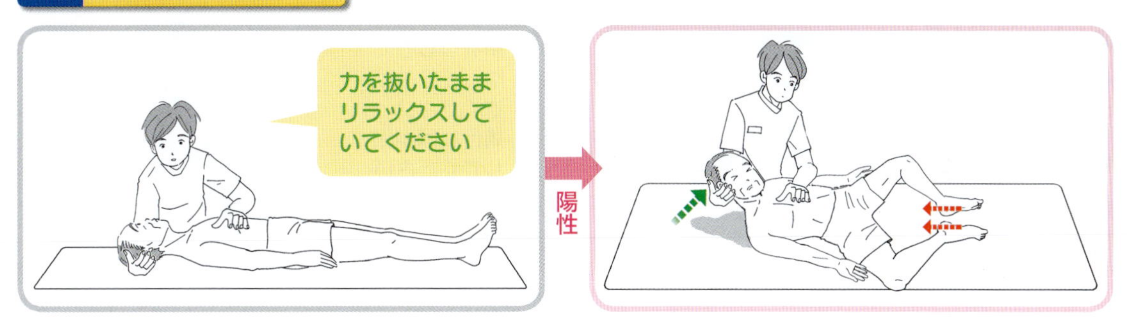

A-4 jolt accentuation of headache試験

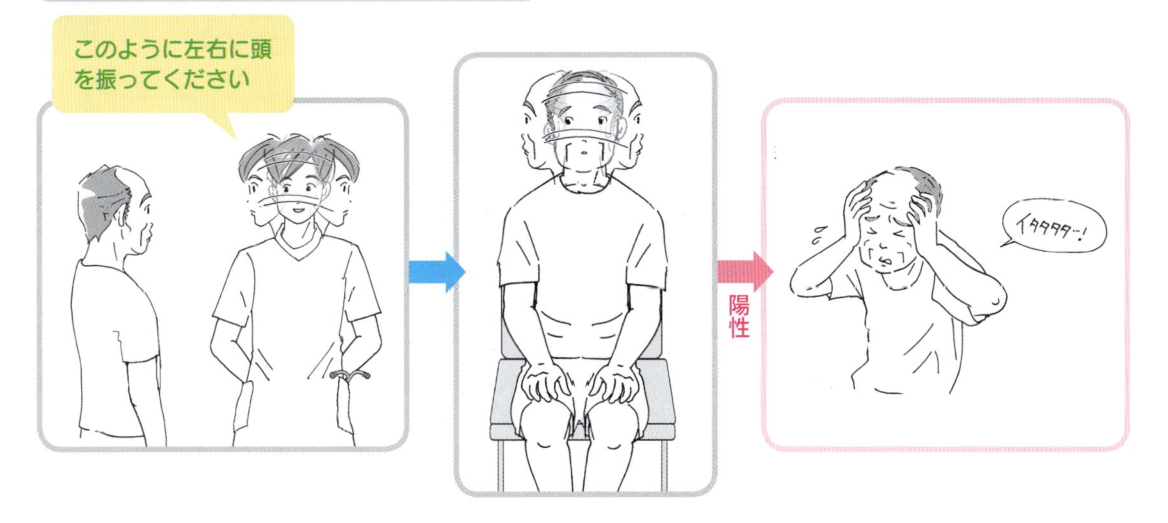

髄膜刺激症状

鑑別すべき脊髄神経根刺激徴候の診察の方法

Lasègue徴候の診察

●「脚の力を抜いていてください」と伝え，下肢を伸展したまま持ち上げる。

●70°未満で大腿裏面など下肢に疼痛を自覚した場合はLasègue(ラゼーグ)徴候陽性と判定する。

●腰椎病変などによる坐骨神経の刺激徴候として有用であるA-5。

Jacksonテスト

●「頭をうしろにゆっくり曲げてください。痛ければ中止してください」と伝える。

●痛みがなければ，さらに少しずつ頭部を両手で押し下げる。

●頸椎病変により頸髄後根が圧迫されていると，後頸部から背部への痛みおよび上肢に放散痛を感じる。

●病変を進行させる可能性があり，あまり推奨されない検査であるA-6。

A-5 Lasègue徴候の診察

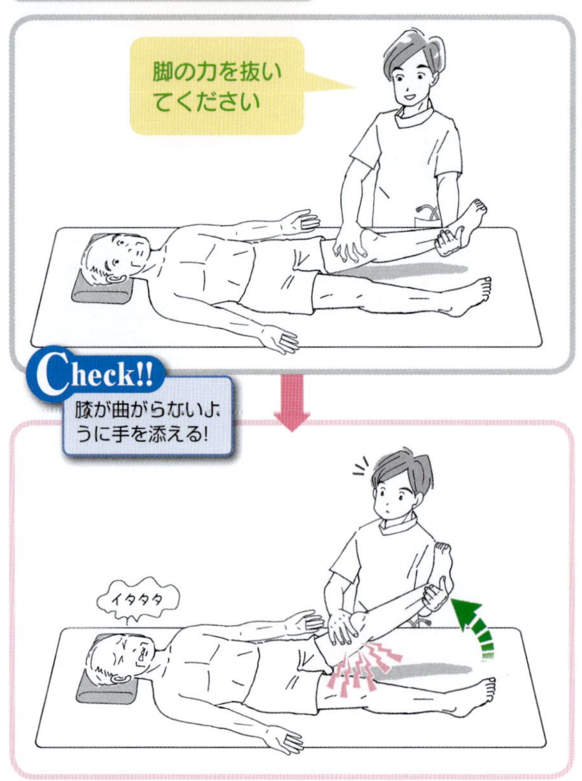

A-6 Jacksonテスト

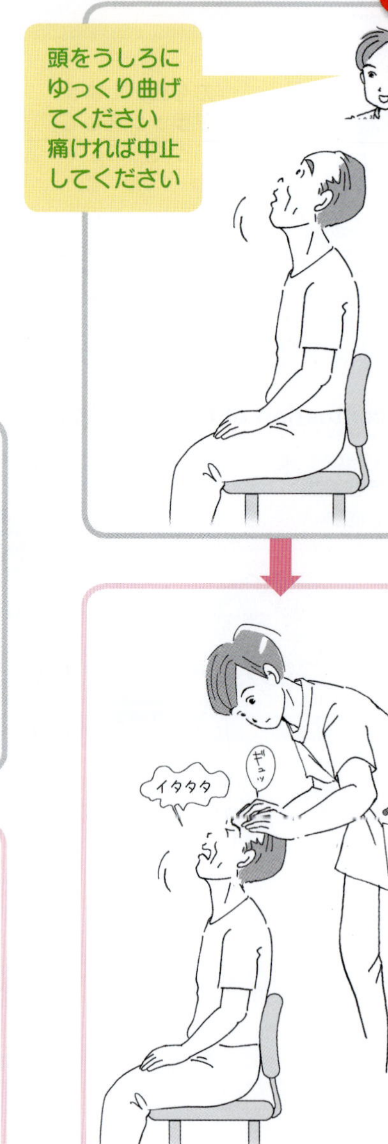

Spurlingテスト

●「頭を右(または左)にゆっくり傾けてください。痛ければ中止してください」と伝える。

●痛みがなければ，さらに少しずつ頭部を両手で押し下げる。

●頸椎病変により頸髄後根が圧迫されていると，頸部屈側の痛みおよび屈側上肢に放散痛を感じる。

●病変を進行させる可能性があり，あまり推奨されない検査である A-7。

Lhermitte(レルミット)徴候の診察

●「頭を動かします。首の力を抜いてください」と伝え，頸部を受動的に屈曲させる。

●頸髄病変により後頸部から背部中央を下方に向かって，時には下肢にまで，電気が走るように疼痛が移動する場合にLhermitte(レルミット)徴候陽性と判定する。

●後索の刺激症状と考えられ，多発性硬化症でしばしば認められるが，腫瘍，頸椎症，放射性脊髄炎などでも陽性となるため特異性は低い A-8。

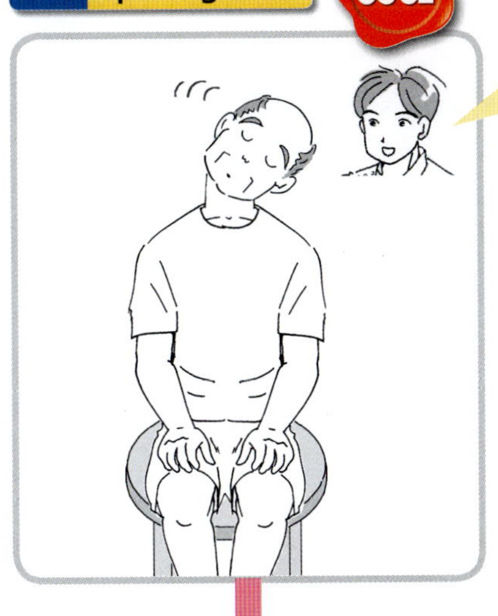

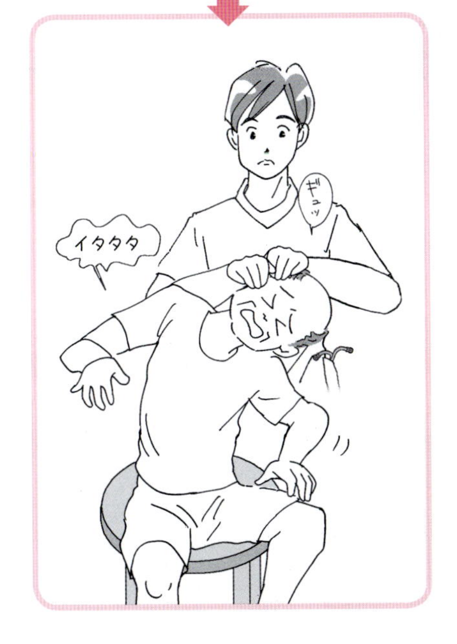

A-8 Lhermitte徴候の診察

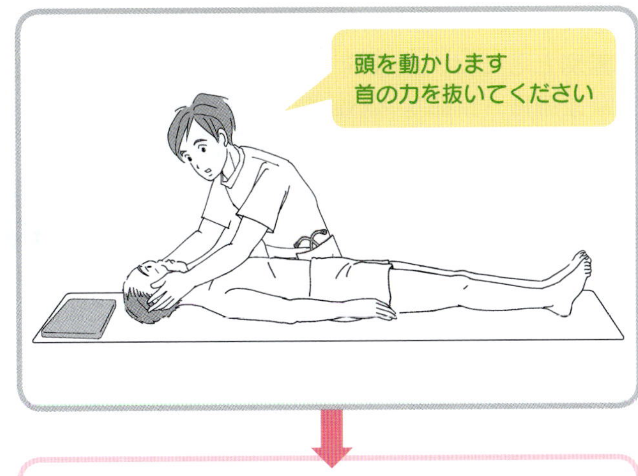

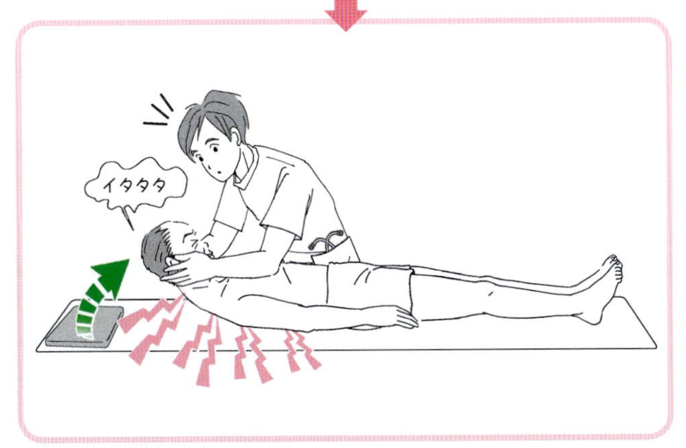

髄膜刺激症状

診断プロセスからみる髄膜刺激症状の診察

それぞれの徴候と発現機序と病巣部位，鑑別疾患

項部硬直

●項部硬直は，機序としては頸部筋のスパズムであり，頸部の他動により抵抗と痛みを生じる。

●項部硬直の度合いは，前屈時の軽度な抵抗から全頸部筋の顕著なスパズムまでさまざまであるが，項部硬直で最も強く刺激されるのは頸部伸筋であるため，前屈の抵抗が初期の主徴候となる。刺激が著明なときには頸部は過伸展され，後反張の姿勢をとるときもある。

●項部硬直が極端に進行すると頸部の回旋時や後屈時にも硬直が出現する。

●劇症の髄膜炎や終末期の髄膜炎，患者さんが昏睡の時や小児の時などでは項部硬直は認められないこともある。

●鑑別としては，頸椎症や変形性関節症，後咽頭膿瘍，頸部リンパ節腫，頸部外傷などのほか，重度全身性感染症の非特異的な徴候のこともある。錐体外路疾患，とくに進行性核上性麻痺では全周性の頸部筋強剛をきたす。髄圧上昇や小脳扁桃ヘルニアの徴候のこともある。

Kernig徴候

●DeJongの教科書では，Kernig徴候を誘発する方法には変法がいくつかあり，p.190，A-2で記した方法に加えて必ずしも股関節は直角に保たなくても，膝関節が135° 以上に伸びなければKernig徴候陽性とする方法を紹介している B-1。

●Kernigの原著では痛みについては触れていない[1]が，De Jongの教科書では「痛みと抵抗をきたし，膝関節が伸展できない」とし，JAMAの総説[2]では「抵抗または腰背部から後部大腿の痛みを認めれば陽性」としている。「一般に診断には痛みが必須と考えられている」と主張する論文すらある[1]。

B-1 De Jongの教科書によるKernig徴候を誘発する方法

（引用：DeJong）

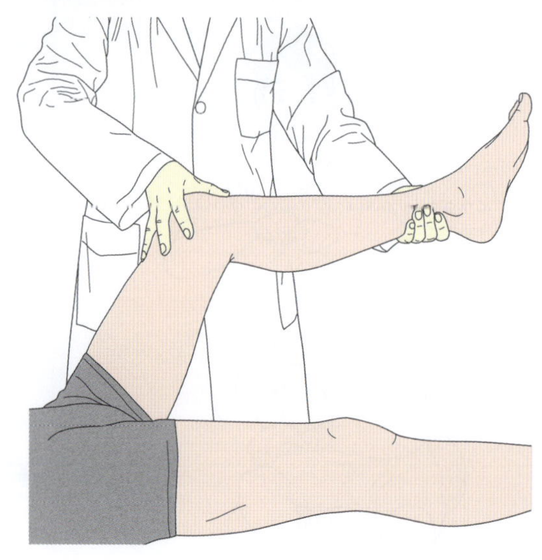

●Kernig徴候が出現する機序として，髄膜炎の炎症が坐骨神経に及ぶと，上記検査法によって坐骨神経が刺激され大腿屈筋を収縮させるために膝関節の伸展が抑制されると考えられている。したがって上記検査法により膝関節の抵抗と同時に腰背部から大腿後面の痛みの出現を伴うことは当然といえる。

●p.192で述べたLasègue徴候は腰仙部神経根炎における神経根の過敏性を検査する方法であるが，Kernig徴候の検査法と機序的に類似しており，しばしば髄膜炎ではともに陽性となる。通常Kernig徴候は両側で陽性となるため鑑別できるが，麻痺のある場合は片側でのみ陽性となることがある。

Brudzinski徴候

●４つの髄膜刺激症状のなかでもかなり陽性率が低い。

●Brudzinskiが小児科医であったこともあり，小児での出現頻度はもう少し高い可能性を指摘する教科書もあるが，正確な報告はない。

●前胸部を抑えるのは項部硬直・項部痛のため患者さんが上体を起こすのを抑えるためである。

jolt accentuation of headache試験

●日本の２医師による１施設からの34症例の報告が最初であり，感度97％，特異度60％と報告され[3]，世界的にも注目された[2]。ところが驚くべきことに，最近の190例を対象とした盲検試験[4]では，感度６％，特異度99％とされ，きわめて感度の低い検査である可能性が指摘された。なぜこれほどまでに結果に違いがあるのかは不明である。検査法の問題なのか，評価者の問題なのか，それとも有効性を検討した試験の問題なのかは明らかではない。いずれにしても２報告しかないため，今後，他の複数の施設からの報告が集積するまでは，本試験法を臨床的に信頼するのはきわめて危険である。

考えられる疾患，鑑別に必要な検査

鑑別疾患

髄膜炎(細菌性，ウイルス性，真菌性，結核性)，髄膜癌腫症，脊髄腫瘍，くも膜下出血，硬膜動静脈瘻，頸椎症，後縦靱帯骨化症その他の整形外科的疾患，頭部外傷，頸部リンパ節腫，多発性硬化症，視神経脊髄炎，小脳扁桃ヘルニア，後咽頭膿瘍，椎間板ヘルニア，坐骨神経痛，錐体外路疾患，特に進行性核上性麻痺，髄圧上昇をきたすさまざまな疾患，Behçet病，血管炎その他の膠原病

検査

腰椎穿刺，頭部CT・MRI，脊椎・脊髄MRI，採血，ミエログラフィー

文献

1）Ward MA et al. : Josef Brudzinski and Vladimir Mikhailovich Kernig : Signs for Diagnosing Meningitis. Clin Med Res, 8 : 13-17, 2010.
2）John Attia et al. : Does This Adult Patient Have Acute Meningitis? JAMA, 282 : 175-181, 1999.
3）Uchihara T et al. : Jolt Accentuation of Headache : The Most Sensitive Sign of CSF Pleocytosis. Headache, 31 : 167-171, 1991.
4）Waghdharea S et al. : Accuracy of physical signs for detecting meningitis : A hospital-based diagnostic accuracy study. Clinical Neurology and Neurosurgery, 112 : 752-757, 2010.

高次機能／失語

診察の方法

●失語とは，大脳言語中枢およびその関連領域の障害による言語理解･表出の障害をいう。

●言語障害の患者を診たとき構音障害，失構音と失語の鑑別は重要である。

●構音障害とは，構音器官(口唇，舌，咽頭，喉頭)の障害により言語が発せないもしくは不明瞭になる運動機能障害であり，失語とは異なる。

●その症状の特徴からいくつかの臨床型に分類される。以下に示す検査をして失語をスクリーニングし，失語の病型を決定する A-1。

A-1 失語の鑑別

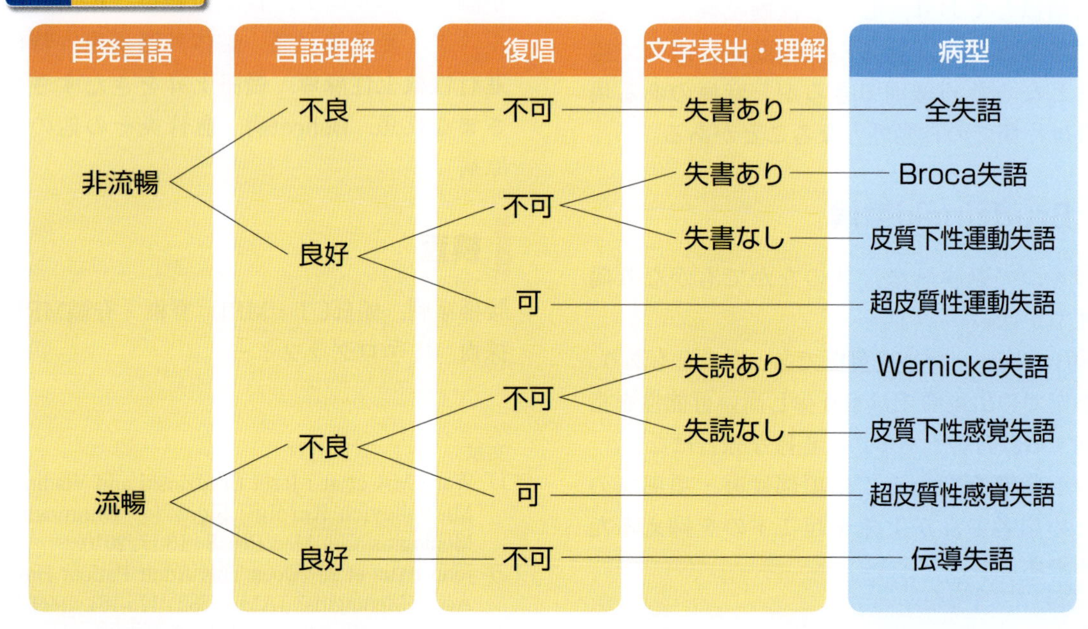

●**意識は清明であるか**：意識障害や，不穏状態では正確な失語の評価はできない。

●利き手を質問し，優位半球を確認する。右利きの95～99%，左利きの60～70%は，左大脳半球が優位半球である。

●**物品呼称**：身の回りのもの(鉛筆，ネクタイなど)を見せて，その名前が出てくるかどうかを診る A-2。物品呼称はすべての失語に出現するので，失語の有無の判定に有効。

●**言語理解**：検者が「口を開けてください。」「手を握ってください」など簡単な指示をだして，従えるか否かを検査する A-3。

●**音読**：簡単な文字，文章を提示し，単語，短文を流暢に音読できるか評価する。

●**自発書字**：紙と鉛筆をわたし，検者が「今日の天気は？」「病院までの交通手段は？」などと質問し，白紙に書字してもらう。単語以外にも，短文も書いてもらう。

●**文字理解**：「目を閉じてください」など記載されているメモを提示して，指示に従えるか検査する A-4。

●**復唱**：検者が「トケイ」「みんなで力を合わせて綱を引きます」などを発声し，その後被検者に復唱してもらい，単語や短文の復唱ができるか評価する。

A-2 物品呼称の評価

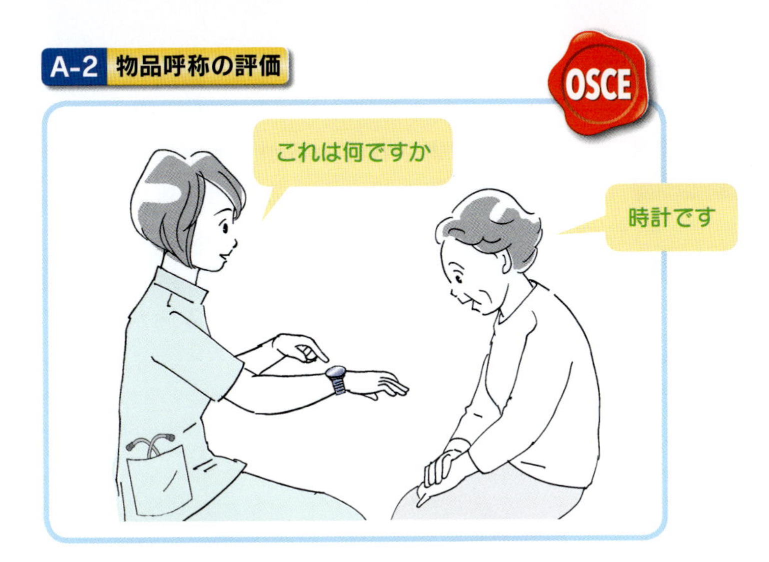

A-3 言語理解の評価

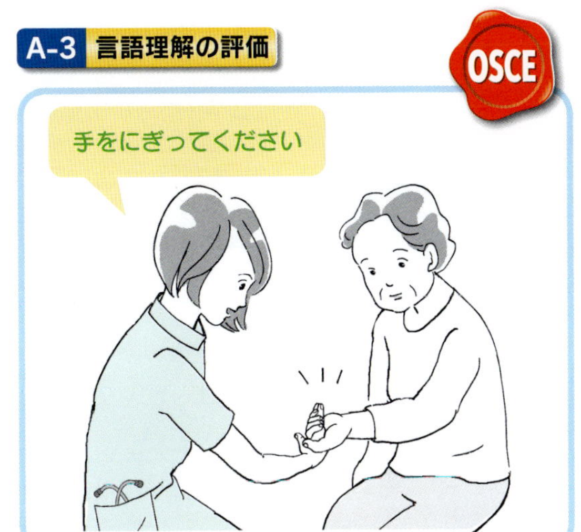

A-4 文字理解の評価

高次機能／失語

診断プロセスからみる失語の診察

病巣部位

Broca(運動)失語
(motor aphasia; Broca's aphasia)

発話量が少なく，努力性となる(非流暢)。言語理解は比較的良好に保たれているのが特徴。復唱障害，音読障害を伴う。書字障害も伴うが，通常右片麻痺も伴うので検査自体が困難である。下前頭回後部(Broca野)と中心後回下部，頭頂葉弁蓋部，島葉前部などの広範囲の障害でみられる B-1，2。Broca野のみの障害では，一過性の運動性失語が現れる。皮質下性運動失語(subcortical motor aphasia)とは，自発言語と復唱は障害されているが，書字障害が認められないもので，Broca失語の回復期にみられる。障害部位は中心前回下部が示唆されている。また，超皮質性とは言語領域と他の領域とが機能的に遮断された状態を意味する。このため言語領域のみで処理できる復唱は保たれることとなる。したがって，超皮質性運動失語(transcortical motor aphasia)は，非流暢言語であるが，言語了解，復唱は良好なものをいう。やはり，Broca失語の回復期に出現することが多い。病巣は，Broca野の周辺部の障害である。

ウェルニッケ(感覚)失語
(sensory aphasia; Wernicke's aphasia)

発語は流暢で多弁になる。内容の乏しい空虚な内容で，言葉理解が著しく障害されるのが特徴。言い間違い(錯語)，文法の間違い(錯文法)が多く出現する。重症の場合，何を言っているかまったくわからないジャーゴン(Jargon)失語といわれる状態となる。左大脳半球の上側頭回後部(Wernicke領野)の損傷で起こる B-1，2。皮質下性感覚失語(subcortical sensory aphasia)では，言葉理解は障害されているが，書字による言語理解は可能な場合がある。超皮質性感覚失語(transcortical sensory aphasia)では言語理解の障害があるが，復唱は可能で，Wernicke野の後方部の障害でみられる。皮

B-1 失語の病巣部位

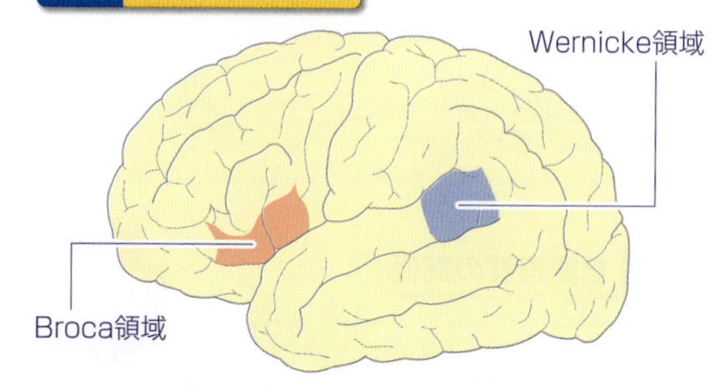

B-2 失語の病巣

大脳水平断におけるBroca領域およびWernicke領域のレベル

①

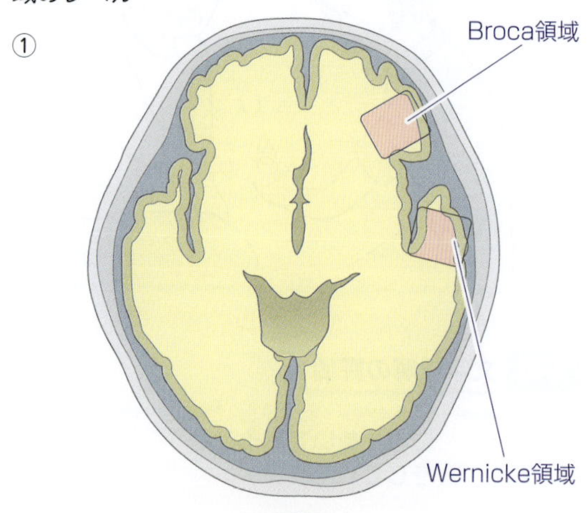

②

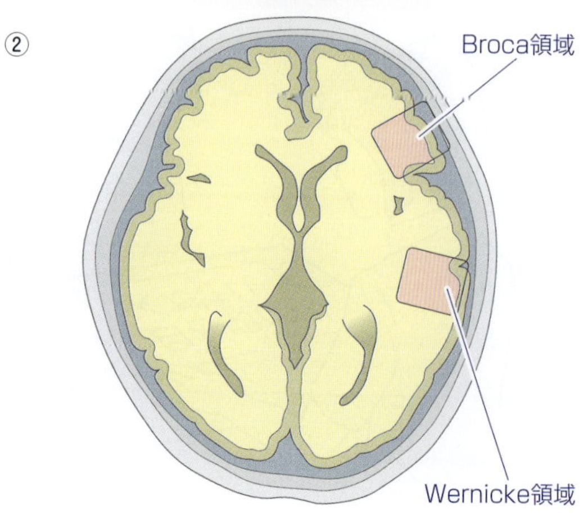

質下性，超皮質性感覚失語ともにWernicke（感覚）失語の回復期に起こる。

また言語の表出と理解ならびに復唱がいずれも重度に障害され，運動失語，感覚失語，全失語を合併した状態を全失語（totalまたはglobal aphasia）とよび，優位半球前頭葉，側頭葉の広範な障害で出現する。

伝導失語（conduction aphasia）

言語理解は良好だが，復唱が障害されているのが特徴である。自発言語は，流暢だが錯語が目立つ。病巣は弓状束，島葉，縁上回，側頭葉上部などとされている B-3。

失読失書（alexia with agraphia）

話し言葉はほとんど障害されず，読字，書字ともにできない。病巣は優位半球の角回の病変である。後述するGerstmann症候群として，手指失認，失計算などを伴うことが多い。

純粋失読（alexia without agraphia）

明らかな読みの障害を示すが，書字は良好に保たれる。写字も障害される。読めない文字でも，字画をなぞることによって読めることが多く，なぞり読みとよばれる。

B-3 伝導失語の病巣

大脳水平断における縁上回のレベル

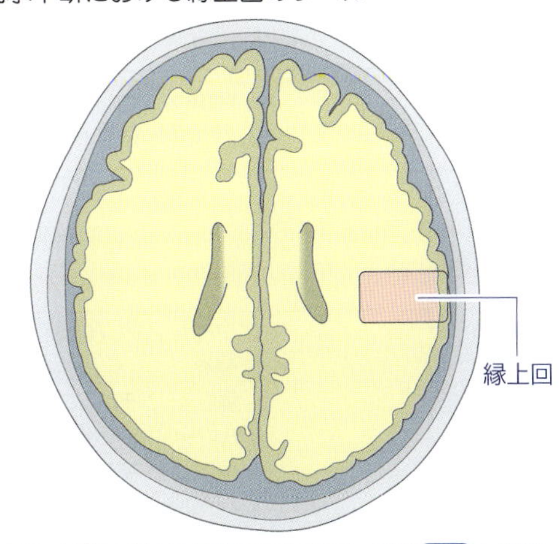

縁上回の大脳における局在についてはp.224 図1 も参照。

左後頭葉の内側底面と脳梁膨大部の病変で発症する。見せられたものの色の呼称はできないが，色の概念は保たれる（バナナの色は黄色と答えられる）。左後大脳動脈の梗塞で生じることが多く，右同名半盲を伴う。本症では右同名半盲により視覚情報は，すべて右後頭葉に受容される。読字の際には，この情報を左角回に送る必要があるが，脳梁の障害により伝達ができず失読となる。

視床性失語（thalamic aphasia）

左視床病巣では，視床性失語とよばれる言語障害を呈する場合がある。一般に，自発言語が減少し小声となる。呼称障害は大半でみられ，錯語が出現する。復唱は保たれる。言語理解の程度は正常から重症とさまざまである。視床の損傷により，遠隔効果として左前頭葉および側頭葉皮質の血流低下とその機能が障害されるためと考えられている。

神経疾患におけるその他の言語障害

以下に，神経疾患における言語障害として留意すべき点をまとめる。

- **保続（perseveration）**：ある言葉やフレーズに固執し，繰り返しかつ継続する現象。たとえば，鉛筆を呼称したあと，次に時計を見せても「エンピツ」と繰り返し答えてしまう状態。多くの脳障害でみられる。
- **反響言語（echolalia）**：自分に話しかけられた言葉をそのままおうむ返しのように繰り返すこと。
- **同語反復（palilalia）**：同じ言葉を何度も繰り返す現象。特に言語の末節だけを繰り返すときは，言語間代（logoclonia，コレハトケイデス，デス，デス，デス）という。進行したAlzheimer病に多いとされる。また，ある程度まとまった文章をどんな状況でも繰り返してしまう言語症状を滞続言語（stehendes Reden（レコード言語；gramophone speech））という。「ご飯は食べた。ご飯は食

べた。ご飯は食べた。……。」などの同じフレーズを繰り返す。Pick病や進行性核上性麻痺でしばしばみられる。

・**失文法(agrammatism)**：文章の構成が崩れ，助詞や助動詞が不適切だったり，脱落する(例；帽子の(が)コロコロに(と)風の(に)飛ばさせ(れ)る)。典型的には電報の文のようになる。

・**プロソディ障害(dysprosody)**：吃音(きつおん)など，言葉のなめらかさ・アクセントの障害を意味する。母国語の抑揚が失われ外国語なまりのような印象になる。右半球の障害との関連が報告されている。

原発性進行性失語症 (primary progressive aphasia：PPA)

前頭側頭葉変性症(fronto temporal lobar degeneration：FTLD)に含まれ，言語障害を主症状とする変性疾患である。言語に際立った機能低下を呈し，進行とともに記憶などの他の認知障害も呈するが，少なくとも発症後2年以内には言語以外の認知機能に異常が認められない変性疾患。下位分類として以下の2疾患がある。

・**進行性非流暢性失語(progressive non fluent aphasia：PNFA)**：努力性，プロソディ障害，失構音，途切れ途切れの発語を特徴とし，錯語，失文法がみられる。

・**意味性認知症(semantic dementia)**：語の意味的側面が強く障害され，「○○って何ですか」というようにあたかもはじめて聞いたような聞き直しが特徴的である(語義失語)。左側頭葉前部の障害の場合で生じる B-4。

B-4 意味性認知症における側頭葉前部の(左優位)萎縮(MRI画像)

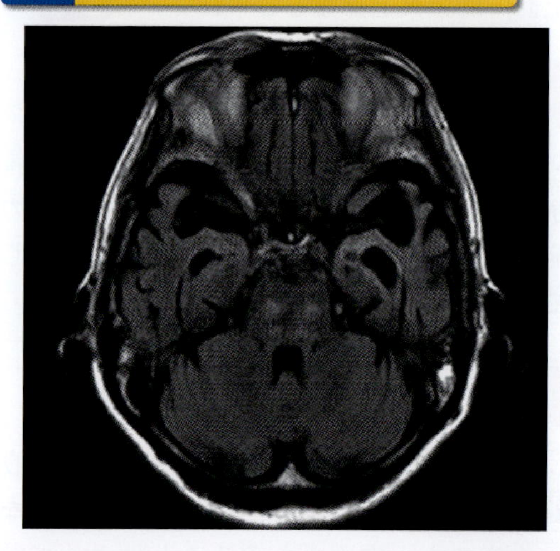

考えられる疾患，鑑別に必要な検査

考えられる疾患	鑑別に必要な検査	画像検査	髄液検査	その他
脳血管障害(中大脳動脈閉塞，脳出血など)	意識レベル(p.210〜222)，失語，失行，失認，徒手筋力検査(p.74〜88)，反射(p.126〜139)，など	○		
原発性進行性失語症(進行性非流暢性失語，意味性認知症)	認知機能，失語，徒手筋力検査(p.74〜88)，反射(p.126〜139)	○	○	筋電図，脳血流シンチグラフィ，神経心理検査
脳腫瘍	意識レベル(p.210〜222)，徒手筋力検査(p.74〜88)，反射(p.126〜139)，など	○		
頭部外傷	意識レベル(p.210〜222)，徒手筋力検査(p.74〜88)，反射(p.126〜139)，など	○		
脳炎	意識レベル(p.210〜222)，徒手筋力検査(p.74〜88)，反射(p.126〜139)，髄膜刺激症状(p176〜179)	○	○	ウイルスPCR検査，脳波
Alzheimer病	認知機能	○	○	脳血流シンチグラフィ，髄液Aβ42低値，神経心理検査
プリオン病	ミオクローヌス(p.98〜107)，高次機能，反射(p.126〜139)，など	○	○	脳波，髄液14-3-3蛋白高値，遺伝子検査
ミトコンドリア脳筋症	けいれん，徒手筋力検査(p.74〜88)，反射(p.126〜139)，など	○	○	脳波，髄液乳酸，ピルビン酸高値，遺伝子検査

高次機能／失行

診察の方法

●失行とは，運動麻痺・失調・不随意運動・筋緊張異常・感覚障害あるいは知能障害などがなく，行為についての認識が十分であるにもかかわらず，要求された行為を正しく遂行できない状態をいい，自分のしようと思っていることと違うことをしてしまう状態。

●症状の特徴からいくつかの臨床型に分類される。

・口部顔面失行(buccofacial apraxia：左大脳半球)

口頭命令によっても，模倣によっても口と顔面部の動作ができない病像。一方，日常動作は保たれ，食事などは保たれる。舌を出す，目を閉じる，口笛を吹くなどの指示に適切に従えるかで評価する。

・観念失行(ideational apraxia)

優位半球頭頂葉を中心とした広範な障害。複数の物品を系列的に操作する運動が障害され，日常用いる物品を正当に評価，使用ができなくなることを特徴とする。歯磨き粉と歯ブラシ，紙とはさみなどを提示してうまく使えるかをみる **A-2**。この際，使用すべき物品の呼称，用途を口で述べることができれば，観念失行と診断される。

・観念運動失行(ideomotor apraxia)

優位半球頭頂葉下部の広範の障害。物品を使用しない単純動作，また単一の物品や道具を対象とする動作が口頭指示や模倣で実行することが障害された状態。軍隊の敬礼，影絵のキツネや影絵のハトをまねさせる **A-3**。

・構成失行(constructional apraxia)

通常優位半球頭頂－後頭葉の障害。図形描写や積木の構築などの操作の空間的形態が障害された状態。立体図形を紙に書き，同じものを書いてもらう **A-4**。

・着衣失行(dressing apraxia)

劣位半球頭頂–後頭葉の障害。衣服の着脱時のみ失行が起き，うまく着衣ができない **B-5**。

A-2 観念失行の評価

A-3 観念運動失行の評価

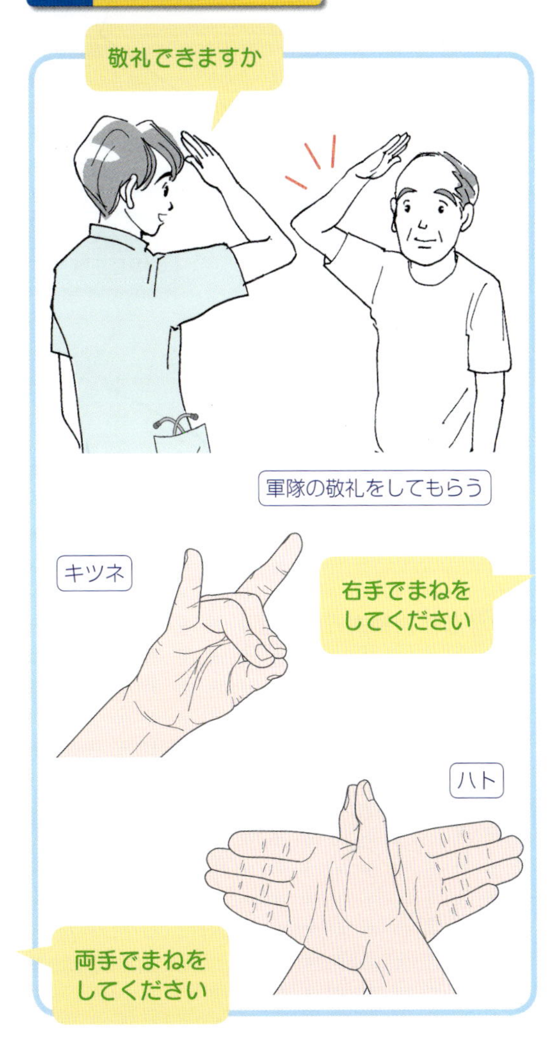

・肢節運動失行（limb-kinetic apraxia）
対側の中心前回の障害。運動麻痺，筋緊張異常，知覚障害などがみられないにもかかわらず，ボタンをかける，ズボンのポケットに手を入れるなどの巧緻運動がうまくできない。手指を順に折り曲げる，手袋をはめる，本のページを1枚ずつめくれるかどうかをみるA-6。

・拮抗失行（diagonistic apraxia，右側（劣位側）前頭葉内側面もしくは脳梁病変）
自分の意志に応じた右手の行為に対して，左手がそれを制止あるいは反対の行為をしようとするため目的行為が完遂できない状態。また，他人の手徴候（alien hand sign）とは，左手が自分の意志とは無関係に不随意的な運動を起こし，右手がこれを制止しようとする。大脳皮質基底核変性症（corticobasal degeneration）で特徴的とされる。

A-4 構成失行を認めるAlzheimer病の五角形模写

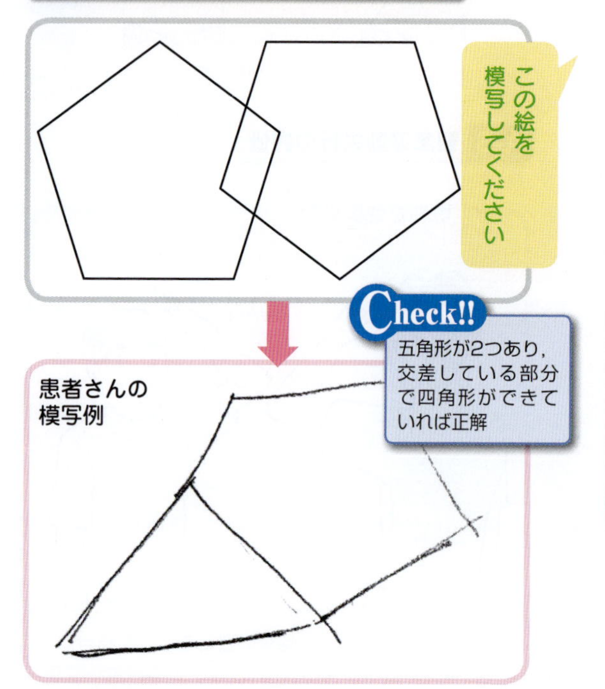

五角形が2つあり，交差している部分で四角形ができていれば正解

A-5 着衣失行の評価

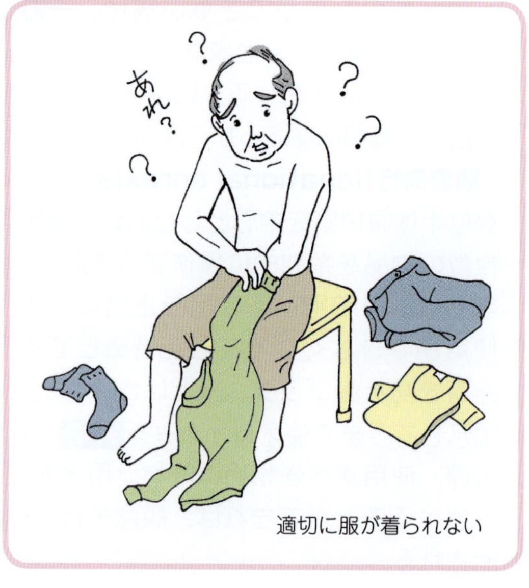

適切に服が着られない

A-6 肢節運動失行の評価

指を親指から順におりまげてください
指折り

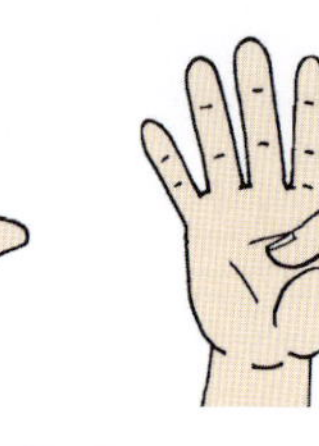
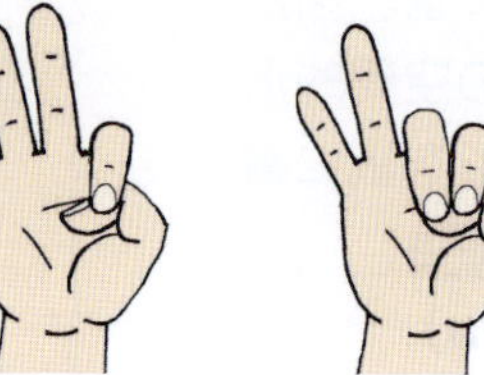

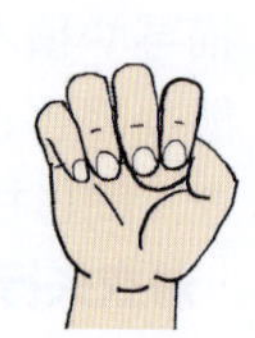

高次機能／失行

診断プロセスからみる失行の診察

病巣部位

口部顔面失行（buccofacial apraxia）	優位大脳半球の障害
観念失行（ideational apraxia）	優位半球頭頂葉を中心とした広範な障害
観念運動失行（ideomotor apraxia）	優位半球頭頂葉下部の広範の障害
構成失行（constructional apraxia）	通常優位半球頭頂－後頭葉の障害
着衣失行（dressing apraxia）	劣位半球頭頂－後頭葉の障害
肢節運動失行（limb-kinetic apraxia）	対側の中心前回の障害
拮抗失行（diagonistic apraxia）	右側（劣位側）前頭葉内側面もしくは脳梁病変

考えられる疾患，鑑別に必要な検査

考えられる疾患	鑑別に必要な検査	画像検査	髄液検査	その他
脳血管障害 （中大脳動脈閉塞， 脳出血など）	意識レベル(p.210～222)，失語，失行，失認，徒手筋力検査(p.74～88)，反射(p.126～139)，など	○		
大脳皮質黒質変性症	認知機能，失行，反射(p.126～139)，錐体外路徴候	○	○	脳血流シンチグラフィ
脳腫瘍	意識レベル(p.210～222)，徒手筋力検査(p.74～88)，反射(p.126～139)，など	○		
頭部外傷	意識レベル(p.210～222)，徒手筋力検査(p.74～88)，反射(p.126～139)，など	○		
脳炎	意識レベル(p.210～222)，徒手筋力検査(p.74～88)，反射(p.126～139)，髄膜刺激症状(p.189～193)	○	○	ウイルスPCR検査，脳波
Alzheimer病	認知機能	○	○	脳血流シンチグラフィ， 髄液Aβ42低値， 神経心理検査
プリオン病	ミオクローヌス(p.98～107)，高次機能(p.196～207)，反射(p.126～139)，など	○	○	脳波， 髄液14-3-3蛋白高値， 遺伝子検査
ミトコンドリア脳筋症	けいれん，徒手筋力検査(p.74～88)，反射(p.126～139)，など	○	○	脳波，髄液乳酸， ピルビン酸高値， 遺伝子検査

高次機能／失認

診察の方法

●失認とは，感覚が正しく入力されているのに，それを正しく認識できない障害をいう。

●症状の特徴からいくつかの臨床型に分類される。

- **視覚性失認(visual agnosis)**：両側の後頭葉の障害。ものが見えてもそれが何だかわからない状態。触る，音を聞くなどの視覚以外の感覚情報があれば何だかわかる。はさみ，鍵などを見せて呼称してもらう。できない場合，持たせることにより呼称可能かを評価する。
- **半側視空間無視(hemispacial neglect)**：劣位大脳半球の障害。病側と反対側の視空間を無視すること。簡単な絵を模写してもらったり，線分抹消テストで評価する。軽度なものは，直線の二等分にて評価する A-7 。
- **手指失認(finger agnosia)**：優位半球角回の障害。手指の名前がわからないもしくは，指示された指を示せない状態。
- **病態失認(anosognosia)**：劣位半球頭頂葉の障害。自己の障害を認知しない，あるいは否認するもの。狭義には片麻痺の否認をさしている。
- **地誌失認(topographical agnosia)**：劣位半球頭頂葉の障害。地図上によく知られている都市の所在を示せるかにて評価する A-8 。
- **相貌失認(prosopagnosia)**：劣位半球後頭側頭葉の障害。人間の顔が識別できないこと。しかし，声を聞いて人物同定ができる。また顔がわからなくても，人物像は保持されている。右半球で発症した意味性認知症の初発症状となる A-9 。

A-7 線分抹消テスト，線分二等分テスト

線分抹消テスト（患者さんの一例）

紙に書かれたすべての線に
印を付けて消してください

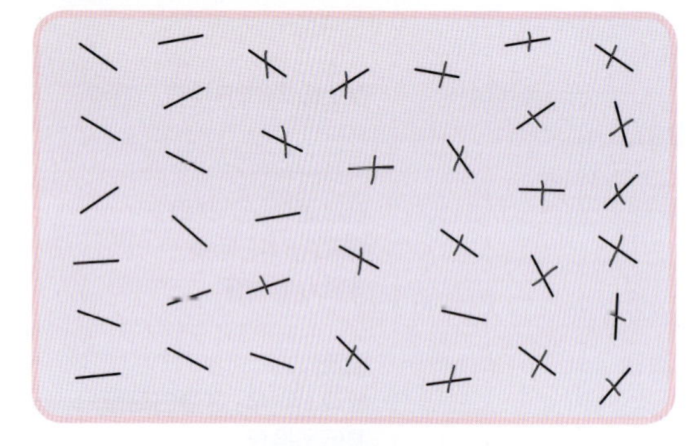

線分二等分テスト（患者さんの一例）

この線の真ん中に印を付けてください

A-8 地誌失認のテスト

A-9 相貌失認（意味性認知症）における側頭葉前部の（右優位）萎縮（MRI画像）

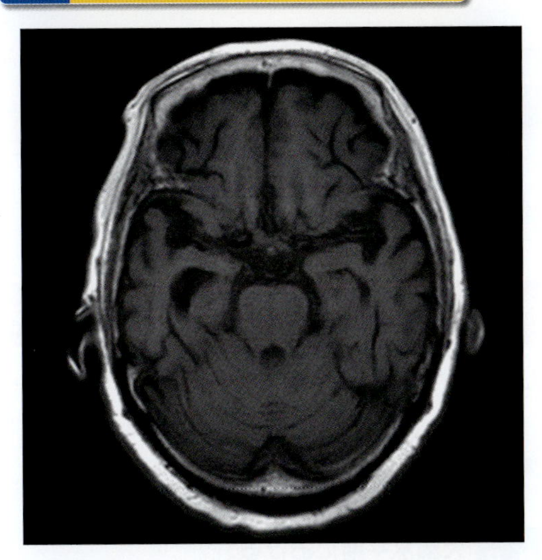

A-10 視空間認知障害がみられたLewy小体型認知症患者の時計模写

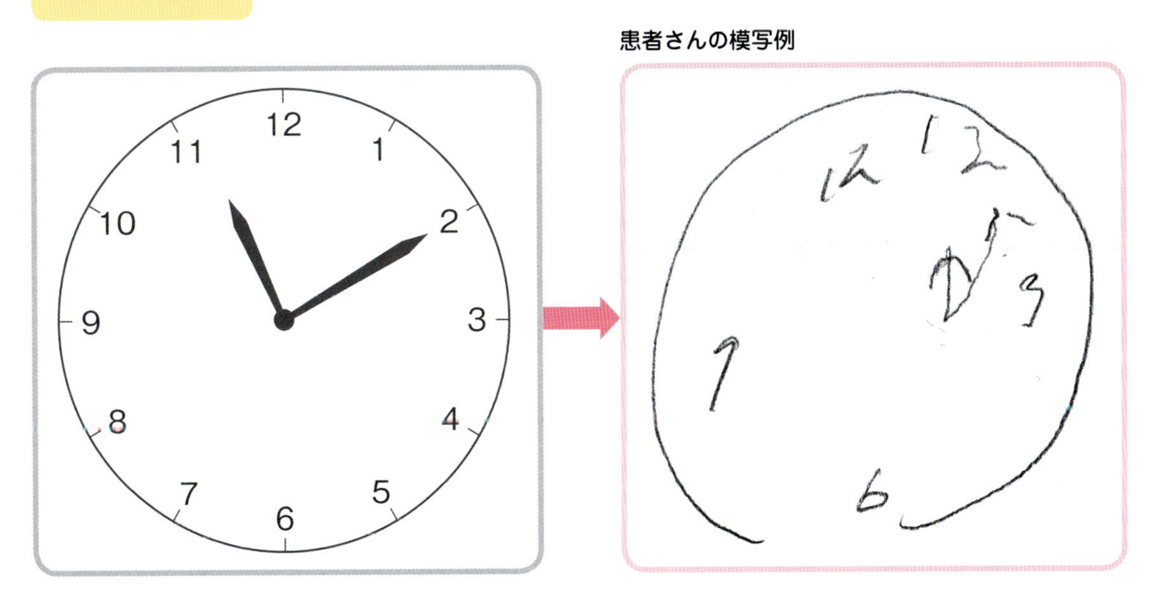

●clock drawingテスト：認知症のスクリーニングとして有用で，前頭葉の実行機能を簡便に評価する方法であるが，時計に関する意味記憶と視空間認知の評価にもつながる。白い紙に，時計（文字盤と11時10分を指した2本の針）を書いてもらう（clock drawing administration）。その後，正解の時計を模写してもらう（clock copying administration）A-10。

高次機能／失認

診断プロセスからみる失認の診断

病巣部位

視覚性失認(visual agnosis)	両側の後頭葉の障害
半側視空間無視(hemispacial neglect)	劣位大脳半球の障害
手指失認(finger agnosia)	優位半球角回の障害
病態失認(anosognosia)	劣位半球頭頂葉の障害
地誌失認(topographical agnosia)	劣位半球頭頂葉の障害
相貌失認(prosopagnosia)	劣位半球後頭側頭葉の障害

その他の重要な症候群

Gerstmann症候群：優位半球頭頂葉-後頭葉移行部(角回)の障害で，手指失認，失計算(暗算も筆算もできない)，失書(自発的に字を書くことも書き取りもできない)，左右失認の4つの症候を示す B-5~7。

Anton症候群：病態失認の一型で，皮質盲，皮質聾があるが，これを否認する病態。右頭頂葉の障害で出現する。

Bálint症候群：特異な視空間知覚能力の障害で，精神性注視麻痺・視覚失調・視覚性注意障害の3症状をきたす病態。両側頭頂-後頭葉の障害で起こる。

視覚性注意障害：視覚性刺激に対する注意が低下しており，注視した狭い範囲にしか注意をはらわない。

精神性注視麻痺：視線が一点に固定してしまうが，注視がそれると視線が定まらない。

視覚失調：凝視した対象に手を伸ばしてスムースにつかむことができない症状。

B-5 大脳水平断における角回のレベル

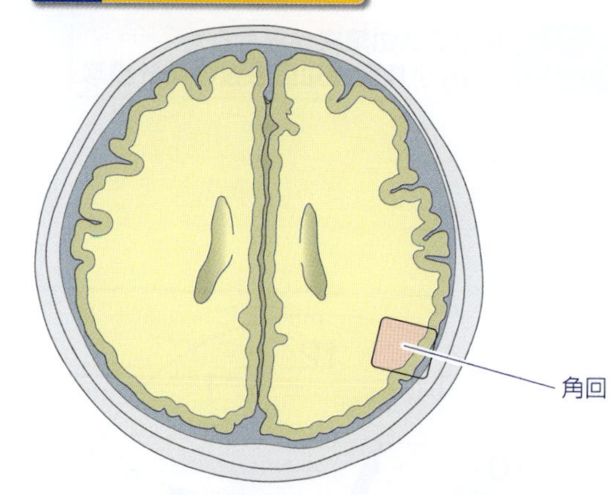

角回の大脳における局在についてはp.224 図1も参照。

B-6 左右失認の評価

B-7 手指失認の評価

考えられる疾患，鑑別に必要な検査

考えられる疾患	鑑別に必要な検査	画像検査	髄液検査	その他
脳血管障害 (中大脳動脈閉塞，脳出血など)	意識レベル(p.210〜222)，失語，失行，失認，徒手筋力検査(p.74〜88)，反射(p.126〜139)，など	○		
意味性認知症 (とくに相貌失認の場合)	認知機能，失語，反射(p.126〜139)	○	○	脳血流シンチグラフィ，神経心理検査
脳腫瘍	意識レベル(p.210〜222)，徒手筋力検査(p.74〜88)，反射(p.126〜139)，など	○		
頭部外傷	意識レベル(p.210〜222)，徒手筋力検査(p.74〜88)，反射(p.126〜139)，など	○		
脳炎	意識レベル(p.210〜222)，徒手筋力検査(p.74〜88)，反射(p.126〜139)，髄膜刺激症状(p.190〜193)	○	○	ウイルスPCR検査，脳波
Alzheimer病	認知機能	○	○	脳血流シンチグラフィ，髄液Aβ42低値，神経心理検査
プリオン病	ミオクローヌス(p.98〜107)，高次機能(p.196〜207)，反射(p.126〜139)，など	○	○	脳波，髄液14-3-3蛋白高値，遺伝子検査
ミトコンドリア脳筋症	けいれん，徒手筋力検査(p.74〜88)，反射(p.126〜139)，など	○	○	脳波，髄液乳酸，ピルビン酸高値，遺伝子検査

高次機能／障害（失語，失行，失認）と責任病巣

高次機能の障害	病巣		
	優位半球（左半球）	劣位半球（右半球）	両側
言語	・Broca失語（前頭葉　Broca野） ・皮質下性運動失語（中心前回下部） ・超皮質性運動失語（Broca野周辺） ・全失語（前頭葉-側頭葉） ・伝導失語（弓状束，島葉，縁上回，側頭葉上部） ・Wernicke失語（上側頭回後部（Wernicke領野）） ・皮質下性感覚失語（Wernicke領野） ・超皮質性感覚失語（Wernicke領野の後方部） ・失読失書（角回） ・純粋失読（後頭葉の内側底面と脳梁膨大部） ・視床性失語（視床） ・語義失語（左側頭葉前部）		
失行	・観念失行（頭頂葉） ・観念運動失行（頭頂葉下部） ・構成失行（頭頂-後頭葉）	・着衣失行（頭頂-後頭葉） ・拮抗失行（前頭葉内側面もしくは脳梁）	・肢節運動失行（対側の中心前回）
失認	・手指失認（角回）	・半側視空間無視（大脳半球） ・病態失認（頭頂葉） ・地誌失認（頭頂葉） ・相貌失認（後頭側頭葉）	・視覚性失認（後頭葉）
その他	・Gerstmann症候群（角回）	・Anton症候群（頭頂葉）	・Bálint症候群（側頭頂-後頭葉）

意識障害患者の神経診察の方法

意識レベル

●**昏睡(Coma)**：痛み刺激などでもまったく反応がなく，自発運動も消失し，筋肉は弛緩し，失禁状態である。腱反射，角膜反射も消失した状態を深昏睡(deep coma)という。

●**半昏睡(Semicoma)**：自発運動がほとんどなく，疼痛刺激で逃避反射をわずかに示す。腱反射や瞳孔反射は存在するが，失禁状態である。

●**昏迷(Stupor)**：自発運動も認められ，強い刺激に対して刺激を避けようとする運動がみられる。刺激を続けると簡単な質問や指示に応じることもあり，失禁は必ずしも伴わない。

●**嗜眠(Lethargy)**：傾眠と昏迷の中間。

●**傾眠(Somnolence)**：さまざまな刺激に対して覚醒し，質問に答えたり，動作を行うが，刺激がなくなると眠ってしまう状態。

日本式昏睡尺度(JCS)，グラスゴー昏睡尺度(GCS)

意識レベルの判定**表1，2**のためには次の①～⑥の観察を行う。

①自発的に開眼しているかどうか。

②開眼している場合，時，場所，人を検査し，発語の内容や話し方を観察して，見当識(障害)の有無と，言葉による応答(会話の混乱，不適切な言葉，理解不能の応答，発語の有無)を評価する。見当識障害がある時には，名前や生年月日を尋ねる**図1**。

③手を握れ，離せ(離握手)といった口頭指示による運動の応答を確認する**図2**。

④開眼していないときには，呼びかけて反応を観察する**図3**。呼びかけて開眼したとき，②言語理解と③運動反応を観察する。

表1 日本式昏睡尺度(Japan Coma Scale；JCS)

Ⅰ．刺激しないでも覚醒している状態(1桁の点数で表現)(delirium，confusion，senselessness)
1．意識清明とは言えない
2．見当識障害がある
3．自分の名前，生年月日が言えない
Ⅱ．刺激すると覚醒する状態(2桁の点数で表現)(stupor，lethargy，hypersomnia，somnolence，drowsiness)
10．普通の呼びかけで容易に開眼する
20．大きな声または体を揺さぶることにより開眼する
30．痛み刺激を加えつつ呼びかけを繰り返すと辛うじて開眼する
Ⅲ．刺激をしても覚醒しない状態(3桁の点数で表現)(deep coma，coma，semicoma)
100．痛み刺激に対し，払いのけるような動作をする
200．痛み刺激で少し手足を動かしたり顔をしかめる
300．痛み刺激に全く反応しない

注　R：Restlessness(不穏)，I：Incontinence(失禁)，
A：Apallic stateまたはAkinetic mutism
たとえば　30Rまたは30不穏とか，20Iまたは20失禁として表す。

表2 グラスゴー昏睡尺度(Glasgow Coma Scale；GCS)

1．開眼(eye opening，E)	E
自発的に開眼	4
呼びかけにより開眼	3
痛み刺激により開眼	2
なし	1
2．最良言語反応(best verbal response，V)	V
見当識あり	5
混乱した会話	4
不適当な発語	3
理解不明の音声	2
なし	1
3．最良運動反応(best motor response，M)	M
命令に応じて可 図2	6
疼痛部へ 図8	5
逃避反応として 図8	4
異常な屈曲運動 図27	3
伸展反応(除脳姿勢) 図28	2
なし	1

正常ではE，V，Mの合計が15点，深昏睡では3点となる。

⑤呼びかけても開眼しないとき，大きな声をかけながら，体を揺さぶり 図4，開眼するかどうかをみる。開眼したとき，②言葉による応答と③運動の応答を観察する。

⑥それでも開眼しないときには，疼痛刺激を加えて 図5〜8 呼びかけを繰り返し，開眼するかどうかをみる。患者さんへの配慮として，痛み刺激は声をかけてから加える。辛うじて開眼した場合には，②言葉による応答と③運動の応答を観察する。痛み刺激を加えても開眼しない場合には，痛みに対する反応（払いのけるような動作，しかめ顔，屈曲逃避，異常屈曲反応，伸展反応（除脳姿勢），無反応）を観察する（図8，p.221 図27，28）。

図1 開眼しているときの見当識の検査 OSCE

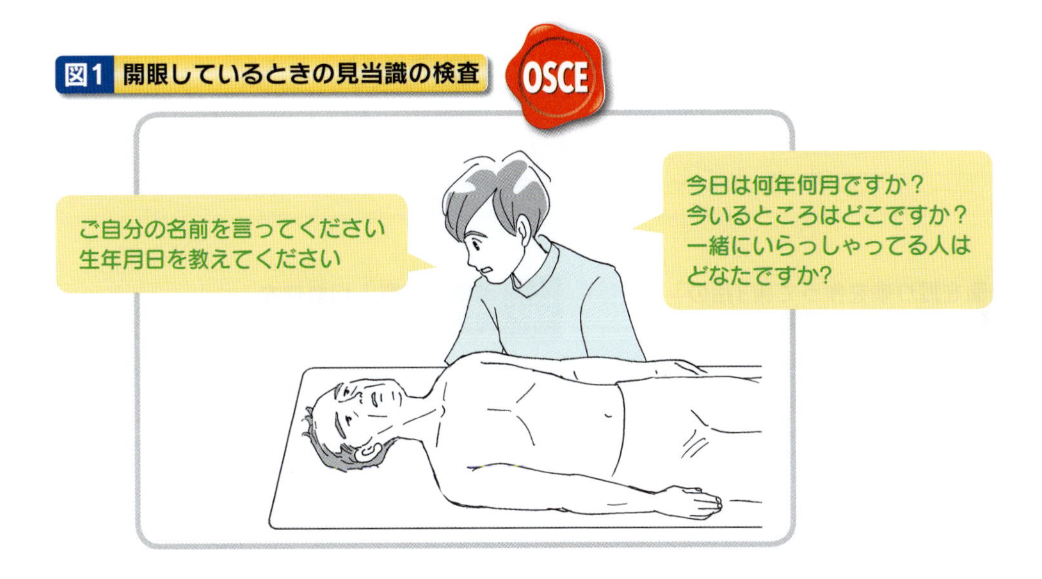

ご自分の名前を言ってください
生年月日を教えてください
今日は何年何月ですか？
今いるところはどこですか？
一緒にいらっしゃってる人はどなたですか？

図2 開眼しているときの運動反応の検査 OSCE

握れたら，手を握ってみてください
手を開いてください

指2本を握らせる。握力がどんなに強くても検者がけがをすることはないため

図3 呼びかけて反応を観察する

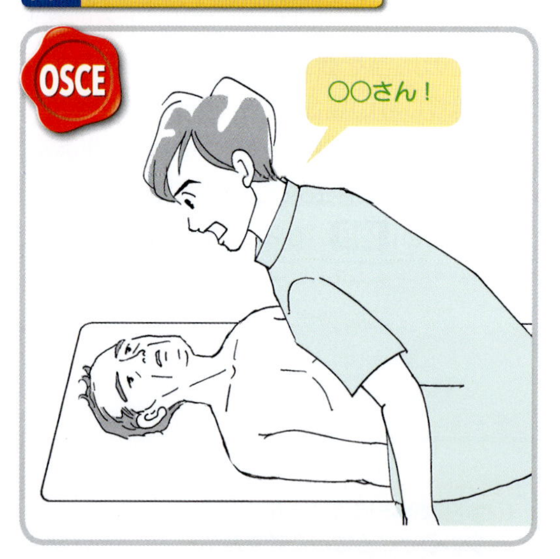

図4 大きな声をかけながら，体を揺さぶる

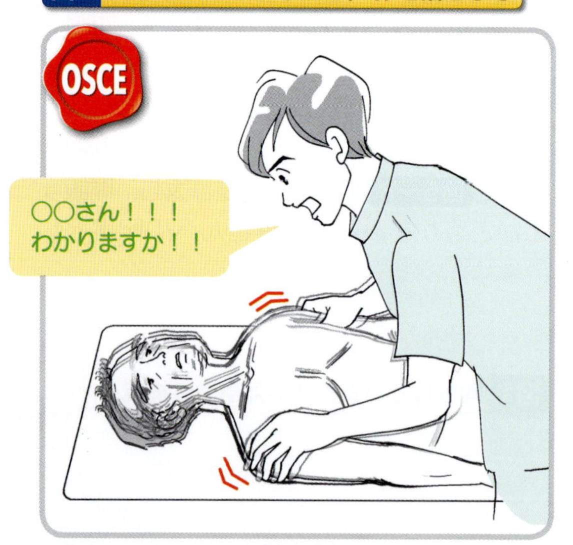

図5 胸骨の前面を握り拳を作って第3指の近位指節間関節で強く圧迫する

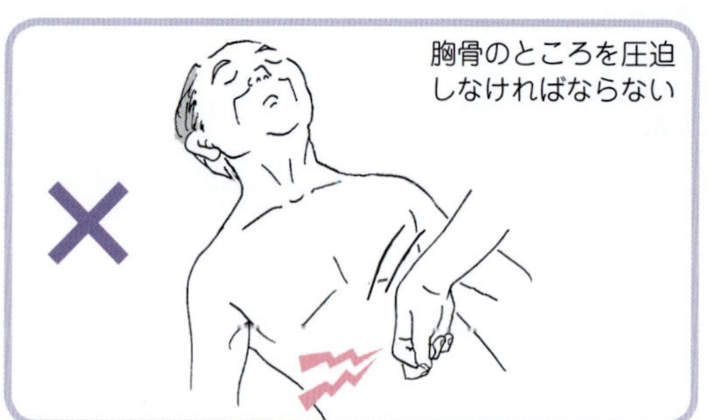

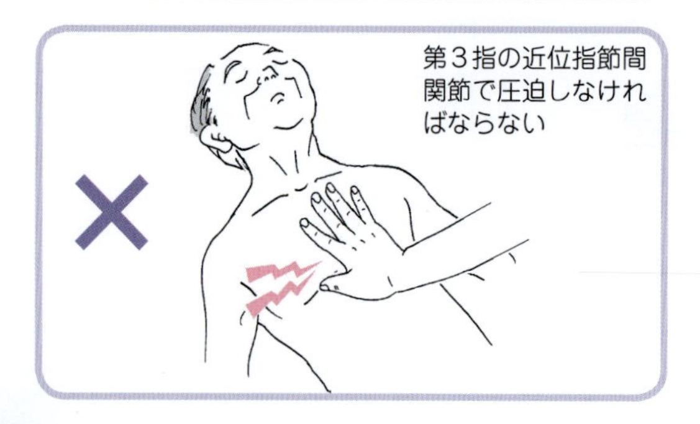

図6 両側の眼窩上切痕部を拇指先により強く圧迫する

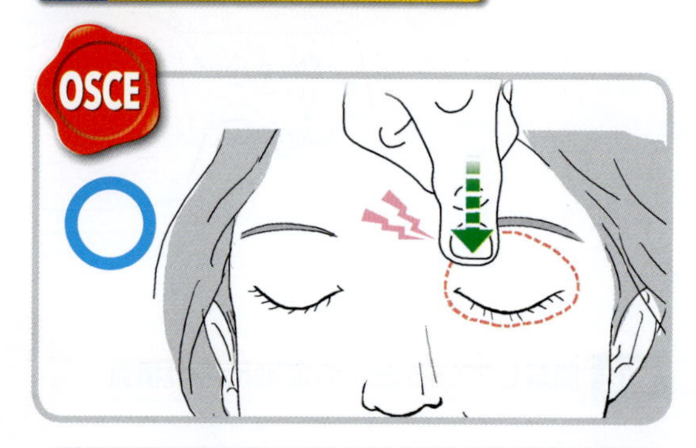

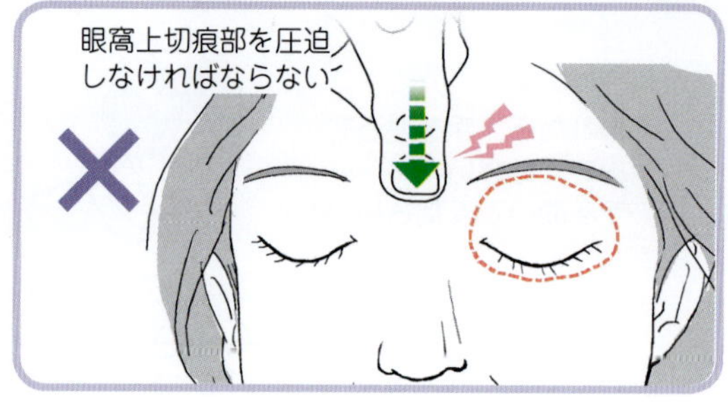

図7 左右上下肢の爪床をボールペンの柄などで強く圧迫する OSCE

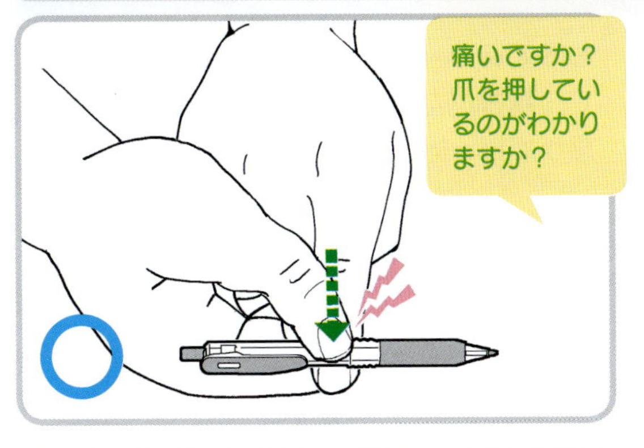

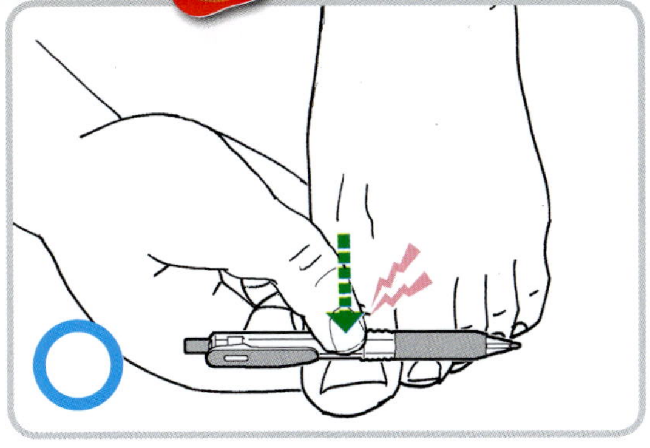

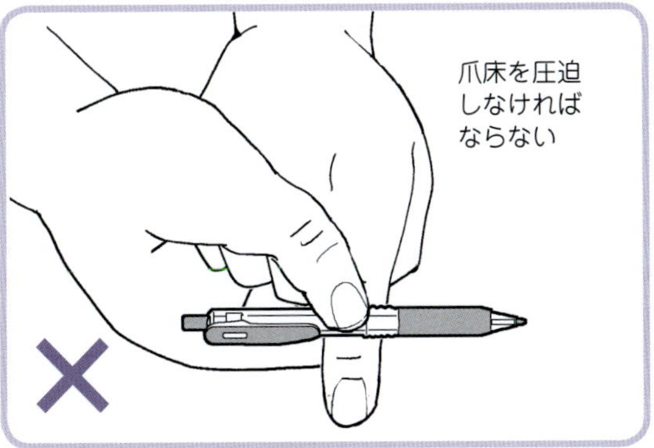

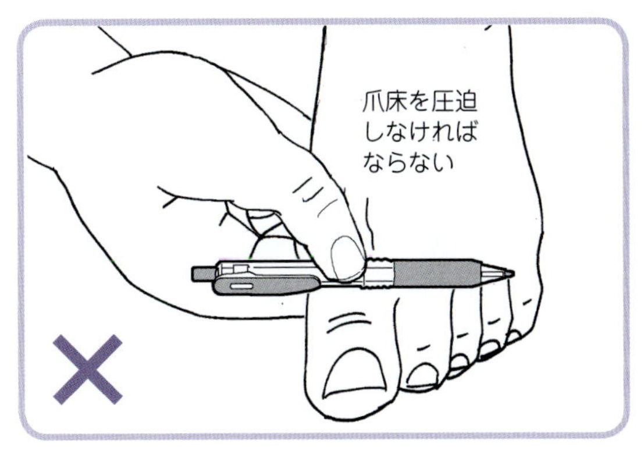

図8 つねる OSCE

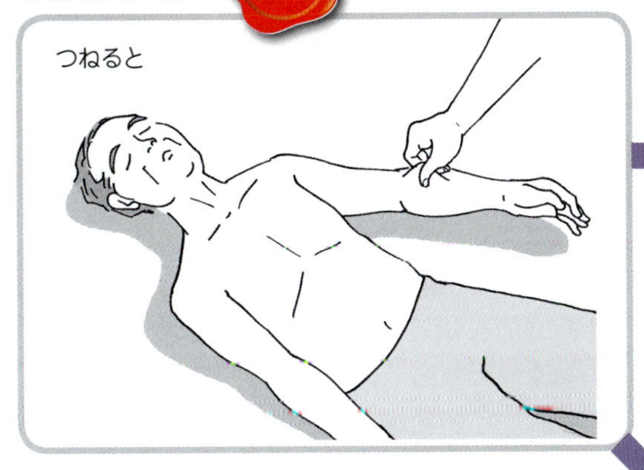

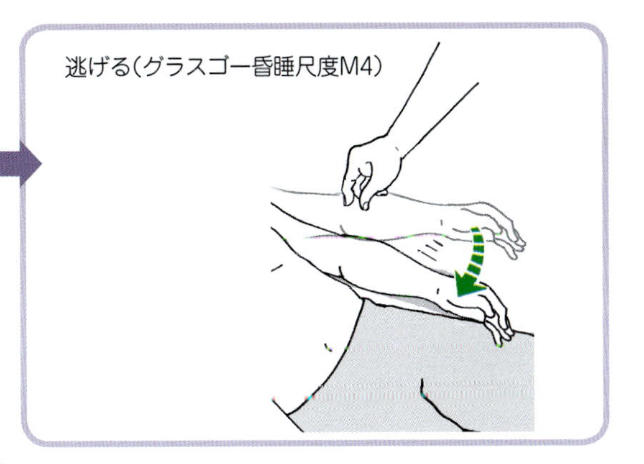

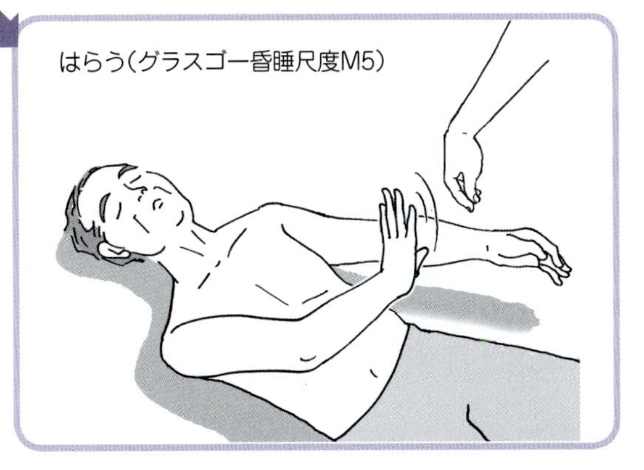

無動性無言，失外套症候群，閉じ込め症候群，せん妄の鑑別

●開眼し，眼を動かしたりするが，物を認識できる精神活動もなく，無言で原始反射による動きのみを示す状態を持続植物状態（Persistent vegetative state）とよび，そのなかには無動性無言と失外套症候群が含まれる。

●広汎な大脳白質，皮質病変による場合が失外套症候群，脳幹網様体賦活系の障害による場合が無動性無言 図9。

●閉じ込め症候群は，一見持続植物状態と同じ状態ではあるが，意識は清明で精神活動は正常であるが，眼球の随時運動以外には意思を伝える方法がなく，無言，無動で閉じ込められた状態をさす。皮質球路および皮質脊髄路（錐体路）が脳幹上部で障害されており，水平性眼球運動の経路も障害されているため，眼球運動は垂直性あるいは輻輳のみしかできない場合が多い。遠心路のみの障害であり，脳波は正常である。

●せん妄は意識レベルの障害とは異なったものであり，軽度の意識レベル低下に加えて，精神的な興奮として，錯覚，幻覚，妄想が加わった状態である。

図9 脳幹網様体賦活系

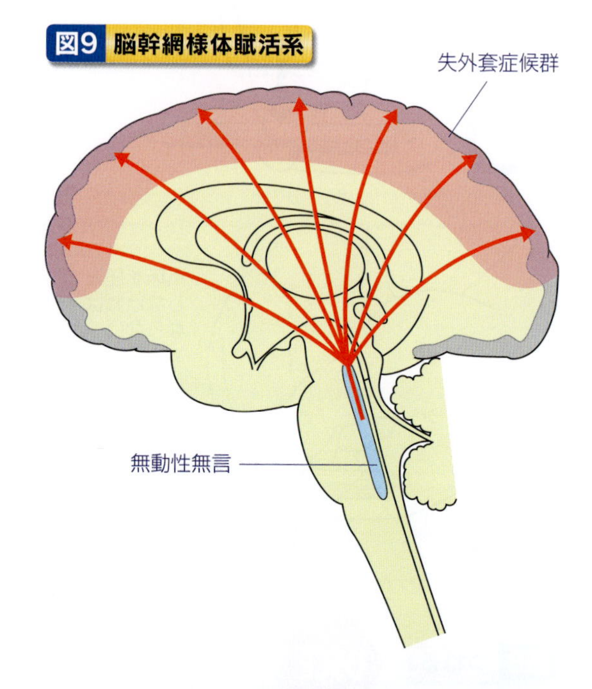

眼底

●意識障害では臥位で行うこと，後に述べる瞳孔反応は意識障害患者ではきわめて重要な所見であることから，散瞳薬を用いないことは重要な点である。

●眼底検査の方法の詳細についてはp.11を参照いただきたい。

視野（手刀法）

●軽い意識障害の場合には，顔面左右よりそれぞれ，眼に向かって手刀を切り込む動作を行うと，視野が保たれていると反射的に眼をつぶる 図10。

●まったく反応がない場合には視野欠損か意識障害が重度であることがわかる。

●左右差がある場合に有用。

瞳孔（散瞳の鑑別，縮瞳の鑑別（脳ヘルニア），毛様体脊髄反応）

●瞳孔径をみる。

●2mmより小さい場合を縮瞳，5mmより大きい場合を散瞳とよぶが，特に左右差が重要である 図11。

●典型的な一側の縮瞳はHorner症候群，一側の散瞳は動眼神経麻痺で認められる。

●一側の動眼神経麻痺は鉤ヘルニアの最初の徴候として重要な所見である。

●両側の縮瞳は種々の交感神経障害症状で認められるが，意識障害を伴うような重症の橋出血ではきわめて小さい瞳孔となる（pinpoint pupil） 図11。

●両側の散瞳は全脳虚血による徴候であるが，両側ともに縮瞳あるいは散瞳をみた場合には薬物中毒も考える必要がある。

●頸部や胸，上肢を針でつついたり，つねったりといった疼痛刺激に際して，両眼の瞳孔が1～2mm散瞳する（毛様体脊髄反射）。

図10 手刀法

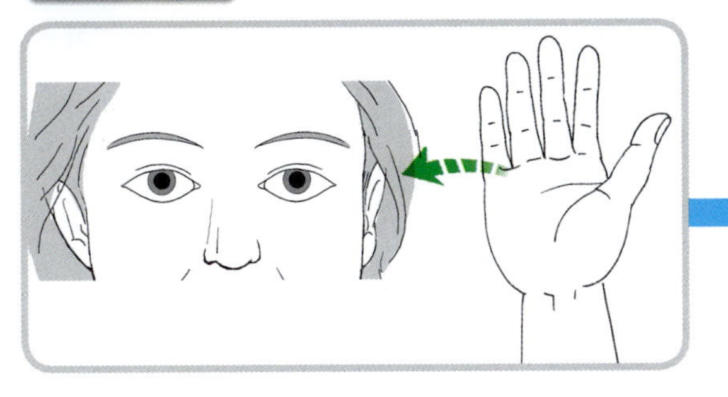

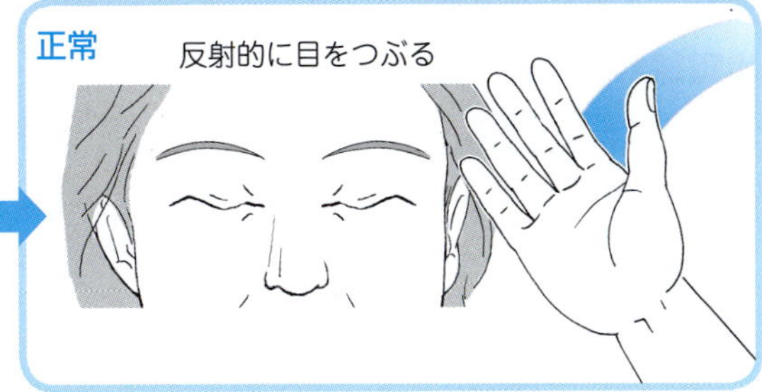

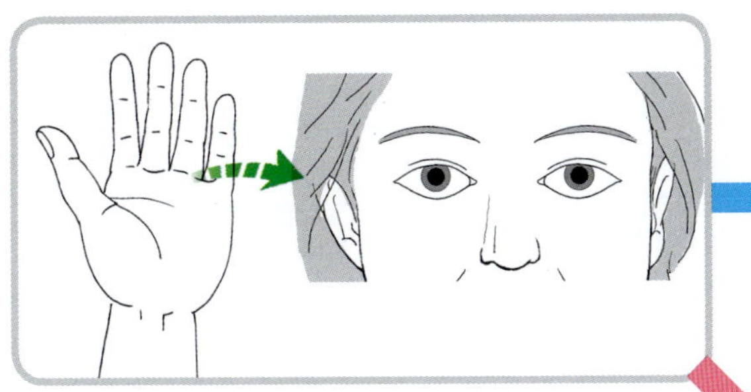

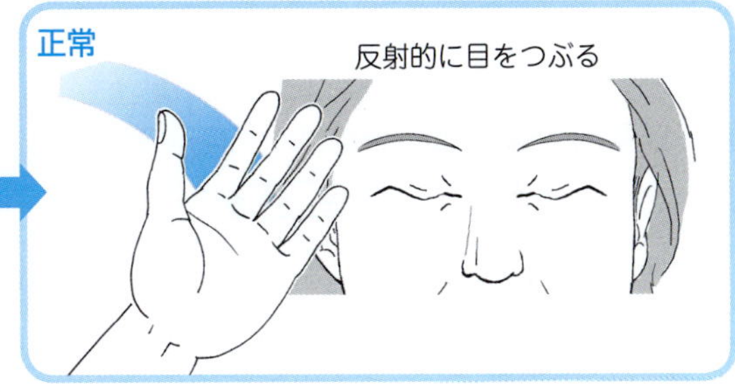

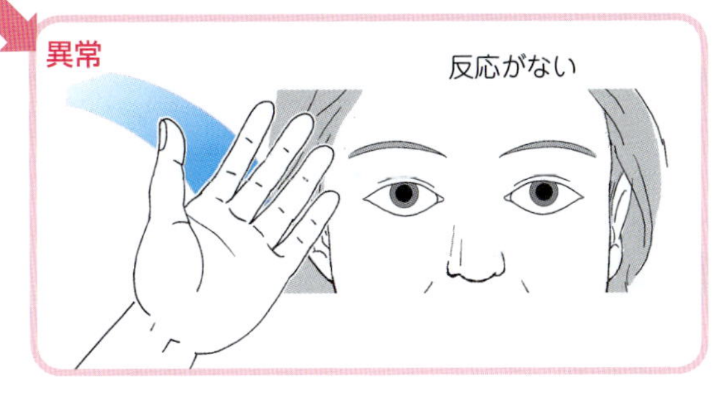

図11 瞳孔径の診察

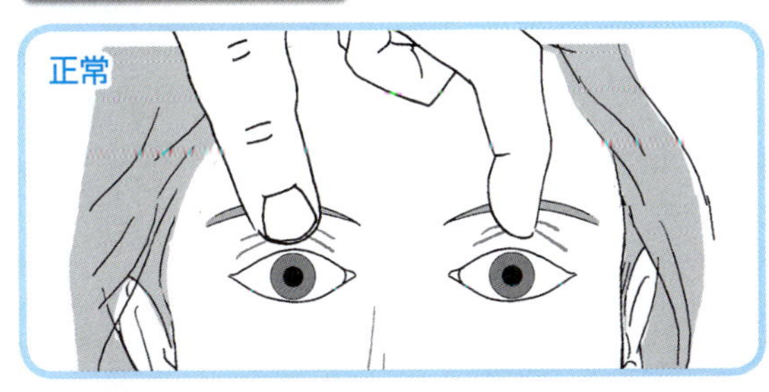

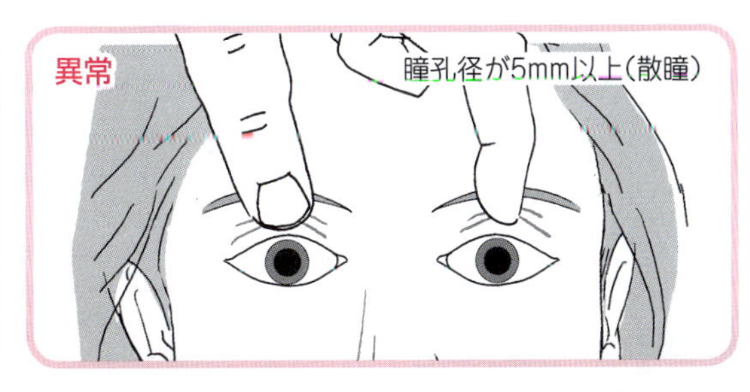

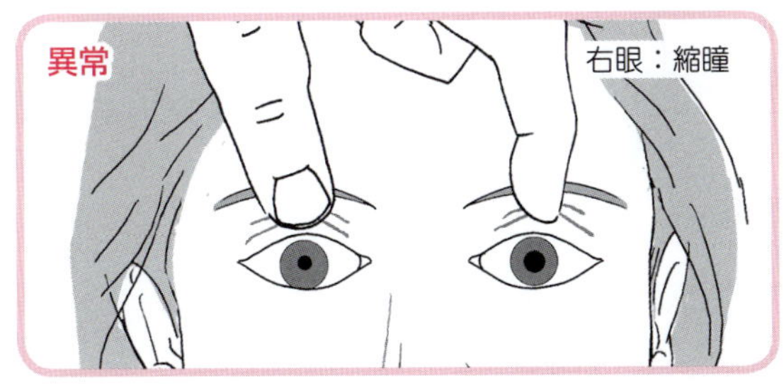

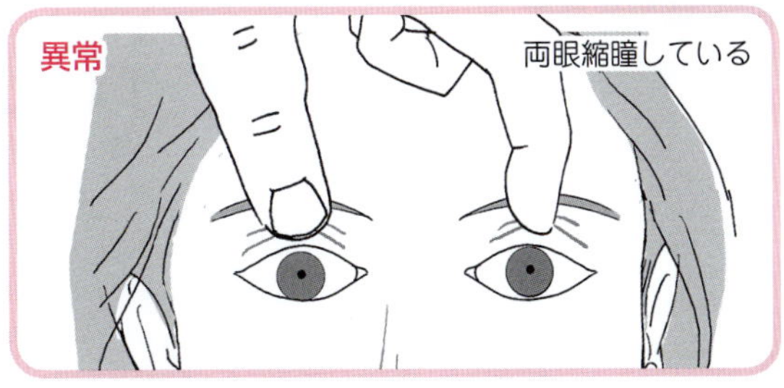

眼位，眼球運動 (眼球共同偏倚，斜偏倚，水平性非共同性眼球偏倚，眼球浮き運動，眼球彷徨，頭位変換眼球反射，oculocephalic reflex)

●眼球位置を観察する。

●両眼瞼を持ち上げて，眼位および自発的な眼球運動を観察する。

●**眼球共同偏倚**：両眼が持続して一側に偏倚した状態 図12。

・水平性共同偏倚は中脳より上部の脳病変では病巣側へ，橋・中脳病変では病巣の反対側へ向く場合が多い。

・垂直性眼球偏倚では下方視を呈する場合が多く，視床出血で中脳に進展するような重症例では輻輳して下方に偏倚し，鼻先をにらむような眼位をとることがある 図13。

・斜偏倚では一側の眼球は下内方，他側は上外方へ偏倚した状態 図14 が特徴的であるが，現在は，上下が垂直にずれた垂直性開散をさす場合が多い 図15。

・斜偏倚は脳幹の障害で生じるが，局所徴候としての意義は少ない。

●**水平性非共同性眼球偏倚**：両眼が共同せず，水平性に偏倚した状態。

・MLF(内側縦束)症候群や髄内外転神経，動眼神経核といった脳幹病変によって，片側の眼球運動が障害された結果，共同偏倚すべき眼位が片側のみとなると非共同性，ということになる 図16。

図12 眼球共同偏倚

図13 鼻先をにらむような眼位

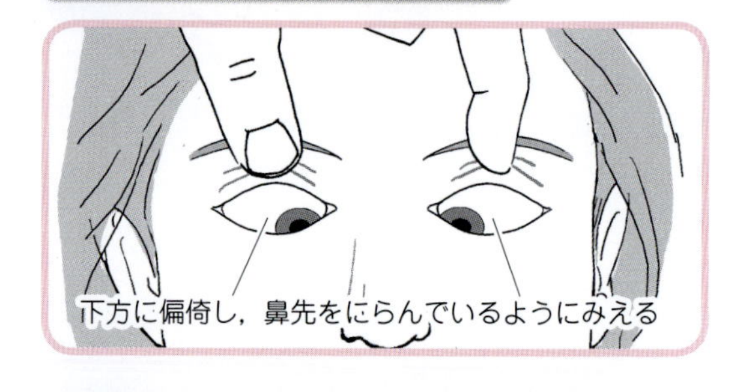

図14 斜偏倚

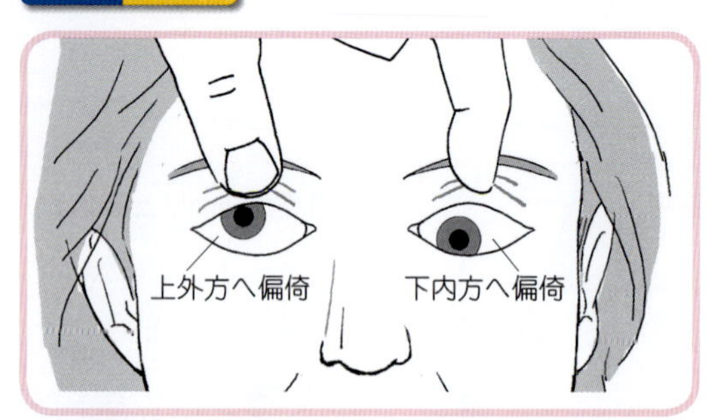

図15 上下が垂直にずれた垂直性開散

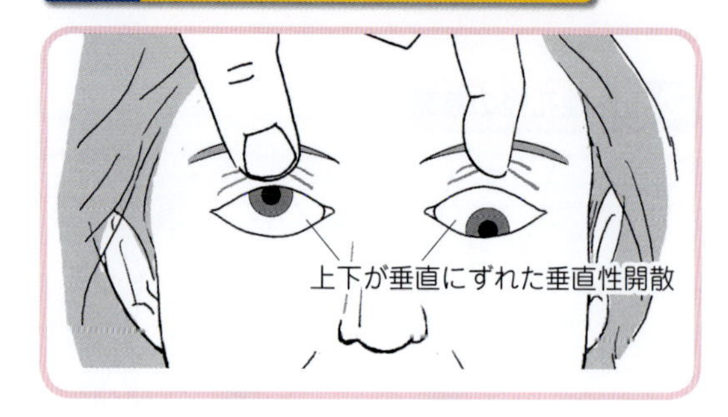

図16 水平性非共同性眼球偏倚

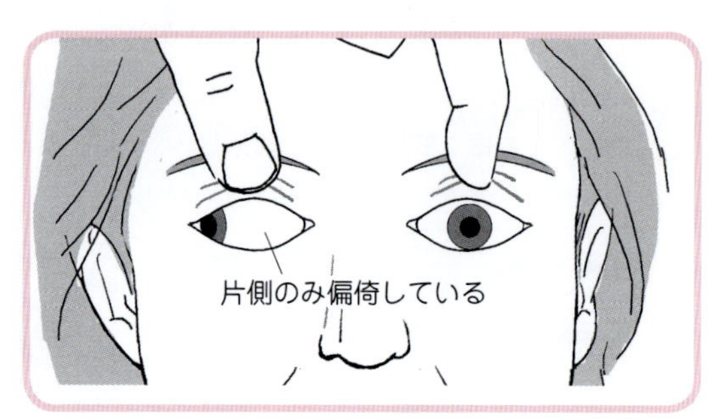

●眼球浮き運動(ocular bobbing)：間欠的に眼球が正中位から下方に急速に沈下したのち，ゆっくりと元の正中位にもどる垂直性の眼球の不随意運動で，重症の橋出血でしばしば認められる **図17**。

●眼球彷徨(roving eye movement)：眼球がゆるやかに左右へ振り子様に運動すること。

・乳幼児の睡眠中にもしばしば認められ，むしろ脳幹の障害がないことを示している **図18**。

図17 眼球浮き運動

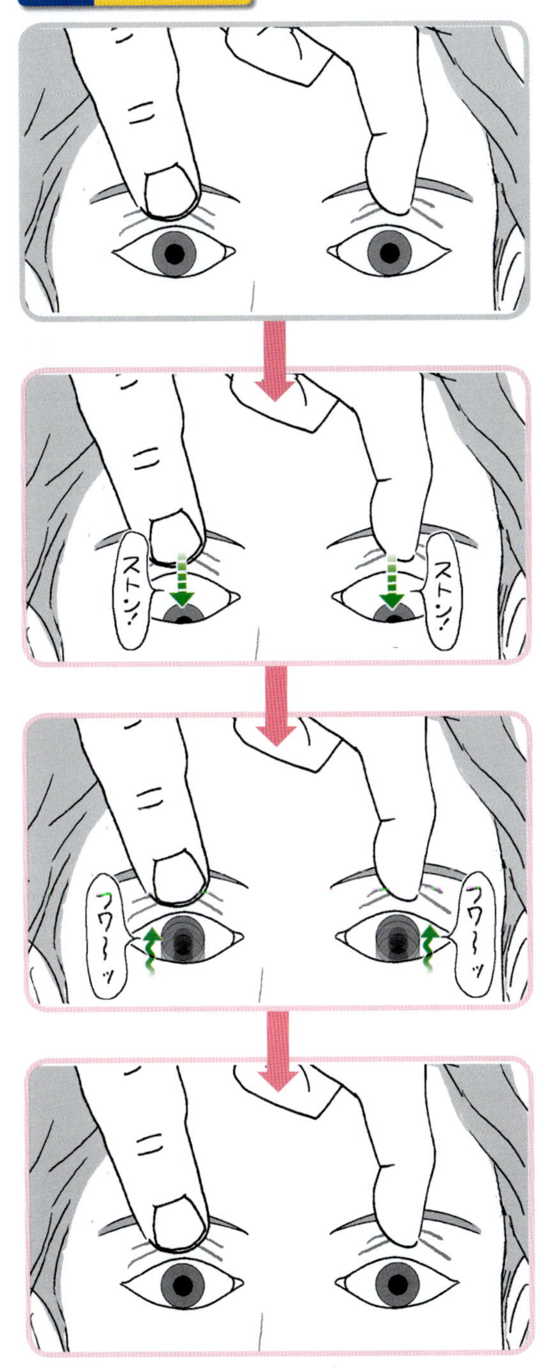

図18 眼球彷徨

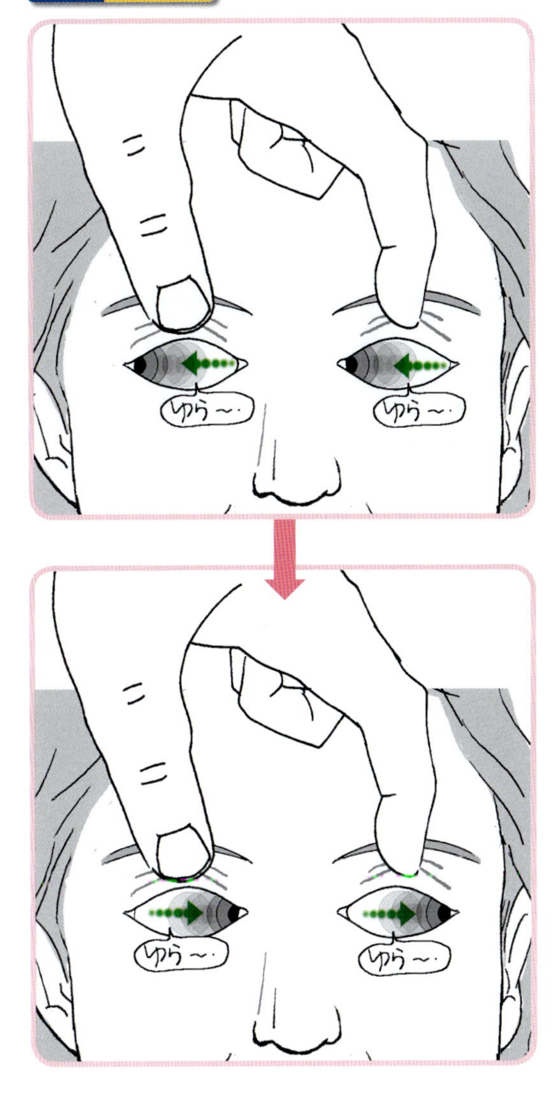

刺激を加えた際の眼球運動

●頭を受動的に急速に左右，上下に回転させると眼球はその反対側に動くのが正常の反応であり，これが頭位変換眼球反射(Oculocephalic reflex)である 図19。

意識清明な場合にははっきりした反射を示さないが，薬物中毒などの脳幹の局所障害がない重篤でない意識障害でスムーズな眼球運動反射を得ることができる。

頸椎外傷などの頸椎病変の疑いでは危険なので行わない。

脳圧亢進時には上下方向への回転は行わないほうがよい。

●鼓膜の異常がないことを確認したうえで，冷水を外耳道に注入する温度眼振試験(caloric test)によって眼球運動の異常をみることもできる(眼球前庭反射：oculovestibular reflex)。

意識清明ではcaloric testによって眼球が偏倚するのを補正するために眼振が出現するが，意識障害患者では眼球運動障害がなければ眼球偏倚のみが認められる 図20 (p.51参照)。つまり，眼振の緩徐相のみが出現することになる。

この試験は前庭神経核(p.52参照)と眼球運動を司る第Ⅲ，Ⅳ，Ⅵ脳神経の連絡路(内側縦束など(p.52参照))の機能が保たれていること，すなわち脳幹機能が保たれていることを確認するために重要である。

図19 頭位変換眼球反射の診察

正常者の頭を急速に左右に回転させると

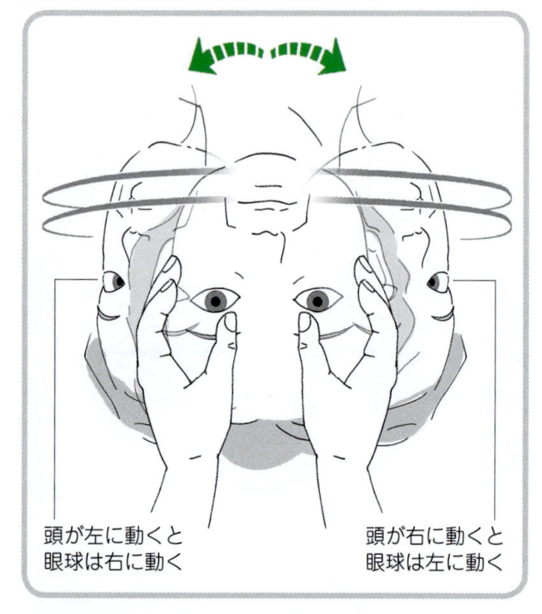
頭が左に動くと
眼球は右に動く
頭が右に動くと
眼球は左に動く

正常者の頭を急速に上下に回転させると

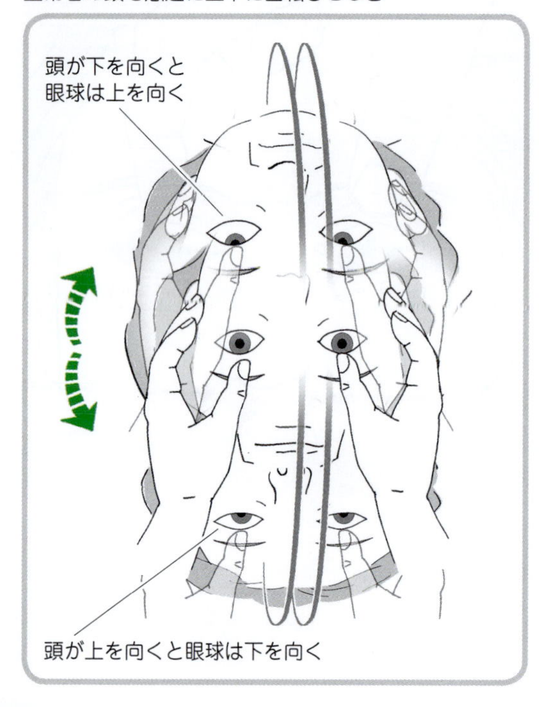
頭が下を向くと
眼球は上を向く
頭が上を向くと眼球は下を向く

図20 温度眼振試験(caloric test)

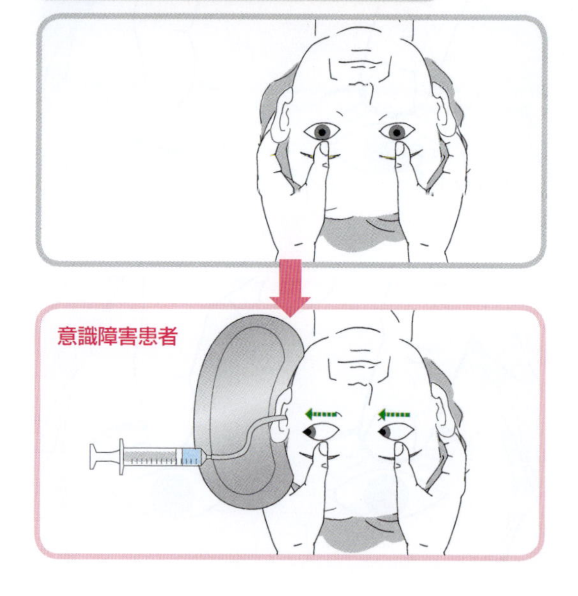
意識障害患者

角膜反射，睫毛反射

●角膜反射の診察方法はp.34を参照。

●睫毛反射は，睫毛に触れると両眼瞼をつぶる反応を観察する 図21。

左右それぞれを行い，左右差があるかどうかが重要。

意識障害が重篤な場合には両側とも消失する。

図21 睫毛反射の診察

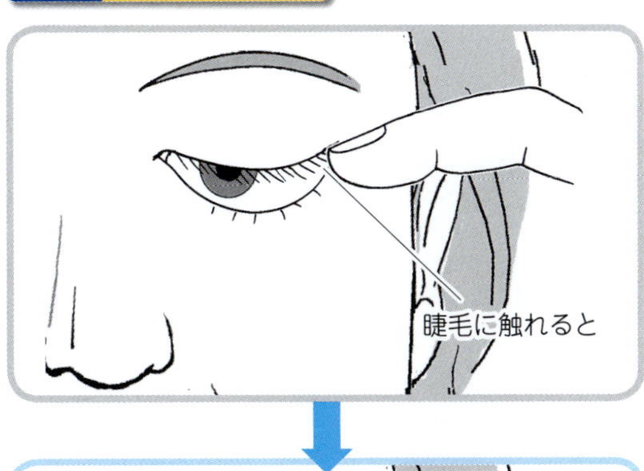

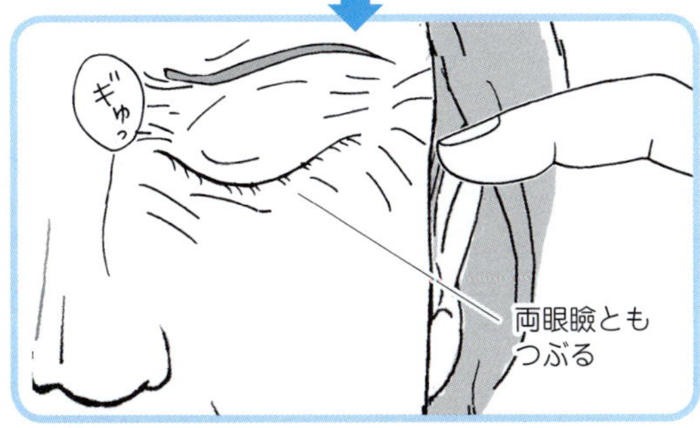

図22 顔面神経麻痺（右麻痺）

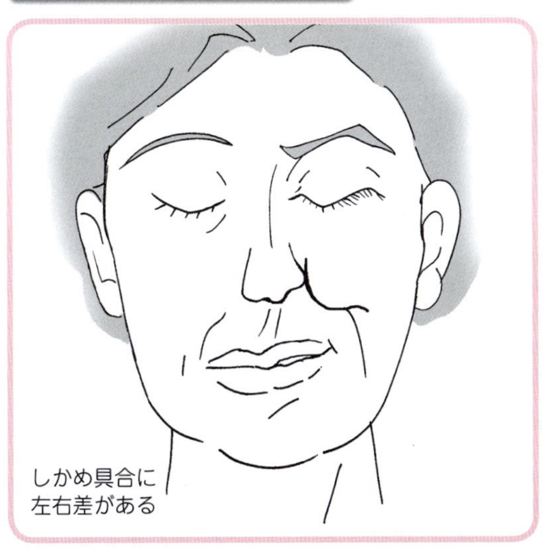

顔面神経麻痺

●角膜反射や疼痛刺激時の顔のしかめ具合で左右差があるかどうかをみる 図22。

●まぶた持ち上げ試験（lid lifting test）は両眼瞼を受動的に持ち上げて放した時の戻り具合の左右差をみる 図23。

図23 まぶた持ち上げ試験（右麻痺）

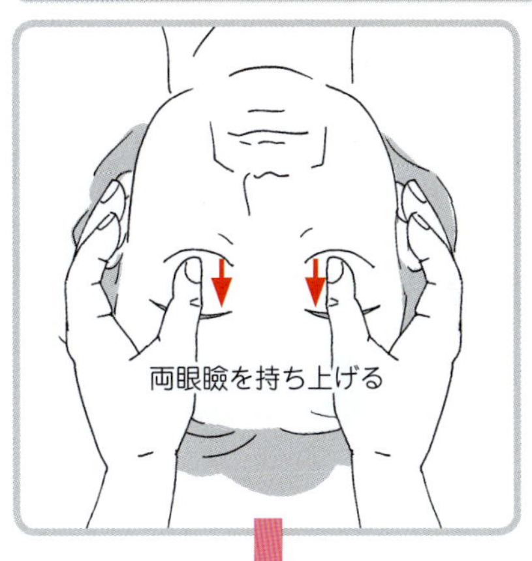

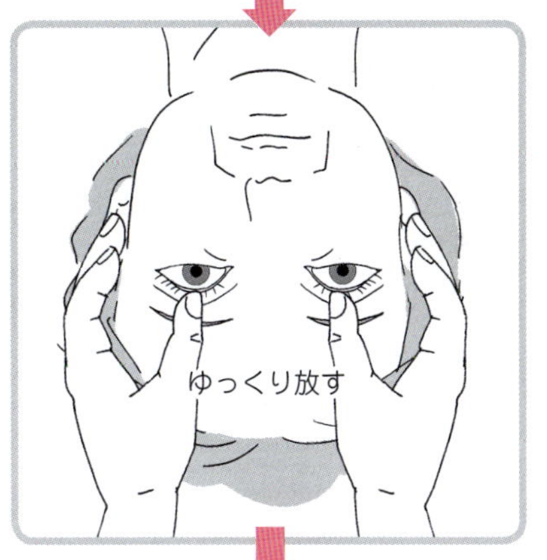

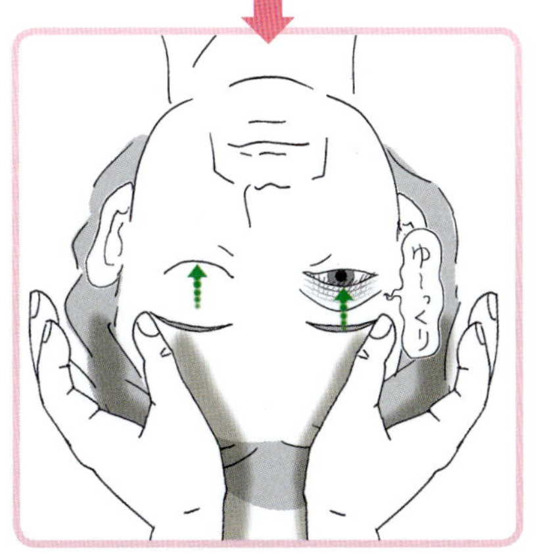

運動麻痺（腕落下試験，下肢落下試験，除皮質硬直，除脳硬直）

●疼痛刺激時の四肢の反応の左右差をみる（p.222の「感覚系」で述べる）。

●腕落下試験は両上肢を垂直に持ち上げて急放した際の上肢の落ちかたの左右差をみる 図24。顔面に落ちないように注意する。

●下肢の麻痺の左右差は，他動的に膝を立ててみて，手を離した際に足の倒れる様子をみる。

麻痺があると外側に倒れてしまう。

軽い麻痺では，膝立を保持できずに伸びて

図24 腕落下試験

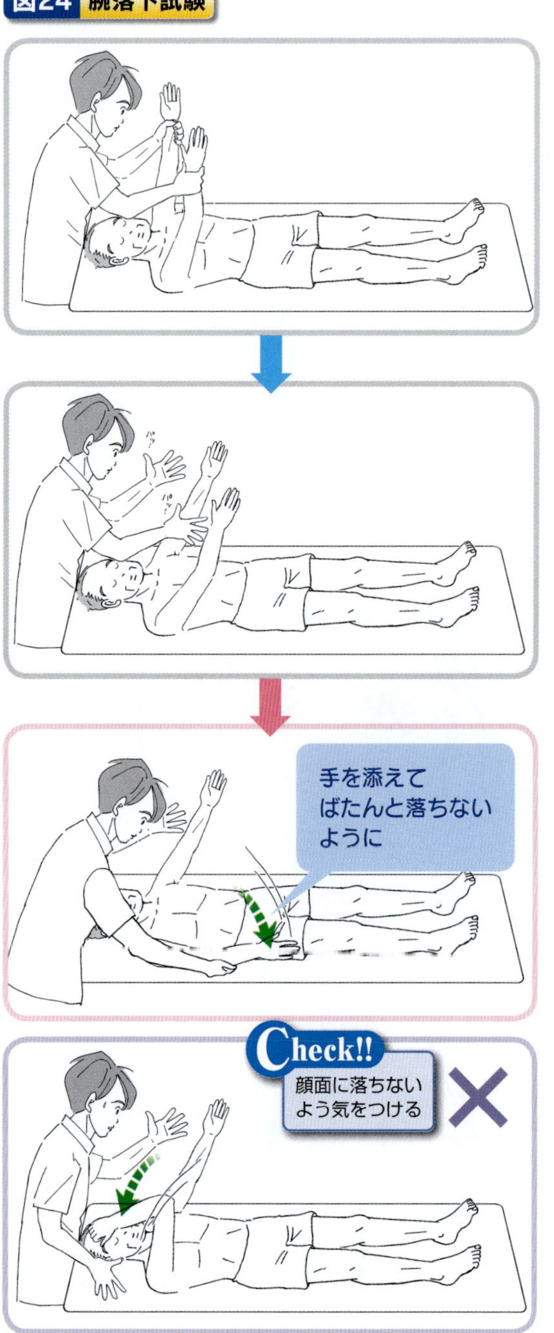

図25 下肢の麻痺の診察

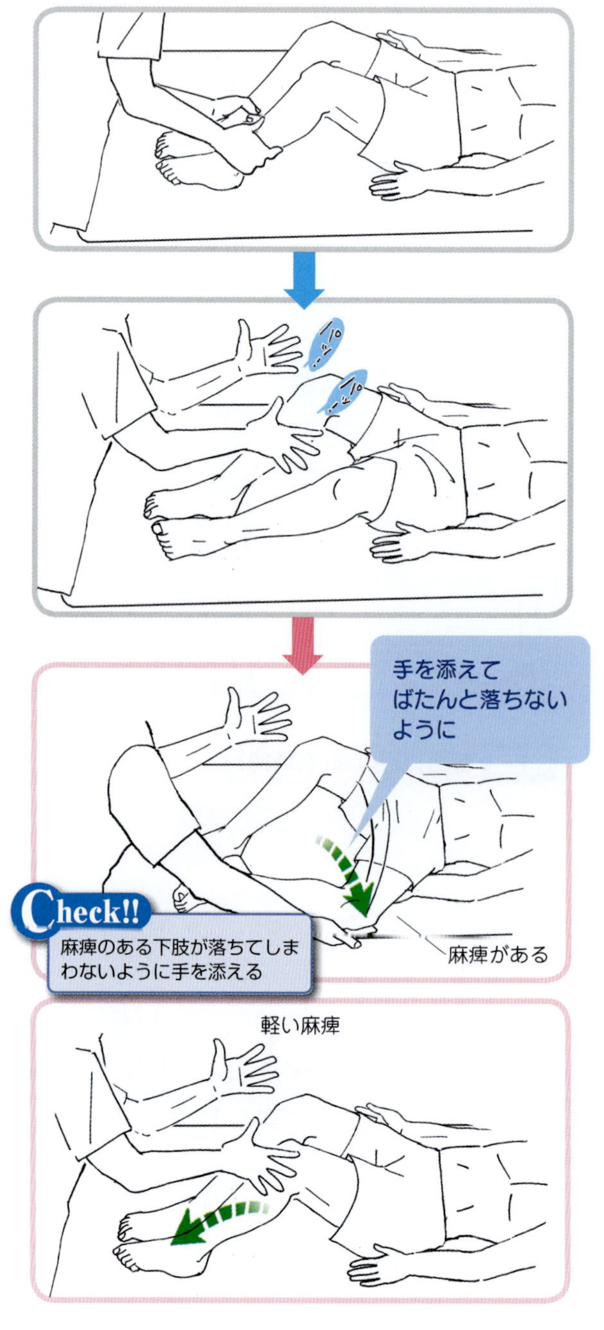

しまう 図25。

●下肢落下試験は膝の下から下肢を支え，下腿を持ち上げて放した際の落下の様子を観察する 図26。

●自発的に異常姿位を呈する場合もあるが，疼痛刺激を与えた際の四肢の姿位を観察する。

●除皮質姿勢（除皮質硬直）は上肢を屈曲，下肢を伸展・内転する 図27。大脳半球の広汎な障害で出現する。

●除脳姿勢（除脳硬直）は，四肢を伸展，内転する 図28。上部脳幹の障害を示唆する。

図26 下肢落下試験

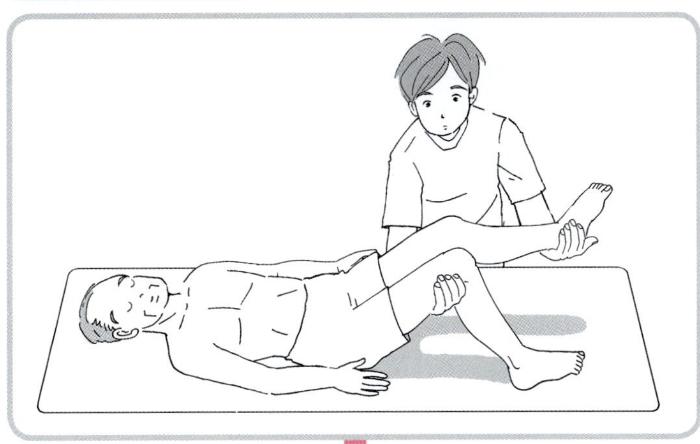

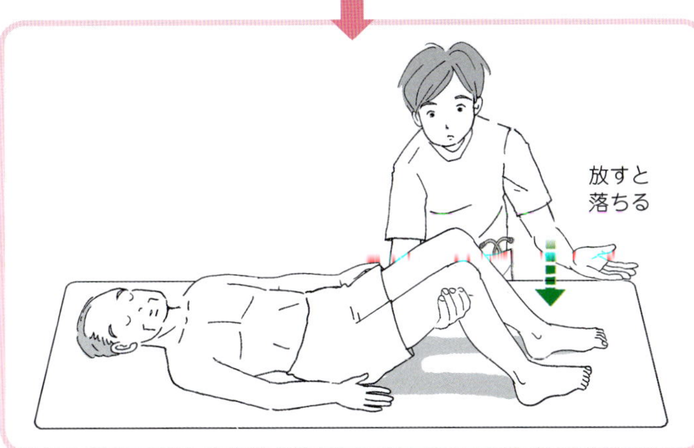

図27 除皮質姿勢の診察 OSCE

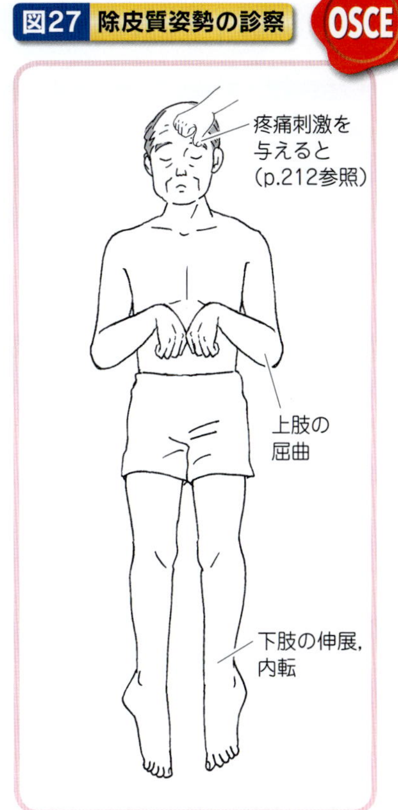

図28 除脳姿勢の診察 OSCE

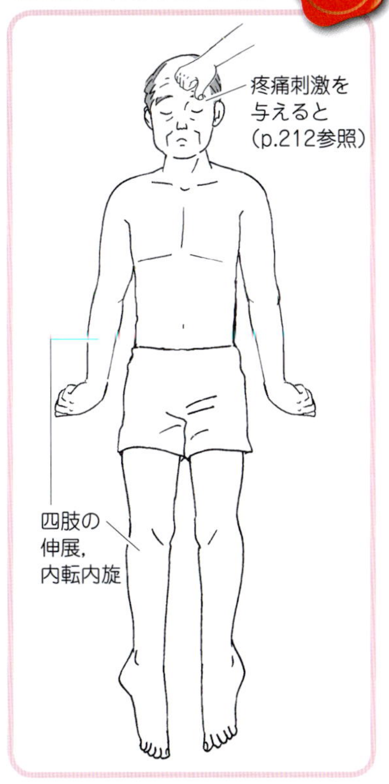

感覚系（皮膚を針でつついたり，つねるなどでの四肢の反応，顔のしかめ具合）

●p.220「運動麻痺」で述べた疼痛刺激以外に皮膚をつついたり，つねるなどの刺激を四肢に与えた場合の左右での反応の違いを検討する。

反射

●腱反射と，特にBabinskiなどの病的反射の有無，左右差を確認する。

髄膜刺激徴候

●**項部硬直**：枕を外して頭部を受動的に持ち上げた時の抵抗を確認する。

項部硬直がない正常では顎を胸につけることが抵抗なくできるが，項部硬直があると，後頸部が堅く緊張して前屈させることが難しくなる(p.190，A-1)。

頸部筋肉の全体的な筋緊張と鑑別するために，左右に頭部を受動的に回旋してみて抵抗がないことを確認してから行う。

●**Kernig徴候**：股関節，膝関節を90°になるように挙上した後，膝を受動的に伸展させる(p.190，A-2)。髄膜刺激症状があると，膝を伸展させることができない。

●**Brudzinski徴候**：髄膜刺激症状があると，仰臥位時で頭部を受動に屈曲させると股関節と膝関節が屈曲する(p.191，A-3)。

正しい病巣診断のために

神経診察の方法と病巣部位

脳神経

第Ⅰ脳神経／第Ⅱ脳神経／第Ⅲ・Ⅳ・Ⅵ脳神経／第Ⅴ脳神経／第Ⅶ脳神経
第Ⅷ脳神経／第Ⅸ・Ⅹ脳神経／第Ⅺ脳神経／第Ⅻ脳神経

運動系

筋肉，筋トーヌス／筋力のみかた
不随意運動／姿勢，歩行

反射

感覚系

小脳症状

髄膜刺激症状

高次機能

失語／失行／失認
障害と責任病巣

意識障害患者の神経診察の方法

病巣部位からみた神経局所症候
脳神経に関する症候群一覧
病巣診断の進め方
神経診察の記録

病巣部位からみた神経局所症候

これまで，神経診察の方法を中心に説明してきた。ここでは神経系のある領域が障害された場合に出現する神経学的所見についてのまとめを示す。単純に記憶しなければならないものもあるが，脳幹や脊髄が障害された時に出現する症状は神経解剖学の知識に基づき，理論的に覚えることが重要である。後述の項目(p.242～)で述べる「病巣診断の進め方」を参考にして，脳幹や脊髄の一部が障害された場合に出現する症状の理由を理解することが大切である。

大脳皮質(cerebral cortex)

図1に示すように，中心溝，外側溝および頭頂後頭溝により前頭葉，側頭葉，頭頂葉および後頭葉に分けられる。中心溝の後方にはこれと平行に走る中心後溝があり，その後方を大脳半球上縁に平行に走る頭頂間溝があり，頭頂間溝より下方を下頭頂小葉という。下頭頂小葉は小溝により縁上回(小溝より前方)および角回(小溝より後方)に二分される。

前頭葉(frontal lobe)

前頭葉は機能上，前頭前野，運動野，運動前野，前頭眼野，Broca野に分けられる図2。

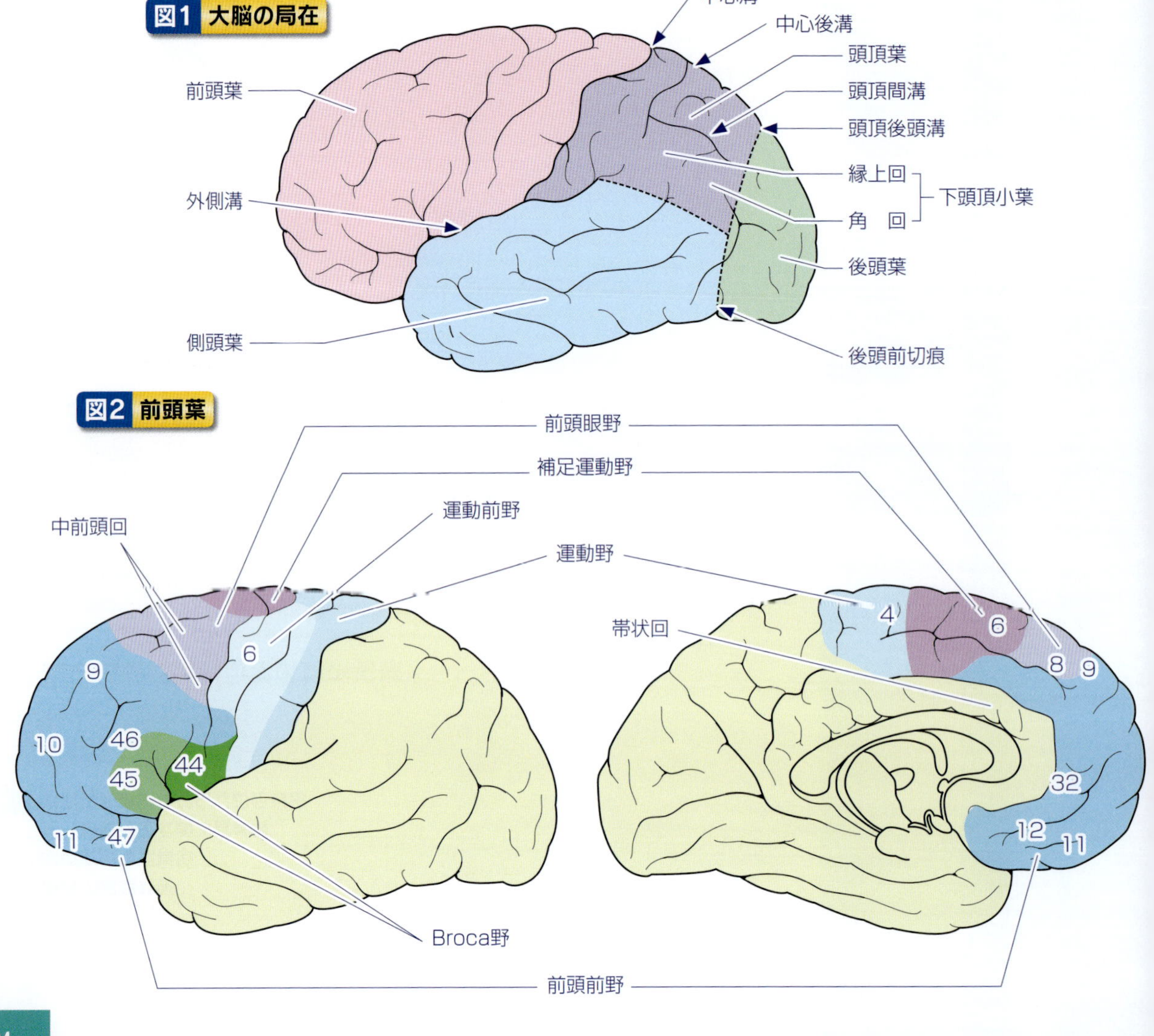

❶前頭前野(prefrontal area)

Broadmann area 6, 8の前方で, area 9, 10, 11, 12, 32などが含まれる。

- **高次知的機能の低下**
  通常は両側性に障害された際に生じる。集中力, 記銘力, 持続性, 抽象化能力などが障害される。
- **情緒障害, 挙動異常**
  前頭前野眼窩に面した部位の障害で生じる。不安, 恐れの欠如, 感情の起伏が激しく多幸性になることがある。だじゃれ, 不適切な言語, ひょうきんな言い回しをする(Witzelsucht)や自制心の欠如, 習慣の無視などが出現することもある。
- **無感情(apathy)**
  area 9, 10の障害で生じる。自発性が欠如し, 複雑な思考, 行動, 判断力が障害される。
- **無動性無言(akinetic mutism)**
  前頭前野内側, 特に前帯状回の障害で出現する。

❷運動野(motor area)(area 4 syndrome)

- **単麻痺(monoparalysis)**
- **腱反射の消失**(腱反射の亢進する場合は, 運動前野area 6が関与)
- **病的反射出現**
- **Jackson型発作(Jacksonian seizure)**

❸Broca野(Broca's area)

- **表現失語(expression aphasia)**
  または**運動失語(motor aphasia)**が出現する(area 44, 45の障害)(p.198参照)。

❹その他

- **前頭眼野(fronatal eye field;area 8)**
  眼球運動に関係する。
- **運動前野(premotor area ; area 6)**
  保続(perseveration)に関係すると考えられている。保続とは1つの動作を行うとそれが繰り返し行われ, 次の動作に移れない状態をいう(p.199参照)。受動運動持続(Kral' s phenomenon)は, 上肢などの伸展・屈曲あるいは回内・回外のような協働・拮抗運動を受動的に施行させると, 健常者は急に中止できるが, 患者は自動的にその運動を持続する現象で保続の1つと考えられている。
- **補足運動野(supplementary motor area ; area 6内側面)**
  運動前野の一部をいい, この部位の障害では, 把握反射(grasping reflex), 強制模索(forced groping), 緊張性足底反射(tonic plantar reflex), 吸引反射(sucking reflex), 交叉屈曲反射(crossed flexion reflex)などの原始反射が出現するとされている(p.137, 138参照)。特にarea 6, 8の前方(中前頭回)からは, 大脳皮質橋小脳路が中小脳脚を経て対側小脳半球と連絡する(p.187参照)。このため, この皮質を含む線維連絡の障害では対側にfrontal ataxiaとよばれる運動失調が出現する。

側頭葉(temporal lobe)

- **記憶障害(memory disturbance)**
  両側性障害で高度となる。
- **感覚失語(sensory aphasia)**または**受容性失語(receptive aphasia)**, Wernicke野の障害(p.198参照)
- **同名性半盲(homonymous hemianopsia)**または**同名性上四分盲**(p.12,13参照)
- **精神運動発作(psychomotor seizure)**
- **Klüver-Bucy症候群(両側側頭葉の切除で出現)**
  すべての物を口へ持っていく，あらゆる視覚刺激に対し注意を向け反応するように強制される，性行動の亢進，食習慣の変化，情動行動の変化。

頭頂葉(parietal lobe)

- **皮質性感覚障害(cortical sensory disturbance)**
  局在認知，位置覚，2点識別感覚および皮膚覚の障害，立体認知消失，消去現象(extinction)および複合知覚(combined sensation)の障害がみられる(p.156～159参照)。
- **構成失行(constructional apraxia)**
  (p.201，202参照)
- **非優位半球(右)では左方の空間や身体失認，半側空間無視，着衣失行，地誌失認，病態失認(anosognosia)**
- **優位半球では失読失書(alexia with agraphia)**(p.199参照)
- **伝導失語(conduction aphasia)**
  (p.199参照)
- **観念運動失行(ideomotor apraxia)，観念失行(ideational apraxia)**(p.201参照)
- **視野欠損(反対側の下四分盲)**
  (p.12，13参照)

角回(angular gyrus)

- **Gerstmann症候群**(p.206参照)
  手指失認(finger agnosia)
  左右失認(right-left disorientation)
  失読(alexia)
  失書(agraphia)
  失算(acalculia)

後頭葉(occipital lobe)

- **黄斑部をのぞく同名性半盲(homonymous hemianopsia with macular sparing)**
  (p.12～14参照)
- **視覚性失認(visual agnosia)**(p.204参照)
- **相貌失認(prosopagnosia)**(p.204，205参照)
- **変視症(metamorphopsia)**
  視覚対象の形態の歪みだけではなく，大きさ，距離，方向，色，立体感のいずれか，または複数における変容。
- **純粋失読(pure alexiaあるいはalexia without agraphia)**(p.199参照)
- **色彩失認(colour agnosia)**
- **視覚消去現象(visual extinction)**
- **皮質盲(cortical blindness，Anton症候群)**(p.14参照)
  後頭葉大脳皮質視覚野の障害で盲になった状態。皮質盲はすべての視覚が完全に消失する。皮質盲の患者が自分の盲に気づかず，否定する状態をAnton症候群といい病態失認の1つと考えられている。

内包(internal capsule)

内包は視床および尾状核頭部の外側で淡蒼球の内側に位置する**図3**。内包は内側に凸の「く」の字型で，曲がり角にあたるところを内包膝，内包膝より前方を内包前脚，後方を内包後脚という。**図3**のように内包では，膝部から後脚にかけて皮質延髄路および皮質脊髄路が通る。その後部には感覚線維や視放線がある。このため内包膝と内包後脚前部だけの障害では以下のうち反対側の片麻痺しかみられない。

- **片麻痺**
  上肢の麻痺が下肢より高度で，中枢性顔面神経麻痺や舌下神経麻痺も伴う。はじめは弛緩性であるが，後に痙性となり，上肢屈曲，下肢伸展のWernicke-Mannの肢位(Wernicke-Mann posture)を呈する。内包型の片麻痺(capsular type hemiplegia)とよばれることもある(p.118参照)。
  腱反射亢進，病的反射陽性
- **半身感覚鈍麻(hemi-hypesthesia)**
- **同名性半盲(homonymous hemianopsia)**(p.12，13参照)

図3 内包を通るおもな神経路

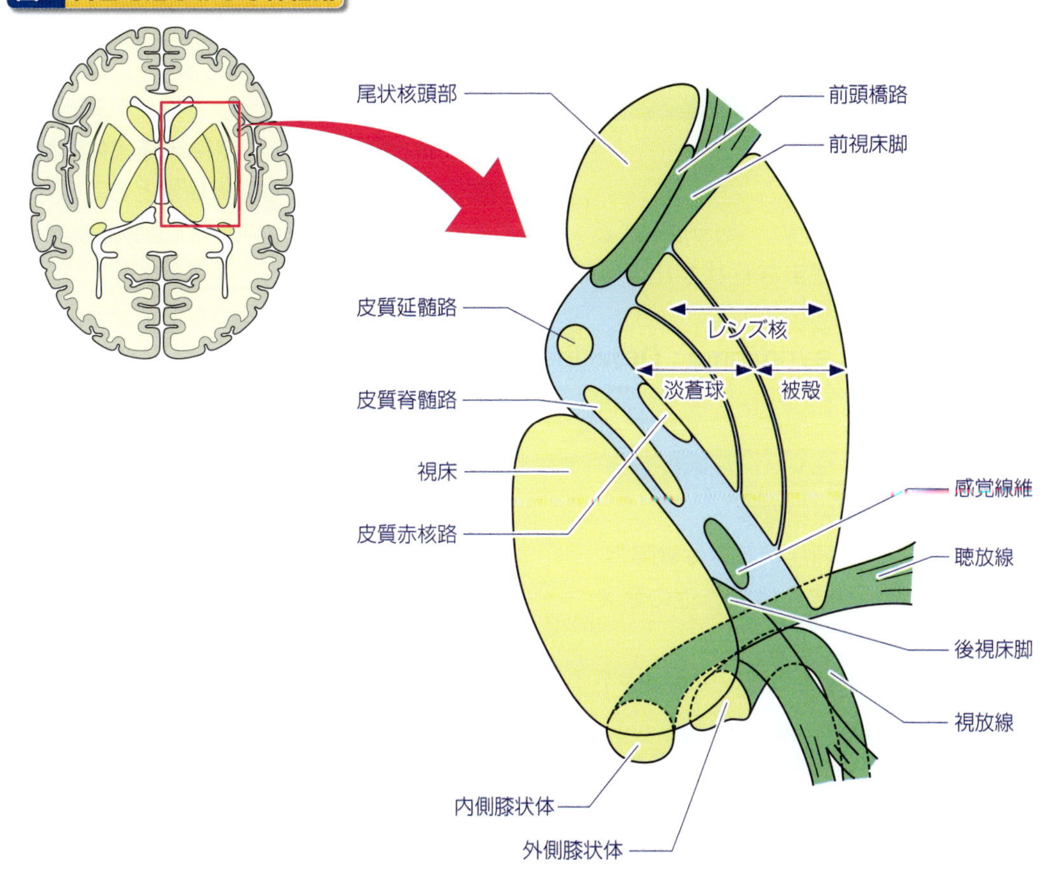

基底核(basal ganglia)

基底核は尾状核, 被殻, 淡蒼球, 黒質, 視床下核が主要なもので錐体外路系の機能に関係する(p.108, 109参照)。

錐体外路(extrapyramidal tract)の障害

- 筋固縮または強剛(rigidity)
- 無動(akinesia)
- ジストニア(dystonia)
- 不随意運動(involuntary movement)

黒質(substantia nigra)の障害

- Parkinson病

尾状核, 被殻(caudate nucleus, putamen)の障害

- アテトーゼ(athetosis)や舞踏運動(chorea)が出現

視床下核(subthalamic nucleus)の障害

- バリズム(ballism)

視床および視床下部

視床(thalamus)

感覚の中継地点であるため, 視床の障害では感覚障害によるさまざまな症状が出現する。視床の局所症状としては, 1906年にDejerineとRoussyにより視床膝状体動脈の閉塞のときにみられる臨床症候として報告された視床症候群(Dejerine-Roussy症候群)が広く知られている。

視床症候群(thalamic syndrome ; Dejerine-Roussy症候群)

- **軽度の片麻痺**
- **半身の表在感覚脱失あるいは感覚過敏, および高度の深部感覚障害**
- **軽度の半身運動失調症状と立体覚障害**
- **片麻痺側の持続性または発作性の耐え難い激しい疼痛**
- **麻痺側上下肢のchoreoathetosis様不随意運動**

以上の古典的視床症候群でみられる症状のほかに, 以下のような症状が認められる。

- **感覚障害**(p.167参照)
  - 感覚鈍麻
    温痛覚など表在感覚に比べ深部感覚の障害が強いことが多い。
  - 手掌口症候群
    病巣反対側の手掌と口周辺の感覚障害
  - 痛覚過敏(hyperpathia)
  - 視床痛(thalamic pain)
    病巣反対側に生じる持続性の耐えられない激しい自発痛

- **身体図式障害**
  半身あるいは一側の身体失認，無視，喪失感，無所属感，異物感，さらに病態失認

運動障害

- **片麻痺**
- **感覚性運動失調**(sensory ataxia)
- choreoathetosis**様不随意運動**
- **視床手**(thalamic hand)
  前腕は上腕に向かい屈曲し，手首は軽度屈曲し回内する。指は，中手指節間関節で軽度屈曲，指節間関節で伸展するが，1本1本が食い違った並び方をする **図4**。各指が別々にchoreoathetosis様不随意運動を伴い観察されることもある。不安定な失調手(ピアノ弾き運動)が閉眼時に出現し開眼では消失するのに対し，視床手では開眼していても手指を一平面上に並べて伸展することができない(p.152参照)。

図4 視床手

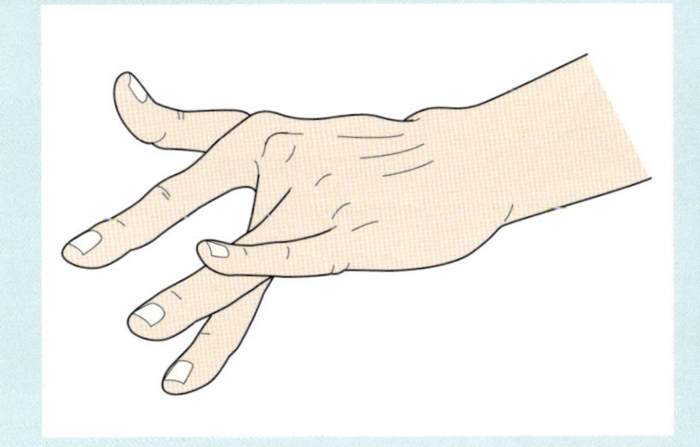

その他

- **視床性認知症**(thalamic dementia)
  両側性の内側核を主病巣とする障害において生じる。記銘力障害，注意力障害，作話，保続などに加え性格・情動障害(発動性障害)を伴うことがある。経過が速いものが多く，無動性無言様の時期を経て昏睡に陥ることがある。これは，内側核が上行性網様体賦活系に関係するためといわれている。
- **視床性失語**(thalamic aphasia)
  (p.199参照)
  運動および感覚性の混合性失語で，程度は軽度ないし中等度である。発語量・音声は減少し錯語や保続はあるが，発語の流暢性，言語理解，復唱などは良好である。責任病巣として優位側の外側腹側核，視床枕，正中内側核などが考えられている。反対側の視床にも病巣があるとさらに失語症状を呈しやすくなるといわれている。
- thalamic neglect
  右視床内側核群の障害で左半空間無視が起こる。

視床下部(hypothalamus)

縮瞳，Horner症候群
中枢性交感神経障害

尿崩症（diabetes insipidus)

高Naまたは**低Na血症**

体温異常

肥満

睡眠障害

脳幹(midbrainstem)

中脳(midbrain, 図5)

中脳には動眼神経核，赤核，上小脳脚，大脳脚などがあるため，障害部位により眼球運動障害，不随意運動，小脳症状，錐体路徴候などが出現する。

図5 中脳

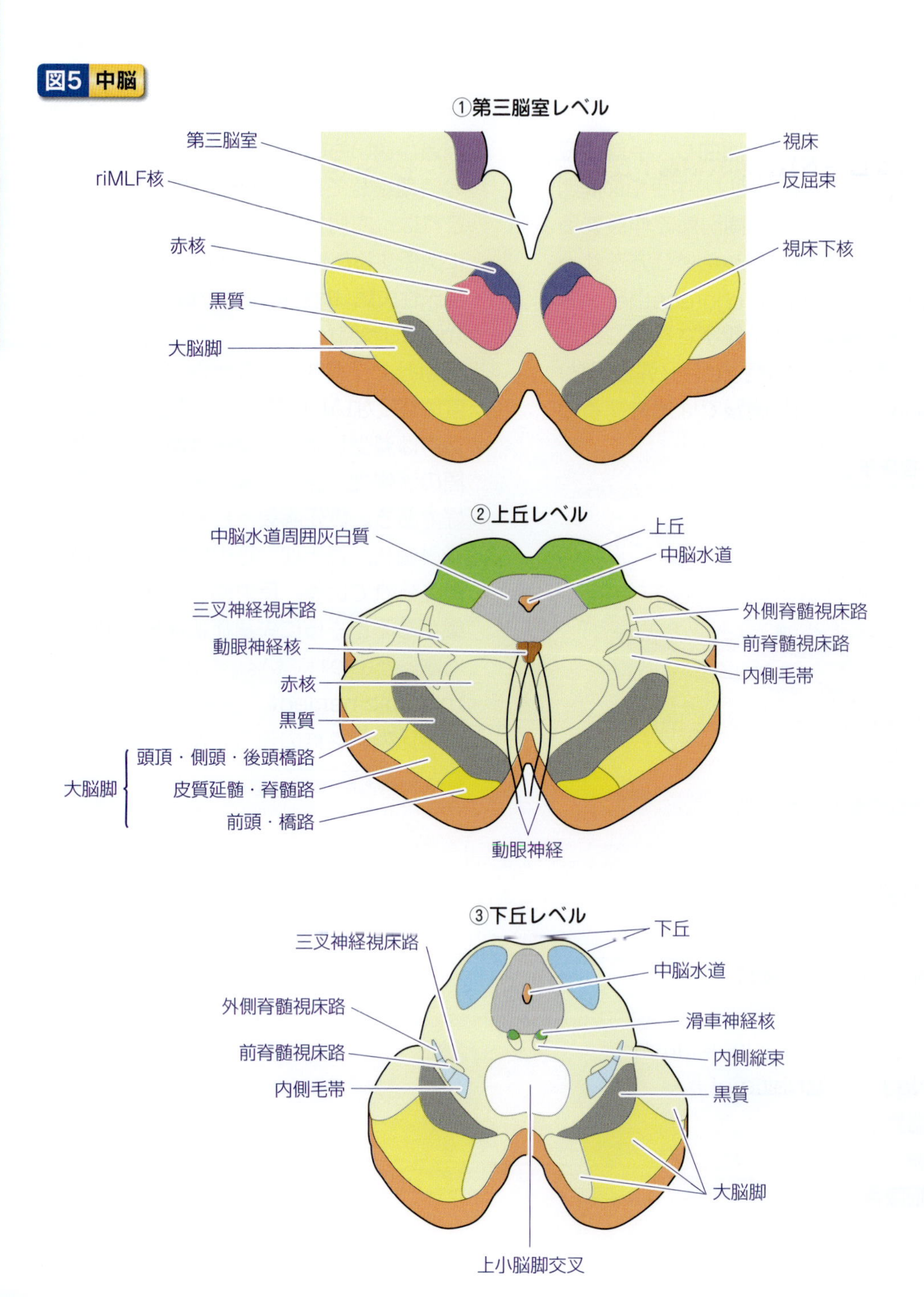

❶Weber(ウエーバー)症候群(上交代性片麻痺)(中脳上丘レベル, 図6)

●病巣側の症状
動眼神経麻痺(髄内の動眼神経)の障害
●病巣反対側の症状
片麻痺(顔面と舌を含む;大脳脚における錐体路)の障害

❷Claude(クロード)症候群(中脳下丘レベル, 図7)

●病巣側の症状
動眼神経麻痺(髄内の動眼神経の障害)
●病巣反対側の症状
小脳失調(交叉後の上小脳脚の障害)

❸Benedikt(ベネディクト)症候群(中脳上丘レベル, 図8)

●病巣側の症状
動眼神経麻痺(髄内の動眼神経の障害)
●病巣反対側の症状
不随意運動, 振戦(赤核の障害)
小脳失調(交叉後の上小脳脚の障害)
不全片麻痺(大脳脚における錐体路の障害)

❹Parinaud(パリノー)症候群(赤核背側部, 図9)

垂直性注視麻痺(riMLF;rostral interstitial nucleus of medial longitudinal fasciculusの障害)
輻輳麻痺, 対光反射消失

図6 Weber症候群

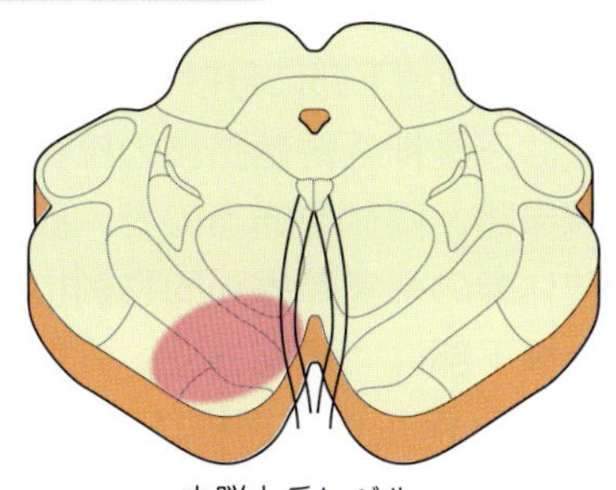

中脳上丘レベル

図7 Claude症候群

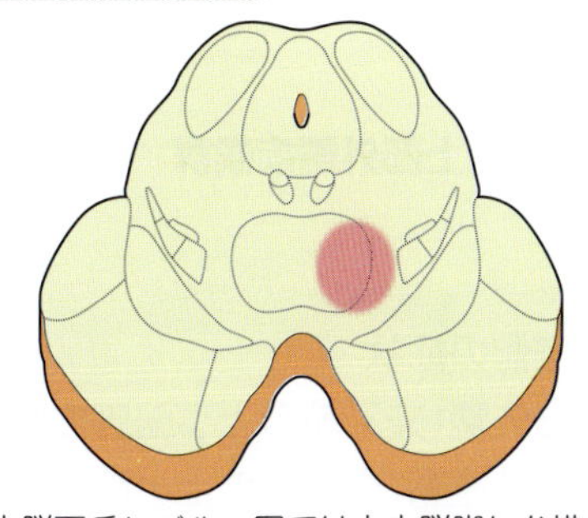

中脳下丘レベル。図では上小脳脚しか描かれていないが, 動眼神経も障害される。

図8 Benedikt症候群

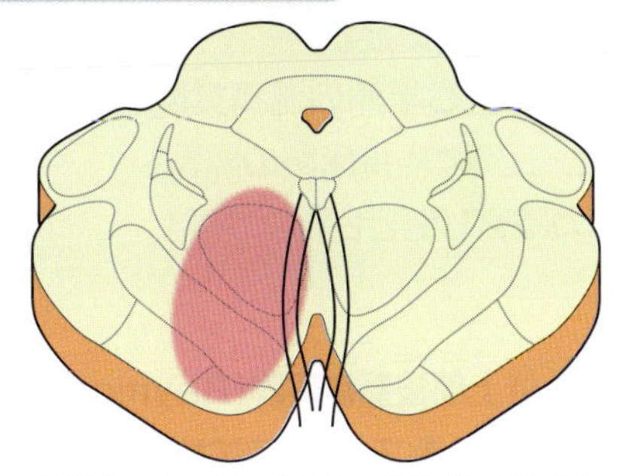

中脳上丘レベル。Weber症候群で障害される部位に加え, 赤核が障害される。

図9 Parinaud症候群

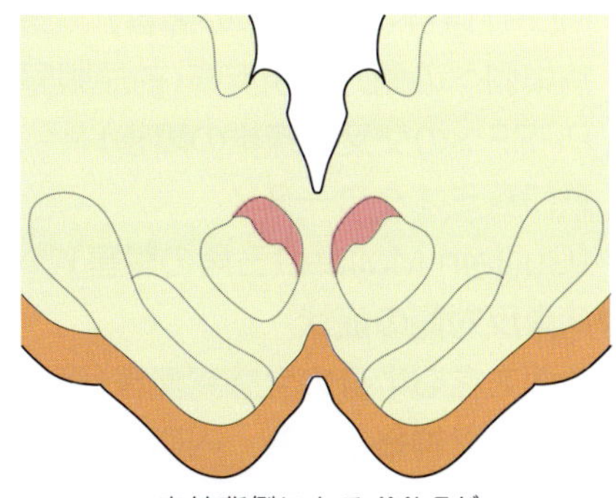

赤核背側にあるriMLFが両側性に障害される。

橋(pons, 図10, 13, 17)

橋は，上・中・下部に分けられる。橋上部では三叉神経脊髄路核の線維が脊髄視床路と同側を通るので，顔面と四肢体幹の感覚障害が同じ側に起こる。橋下部は，顔面神経，外転神経，PPRF(傍正中橋網様体)を含むので顔面神経麻痺，外転神経麻痺，側方注視麻痺などが出現する。

図10 橋上部

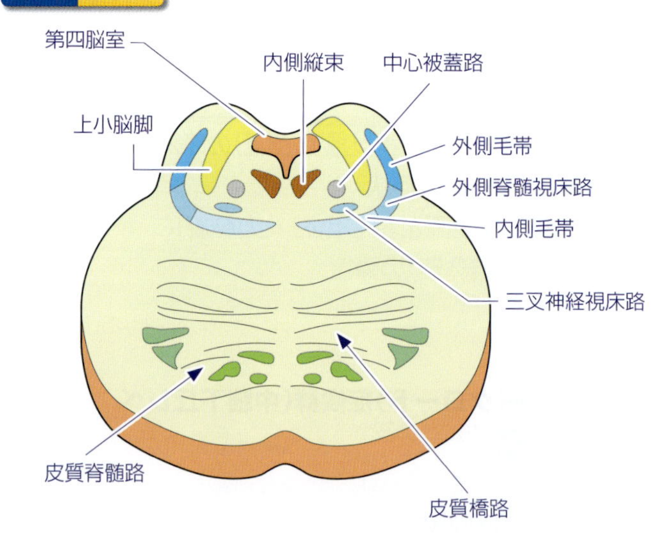

❶橋上部：橋上部外側症候群 図11

●病巣側の症状
- 小脳失調(交叉前の上小脳脚の障害)
- 不随意運動(交叉前の上小脳脚の障害
- Horner症候群(橋網様体の障害)
- 軟口蓋ミオクローヌス(中心被蓋路, Guillain-Mollaret三角の一部の障害)

●病巣反対側の症状
- 顔面を含む半側の温痛覚障害(脊髄視床路，三叉神経視床路の障害)
- 聴力障害(外側毛帯の障害)

図11 橋上部外側症候群

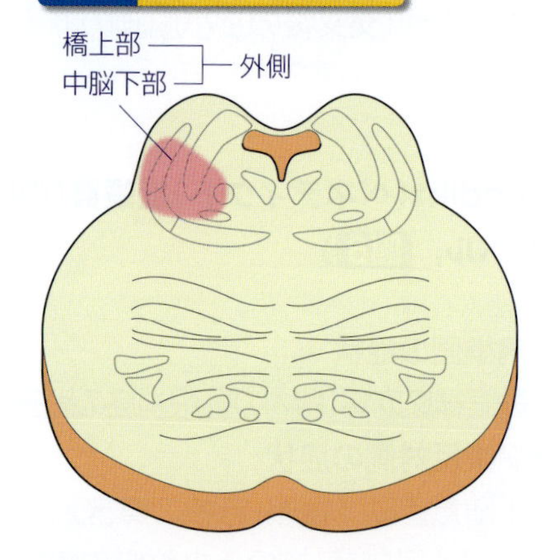

❷橋上部：橋上部被蓋症候群(Raymond-Cestan(レイモンド・セスタン)症候群, 図12)

●病巣側の症状
- 小脳失調(交叉前の上小脳脚の障害)
- MLF症候群(内側縦束の障害)
- 病巣側への側方注視麻痺(前頭眼野からPPRFへの交叉後線維の障害)
- 軟口蓋ミオクローヌス(Guillain-Mollaret三角の障害)

●病巣反対側の症状
- 顔面を含む半身の全感覚障害(脊髄視床路，三叉神経視床路，内側毛帯の障害)

図12 橋上部被蓋症候群(Raymond-Cestan症候群)

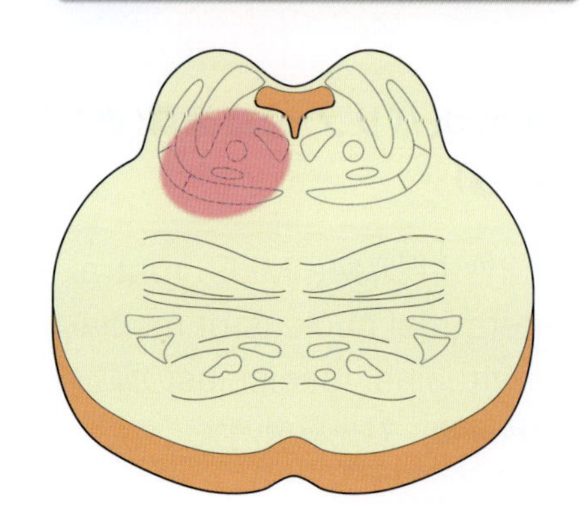

❸橋中部：橋中部被蓋症候群（Grenet（グルネ）症候群，図14）

●病巣側の症状
- 顔面の温痛覚と触覚障害（三叉神経核の障害）
- 咬筋麻痺（三叉神経運動核の障害）
- 小脳失調（中小脳脚の障害）

●病巣反対側の症状
- 頸部以下半身の温痛覚障害（脊髄視床路の障害）

❹橋中部：橋中部外側症候群 図15

●病巣側の症状
- 顔面感覚障害（三叉神経核の障害）
- 小脳失調（中小脳脚の障害）
- 咬筋麻痺（三叉神経運動核の障害）

中小脳脚の障害で小脳失調だけが認められる場合は，cerebellar hemiparesis of Marie-Foix（Marie-Foix syndrome）という 図16。

図13 橋中部

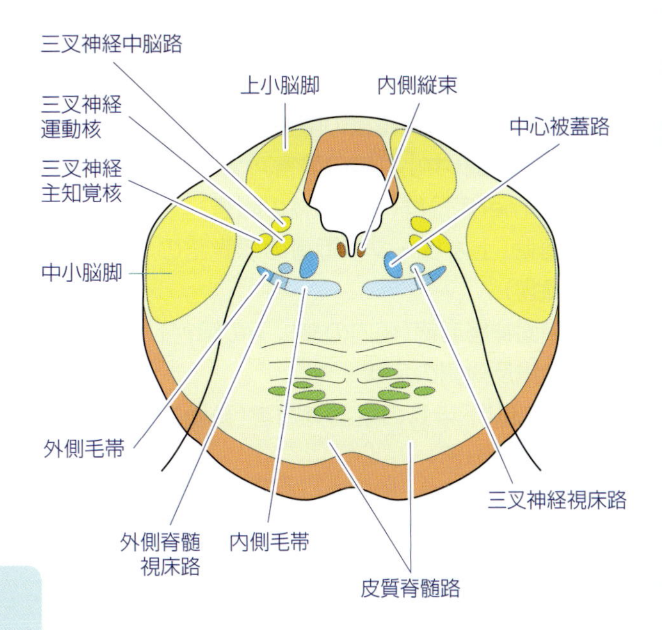

図14 橋中部被蓋症候群（Grenet症候群）

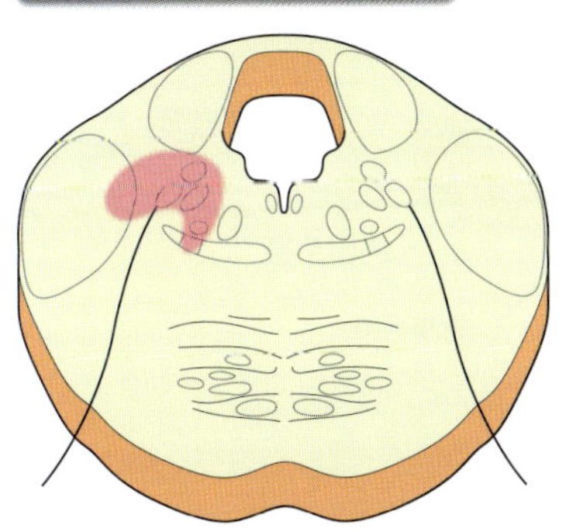

図15 橋中部外側症候群

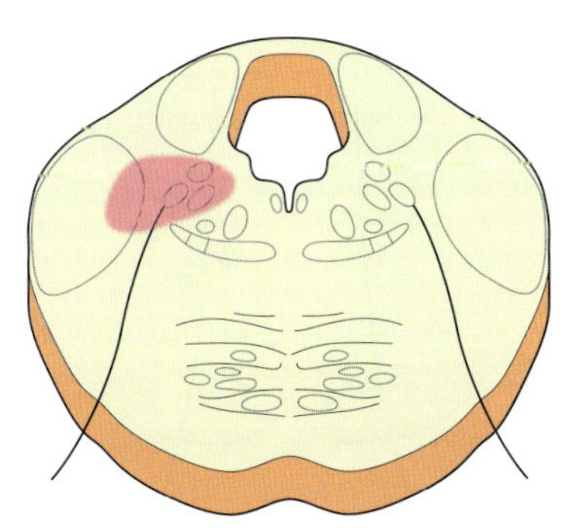

図16 Marie-Foix syndrome

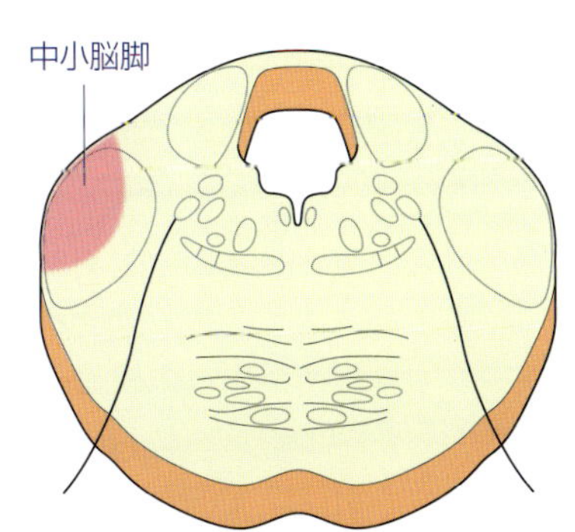

❺橋下部：橋下部外側症候群 図18

●病巣側の症状
- 顔面の温痛覚障害（三叉神経脊髄路核の障害）
- 小脳失調（中小脳脚の障害）
- Horner症候群（橋網様体の障害）
- 難聴（上オリーブ核近傍の聴覚路の障害）
- 顔面神経麻痺（髄内の核以下の障害）

●病巣反対側の症状
- 頸部以下半身の温痛覚障害（脊髄視床路の障害）

❻橋下部：橋下部腹側症候群（下交代性片麻痺；顔面神経交代性片麻痺）（Millard-Gubler（ミヤール・ギュブレール）症候群，図19）

●病巣側の症状
- 外転神経麻痺（髄内の核以下の障害）
- 顔面神経麻痺（髄内の核以下の障害）

●病巣反対側の症状
- 片麻痺（錐体路の障害）

❼橋下部：Foville（フォヴィル）症候群

●病巣側の症状
- 外転神経麻痺（髄内の核以下の障害）
- 病巣側への側方注視麻痺（PPRFの障害）

図17 橋下部

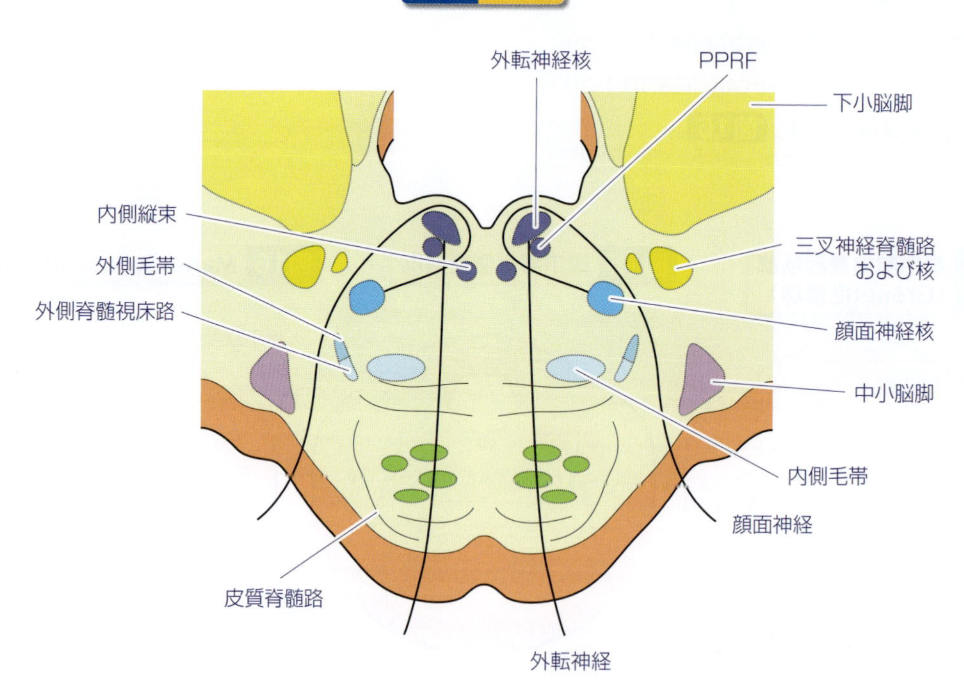

❽橋下部：Foville-Millard-Gubler（フォヴィル・ミヤール・ギュブレール）症候群，図20）

●病巣側の症状
- 外転神経麻痺（髄内の核以下の障害）
- 顔面神経麻痺（髄内の核以下の障害）
- 病巣側への側方注視麻痺（PPRFの障害）

●病巣反対側の症状
- 片麻痺（錐体路の障害）

Foville症候群の定義は文献，教科書により異なり一定していない。Fovilleの報告した症例が，Millard-Gubler症候群に側方注視麻痺が加わったものであるため，これらを呈する例をFoville症候群またはFoville-Millard-Gubler症候群としている。一方，Fovilleの報告では側方注視麻痺の存在に視点をおいていたため，側方注視麻痺のみを示す症例をFoville症候群とする場合も多い。本書では，側方注視麻痺のみを示す場合をFoville症候群，Millard-Gubler症候群に側方注視麻痺が加わったものは，Foville-Millard-Gubler症候群とする。

図18 橋下部外側症候群

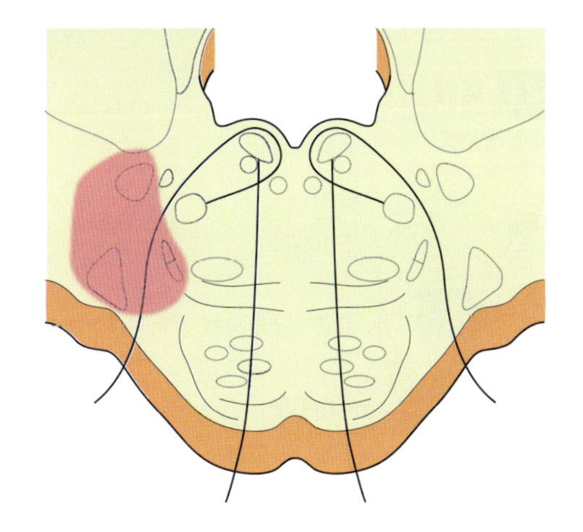

図19 橋下部腹側症候群（Millard-Gubler症候群）

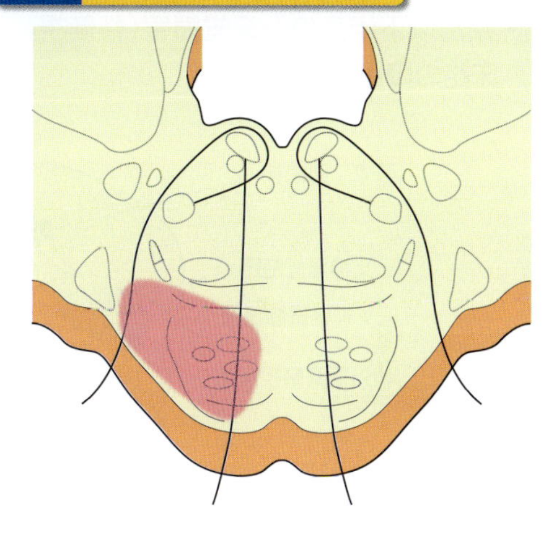

図20 Foville-Millard-Gubler症候群

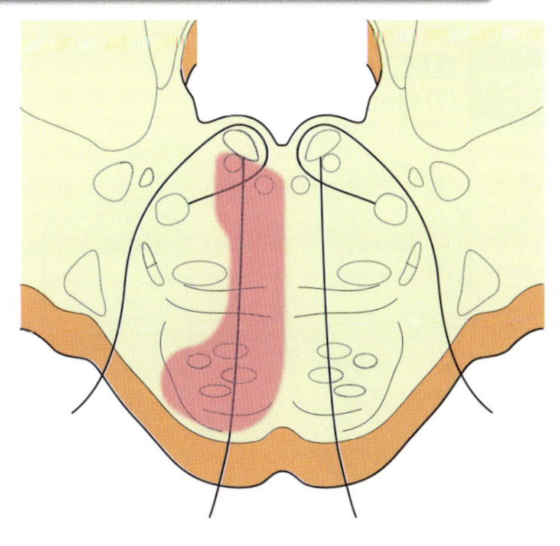

延髄(medulla, 図21)

舌咽神経，迷走神経，舌下神経，内側毛帯，錐体路の位置を確認する。舌下神経は背内側にあるが，腹側に向けて線維が髄内を通過する。したがって，Wallenberg症候群で舌下神経は障害されない。また，顔面温痛覚と四肢体幹の温痛覚の神経路の走行を確認することが重要である。

❶延髄外側症候群(Wallenberg(ワレンベルク)症候群，図22)

病巣側の症状
- 顔面の温痛覚障害（三叉神経脊髄路核の障害）
- 小脳失調(下小脳脚の障害)
- Horner症候群(延髄網様体の障害)
- めまい・眼振(前庭神経核の障害)
- 軟口蓋・咽頭・喉頭麻痺(疑核，舌咽，迷走神経起始部線維の障害)

病巣反対側の症状
- 頸部以下半身の温痛覚障害(脊髄視床路の障害)

❷延髄正中症候群(Dejerine(デジュリン)症候群，舌下神経交代性片麻痺；図23)

病巣側の症状
- 舌萎縮と麻痺(髄内の舌下神経核以下の障害)

病巣反対側の症状
- 顔面を除く片麻痺(交叉前錐体路の障害)
- 頸部以下半身の深部覚障害(内側毛帯の障害)

図21 延髄

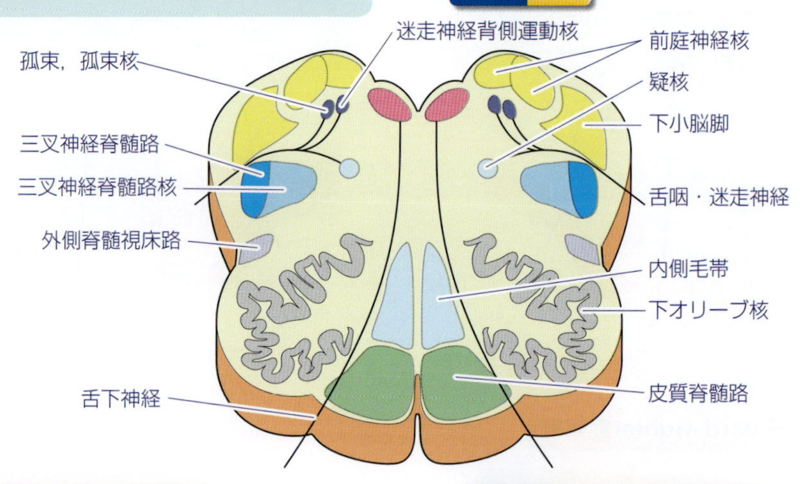

図22 延髄外側症候群(Wallenberg症候群)

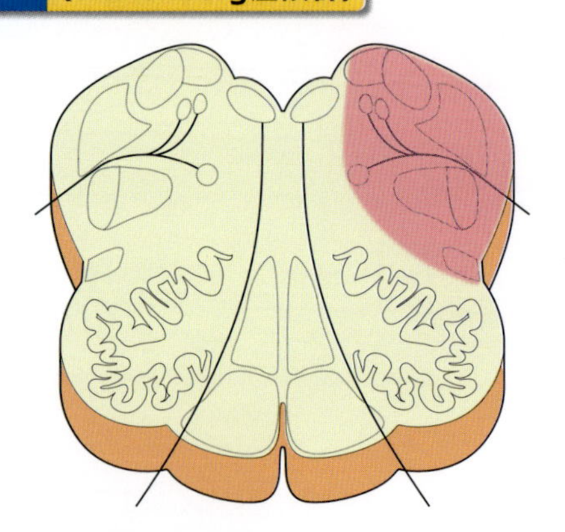

図23 延髄正中症候群(Dejerine症候群)

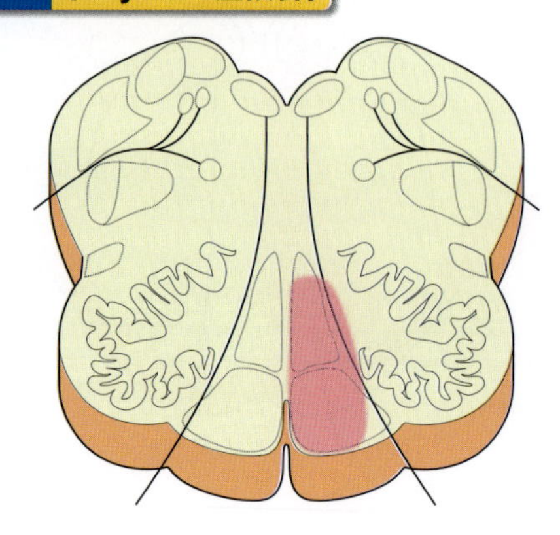

小脳(cerebellum)(p.188参照)

小脳半球症候群(cerebellar hemisphere syndrome)

- **小脳半球の障害側と同側に小脳性運動失調(cerebellar ataxia)が出現する**
  - 反復拮抗運動不能(dysdiadochokinesis)
  - 測定障害(dysmetria)
  - 企図振戦(intention tremor)
  - 筋トーヌス低下(hypotonia)
- **構音障害(dysarthria)**
- **眼振(nystagmus)**

片葉虫部小節葉症候群(flocculonodular lobe syndrome)

小脳虫部(vermis)の障害では，平衡障害(dysequiblium)や体幹運動失調(truncal ataxia)がみられる。

前葉症候群(anterior lobe syndrome)

- **下肢の協働運動障害**
- **歩行障害**

脊髄(spinal cord, 図24)

前角の障害(p.70〜73参照)

障害されたレベルで同側性に次の症状がみられる。

- **線維束性収縮(fascisulation)**
- **筋収縮(muscle atrophy)**
- **筋力低下(muscule weakness)**
- **腱反射の低下または消失**

皮質脊髄路の障害(p.70〜73参照)

障害されたレベル以下で同側性に次の症状がみられる。

- **痙性片麻痺**
- **腱反射亢進**
- **病的反射陽性**
- **腹壁反射消失**

図24 脊髄の横断図

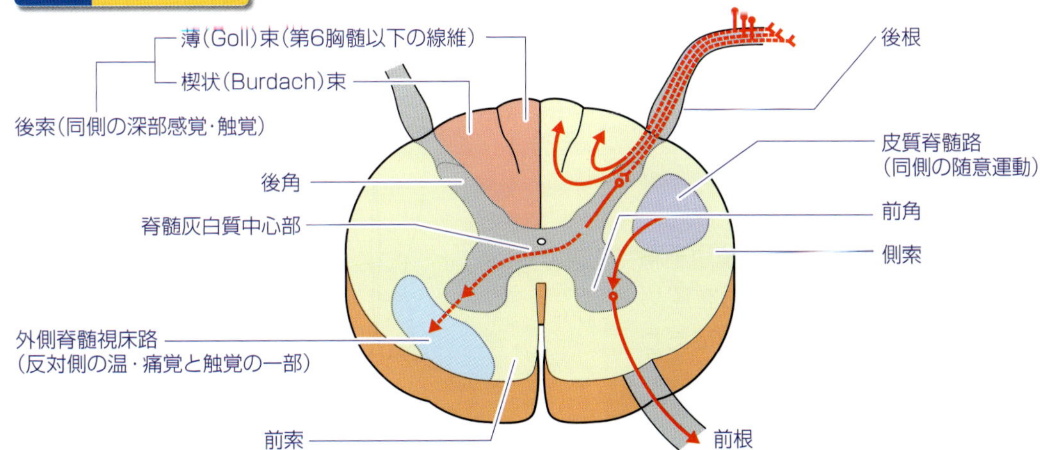

脊髄視床路の障害(p.166参照)

障害されたレベル以下で対側性に次の症状がみられる。

- 温痛覚鈍麻

後索の障害(p.166，170参照)

障害されたレベル以下で同側性に次の症状がみられる。

- 深部感覚鈍麻
  なお両側性に障害された場合は，感覚性運動失調(sensory ataxia)または脊髄性運動失調(spinal ataxia)およびRomberg徴候(Romberg sign)が出現する。

後角の障害

障害されたレベルで同側性に次の症状がみられる。

- **温痛覚鈍麻(深部感覚は正常のため解離性感覚障害とよばれる)**

中心灰白質の障害

障害されたレベルで両側性に次の症状がみられる。

- **温痛覚鈍麻(深部感覚は正常のため解離性感覚障害とよばれる)**
  脊髄空洞症によりよくみられる感覚障害である。下部頸髄から上部胸髄に好発する。このため，上肢や上胸部に両側性に温痛覚の消失を認める。温痛覚の障害が宙吊り型にあわられる 図25 (p.167，171参照)。

脊髄半側の障害(Brown-Séquard syndrome)(p.166，170参照)

- **障害されたレベル以下の対側の温痛覚鈍麻**
- **障害されたレベル以下の同側の深部感覚鈍麻**
- **障害されたレベル以下の同側の痙性片麻痺，腱反射亢進，病的反射陽性**
- **障害されたレベルの同側の全感覚脱失**
- **障害されたレベルの同側の前角細胞障害で出現する症状（そのレベルの筋力低下，筋萎縮，腱反射の低下または消失）**

図25 宙吊り型の感覚障害

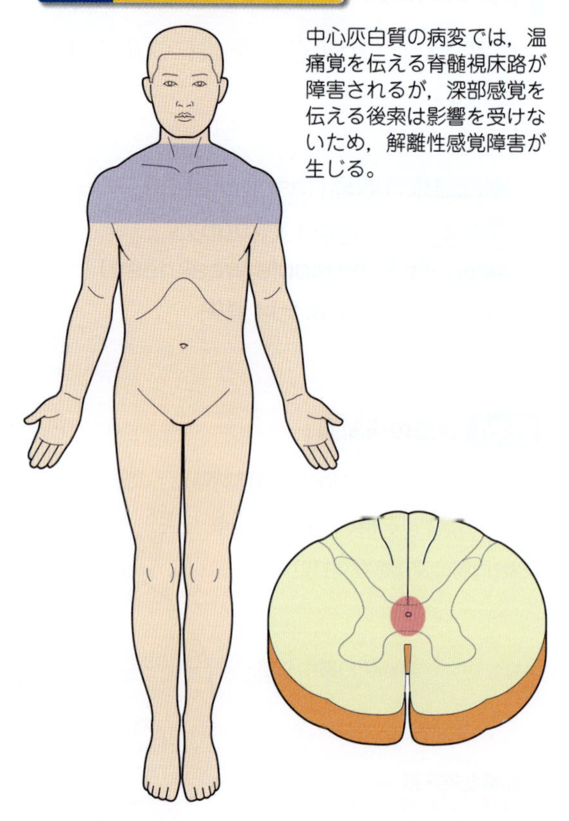

中心灰白質の病変では，温痛覚を伝える脊髄視床路が障害されるが，深部感覚を伝える後索は影響を受けないため，解離性感覚障害が生じる。

末梢神経(peripheral nerve)

後根の障害(p.166，169参照)

障害された神経根レベルで同側性に以下の症状がみられる。

- 全感覚脱失，神経根性疼痛(radicular pain)

前根の障害(前角障害と同じ)
(p.70〜73参照)

障害された神経根レベルで同側性に以下の症状がみられる。

- 線維束性収縮(fasciculation)
- 筋萎縮(muscle atrophy)
- 筋力低下(muscle weakness)
- 腱反射の低下または消失

単一末梢神経の障害
(p.166，169参照)

神経分布に一致し，以下の症状がみられる。

- 感覚鈍麻
- 運動障害
- 腱反射の低下または消失
- 筋萎縮(muscle atrophy)
- 線維束性収縮(fasciculation，出現しないこともある)

多発性神経障害
(p.166，169参照)

神経分布に一致し，以下の症状がみられる。

- 感覚鈍麻(glove and stocking pattern of sensory loss)
- 運動障害
- 腱反射の低下または消失
- 筋萎縮(muscle atrophy, distal dominant)
- 線維束性収縮(fasciculation，出現しないこともある)

脳神経に関する症候群一覧

頭蓋外において複数の脳神経の障害が生じて起こる症候群をまとめた。

症候群名	上眼窩裂（Rochon-Duvigneau 症候群）	眼窩先端症候群	眼窩底面（Dejean 症候群）	海綿静脈洞（Foix-Jefferson 症候群）	錐体骨先端（Gradenigo 症候群）
病変部位	上眼窩裂	眼窩先端	眼窩底面	海綿静脈洞	錐体骨先端
障害される構造	第Ⅲ・Ⅳ・Ⅵ・V_1 脳神経	第Ⅱ・Ⅲ・Ⅳ・Ⅵ・V_1脳神経	眼球運動を司る神経あるいは眼筋	第Ⅲ・Ⅳ・Ⅵ・V_1 脳神経	第Ⅴ・Ⅵ脳神経
臨床所見	眼球運動障害，顔面感覚障害（眼神経領域）	眼球運動障害，顔面感覚障害（眼神経領域），視力障害	眼球運動障害，眼球突出	眼球運動障害，顔面感覚障害（眼神経領域）	顔面感覚障害，眼球外転障害
代表的基礎疾患	腫瘍，動脈瘤	腫瘍，動脈瘤，中耳炎	腫瘍性疾患，眼窩吹き抜け骨折（blowout fracture）	肉芽腫性疾患，腫瘍，動脈瘤	炎症，腫瘍

小脳橋角部症候群	頸静脈孔（Vernet症候群）	Collet-Sicard症候群（MacKenzie症候群, Lannois-Jouty症候群）	Villaret症候群	Tapia症候群	Garcin症候群
小脳橋角部	頸静脈孔	頸静脈孔, 舌下神経管付近	耳下腺後下部	頸静脈孔付近, 頭蓋外	頭蓋底
第Ⅷ +/−, Ⅶ +/− Ⅴ+/−, 脳神経, 小脳半球	第Ⅸ・Ⅹ・Ⅺ脳神経	第Ⅸ・Ⅹ・Ⅺ・Ⅻ脳神経	第Ⅸ・Ⅹ・Ⅺ・Ⅻ脳神経, 頸部交感神経	第Ⅹ・Ⅻ +/−, Ⅺ脳神経, 頸部交感神経	第Ⅲ〜Ⅻ脳神経をさまざま
聴覚障害, 顔面神経麻痺, 小脳失調	嚥下障害, 構音障害, 副神経麻痺	嚥下障害, 構音障害, 副神経麻痺, 舌下神経麻痺	嚥下障害, 構音障害, 副神経麻痺, 舌下神経麻痺, Horner症候群	声帯麻痺, 舌下神経麻痺, Horner症候群	傷害神経に応じた症状
聴神経腫瘍	腫瘍, 炎症, 外傷	頭蓋底腫瘍, Glomus腫瘍, 動脈瘤, 動脈解離	頭蓋底腫瘍, Glomus腫瘍, 動脈瘤, 動脈解離	耳下腺腫瘍, 頭蓋底腫瘍, 動脈瘤	頭蓋底腫瘍, 鼻咽頭腫瘍, 肉芽腫, 炎症

病巣診断の進め方

病巣診断とはなにか？

これまで，本書では神経診察の方法について説明してきた。病巣診断とはこの神経学的診察結果に基づき，患者に今起きている麻痺や感覚障害などの症状を説明する解剖学的部位を探すことをいう。病巣診断の結果から，今度はその病巣部位が障害されやすい疾患を考え，原因疾患についての鑑別診断を進めていく。このため病巣診断は脳神経内科の診断において重要であり，ここでは，得られた神経学的所見からその病巣を診断するコツを解説する。

病巣診断の原則

病巣部位を1カ所に絞る

すべての神経症状を1カ所で説明できる病巣部位をまず探すのが原則である。そして1カ所で病巣部位を説明することが不可能な場合，複数の病巣部位を考えることとなる。これは臨床医学において「ある事柄を説明するためには，必要以上の仮説を立てるべきでない」という考え方があり，病巣診断もこの原則に従っている。この理論は「オッカムのかみそり」とよばれるもので，科学的思考原則の1つとして知られているものである。

表1 中枢，末梢病変の臨床的特徴

	中枢	末梢
腱反射	亢進	低下または消失
病的反射	陽性	陰性
筋トーヌス	痙性	弛緩性
筋萎縮	なし	あり
その他	片麻痺	神経根性疼痛

(p.71も参照)

中枢性か末梢性の病変かを鑑別する

病巣部位の診断にあたり，まずは，病巣となる部位が中枢神経(大脳，脳幹，小脳，脊髄)にあるのか，それとも末梢神経にあるのかを区別する。**表1**に診断に有用なポイントを示す。

●**腱反射**：末梢神経障害では反射弓の障害により低下または消失する。中枢(錐体路)の障害では腱反射は亢進し，病的反射が出現することが多い。さらにあるレベル以下で錐体路が障害される場合，その障害部位以下で反射が亢進するため障害のレベルの推定に有用である。

●**筋緊張**：中枢性の障害では亢進し痙性(spastic)，末梢神経障害では低下し弛緩性(flaccid)になる(p.70，71参照)。

●**筋萎縮**：中枢性の障害では出現しないが，末梢神経障害では認められる(p.70, 71参照)。

●**感覚障害**：半身の感覚障害や髄節性の温痛覚障害では中枢性の障害を考える。手袋・靴下型の全感覚障害(glove and stocking pattern of sensory loss)では多発ニューロパチー，髄節性の全感覚障害と神経根性疼痛を伴う場合は神経根の障害を考える。

中枢神経系の病巣診断

❶神経路──「たて」と「よこ」を覚える──

神経解剖の知識なしで病巣診断を行うのは不可能である。中枢神経系の病巣診断の基本は神経伝導路について運動系，感覚系などの機能別に「たて」と「よこ」の走行を覚え，それを効率よく組み合わせることである。

「たて」とは各神経伝導路の大脳皮質から末梢までの走行であり,「よこ」とは中枢神経をそれぞれのレベルで横断した際の神経伝導路や神経核の断面図である。

「たて」は，病巣部位のレベルの診断に重要となる。「よこ」は病巣部位の広さの診断に重要である。

❷「たて」の解剖

病巣診断に重要な神経路として運動系，感覚系,眼球運動に関する経路などが挙げられる。

運動系の神経伝導路 図1

皮質脊髄路または錐体路とよばれる。大脳皮質運動野からの線維が中心となり，内包後脚，中脳大脳脚のほぼ中1/3を下行し，橋では腹側を多数の線維束として走行する。延髄では錐体を走行し，大部分は延髄下部

図1 皮質脊髄路と皮質延髄路

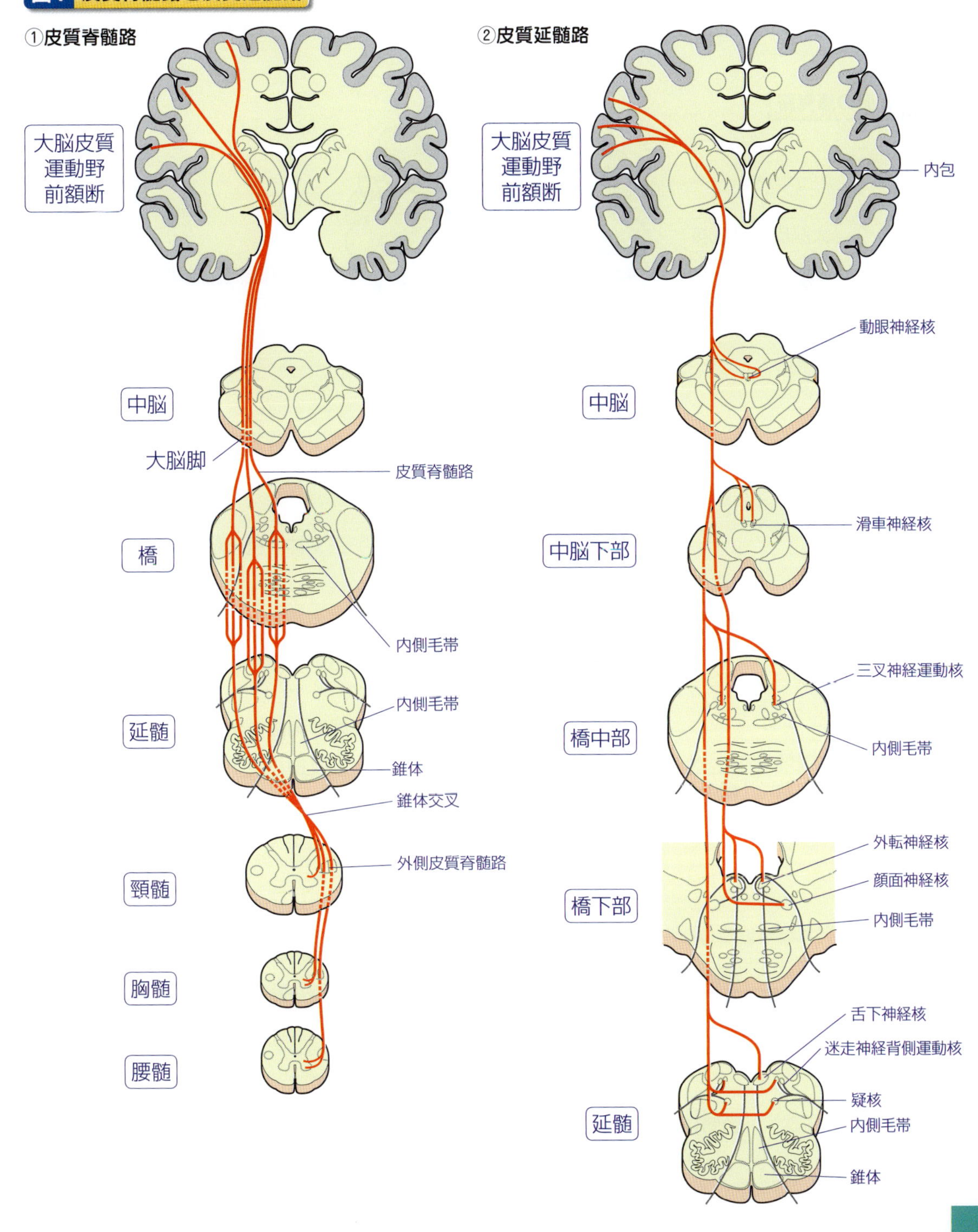

で錐体交叉を経て対側の脊髄側索を下行し，脊髄前角の運動神経細胞にシナプスする 図1① 。なお大脳皮質運動野から脳神経運動核に至る連絡路は皮質延髄路とよばれ，皮質脊髄路と平行して走行する。皮質脊髄路のなかで，顔面神経と舌下神経は反対の大脳皮質からの神経支配を受けている 図1② 。副神経を除く他の脳神経はすべて両側の大脳皮質からの神経支配を受けている。

感覚系の神経伝導路

顔面と四肢体幹で感覚障害をきたすサイドが異なる場合がある。これは交代性感覚障害とよばれている。それぞれの経路が異なるため生じる症状であり，病巣診断のポイントの1つとなる。

顔面の感覚 図2

●**温痛覚**：三叉神経脊髄路を下行し三叉神経脊髄路核でニューロンをかえ交叉し，三

図2 顔面の感覚路

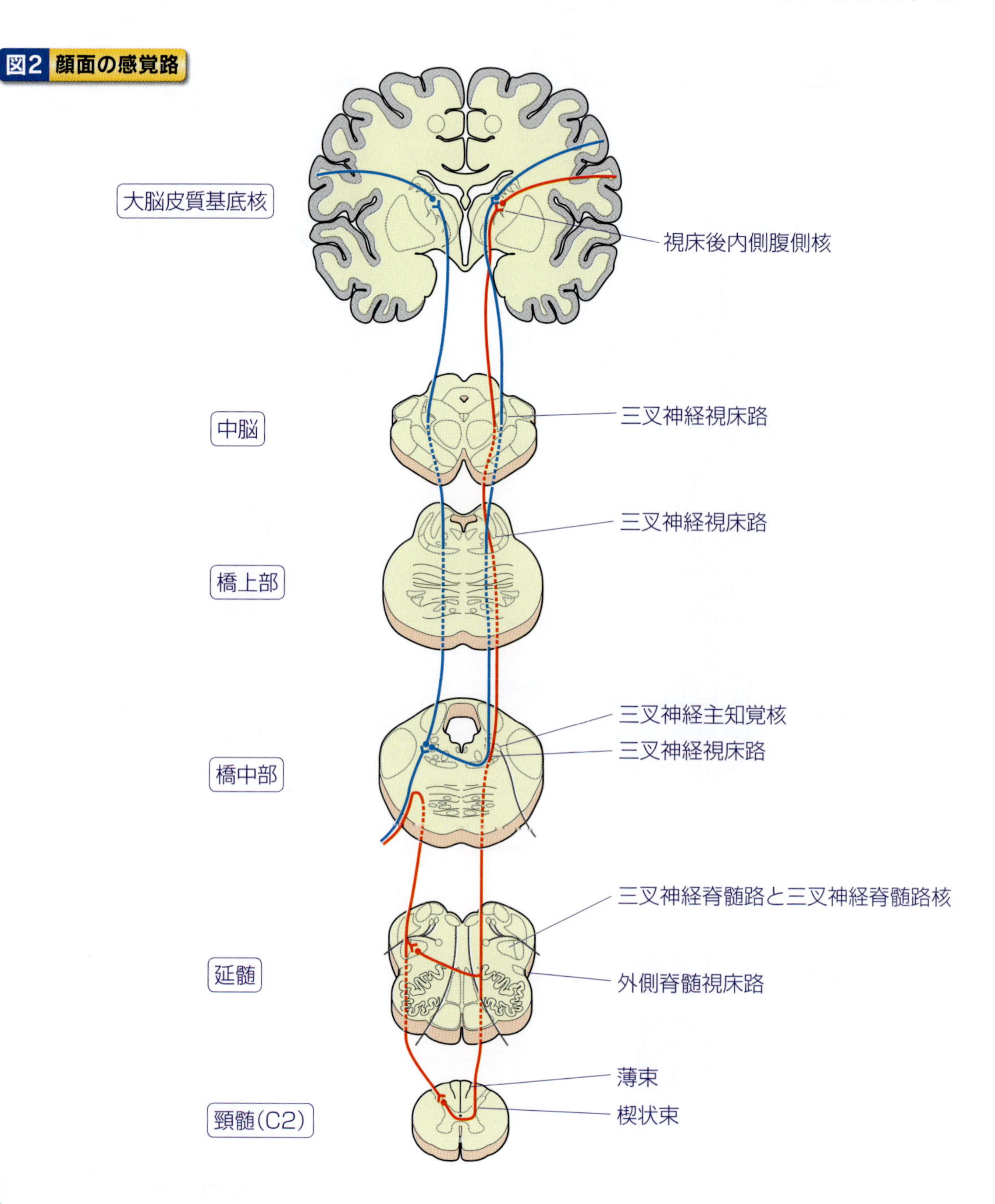

叉神経視床路を上行する。その後，視床後内側腹側核でニューロンをかえ大脳皮質感覚野に至る。

●**触覚**：三叉神経主知覚核から交叉し三叉神経毛帯(内側毛帯に近接)を上行し視床後内側腹側核でニューロンをかえ大脳皮質感覚野に至る(p.36 **B-1** 参照)。

四肢体幹からの感覚 **図3**

●**温痛覚**：脊髄後角から中心灰白質の前方に交叉し外側脊髄視床路を上行し，視床後外側腹側核でニューロンをかえ大脳皮質感覚野に至る。

●**振動覚・位置覚(深部感覚)**：後索を上行し，延髄下部の薄束核および楔状束核でニューロンをかえ，錐体交叉のすぐ直上で交叉(毛帯交叉)し内側毛帯を上行し，視床後外側腹側核でニューロンをかえ大脳皮質感覚野に至る。

図3 四肢の感覚路(温痛覚と深部感覚)

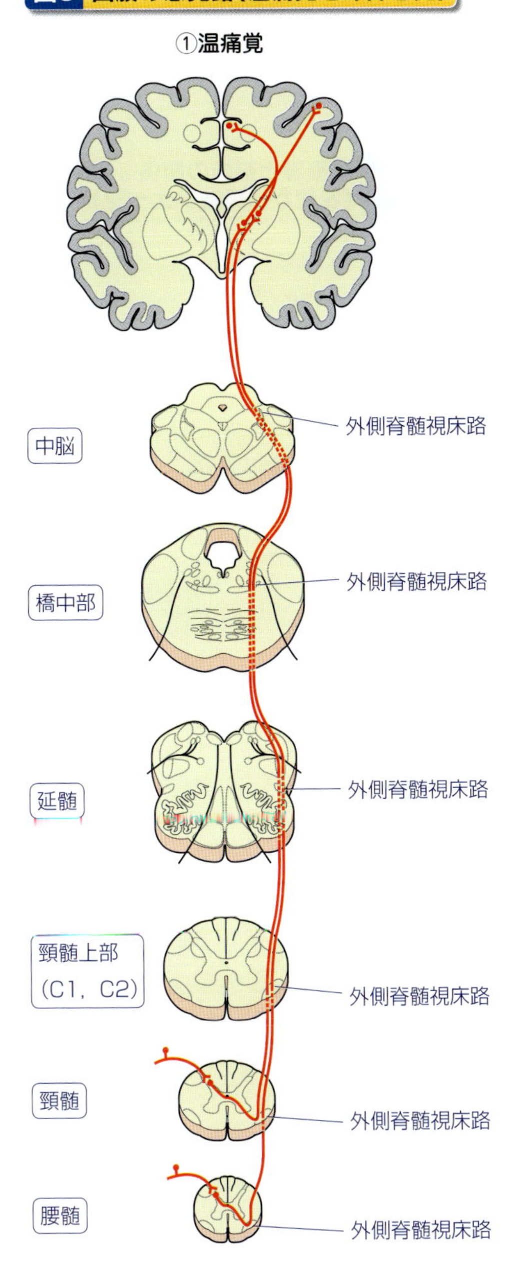

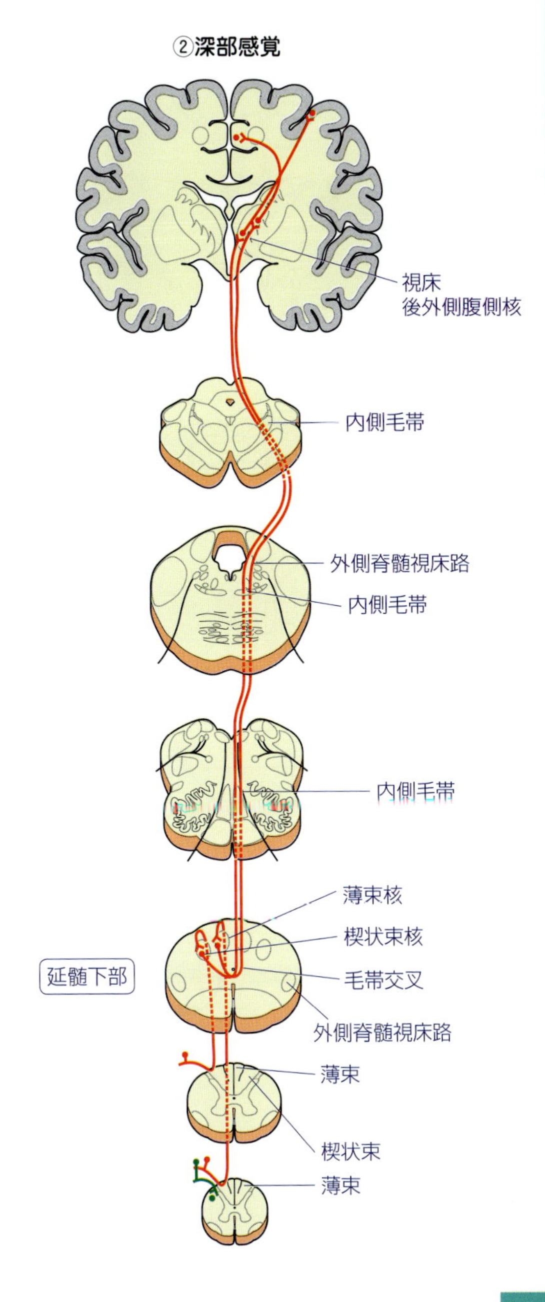

眼球水平共同運動に関する神経伝導路 図4

眼球水平共同運動(側方注視)の中枢は前頭眼野(frontal eye field)から下部中脳のレベルで交叉し橋下部傍正中橋網様体(paramedian pontine reticular formation：PPRF)とシナプスする。PPRFからの神経線維は同側の外転神経核に至りシナプスする。外転神経核からの線維のうち一方は同側の外直筋へいき，もう一方の線維は外転神経核のレベルで交叉し対側の内側縦束(medial longitudinal fasciculus：MLF)を上行し動眼神経核に至り，その刺激は内直筋へと伝わる。このためPPRFが外転神経核を活動させると，同側の外直筋と対側の内直筋に刺激が伝わり，刺激の出たPPRF側への側方注視が起こる。

小脳に関係する神経伝導路 図5

小脳症状は，小脳路または小脳自身が障害され出現する。このため，病巣診断には

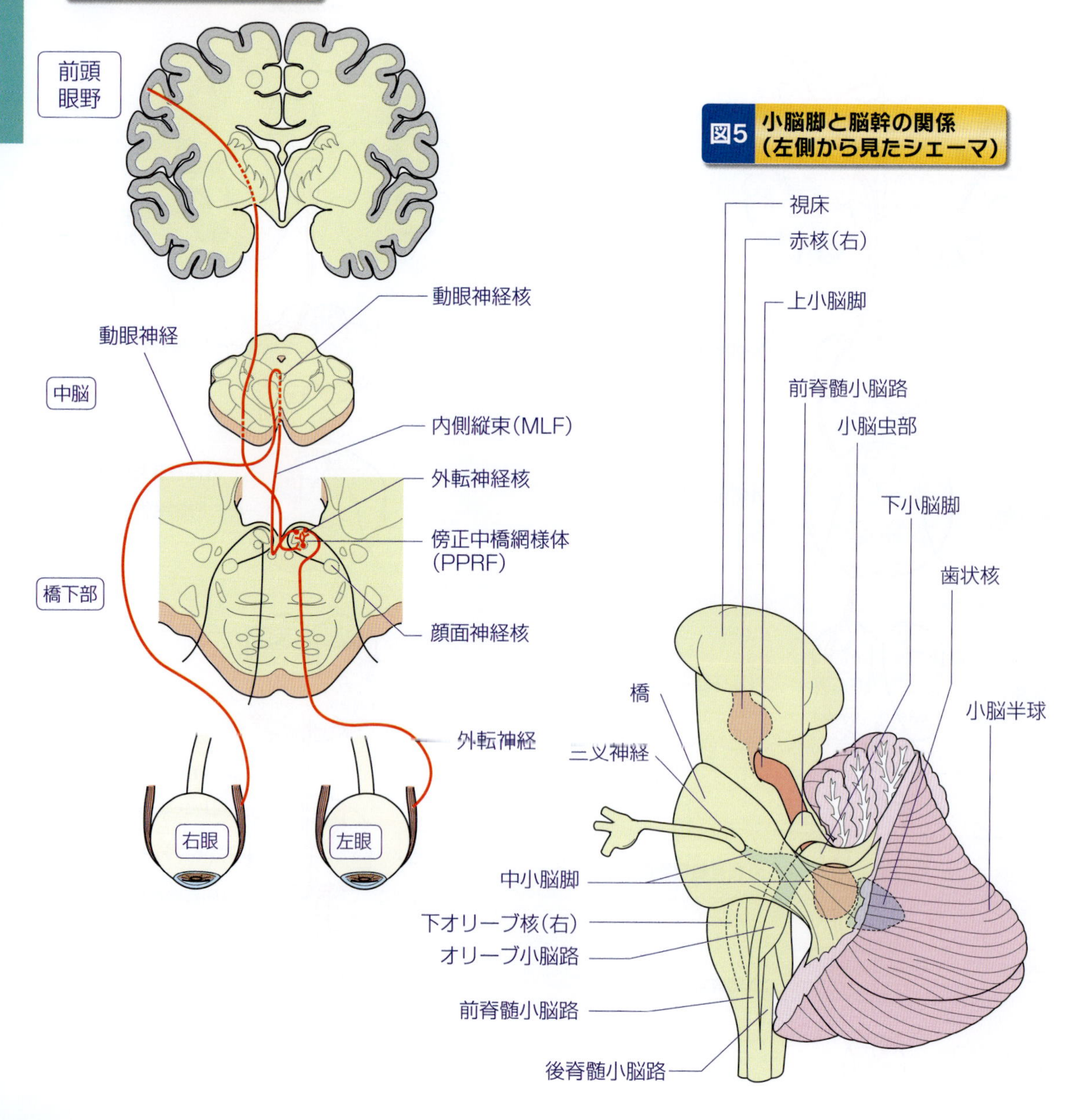

小脳路の神経解剖が重要となるが，特に脳幹の病巣を考える場合，小脳脚との関係がカギとなる**図5**。小脳は上小脳脚・中小脳脚・下小脳脚を通じ中脳・橋・延髄と連絡している。上小脳脚は小脳からの遠心路，中小脳脚・下小脳脚はそれぞれ橋および脊髄から小脳への求心性線維が通る。これらの各線維の走行および小脳自身に障害が生じた場合の病巣については小脳症状の項(p.174〜189)を参考にされたい。

脳神経核の位置 図6

脳幹において，脳神経核は主に背側部に位置している。これらは脳幹の病巣診断において，そのレベルを決めるときに役に立つ。

図6 脳神経核の位置

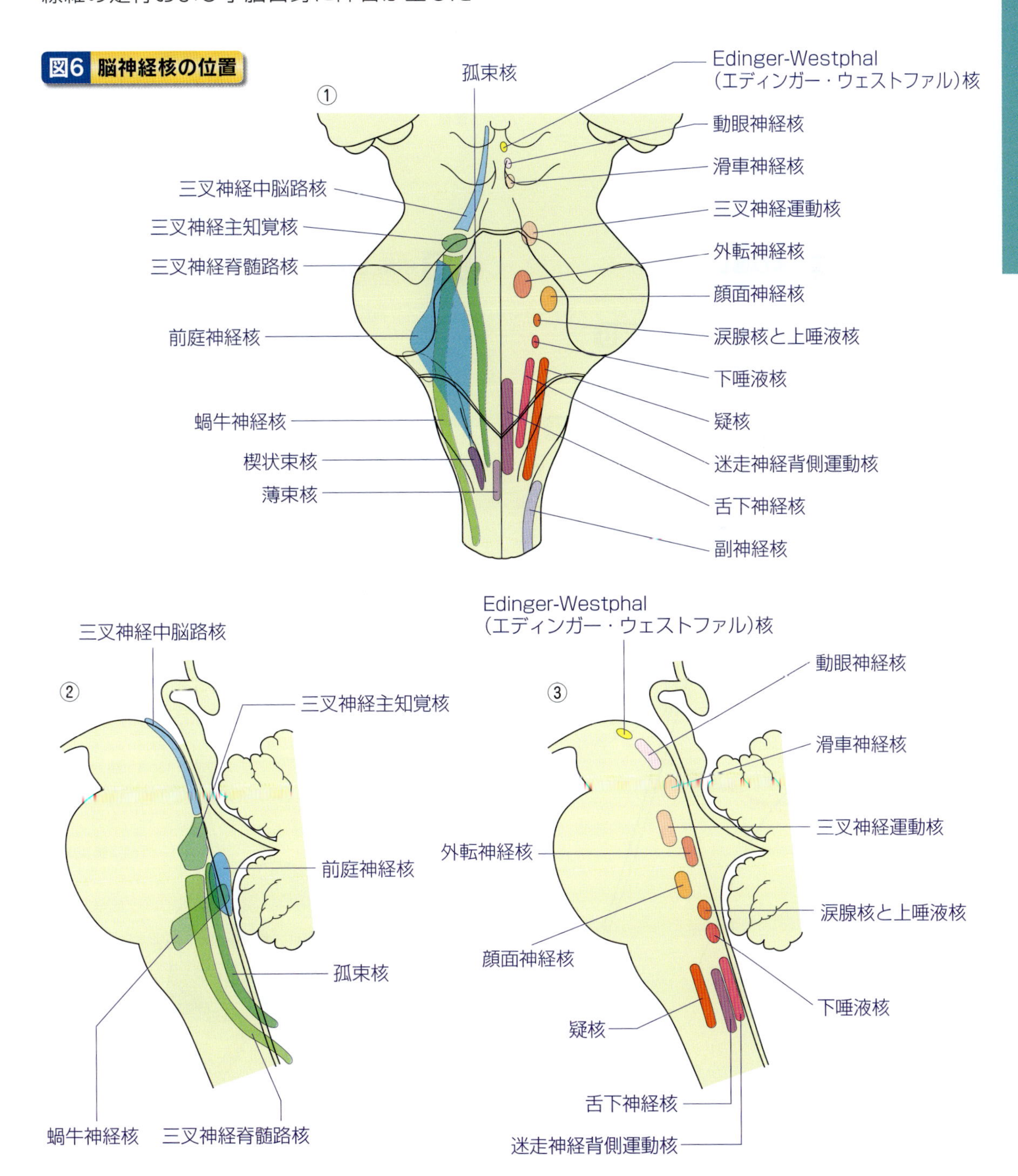

❸「よこ」の解剖

脳幹各レベル 図7 における中脳(第三脳室; 図8, 上丘; 図9, 下丘; 図10), 橋(上; 図11・中; 図12・下部; 図13), 延髄(図14), 脊髄(頸髄, 胸髄, 腰髄; 図15)の横断図を記す。脊髄は上位になるほど神経路が多くなるため頸髄では腰髄に比べ灰白質に対する白質の割合が多くなる。

以上,「たて」と「よこ」の神経解剖について理解ができたら, 次に症例を用いて病巣診断の考え方を示す。

図7 脳幹横断図および各レベル

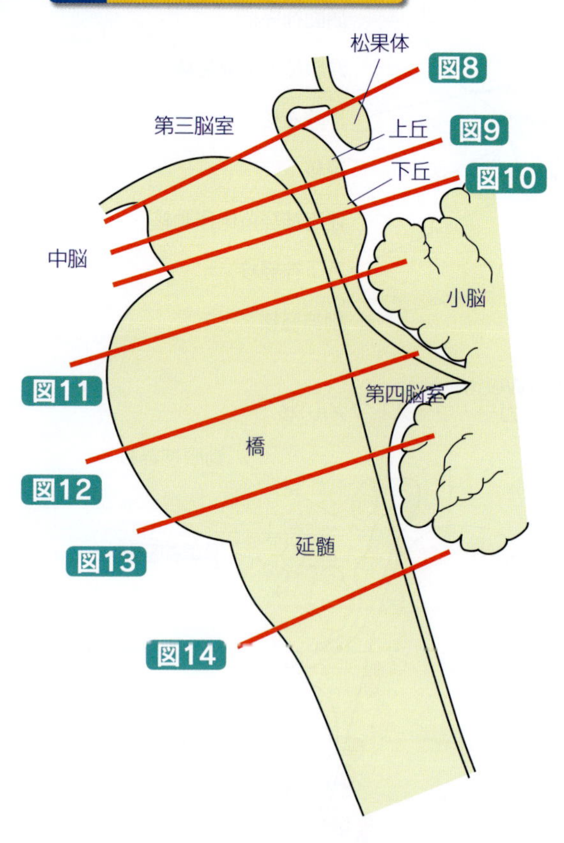

図8 中脳第三脳室レベル

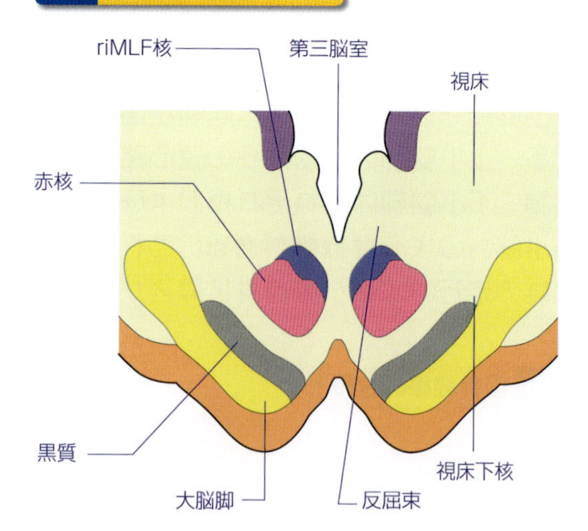

図9 中脳上丘レベル

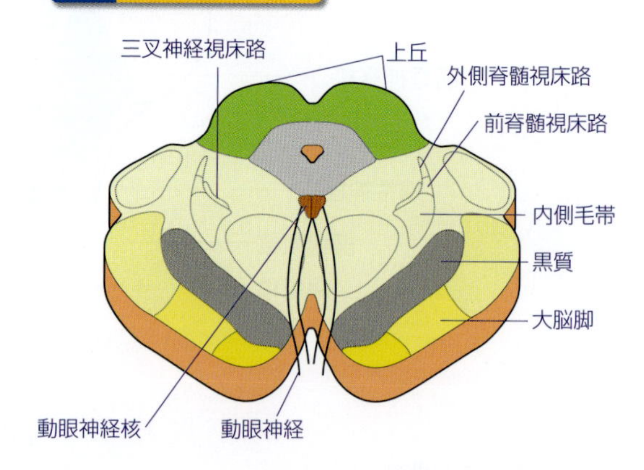

図10 中脳下丘レベル

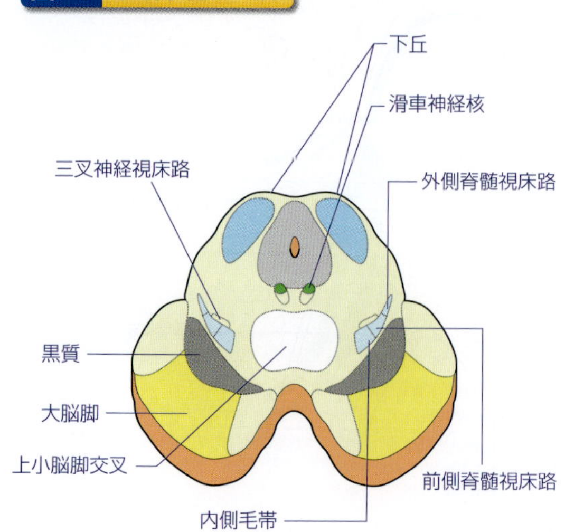

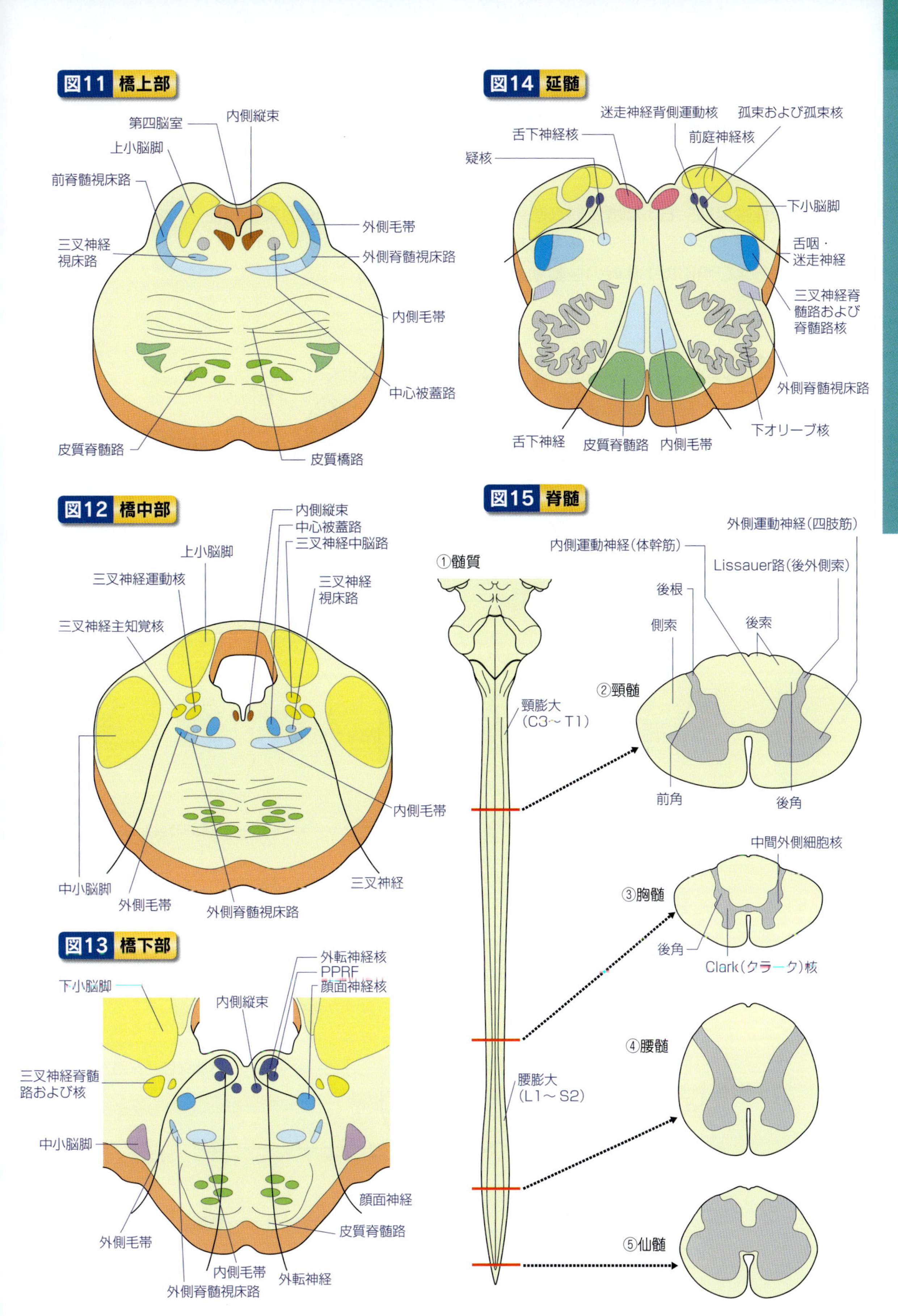
図11 橋上部
第四脳室
内側縦束
上小脳脚
前脊髄視床路
外側毛帯
三叉神経
視床路
外側脊髄視床路
内側毛帯
中心被蓋路
皮質脊髄路
皮質橋路
図12 橋中部
内側縦束
中心被蓋路
三叉神経中脳路
上小脳脚
三叉神経運動核
三叉神経
視床路
三叉神経主知覚核
内側毛帯
中小脳脚
三叉神経
外側毛帯
外側脊髄視床路
図13 橋下部
外転神経核
PPRF
顔面神経核
下小脳脚
内側縦束
三叉神経脊髄
路および核
中小脳脚
顔面神経
皮質脊髄路
外側毛帯
内側毛帯
外転神経
外側脊髄視床路
図14 延髄
迷走神経背側運動核
孤束および孤束核
舌下神経核
前庭神経核
疑核
下小脳脚
舌咽・
迷走神経
三叉神経脊
髄路および
脊髄路核
外側脊髄視床路
下オリーブ核
舌下神経
皮質脊髄路
内側毛帯
図15 脊髄
外側運動神経（四肢筋）
内側運動神経（体幹筋）
①髄質
Lissauer路（後外側索）
後根
側索
後索
②頸髄
頸膨大
（C3～T1）
前角
後角
中間外側細胞核
③胸髄
後角
Clark（クラーク）核
④腰髄
腰膨大
（L1～S2）
⑤仙髄

症例による病巣診断の実際
――以下の神経学的所見を認める症例の病巣部位はどこか？――

症例1

右下肢痙性麻痺，右下肢腱反射亢進　右バビンスキー（Babinski）徴候陽性，
右中および下腹壁反射消失，左下肢および臍部以下体幹で温痛覚低下，
右下肢および臍部以下体幹の振動覚と位置覚低下。

図16 皮質脊髄路

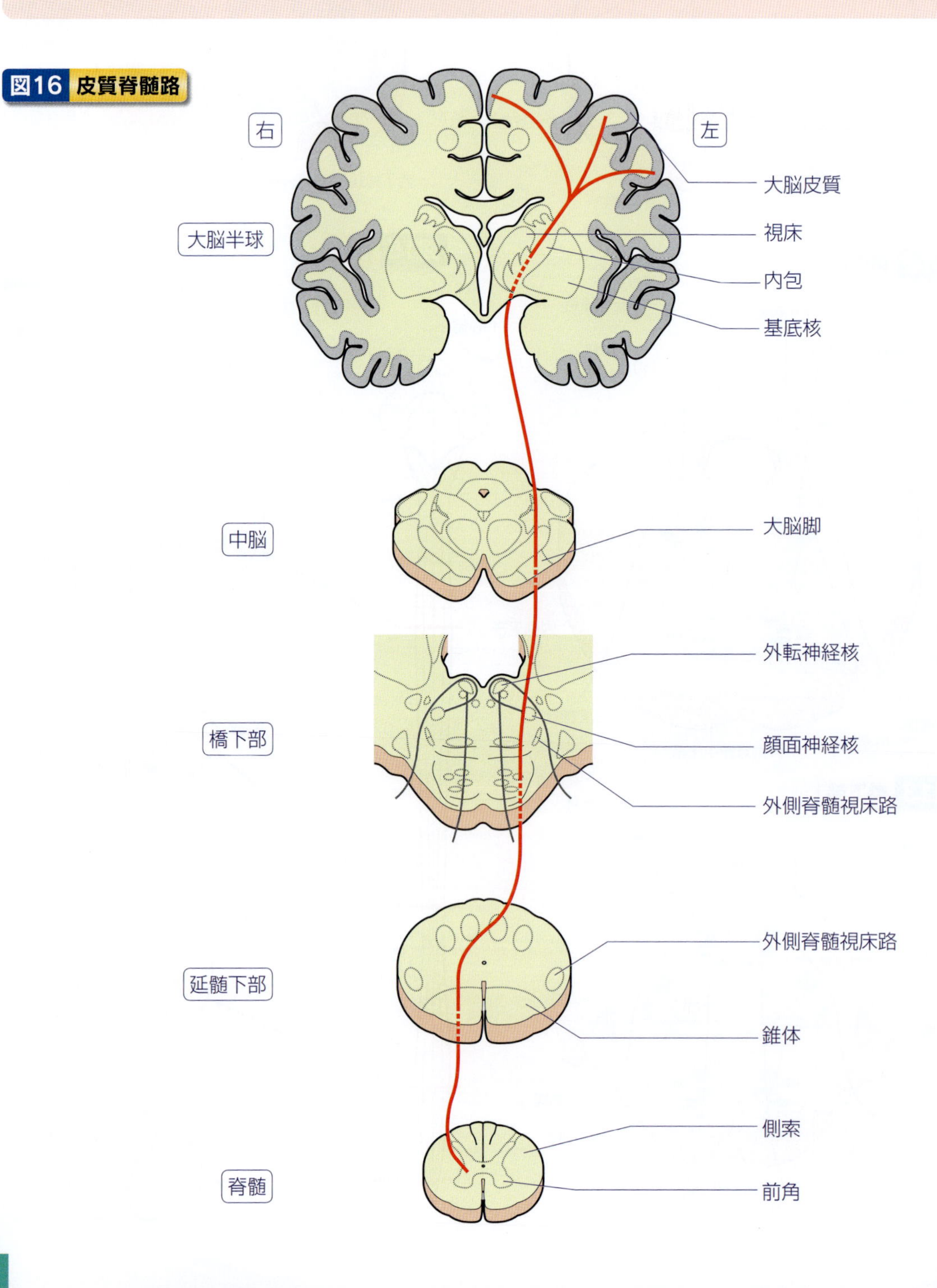

●右下肢痙性麻痺，右下肢腱反射亢進　右Babinski徴候陽性，右中および下腹壁反射消失：これらは皮質脊髄路 図16 の障害を現している。右上腹壁反射が保たれているが中および下腹壁反射が消失していることから，第10胸髄付近のレベルの障害が考えられる。右下肢で痙性麻痺となり，腱反射が亢進し，病的反射が出現していることとも矛盾しない。皮質脊髄路は延髄錐体交叉で交叉し対側にいくので，障害されている側は右側と考える。

●左下肢および臍部以下体幹で温痛覚低下：これは，脊髄視床路 図17 の障害を現している。臍部の感覚は第10胸髄レベルに相当する。温痛覚は脊髄後角に入力するとそのレベルで中心灰白質の前方で交叉し，対側外側脊髄視床路を上行する。このため症状は左であるが病巣は右側と考える。

図17 皮質脊髄路と脊髄視床路

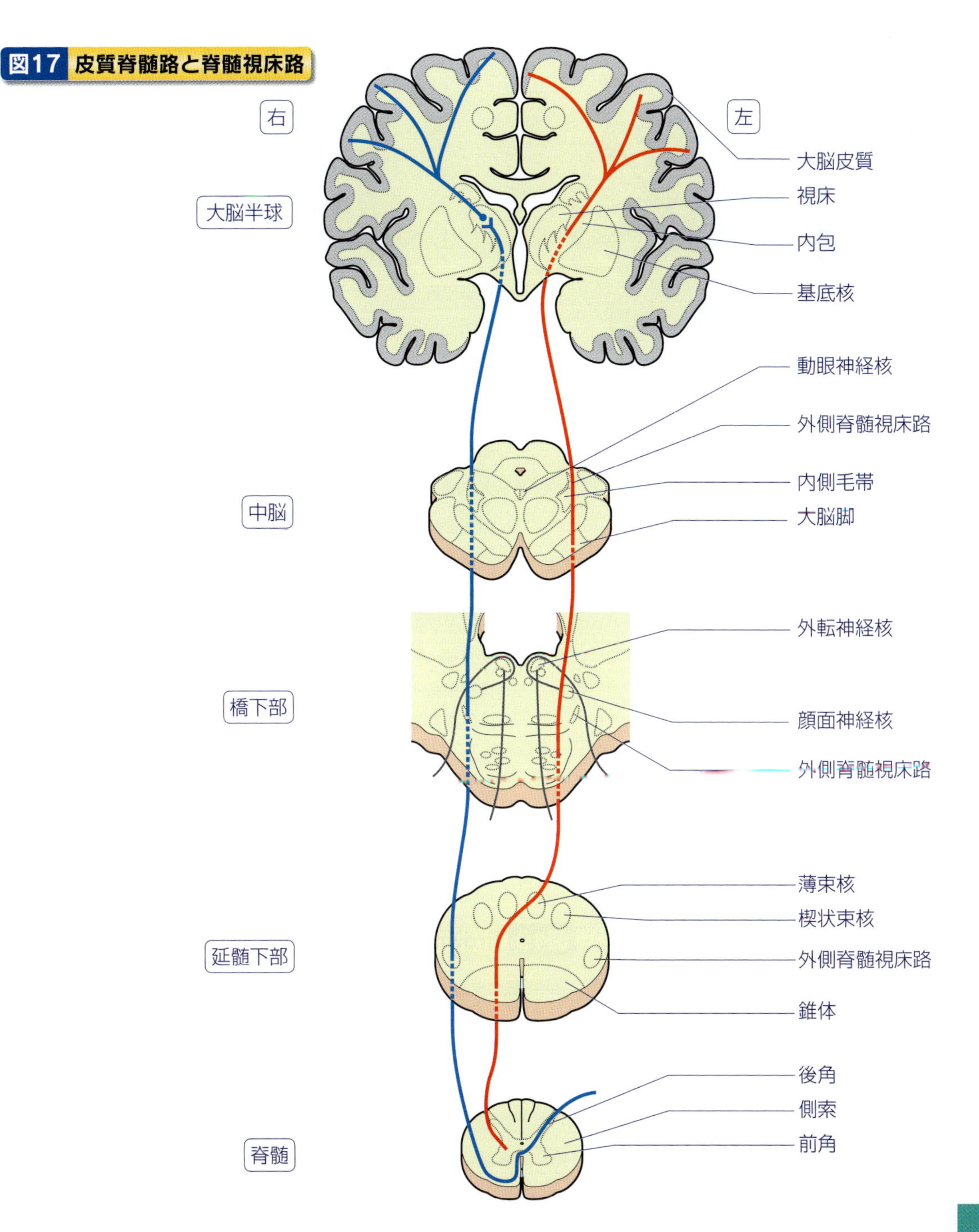

●右下肢および臍部以下体幹の振動覚と位置覚低下：これは後索 図18 の障害。深部感覚は同側後索を上行し，延髄下部の薄束核または楔状束核でニューロンをかえ，錐体交叉のすぐ直上で交叉(毛帯交叉)する。このため第10胸髄レベルでは交叉する前であり，障害側は右側と考える。

「たて」の知識を利用し，病巣が第10胸髄レベルにあることがわかった。次に，「よこ」の知識を利用し，第10胸髄レベルにおける病巣の領域を診断する。

図19 のように，後索，皮質脊髄路，外側脊髄視床路が障害されているということは，ほぼ，脊髄の半側が障害されていることになる。

以上から症例1の病巣は第10胸髄の右半側にあると考えられる 図19右 。このように後索，皮質脊髄路，外側脊髄視床路が障害されるものは**Brown-Séquard症候群**とよばれている。なお，障害されたレベルにおいて脊髄後根も障害されると，その髄節レベルの腱反射の消失と全感覚が消失する。

図18 皮質脊髄路，髄質視床路および後索

図19 Brown-Séquard症候群により障害される部位

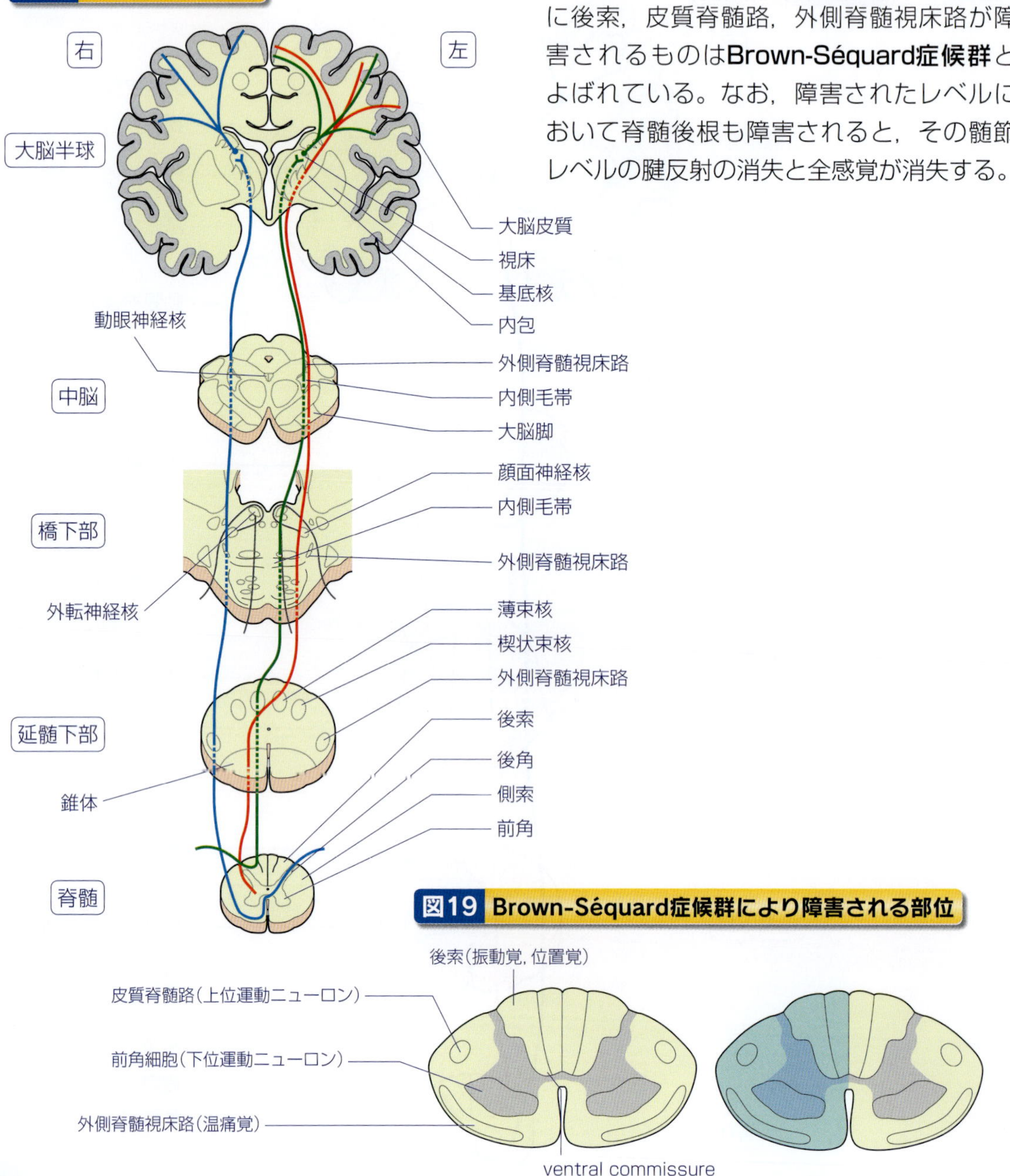

症例2

左瞳孔散大，左対光反射消失，左眼球運動で内転，上転，下転不能，左眼瞼の下垂，
右顔面下部の動きが左に比べ悪いが前額部のしわ寄せは左右差なし，
右上下肢筋トーヌス亢進，右腱反射が亢進，右Babinski徴候陽性。

- **左瞳孔散大，左対光反射消失，左眼球運動で内転，上転，下転不能，左眼瞼の下垂**：これらは左動眼神経の障害
- **右顔面下部の動きが左に比べ悪いが前額部のしわ寄せは左右差なし**：これらは中枢性の顔面神経障害（皮質延髄路）
- **右上下肢筋トーヌス亢進，右腱反射が亢進，右Babinski徴候陽性**：これらは皮質脊髄路（錐体路）の障害をそれぞれ示している。

まず運動系から考える。右腱反射が亢進していることから第4頸髄以上の皮質脊髄路 図20 の障害が考えられる。

顔面神経の障害については次のように考える。顔面上部の筋を支配する顔面神経核は両側の大脳皮質からの支配を受ける。一方，顔面下部を支配する顔面神経核は，対側の大脳皮質からのみの支配を受ける。

したがって本例のように，「前額部のしわ

図20 皮質脊髄路と皮質延髄路

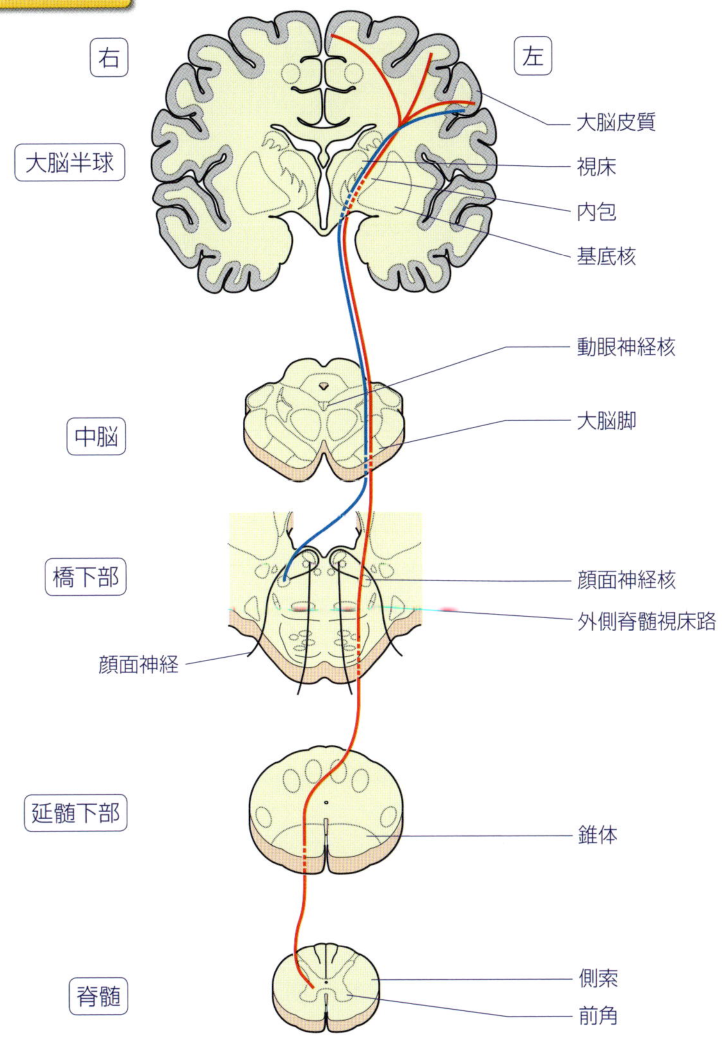

寄せは左右差なく」(右顔面上部の筋は正常),「右顔面下部の動きが左に比べ悪い」(右顔面下部の筋は障害されている)場合は,中枢性の顔面神経障害であり,顔面神経核のある橋下部より上位で皮質延髄路 図20 の障害があると考える。

病巣は1カ所で考える原則に従うと,皮質脊髄路も同様の部位で障害されていると考える。なお皮質延髄路は脳神経核のあるレベル,皮質脊髄路は延髄錐体交叉でそれぞれ交叉するので麻痺のある右側と反対の左側に病変がある。

次に眼球運動障害であるが,この症例でみられる症状は左動眼神経麻痺である。

動眼神経は中脳から腹側に向かい走行しており,この症例の運動症状を説明する皮質延髄路および皮質脊髄路とも中脳腹側で近接 図21 している。

以上から症例2の病巣は動眼神経を含む左中脳大脳脚内側部にあると考えられる 図21,紫色の部分。これらの症状は**Weber症候群**として知られているものである。

図21 皮質脊髄路,皮質延髄路および動眼神経

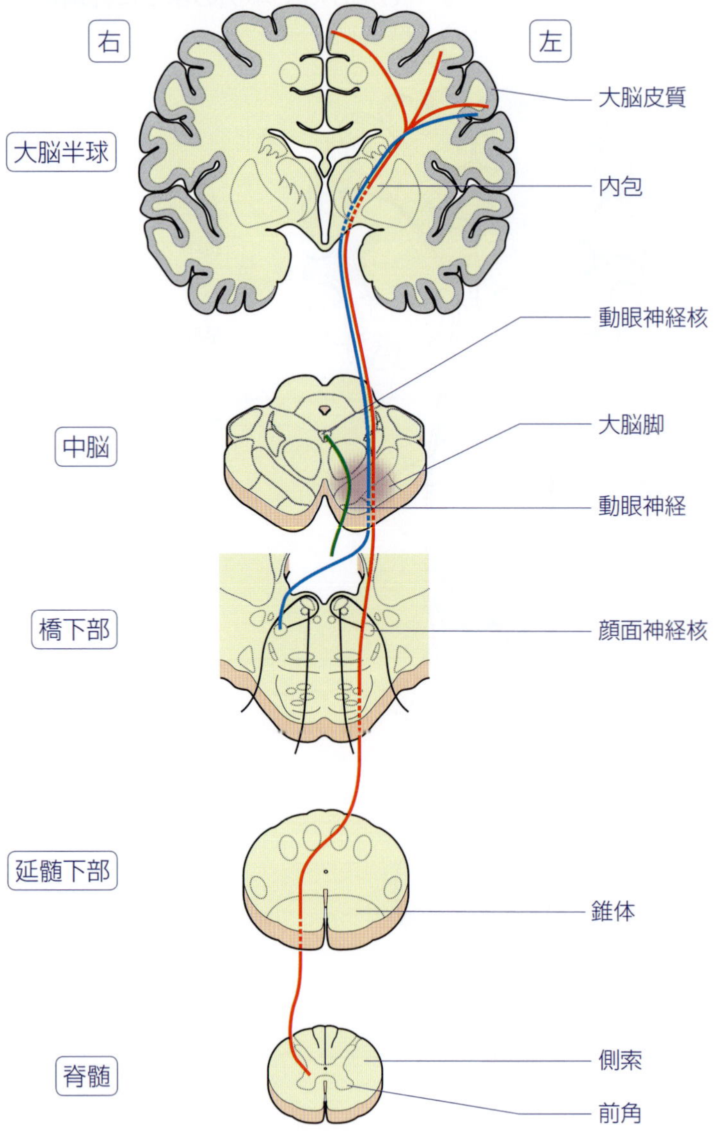

症例3

左側への注視麻痺(右眼，左眼とも左を見られない)，
左顔面下部の動きが右に比べ悪く，左前額部のしわ寄せも右と比べはっきりしない。
右上下肢筋トーヌス亢進，右腱反射が亢進，右Babinski徴候陽性。

運動系については，症例2と同様で以下のように考える。

●**右上下肢筋トーヌス亢進，右腱反射が亢進，右Babinski徴候陽性**：これらは皮質脊髄路(錐体路)の障害をそれぞれ示している。

●**左顔面下部の動きが右に比べ悪く，左前額部のしわ寄せも右と比べはっきりしない**：症例２とは異なり，左顔面は上部および下部の筋の両方が障害されており，末梢性の顔面神経障害と考える。

皮質脊髄路と末梢性顔面神経の障害を説明する部位としては，橋下部腹側で，皮質脊髄路とともに顔面神経核から出た顔面神経が髄内で障害されている病巣 図22 が考えられる。

左側への注視麻痺については次のように

図22 皮質脊髄路と顔面神経

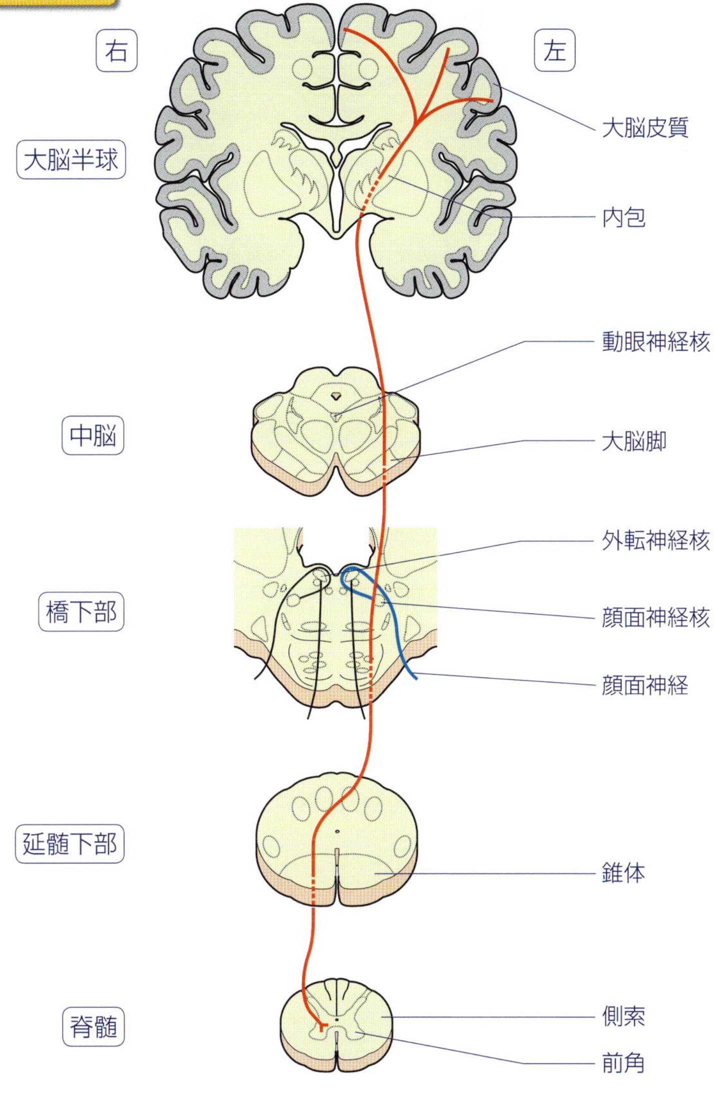

考える。側方注視に関する線維は **図23** に示すように，大脳前頭眼野から下行し下部中脳のレベルで交叉し，対側のPPRFとシナプスする。PPRFからは同側外転神経核に至り同側外直筋へいく線維と，対側のMLFを経て動眼神経核に至り内直筋に刺激を伝えるものがある。このためPPRFが外転神経核を活動させると，同側の外直筋と対側の内直筋に刺激が伝わり，刺激の出たPPRF側への側方注視が起きる。このため左注視麻痺は右前頭眼野から下部中脳へ下行する線維か，交叉後の左下部中脳から左PPRFにかけての領域が障害されることにより出現する。

左注視麻痺の病巣を右前頭眼野から下部中脳へ下行する線維の障害とすると病巣部位が2カ所となる。病巣部位を1カ所で説明するためには，**図24** のようにPPRFを含む左橋腹側が障害されている部位と考える。

以上から症例3の病巣は顔面神経核およびPPRFを含む左橋下部腹側にあると考えられる **図24，紫色の部分**。これは**Foville-Millard-Gubler症候群**として知られるものである。なお，PPRFは障害されず，外転神経が髄内の核以下で障害されるとMillard-Gubler症候群という。

図23 眼球水平共同運動（側方注視）の神経路

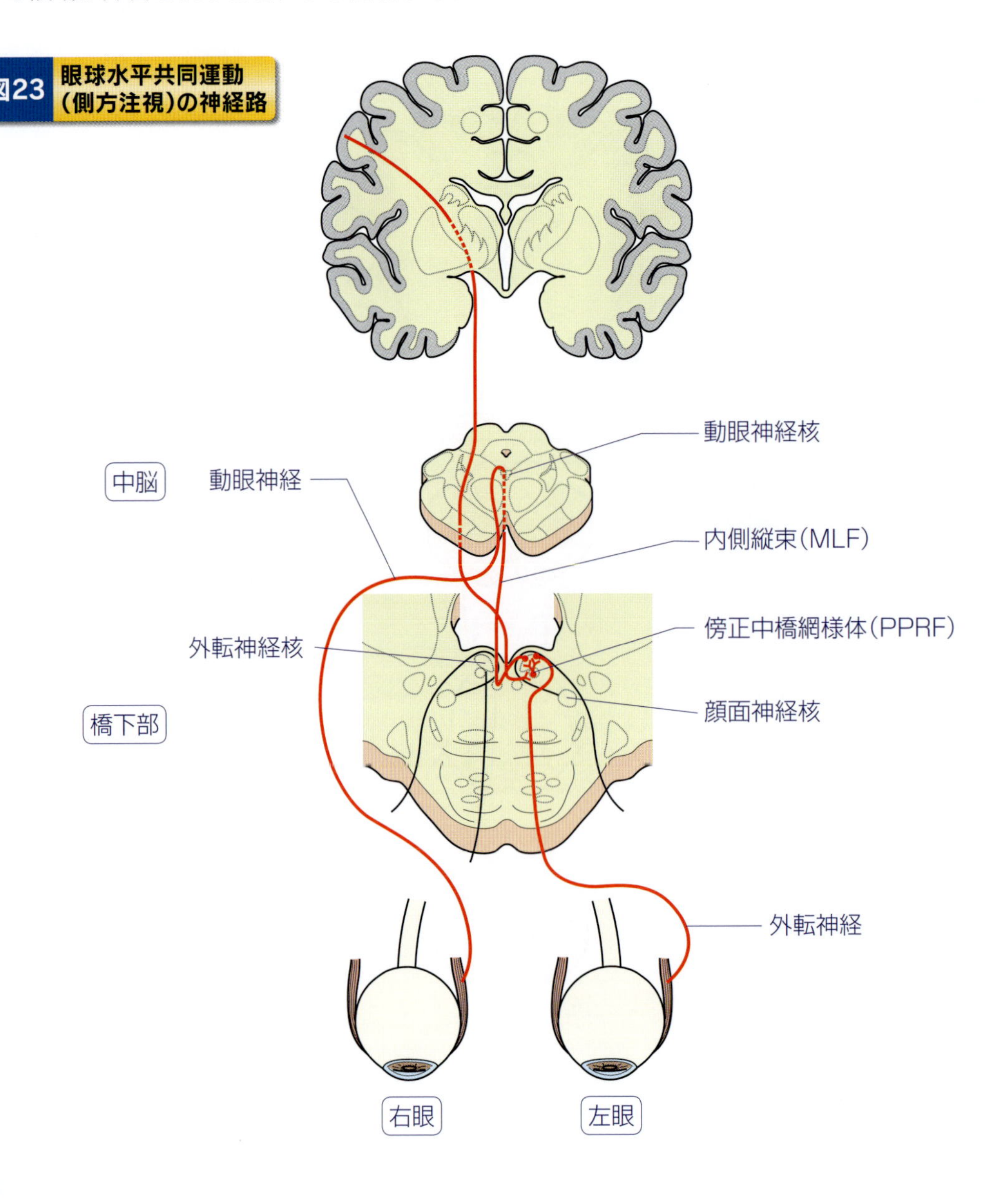

図24 橋下部の皮質脊髄路，顔面神経およびPPRF

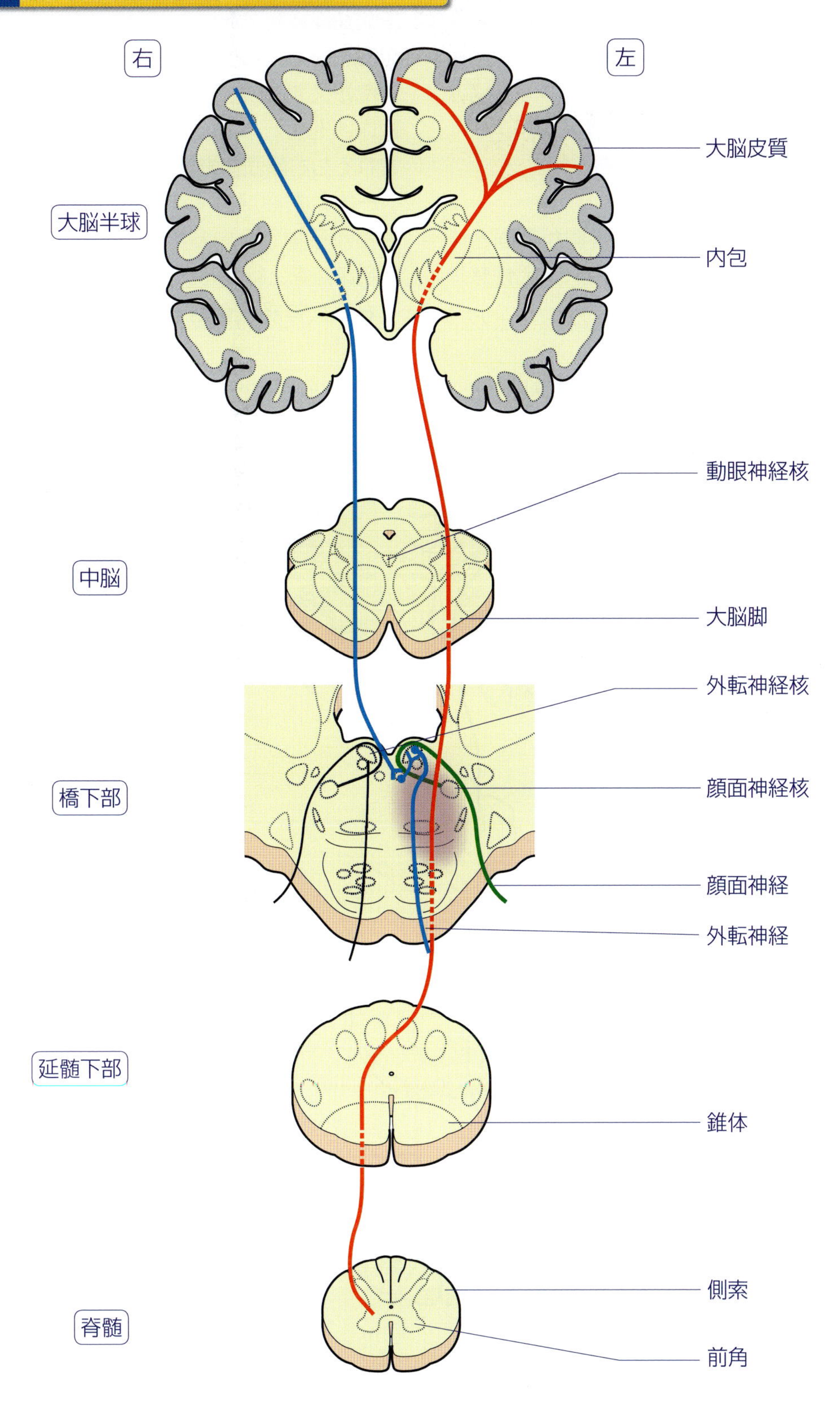

症例4

右顔面温痛覚低下と左頸部以下半身の温痛覚障害，
めまい，眼振，右小脳症状，
右軟口蓋挙上障害，嚥下障害，嗄声，
右瞼裂狭小，右発汗低下，右縮瞳。

この症例では，温痛覚の障害側が顔面と頸部以下で異なることに注目する（交代性感覚障害）。

右の顔面温痛覚は，図25のように右側三叉神経脊髄路を橋上部から第2頸髄レベルまで下行し，三叉神経脊髄路核でニューロンをかえた後交叉し，左側の腹側三叉神経視床路を上行する。この経路のどこが障害されても右顔面痛覚低下が生じる。

一方，左頸部以下半身の温痛覚は左脊髄後角から中心灰白質の前方で交叉し右側脊髄視床路を上行する。

右三叉神経脊髄路と左半身からの温痛覚

図25 右顔面の感覚と左からの脊髄視床路

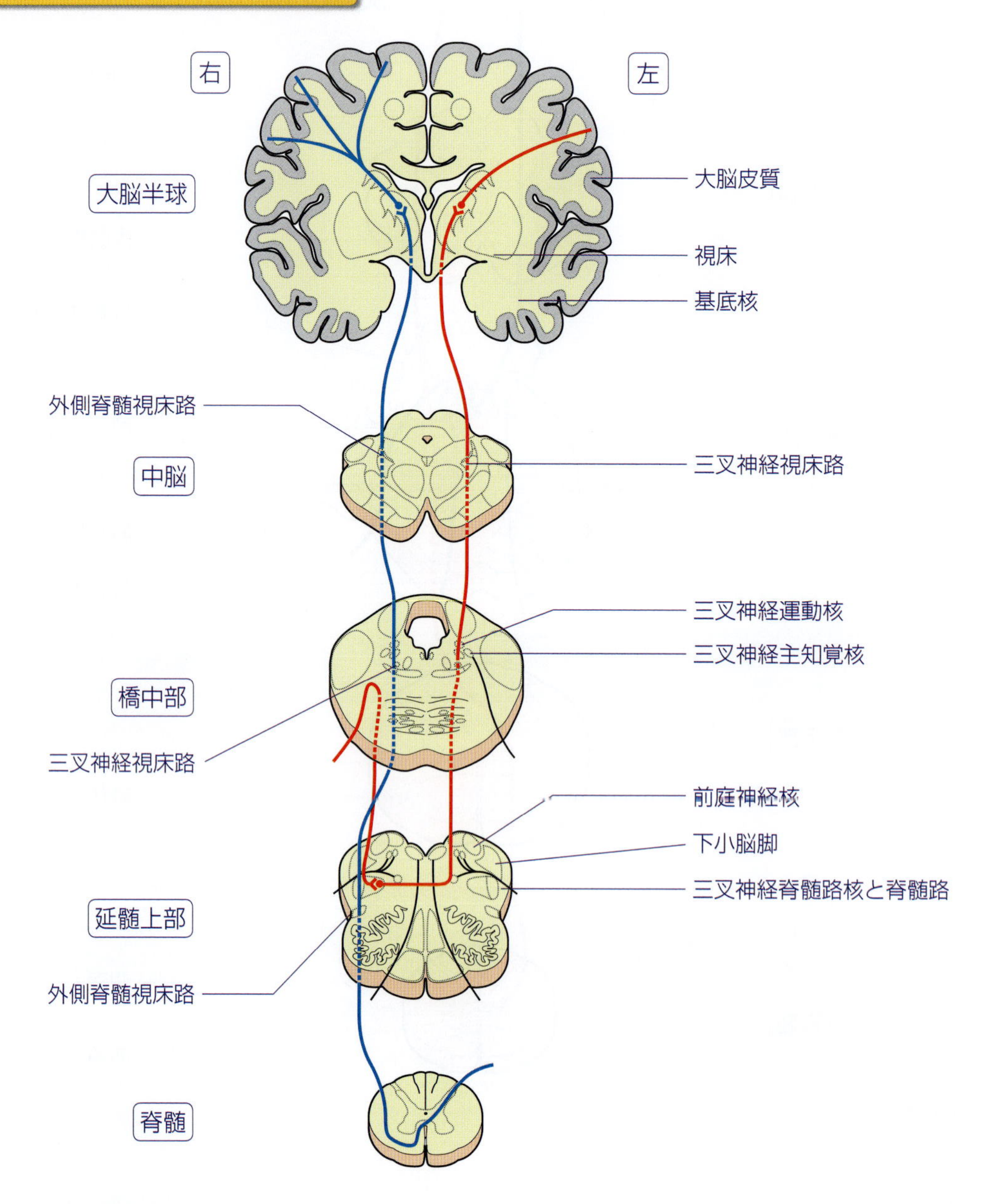

を入力した脊髄視床路 図25 が障害されれば，右顔面痛覚低下と左頸部以下半身の温痛覚障害が起こるが，解剖学的にこの経路が一側で重なる部位は，右側の橋上部から第2頸髄レベルである。

次に右軟口蓋挙上障害，嚥下障害，嗄声であるが，これらは疑核，舌咽および迷走神経の障害であり，右側延髄下部背外側が主な部位となる。この部位ならば，右顔面痛覚低下と左頸部以下半身の温痛覚障害を説明することもできる 図26 。

さらにその他の所見では，めまい，眼振は前庭神経核，右小脳症状は下小脳脚の障害と考えられ右延髄下部背外側で説明がつく。右瞼裂狭小，右発汗低下，右縮瞳はHorner症候群として知られるもので，脳幹背外側被蓋部を通る交感神経線維の障害によるものであり，右延髄下部背外側が障害されても出現する。

以上から症例4の病巣は疑核，前庭神経核，下小脳脚，脊髄視床路および三叉神経脊髄路を含む右延髄背外側にあると考えられる 図26，紫色の部分 。これらの症状を呈するものは**Wallenberg症候群**として知られている。

図26 Wallenberg症候群の病巣

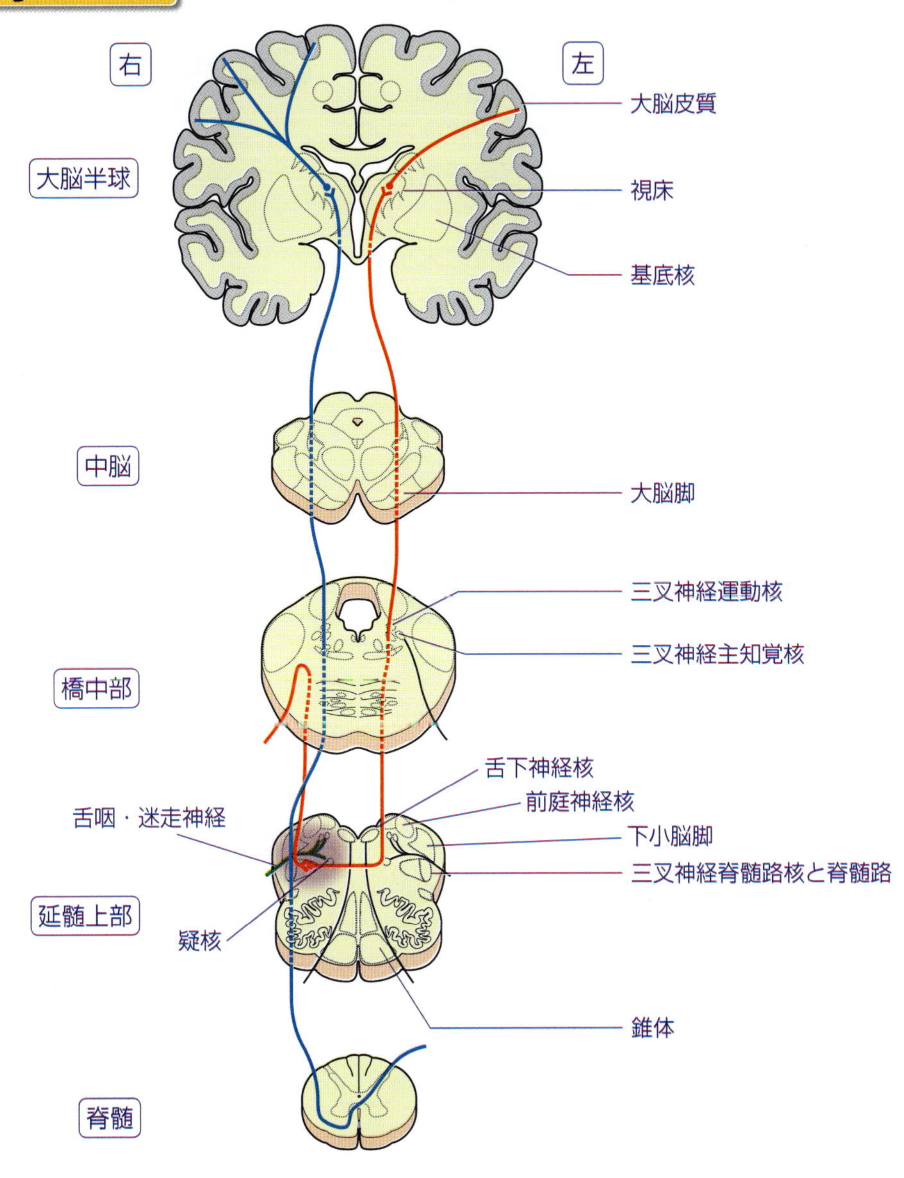

末梢神経の病巣診断

末梢神経には，運動，感覚および自律神経機能が含まれるが，3つの機能をすべて有する末梢神経がある一方で，1つの機能しかもたない末梢神経もある。このため，障害される末梢神経の種類や場所により出現する症状が異なる。末梢神経における病巣診断の基本も中枢神経同様に，末梢神経の走行と機能の知識を身につけ，それをうまく組み合わせることである。

以下の所見があれば末梢神経の病巣を考える。

- **腱反射の消失**：末梢神経障害では反射弓の障害により低下または消失する。
- **筋萎縮**：末梢神経障害では認められる。
- **全感覚障害**：末梢の感覚神経が障害されると温痛覚，深部感覚など全感覚が障害される。

さらに病巣が近位の神経根か遠位の末梢神経か，単一かそれとも多数の末梢神経が障害されているかを考慮する。多数の末梢神経が障害される多発ニューロパチーでは，前述したように「手袋・靴下型の全感覚障害」とよばれる，四肢遠位部に左右対称性に全感覚障害を認める。

単一の神経障害における病巣診断

単一の神経が障害されている場合，病巣診断の考え方として，停電の際の断線箇所を探す方法を例にとり，きわめて明解に説明している論文[1)]がある。例えば，図27のように①という地域が停電した場合，断線部位（病巣部位に相当する）は発電所から①に至る場所にあるはずである。さらに②という地域に停電があると発電所から①-②に分岐するまでのあいだに断線部位がある。しかし③には停電がないとすると断線部位は図の破線となる。単一の神経が障害されている場合は，「停電」という事象を「筋力低下」などにおきかえて病巣を診断していけばよい。そのためには，p.90，91 表1 に示すような上下肢筋の支配神経の名前に加え，その解剖学的位置と神経叢の構造p.92～95 B-1～4 を知っていることが必要である。また上肢および下肢について重要な神経とそれぞれの運動および感覚機能についてp.96 表2 およびp.97 表3 に記す。

図27 停電部位の推測

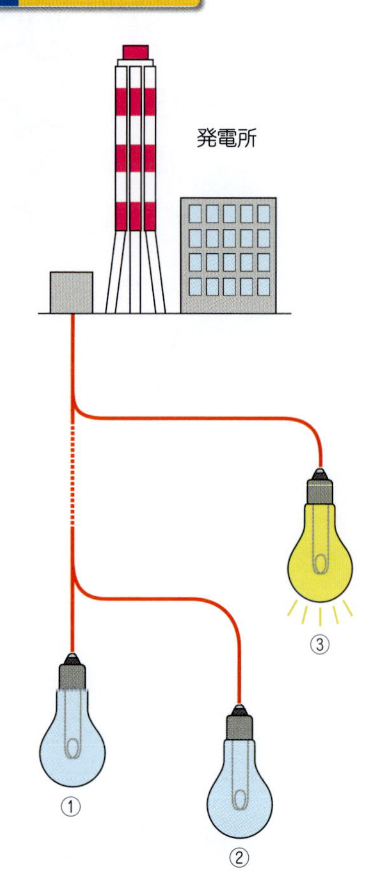

文献
1）加茂久樹：神経局在診断の方法　むつかし（難し）学を解き明かす．大塚薬報，632：36-39, 2008.

症例5

右鼻唇溝浅，右前額部のしわ寄せは不可，
右聴覚過敏なし，右流涙あり，
右舌の味覚障害，その他の神経学的所見なし。

本症例では，右鼻唇溝が浅く，さらに右前額部のしわ寄せができないことから，右顔面神経の末梢性障害を考える。その他，神経学的所見で異常がなく，運動系のほかに味覚の障害もあることから，髄内の末梢ではなく，髄外の末梢神経が障害されている可能性をまず考える図28，29。

図29に示すように顔面神経は末梢では運動系に加え，感覚系神経と自律神経の線維が含まれ，数カ所で分枝し，それぞれの器官を支配するとともに末梢からの体性感覚や内臓感覚を伝えている。このため停電部位を探すように，出現している症状から，障害部位を予測することができる。

運動系線維は橋下部に存在する顔面神経核を起源とし，脳幹を上行して外転神経核

図28 顔面神経の走行

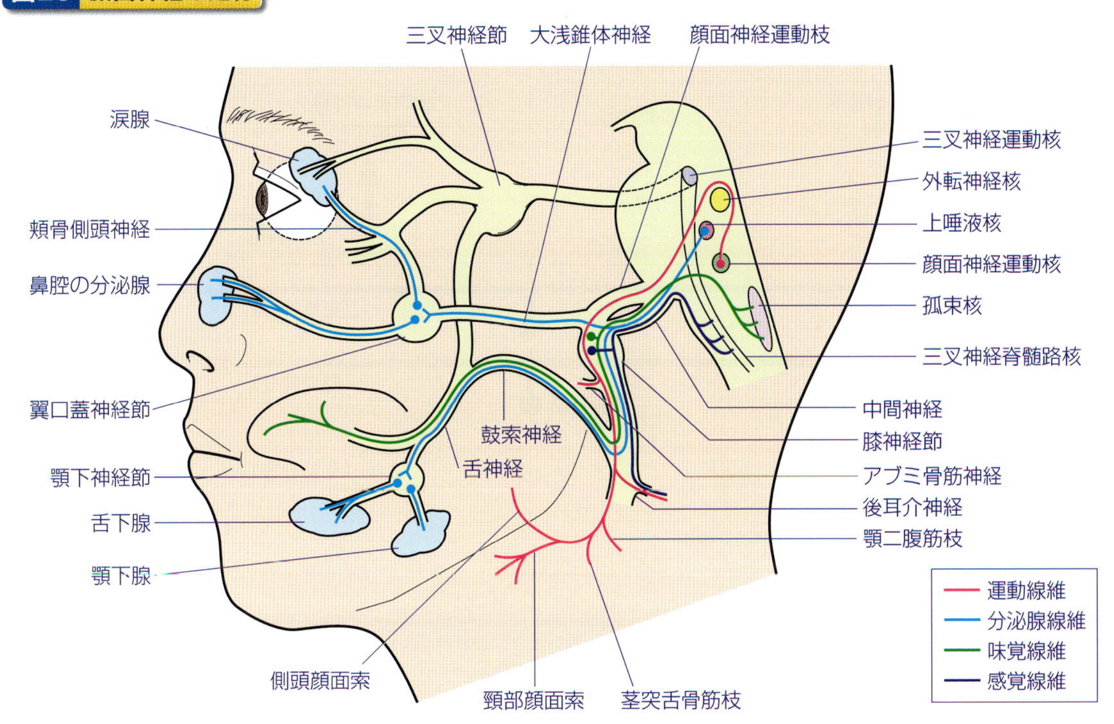

を回るように走行した後に小脳橋角部から髄外へ出る。その後内耳道に入り茎乳突孔を経由して顔面筋に至る。分枝であるアブミ骨筋神経は，アブミ骨筋を支配する。この分枝の障害では聴覚過敏が出現する。

自律神経系線維のなかで，涙腺を支配する副交感神経は，橋の涙腺核（上唾液核の一部）に起始して中間神経を経て，顔面神経核からの線維に併走しながら内耳道を経由して大浅錐体神経に至り，効果器を支配する。唾液腺に至る副交感神経線維は上唾液核に起始し，中間神経を経て鼓索神経に分岐し顎下腺や舌下腺に至る。

鼓索神経には，舌の前2/3の味覚を伝える感覚神経が含まれ，中間神経を経て孤束核に至る。また耳介後部・鼓膜・外耳道の感覚線維は後耳介神経を経由して顔面神経を併走し，味覚神経とともに中間神経を形成して脳幹へ入り，三叉神経脊髄路核に至る。

図29からわかるように，本症例で流涙が存在することは，脳幹から大浅錐体神経までは保たれていることを示している。また聴覚過敏のないことはアブミ骨筋への入力が障害されていないことを示している。

以上から症例5の病巣は右顔面神経のアブミ骨筋の分枝より末梢にあると考えられる。

図29　顔面神経の障害部位と症状

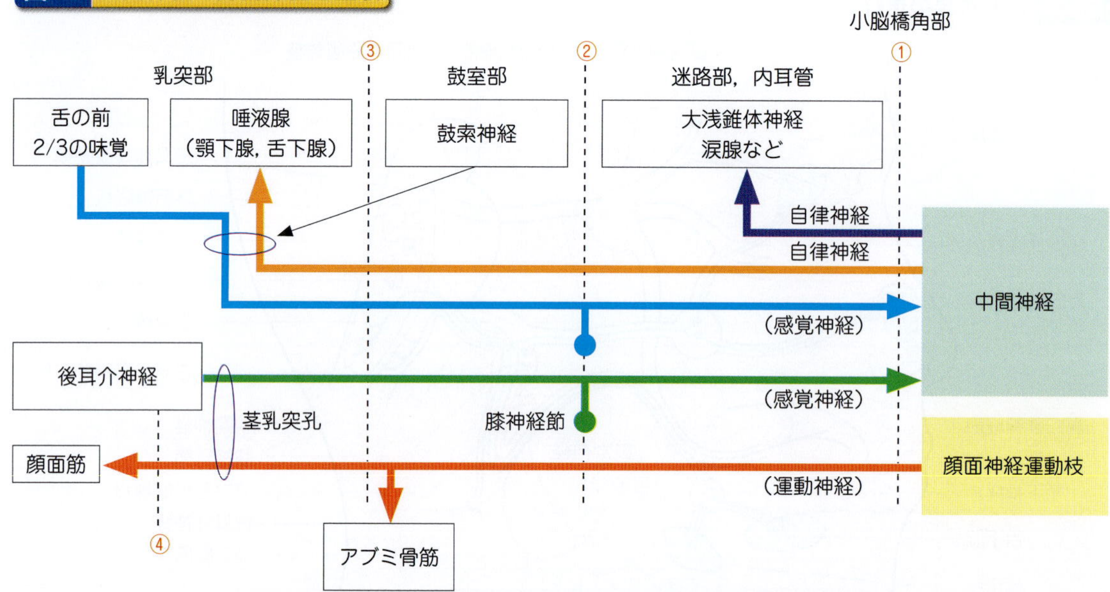

障害部位	顔面筋麻痺	聴覚過敏	味覚障害	涙液分泌障害	唾液分泌障害
①	＋	＋*	＋	＋	＋
②	＋	＋	＋	－	＋
③	＋	－	＋	－	＋
④	＋	－	－	－	－

＊：蝸牛神経が障害されていればむしろ聴覚は低下する。
体性感覚の異常は臨床的には検出が困難である。

症例6

右手の筋力低下としびれで来院。
神経学的には，右小指球の筋萎縮，尺側手根屈筋，深指屈筋(第4，5指)，小指外転筋，小子対立筋，掌側骨間筋，背側骨間筋，母指内転筋の筋力低下を認める。
また感覚は，右第5指と第4指内側半分，右手内側1/3の手掌側と手背側で温痛覚，触覚の低下を認める。
その他，四肢腱反射は正常で病的反射陰性。

本症例では，限局した筋萎縮を伴う筋力低下と感覚障害を呈していることから末梢神経の病変を考える。上肢の末梢神経はp.93 **B-2** に示したように脊髄を出て神経根(roots)となり，腕神経叢を形成する。その後，幹(trunks)，枝(divisions)，索(cords)を経て末梢神経に分枝する。現在の症状は，これらの部位うち，どの部位の障害によるものかを考える。

本症例で，障害されている筋はp.90，91 **表1** よりすべて尺骨神経により支配されるものであるが，神経根や神経叢が病巣となる可能性について考える。障害された筋は，神経根のレベルではC8およびT1の支配を受けている，p.90，91 **表1**)。T1の神経根の障害では手の筋の筋力低下と萎縮が起こることは知られているが，本例ではT1神経根に支配される母指対立筋と短母指外転筋

図30 尺骨神経の走行

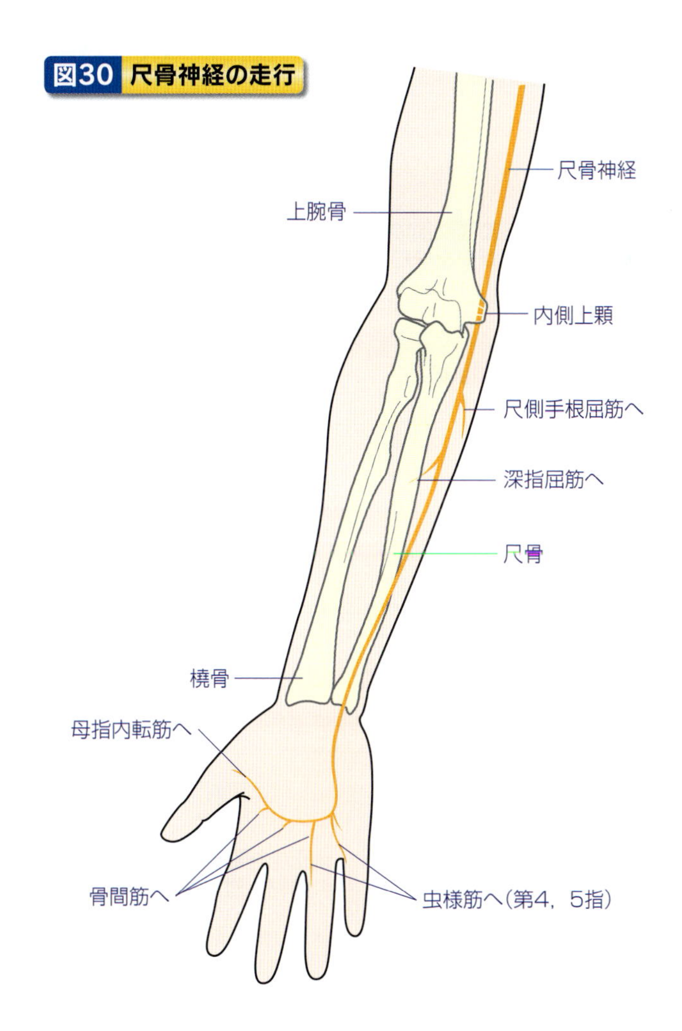

は障害されておらず，神経根の障害とは考えにくい。腕神経叢（p.93 B-2）の障害では尺骨神経が支配する部位が障害された場合，同時に，正中神経の支配する筋も障害されるはずである。したがって本例における病巣は神経根や腕神経叢より末梢で，正中神経と尺骨神経に分枝したあととなる。尺骨神経により支配される筋群のなかで，図30のように尺側手根屈筋枝が最も近位の分枝である。

以上から症例6の病巣は右腕神経叢より末梢で尺側手根屈筋への分枝より近位にあると考えられる。

なお，本例では，第4および5指の中手指節間関節が過伸展し，指節間関節が屈曲変形する，いわゆる鷲手（claw hand）を示した図31。

図31 橈骨神経，正中神経，尺骨神経麻痺による手のポーズ

薄い青色は感覚障害，濃い青色は筋萎縮を示す。

①下垂手（wrist drop or drop hand）
橈骨神経麻痺（radial palsy）

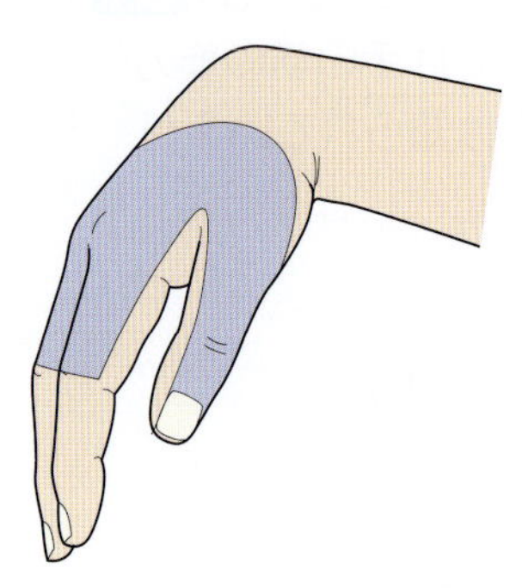

手首の伸筋群の筋力低下により出現。指節間関節の伸展はできるが，中手指節間関節の伸展ができないため図のような肢位になる。

②説教者の手（preacher's hand or orator's hand）
正中神経麻痺（median palsy）

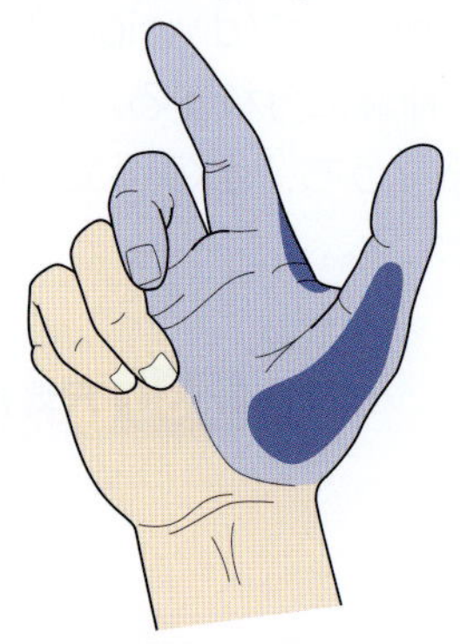

正中神経近位での障害により，第2，3指の深指屈筋と母指屈筋の筋力低下が生じる。このため，こぶしをつくろうとしても，第1，2，3指の屈曲ができずに，図のようになる。

③鷲手または鉤手（claw hand or ulnar claw）
尺骨神経麻痺（ulnar palsy）

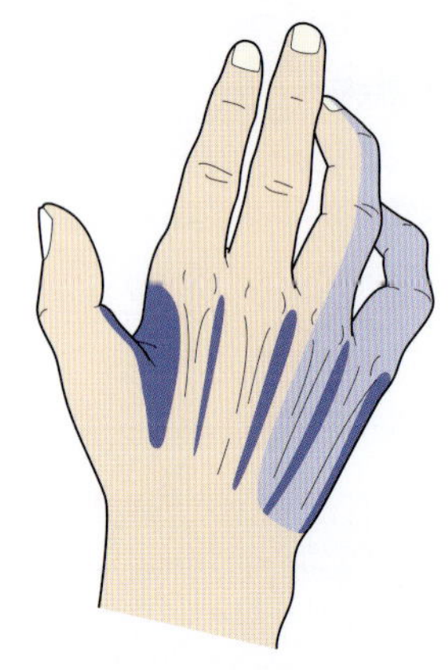

第4および5指の虫様筋の筋力低下により，第4および5指の中手指節間関節が過伸展し，指節間関節が屈曲変形する。

④猿手（simian hand or ape hand）
正中神経と尺骨神経麻痺（median and ulnar palsy）

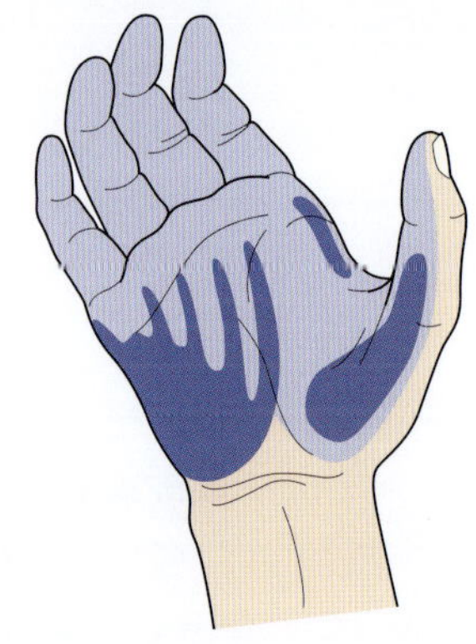

正中神経と尺骨神経麻痺により，母指球と小指球が萎縮し対立が消失することにより生ずる。

症例7

左手指の伸展の悪いことに気づいた。
左母指の外転と第2〜5指の中手骨関節での伸展が不能。
筋力テストでは左長母指外転筋，総指伸筋，左尺側手根伸筋，左長母指伸筋の麻痺。
腱反射は正常。感覚障害なし。

手関節と指関節の伸展，屈曲が部分的に障害されている場合は末梢神経の障害を最初に考える。おおまかな考え方として，手の屈曲が不可能の場合は正中神経，伸展ができない場合は橈骨神経の障害を疑う。

この症例では障害されている筋の支配神経についてp.90，91 **表1** で探すと，橈骨神経の枝である後骨間神経の支配を受けていることがわかる。

橈骨神経は解剖学的に肘関節部で浅枝（橈側手根伸筋）と深枝（後骨間神経）に分岐する。後骨間神経は回外筋への分枝を出した後，Frohse（フロセ）のアーケード（腱弓）という回外筋入口部の狭いトンネル部に入る **図32**。この部位は移動性がないため障害を受けることがあり，後骨間神経麻痺として知られている。

図32 回外筋と後骨間神経の関係

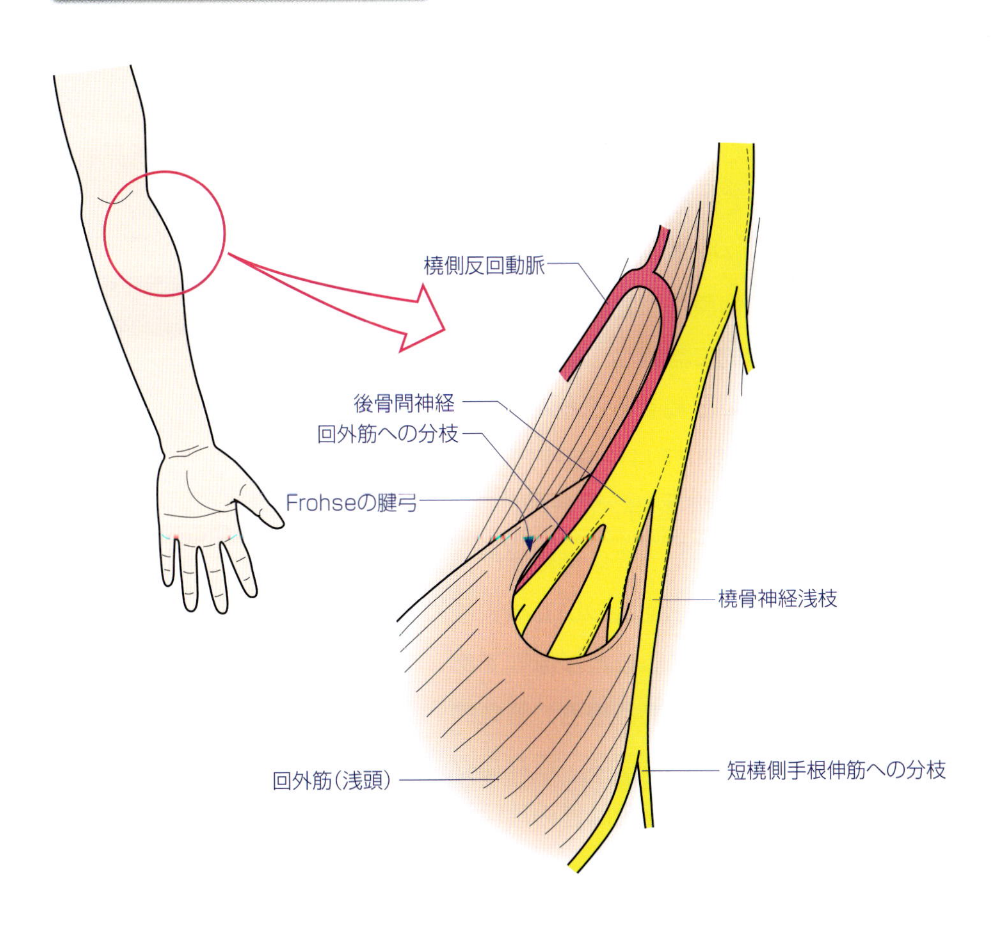

神経診察の記録

神経診察で得た所見をどのように記録するか

神経診察によって得られた所見はすべて漏らさず診療録に記載しなくてはならない。記載様式については一定の書式はないが，保険算定する際に神経学的検査として脳神経内科専門医が記載するように義務付けられている様式があるので引用する。

神経学的検査の記録

神経診察は2008年の厚生労働省診療報酬改定において「神経学的検査」として保険収載された。この改定によって資格のある医師（脳神経内科専門医）が，定められた保険医療機関において神経学的検査を行い，その結果を患者およびその家族等に説明した場合に保険請求ができる。神経学的検査は，意識状態，言語，脳神経，運動系，感覚系，反射，協調運動，髄膜刺激症状，起立歩行等を網羅的・総合的に診察し，結果を神経学的検査チャートに記載することによって算定される。成人においては「別紙様式 19」の神経学的検査チャートを用いて行う。

診療報酬の算定に当たっては神経学的検査チャートのすべての項目について検査を行い，その所見を記載することが原則である。しかし，意識障害のある患者，緊急的処置を必要とする患者などでは，これができないこともある。この場合はどの項目がどのような理由で検査できないかを余白もしくは「神経学的所見のまとめ」に必ず記載する。また，患者の状態により検査所見を患者に説明できない場合は，その所見を代理人（家族，付き添いなど）に説明し，その説明内容を付記しておく。

神経診察の記録の注意

神経所見の記録は，患者を正しく診察した結果，第三者に所見と症状を理解させ，把握させるための客観性がなければならない。診察を忘れてしまった検査項目があった場合は，後でもよいので必ず自分自身で確認してから記載する。その場合には脳血管障害急性期患者の症状のように時間経過とともに変化する所見もあるので診察した日時を必ず記載する。

総括

最後にまとめとして，異常所見の総括（summary of abnormal findings），可能性のある機能的病巣診断（possible functional diagnosis），可能性の高い臨床診断（possible clinical diagnosis）そして鑑別診断（differential clinical diagnosis）を記載する。さらに診断確定に必要と考えられる補助診断法（relevant investigations）を記載する。

「別紙様式19」

神経学的検査チャート

年　　月　　日　　時　　分

患者氏名

患者ID

患者性別　　男　女　　年齢

1）意識・精神状態　a）意識　：　清明、異常　（　　　　　　　　　　　　　　）

＊Japan Coma Scale（1, 2, 3, 10, 20, 30, 100, 200, 300）

＊Glasgow Coma Scale（E 1, 2, 3, 4, V 1, 2, 3, 4, 5, M 1, 2, 3, 4, 5, 6 total　　）

b）検査への協力　：　協力的、非協力的

c）けいれん　：　なし、あり（　　　　　　　　　　　　　　）

d）見当識　：　正常、障害（時間、場所、人）

e）記憶　：　正常、障害（　　　　　　　　　　　　　　）

f）数字の逆唱　：　286、3529

g）計算　：　100 - 7 =　　　93 - 7 =　　　86 - 7 =

h）失行　（　　　　　　　　）、失認　（　　　　　　　　）

2）言語　正常、失語（　　　　　）、構音障害（　　　　　）、嗄声、開鼻声

3）利き手　右、左

4）脳神経

	右	左
視力	正、低下	正、低下
視野	正、⊕	正、⊕
眼底	正常、動脈硬化（　　）度、出血、白斑、うっ血乳頭、視神経萎縮	
眼裂	> = <	
眼瞼下垂	（−）（+）	（−）（+）
眼球位置	正、斜視（　　）、偏視（　　）、突出（　　）	
眼球運動	上直筋　下斜筋 外直筋 ―――― 内直筋 下直筋　上斜筋	下斜筋　上直筋 内直筋 ―――― 外直筋 上斜筋　下直筋
眼振		
複視	（−）（+）：方向（　　　　　　　　）	
瞳孔　大きさ	（正、縮、散）　mm　>　=　<　mm（正、縮、散）	
形	正円、不正	正円、不正
対光反射	速、鈍、消失	速、鈍、消失
輻湊反射	正常、障害	
角膜反射	正常、障害	正常、障害
顔面感覚	正常、障害	正常、障害
上部顔面筋	正常、麻痺	正常、麻痺
下部顔面筋	正常、麻痺	正常、麻痺
聴力	正常、低下	正常、低下
めまい	（−）（+）：回転性・非回転性（　　　　）	
耳鳴り	（−）（+）	（−）（+）
軟口蓋	正常、麻痺	正常、麻痺
咽頭反射	（+）（−）	（+）（−）
嚥下	正常、障害（　　　　　　　　）	
胸鎖乳突筋	正常、麻痺	正常、麻痺
上部僧帽筋	正常、麻痺	正常、麻痺
舌偏倚	（−）（+）：偏倚（右　左）	
舌萎縮	（−）（+）	（−）（+）
舌線維束性収縮	（−）（+）	

5）運動系　a）筋トーヌス　上肢（右・左、正常　痙縮　強剛　低下）その他（　　　）
下肢（右・左、正常　痙縮　強剛　低下）
b）筋萎縮　（−）（+）　：部位（　　　）
c）線維束性収縮　（−）（+）　：部位（　　　）
d）関節　変形、拘縮　：部位（　　　）
e）不随意運動　（−）（+）　：部位（　　　）、性質（　　　）
f）無動・運動緩慢　（−）（+）
g）筋力　正常、麻痺　：部位（　　　）、程度（　　　）

		右	左
頸部屈曲	C1～6	5 4 3 2 1 0	5 4 3 2 1 0
伸展	C1～T1	5 4 3 2 1 0	5 4 3 2 1 0
三角筋	C5，6	5 4 3 2 1 0	5 4 3 2 1 0
上腕二頭筋	C5，6	5 4 3 2 1 0	5 4 3 2 1 0
上腕三頭筋	C6～8	5 4 3 2 1 0	5 4 3 2 1 0
手関節背屈	C6～8	5 4 3 2 1 0	5 4 3 2 1 0
掌屈	C6～8，T1	5 4 3 2 1 0	5 4 3 2 1 0
母指対立筋	C8，T1	5 4 3 2 1 0	5 4 3 2 1 0
腸腰筋	L1～4	5 4 3 2 1 0	5 4 3 2 1 0
大腿四頭筋	L2～4	5 4 3 2 1 0	5 4 3 2 1 0
大腿屈筋群	L4，5，S1，2	5 4 3 2 1 0	5 4 3 2 1 0
前脛骨筋	L4，5	5 4 3 2 1 0	5 4 3 2 1 0
下腿三頭筋	S1，2	5 4 3 2 1 0	5 4 3 2 1 0

	右	左
上肢バレー	(−) (+)	(−) (+)
(下肢バレー)	(−) (+)	(−) (+)
Mingazzini	(−) (+)	(−) (+)
握力	kg	kg

筋萎縮・感覚

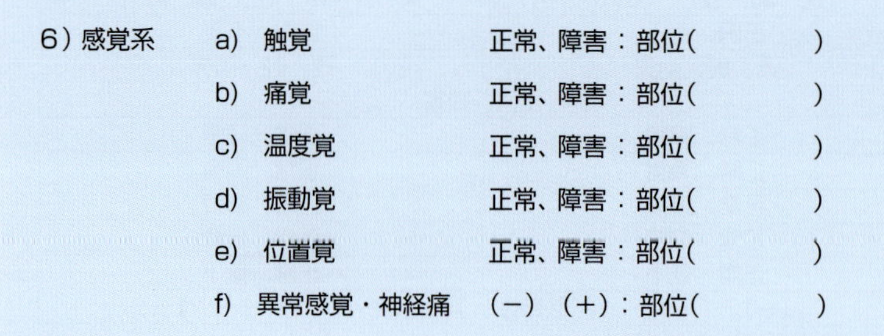

6）感覚系　a）触覚　正常、障害：部位（　　　）
b）痛覚　正常、障害：部位（　　　）
c）温度覚　正常、障害：部位（　　　）
d）振動覚　正常、障害：部位（　　　）
e）位置覚　正常、障害：部位（　　　）
f）異常感覚・神経痛　（−）（+）：部位（　　　）

7）反射

	右	左		右	左		右	左
ホフマン	(−)　(+)	(−)　(+)	バビンスキー	(−)　(+)	(−)　(+)		(−)　(+)	(−)　(+)
トレムナー	(−)　(+)	(−)　(+)	チャドック	(−)　(+)	(−)　(+)		(−)　(+)	(−)　(+)
(腹壁)　上			(膝クローヌス)	(−)　(+)	(−)　(+)		(−)　(+)	(−)　(+)
下			足クローヌス	(−)　(+)	(−)　(+)		(−)　(+)	(−)　(+)

8）協調運動

	右	左
指ー鼻ー指	正常　、拙劣	正常　、拙劣
かかとー膝	正常　、拙劣	正常　、拙劣
反復拮抗運動	正常　、拙劣	正常　、拙劣

9）髄膜刺激徴候　項部硬直　(−)　(+)、ケルニッヒ徴候　(−)　(+)

10）脊柱　正常、異常(　　　　　　)、ラゼーグ徴候　(−)　(+)

11）姿勢　正常、異常(　　　　　　　　　　　　)

12）自律神経　排尿機能　正常、異常(　　　　　　　　　　)

排便機能　正常、異常(　　　　　　　　　　)

起立性低血圧　(−)　(+)

13）起立、歩行　ロンベルク試験　正常、異常、マン試験　正常、異常

歩行　正常、異常(　　　　　　　　　　　　)

つぎ足歩行(可能・不可能)、しゃがみ立ち(可能・不可能)

神経学的所見のまとめ

神経学的検査担当医師　　署名＿＿＿＿＿＿＿＿＿＿＿＿

厚生労働省. 診療報酬の算定方法の一部改正に伴う実施上の留意事項について(通知). 令和2年3月5日　保医発0305第1号　様式(医科).
https://www.mhlw.go.jp/content/12400000/000640231.pdfを参考に作成
(2020年7月6日閲覧)

索　引

疾患・症候群　索引

あ

亜急性小脳変性症　subacute cerebellar degeneration……189
アルコール性小脳変性症　cortical cerebellar degeneration of the alcoholic……189
異常感覚性大腿神経痛　meralgia paresthetica……166
一眼半水平注視麻痺症候群　one-and-a-half syndrome……24, 25
一過性黒内障　amaurosis fugax……14
遺伝性運動失調症　hereditary ataxia……189
意味性認知症　semantic dementia……204, 207
運動失調性構音障害　ataxic dysarthria……185
遠位型ミオパチー　distal myopathy……70
延髄外側症候群　lateral medullary syndrome……37, 167, 171, 173, 236
延髄空洞症　syringobulbia……39, 61
延髄正中症候群　medial medullary syndrome……236
横断性脊髄炎　transverse myelitis……166, 169, 173
横紋筋融解症　rhabdomyolysis……47

か

海綿静脈洞症候群　cavernous sinus syndrome……29
下垂体腫瘍　pituitary tumor……13
下垂体腺腫　pituitary adenoma……15
眼咽頭筋ジストロフィー　oculo-pharyngeal muscular dystrophy……57
感覚性ニューロパチー　sensory neuropathy……38
感覚性運動失調型ニューロパチー　sensory ataxic neuropathy……121, 125
眼窩先端症候群　orbital apex syndrome……240
眼窩吹き抜け骨折　blowout fracture……240
眼筋ミオパチー　ocular myopathy……29
顔面肩甲上腕筋ジストロフィー　facioscapulohumeral muscular dystrophy……40
顔面神経鞘腫　facial nerve neurinoma……45
嗅溝髄膜腫　olfactory groove meningioma……9, 14, 15
球後性視神経炎　retrobulbar neuritis……13
急性小脳炎　acute cerebellitis……189
急性脊髄前角炎　acute anterior poliomyelitis……70
球脊髄性筋萎縮症　bulbospinal muscular atrophy……70
橋下部外側症候群……234, 235
橋下部腹側症候群……234
橋上部外側症候群……172, 232, 233, 234
橋上部被蓋症候群……232
橋中部外側症候群……233
橋中部被蓋症候群……233
局所性ジストニア　focal dystonia……125
筋炎　myositis……31, 39
筋強直性ジストロフィー　myotonic dystrophy……53, 63, 70
筋ジストロフィー　muscular dystrophy……30, 39, 69, 70, 119, 125
筋波動症・ミオキミア　myokymia……63
くも膜下出血　subarachnoid hemorrhage……15, 195
群発頭痛　cluster headache……28
頸椎症　cervical spondylosis……193, 194, 195
結節性多発性動脈炎　polyarteritis nodosa……47
原発性進行性失語症　primary progressive aphasia……200, 203
後縦靭帯骨化症　ossification of posterior longitudinal ligament（OPLL）……195
甲状腺機能亢進症　hyperthyroidism……9, 29
甲状腺機能低下症　hypothyroidism……63, 133, 189
交代性Horner症候群　alternating Horner syndrome……28
後天性免疫不全症候群　acquired immunodeficiency syndrome……47
硬膜動静脈瘻　dural arteriovenous fistula……195

さ

坐骨神経痛　sciatica……195
サルコイドーシス　sarcoidosis……15, 47
三叉神経痛　trigeminal neuralgia……38
視床症候群　thalamic syndrome……228
視神経炎　optic neuritis……14, 15
視神経脊髄炎　optic neuromyelitis……195
失外套症候群　apallic syndrome……214
ジフテリア　diphtheria……27, 31, 47
重症筋無力症　myasthenia gravis……30, 39, 57
松果体腫瘍　pinealoma……26, 29, 31
小脳萎縮症　cerebellar atrophy……125
小脳炎　cerebellitis……30
小脳橋角部腫瘍　cerebellopontine angle tumor……26, 30, 39
小脳橋角部症候群　cerebellopontine angle syndrome……241
小脳症候群　cerebellar syndrome……188
小脳半球症候群　cerebellar hemisphere syndrome……237
小脳扁桃ヘルニア　tonsillar herniation……194, 195
小舞踏病　chorea minor <L>……100
自律神経ニューロパチー　autonomic neuropathy……28

神経根炎　radiculitis……166
神経梅毒　neurosyphilis……28
進行性核上性麻痺　progressive supranuclear palsy (PSP)……65, 194, 195, 199
進行性多巣性白質脳症　progressive multifocal leukoencephalopathy (PML)……15
髄外腫瘍　extramedullary tumor……169
髄内腫瘍　intramedullary tumor……166, 170, 171
髄膜炎　meningitis……9, 14, 47, 53, 194, 195
髄膜癌腫症　meningeal carcinomatosis……195
髄膜腫　meningioma……14, 30, 47
髄膜脳炎　meningoencephalitis……15
頭蓋咽頭腫　craniopharyngioma……12, 13, 15
頭蓋底腫瘍　tumor of basal skull……241
正常圧水頭症　normal pressure hydrocephalus (NPH)……122, 125
脊髄空洞症　syringomyelia……63, 171
脊髄腫瘍　tumor of spinal cord……169, 170, 195
脊髄小脳変性症　spinocerebellar degeneration……30, 125
脊髄性進行性筋萎縮症　spinal progressive muscular atrophy……69
脊髄癆　tabes dorsalis……121, 125, 170
舌咽神経痛　glossopharyngeal neuralgia……56
全身性エリテマトーデス　systemic lupus erythematosus (SLE)……47
全身性ジストニア　generalized dystonia……125
前脊髄動脈症候群　anterior spinal artery syndrome……170
前庭神経炎　vestibular neuritis……30, 125
先天性風疹症候群　congenital rubella syndrome……53
前頭側頭葉変性症　frontotemporal lobar degeneration (FTLD)……200, 203
前葉症候群　anterior lobe syndrome……162, 237
側頭葉てんかん　temporal lobe epilepsy……9
側脳動脈炎　temporal arteritis……14

た

代謝性脳症　metabolic encephalopathy……107
大脳皮質基底核変性症　corticobasal degeneration……65, 172
多系統萎縮症　multiple system atrophy……28, 57, 65, 189
多発筋炎　polymyositis……69, 70, 118, 125
多発神経炎　polyneuritis……69, 119, 125, 166, 169
多発性硬化症　multiple sclerosis……14, 15, 29, 30, 38, 39, 56, 61, 193, 195
多発性単神経炎　mononeuritis multiplex……166, 169, 173
単純ヘルペスウイルス　herpes simplex virus……47
単神経炎　mononeuritis……166, 169
断綴性発語　scanning speech……185
聴神経腫瘍　acoustic tumor……47, 53, 241
聴神経鞘腫　acoustic neurinoma……30, 39
椎間板ヘルニア　herniated disk……70, 169, 195
低酸素脳症　hypoxic encephalopathy……27
低ナトリウム(Na)血症　hyponatremia……229
手口感覚症候群　syndrome sensitif à topographie chéiro-orale <F>……167, 172, 173
てんかん　epilepsy……29
動脈解離　arterial dissection……241
動脈瘤　aneurysm……61, 240, 241
閉じ込め症候群　locked-in syndrome……214

な

内頸動脈 - 後交通動脈分岐部(IC-PC)動脈瘤　internal carotid - posterior communicating artery aneurysm (IC-PC aneurysm)……28, 30
内側縦束(MLF)症候群　medial longitudinal fasciculus (MLF) syndrome……18, 24, 25, 26, 232
尿崩症　diabetes insipidus……229
捻転ジストニア　torsion dystonia……124
脳炎　encephalitis……9, 14, 189, 200, 201, 203, 207
脳幹腫瘍　brainstem tumor……57
脳幹脳炎　brainstem encephalitis……30, 189
脳血管性Parkinson症候群　vascular parkinsonism……122, 123, 125
脳出血　cerebral hemorrhage……200, 203, 207
脳腫瘍　brain tumor……15, 53, 61, 172, 189, 200, 203, 207
脳性麻痺　cerebral palsy……125
脳卒中　stroke……69
脳膿瘍　brain abscess……15

は

梅毒　syphilis……173
白質ジストロフィー　leukodystrophy……14,15
白皮症　albinism……9
馬尾症候群　cauda equina syndrome……133
晩発性小脳皮質萎縮症　late cortical cerebellar atrophy……189
肥厚性硬膜炎　hypertrophic cranial pachymeningitis……14
ヒステリー　hysteria……13, 168

ビタミン欠乏症　vitamin deficiency……189
皮膚筋炎　dermatomyositis……70
舞踏病　chorea……110
不明瞭発語　slurred speech……185
プリオン病　prion disease……15, 189, 200, 203, 207
片頭痛　migraine……29
片葉虫部小節葉症候群　flocculonodular lobe syndrome……188, 237
放射線脊髄炎　radiation myelitis……169, 193
傍腫瘍症候群　paraneoplasitic syndrome……189
ボツリヌス中毒　botulism……28, 57
ポリオ後筋萎縮症　post-polio muscular atrophy……69

ま

末梢性顔面神経麻痺　peripheral facial nerve palsy……39
ミオパチー　myopathy……30, 39, 70
ミトコンドリア脳筋症　mitochondrial encephalomyopathy……29, 53, 200, 203, 207

や，ら

良性発作性頭位性めまい　benign paroxysmal positional vertigo (BPPV)……30
緑内障　glaucoma……13, 15

A, B, C

Addison（アジソン）病　Addison's disease……9
Adie（アディー）症候群　Adie syndrome……28
Alzheimer（アルツハイマー）病　Alzheimer disease……199, 200, 203, 207
Anton（アントン）症候群　Anton syndrome……14, 206, 208, 207
Arnord-Chiari（アルノルド・キアリ）奇形　Arnord-Chiari malformation……30
Bálint（バーリント）症候群　Bálint syndrome……206, 208
Behçet（ベーチェット）病　Behçet disease……195
Bell（ベル）麻痺　Bell palsy……39
Benedikt（ベネディクト）症候群　Benedikt syndrome……28, 231
Brown-Séquard（ブラウン - セカール）症候群　Brown-Séquard syndrome……165, 166, 170, 173, 238, 252
Claude（クロード）症候群　Claude syndrome……231
Collet-Sicard（コレ・シカール）症候群　Collet-Sicard syndrome……231
Crow-Fukase（クロウ・深瀬）症候群　Crow-Fukase syndrome……15

D, F, G

Dejean（ドゥジャン）症候群　Dejean syndrome……240
Dejerine（デジュリン）症候群　Dejerine syndrome……57, 236
Dejerine-Roussy（デジュリン・ルシー）症候群　Dejerine-Roussy syndrome……228
Fisher（フィッシャー）症候群　Fisher syndrome……28, 29
Foix-Jefferson（ファオ・ジェファーソン）症候群　Foix-Jefferson syndrome……240
Foster Kennedy（フォスター ケネディ）症候群　Foster Kennedy syndrome……9, 14, 15
Foville（フォヴィル）症候群　Foville syndrome……46, 234, 235
Foville-Millard-Gubler（フォヴィル・ミヤール・ギュブレール）症候群　Foville-Millard-Gubler syndrome……46, 235, 256
Friedreich（フリードライヒ）失調症　Friedreich ataxia……170
Garcin（ギャルサン）症候群　Garcin syndrome……241
Gerstmann（ゲルストマン）症候群　Gerstmann syndrome……199, 206, 208, 226
Gradenigo（グラデニーゴ）症候群　Gradenigo syndrome……240
Grenet（グルネ）症候群　Grenet syndrome……233
Guillain-Barré（ギラン・バレー）症候群　Guillain-Barré syndrome……28, 47

H, K, L

Horner（ホルネル）症候群　Horner syndrome……19, 22, 28, 36, 171, 172, 214, 229, 232, 236, 241, 259
Huntington（ハンチントン）病　Huntington chorea……100
Huntington（ハンチントン）舞踏病　Huntington chorea……69, 109
Kallmann（カルマン）症候群　Kallmann syndrome……9
Kearns-Sayre（カーンズ・セイヤー）症候群　Kearns-Sayre syndrome (KSS)……29
Klüver-Bucy（クリューヴァー・ビューシー）症候群　Klüver-Bucy syndrome……226
Kugelberg-Welander（クーゲルベルク・ウェランダー）病　Kugelberg-Welander disease……70

Lambert-Eaton（ランバート・イートン）筋無力症症候群 Lambert-Eaton myasthenic syndrome ……29, 30, 39
Lance-Adams（ランス・アダムス）症候群 Lance-Adams syndrome ……104
Lannois-Jouty（ラノア・ジュティ）症候群 Lannois-Jouty syndrome ……241
Lewy（レヴィ）小体型認知症 dementia with Lewy body ……205
Lyme（ライム）病 Lyme disease ……47

M, P, R

MacKenzie（マッケンジー）症候群 MacKenzie syndrome ……241
Marie-Foix（マリー・フォア）症候群 Marie-Foix syndrome ……233
Meige（メージュ）症候群 Meige syndrome ……19
Melkerson-Rosenthal（メルカーソン・ローゼンタール）症候群 Melkerson-Rosenthal syndrome ……40, 47
Ménière（メニエール）病 Ménière disease ……30, 53
Millard-Gubler（ミヤール・ギュブレール）症候群 Millard-Gubler syndrome ……46, 234, 235, 256
Monakow（モナコフ）症候群 Monakow syndrome ……13
Parinaud（パリノー）症候群 Parinaud syndrome ……26, 29, 31, 231
Parkinson（パーキンソン）病 Parkinson disease ……9, 65, 66, 98, 99, 109, 110, 116, 122, 123, 125, 228
Parkinson（パーキンソン）症候群 Parkinson syndrome ……65
Parry-Romberg（パリー・ロンベルク）症候群 Parry-Romberg syndrome ……40
Pick（ピック）病 Pick disease ……199
Raeder（レイダー）症候群 Raeder syndrome ……36, 38
Ramsay Hunt（ラムゼイ ハント）症候群 Ramsay Hunt syndrome ……40, 47
Raymond（レイモンド）症候群 Raymond syndrome ……46
Raymond-Cestan（レイモンド・セスタン）症候群 Raymond-Cestan syndrome ……232
Rochon-Duvigneau（ローション・デュビィニョー）症候群 Rochon-Duvigneau syndrome ……240

S, T, V

Shy-Drager（シャイ・ドレーガー）症候群 Shy-Drager syndrome ……28
Sjögren（シェーグレン）症候群 Sjögren syndrome ……121, 125
Tapia（タピア）症候群 Tapia syndrome ……241
Tolosa-Hunt（トロサ・ハント）症候群 Tolosa-Hunt syndrome ……29, 38
Vernet（ヴェルネ）症候群 Vernet syndrome ……241
Villaret（ヴィラレ）症候群 Villaret syndrome ……241
von Recklinghausen（フォン レックリングハウゼン）病 von Recklinghausen disease ……47

W

Wallenberg（ワレンベルグ）症候群 Wallenberg syndrome ……37, 39, 57, 165, 171, 236, 259
Weber（ウェーバー）症候群 Weber syndrome ……28, 231, 254
WEBINO症候群 wall-eyed bilateral internuclear ophthalmoplegia ……24
Wegener（ウェジェナー）肉芽腫症 Wegener granulomatosis ……47
Wernicke（ウェルニッケ）脳症 Wernicke encephalopathy ……29
Wilson（ウィルソン）病 Wilson disease ……109

診察・検査名　索引

あ

アステリキシス　asterixis……107
頭落下試験　head-dropping test……66
圧覚　pressure sense……144
アテトーゼ　athetosis……101
位置覚　position sense……150, 151
咽頭反射　pharyngeal reflex……140
腕木信号現象　signpost phenomenon……68
腕落下試験　arm-dropping test……220
運動麻痺　motor paralysis……220
遠位筋　distal muscle……62
嚥下　swallowing……54
温度覚　temperature sense……146, 147
温度眼振試験　caloric test……51, 218
音読……196

か

回内筋反射　pronator reflex……140
下顎反射　jaw reflex……127, 140
踵膝試験　heel-knee test, heel to knee test, heel-shin test……178
かかと歩行　gait on heels……112
角膜反射　corneal reflex……34, 43, 140, 219
下肢　lower extremities……227
下肢内転筋反射……140
下肢落下試験　leg-dropping test……220, 221
片足立ち　one foot standing……113
眼位　ocular position……14, 17, 28, 29, 30, 38, 216
眼球運動　external ocular movement (EOM)……14, 17, 27, 28, 29, 36, 196
眼瞼　eyelid, palpebra……14, 19, 28, 30
眼振　nystagmus……18, 30, 39
間代　clonus……134
眼底検査　ophthalmoscopic examination……10, 11, 14, 29, 30, 38, 214
観念運動失行　ideomotor apraxia……201
観念失行　ideational apraxia……201
顔面神経麻痺　facial nerve palsy……219
偽性アテトーゼ　pseudoathetosis……107
拮抗失行　diagonistic apraxia……201
吸引反射　sucking reflex……137
嗅覚　olfaction, olfactory sensation……8, 9
胸筋反射　pectoral reflex……140
胸鎖乳突筋　sternocleidomastoideus……58
挙睾筋反射　cremasteric reflex……135, 140
近位筋　proximal muscle……62
筋萎縮　muscle atrophy……62
筋緊張亢進　hypertonia……64
筋緊張低下　hypotonia……69
緊張性頸反射　tonic neck reflex……138
筋トーヌス　muscle tonus……64
口とがらし反射　snout reflex……137
痙性対麻痺歩行　spastic paraplegic gait……118, 125
痙性片麻痺歩行　spastic hemiplegic gait……118, 119, 125
鶏歩　steppage gait……118, 119, 125
原始反射　primitive reflex……137
腱反射　tendon reflex……20, 126
咬筋　masseter muscle……35
構成失行　construstional apraxia……201, 202
口部顔面失行　buccofacial apaxia……201
項部硬直　stiff neck, stiffness of neck, nuchal rigidity……190
肛門反射　anal reflex……135, 140

さ

催吐反射　gag reflex……54
三角筋　deltoid……77
散瞳　mydriasis……214
視覚性失認　visual agnosia……204
四肢　extremities……220, 221, 222
ジスキネジア　dyskinesia……106
ジストニア　dystonia……104, 105
姿勢/歩行　posture/gait……110
姿勢時振戦　postural tremor……98
姿勢反射の診察　postural reflex……138
肢節運動失行　limb-kinetic apraxia……201, 202
膝蓋腱反射　quadriceps reflex……131, 140
膝間代　patellar clonus……134
失語　aphagia……196
失行　apraxia……201, 202
失調性歩行　ataxic gait……120, 121, 125
失認　agnosia……204
自発書字……196
視野　visual field……10, 11, 214
手回内・回外試験　hand pronation supination test……174
手関節の掌屈　wrist flexor……78
手関節の背屈　wrist extensor……77
縮瞳　miosis……214
手指屈筋反射　finger flexor reflex……133, 140
手指失認　finger agnosia……204
手掌おとがい反射　palmomental reflex……137

手刀法　blink-to-threat test 214
上肢　upper extremities 229
上部僧帽筋　upper portion of trapezius 58
睫毛反射　cilliary reflex 219
上腕三頭筋　triceps brachii 77
上腕三頭筋反射　triceps reflex 129, 140
上腕二頭筋　biceps brachii 77
上腕二頭筋反射　biceps reflex 128, 140
触覚　tactile sensation 142
除脳硬直　decerebrate rigidity 221
除脳姿勢　decerebrate posture 221
除皮質硬直　decorticate rigidity 221
除皮質姿勢　decorticate posture 221
視力　visual acuity 10, 29, 38
振戦　tremor 98
振動覚　vibration sense, pallesthesia 148, 149
深部感覚　deep sensation 148, 150
髄膜刺激徴候　meningeal sign 222
静止時振戦　resting tremor 98, 99
舌下神経　hypoglossal nerve 60
前脛骨筋　tibialis anterior 79
前庭機能検査　vestibular function test 50
相貌失認　prosopagnosia 204
足間代　ankle clonus 134
足底反射　plantar reflex 140

た

体幹運動失調の診察　truncal ataxia 184
体幹の筋　axial muscles 87
対光反射　light reflex 14, 16, 28
対座法　confrontation method 10, 11
大腿四頭筋　quadriceps 78
大脳皮質性ミオクローヌス　cortical myoclonus 103
地誌失認　topographical agnosia 204
チック　tic 100
着衣失行　dressing apraxia 201, 202
聴覚　auditory sensation 30, 39, 46
聴覚過敏の確認　hyperacusis 42
調節反射の検査　accommodation reflex 20, 27
腸腰筋の診察　iliopsoas 78
聴力　auditory acuity 48
痛覚　pain sensation 144
つぎ足歩行　tandem gait 111
つま先歩行　gait on toes 112
定位感覚の診察　topognostic sense, point location 158
頭位変換眼球反射の診察　oculocephalic reflex 218
瞳孔　pupil 16
動作性ミオクローヌス　action myoclonus 104
動揺性歩行　waddling gait 119, 125
徒手筋力検査　manual muscle testing 74, 75, 80, 200, 203, 206

な

軟口蓋ミオクローヌス　palatal myoclonus 102, 103
2点識別覚の診察　two-point discrimination 156
2点同時刺激識別感覚　double simultaneous stimulation 159

は

把握反射　grasp reflex/grasping reflex 137, 225
はさみ脚歩行　scissor gait 118
鼻指鼻試験　nose-finger-nose test 176
バリズム　ballism 102
反側視空間無視　hemispatial neglect 204
ピアノ弾き運動　piano-playing phenomenon 152, 153
膝叩き試験　knee-tapping test 180
膝屈筋群の診察　hamstrings 79
膝屈筋反射　hamstring reflex 140
膝倒し法　knee tilt method 67
鼻唇溝　nasolabial fold 43
額のしわ寄せ　wrinkling forehead 41, 46
腓腹筋　gastrocnemius 79
皮膚書字覚　graphesthesia 157
皮膚書字試験　skin writing test, number writing test 157
表在感覚　superficial sensation 142, 144, 146
表在反射の診察　superfical reflex 135
病態失認　anosognosia 204
病的反射の診察　pathologic reflex 136
複合感覚　combined sensation 156, 157
復唱　repetition 196
輻輳反射の検査　convergence reflex 20
腹壁反射　abdominal reflex 135, 140
不随意運動　involuntary movement 102
物品呼称　naming 196
舞踏運動　chorea 100
閉眼足踏み　stepping test 115
方向転換　on turn 111
歩行　gait 110
星形歩行　dèmarche en ètoile <F> 115
母指球　thenar (eminence) 62, 137

母指対立筋　opponens pollicis……78
本態性振戦　essential tremor……98, 99

ま

まぶた持ち上げ試験　lid lifting test……219
ミオクローヌス　myoclonus……102
味覚　taste sense……43, 46
毛様体脊髄反射　ciliospinal reflex……214

ら，わ

立体認知　stereognosis……158
腕橈骨筋反射　brachioradialis reflex……130, 140

A, B, C

Achilles(アキレス)腱反射　Achilles tendon reflex……132, 140
Babinski(バビンスキー)徴候(反射)　Babinski sign (reflex)……136
Barré(バレー)徴候の診察　Barré sign……75, 76
Bell(ベル)現象　Bell's phenomenon……40
Bielschowsky(ビールショウスキー)の頭部傾斜試験　Bielschowsky's head-tilting test……23
Brudzinski(ブルジンスキ)徴候の診察　Brudzinski sign……191, 222
Chaddock(チャドック)反射　Chaddock reflex……136
clock drawingテスト　clock drawing test……205

D, F, H

Dix-Hallpike頭位試験　Dix-Hallpike positional testing……50
Froment(フロマン)の固化徴候の診察　Froment sign……69
Harvey-Masland試験　Harvey-Masland test……57
Hoffmann(ホフマン)反射　Hoffmann reflex……133

J, K, L

Jackson(ジャクソン)徴候の診察　Jackson test……192
Jendrassik(イェンドラシック)増強法　Jendrassik maneuver……126, 131
jolt accentuation of headache試験　jolt accentuation of headache……191
Kernig(ケルニッヒ)徴候の診察　Kernig sign……190, 222
Landau(ランドー)反射　Landau reflex……139
Lasègue(ラゼーグ)徴候の診察　Lasègue sign……192
Lhermitte(レルミット)徴候の診察　Lhermitte sign……193

M, N, P

Mingazzini徴候　Mingazzini sign……76
Nylen-Bárány(ナイレン・バラニー)頭位試験　Nylen-Bárány maneuver……50
pendulousness　振り子性……183
pull test　pull test……116
push test　push test……116
push & release test　push & release test……117

R, S, T, W

Rinne(リンネ)試験　Rinne test……48, 49
Romberg(ロンベルク)試験　Romberg test……154
Romberg(ロンベルク)徴候　Romberg sign……114
shoulder shaking test　肩ゆすり試験……183
Spurling(スパーリング)徴候の診察　Spurling sign……193
Stewart-Holmes(スチュアート・ホームズ)反跳現象の診察　Stewart-Holmes sign……182
Trömner(トレムナー)反射　Trömner reflex……133
Weber(ウェーバー)試験　Weber test……49

総索引

和文

あ

亜急性小脳変性症 ………… 189
アキレス腱反射 ………… **132**
握力 ………… 75
アステリキシス ………… 89, 107
頭落下試験 ………… **66**
圧覚 ………… **144**
アテトーゼ ………… 101, 109, 228
アブミ骨筋 ………… 43, 45, 262
アブミ骨神経 ………… 44, 262
アルコール性小脳変性症 ………… 189

い

意識障害患者 ………… 210
意識清明 ………… 196
意識レベル ………… 210
異常感覚性大腿神経痛 ………… 166
位置覚 ………… **150**, 151, 162
一眼半水平注視麻痺症候群 ………… 24, 25
一過性黒内障 ………… 14
遺伝性運動失調症 ………… 189
易疲労 ………… 110
意味性認知症 ………… 200, 204, 205, 207
陰茎または陰核背神経 ………… 95
咽頭 ………… 53, **54**, 102, 196, 236
咽頭枝 ………… 56
咽頭神経 ………… 55
咽頭反射 ………… 140
陰部神経 ………… 94, 95, 135, 140
陰部大腿神経 ………… 94, 95, 135, 140, 163

う

腕木信号現象 ………… **68**
腕の振りが乏しい ………… 122
腕落下試験 ………… 220
馬の足音 ………… 118
上向き眼振 ………… 26
運動失調性構音障害 ………… 185
運動障害 ………… 229
運動性失語 ………… 198, 225
運動前野 ………… 224, 225
運動ニューロン ………… 44, 61
運動ニューロン疾患 ………… 57, 63, 70
運動皮質 ………… 36, 46
運動分解 ………… 177
運動麻痺 ………… 220
運動野 ………… 224, 225

え

会陰神経 ………… 94
腋窩神経 ………… 77, 90, 96, 163
遠位型ミオパチー ………… 70
遠位筋 ………… 62
円回内筋 ………… 82, 92
鉛管様固縮 ………… 65
嚥下 ………… 54
炎症 ………… 240, 341
延髄 ………… 21, 26, 44, 59, 61, 72, 73, 140, 141, 162, 186, 236, 243, 244, 245, 247, 248, 249, 250, 251, 252, 253, 254, 255, 257
円錐・馬尾障害 ………… 167
延髄外側症候群 ………… 37, 167, 171, 236
延髄空洞症 ………… 39, 57, 61
延髄正中症候群 ………… 236

お

横隔神経 ………… 90
横断性脊髄炎 ………… 166, 169, 173
黄斑部回避 ………… 14
横紋筋肉腫 ………… 47
オーディオメトリー ………… 49
頤(おとがい) ………… 35, 63
おとがい筋 ………… 137
斧状顔貌 ………… 40, 58
オリーブ小脳路 ………… 187, 188, 246
音叉 ………… 148, 149
温痛覚 ………… 245
温度覚 ………… **146**, 147, 162
温度覚過敏 ………… 146
温度覚消失 ………… 146
温度覚鈍麻 ………… 146
温度眼振試験 ………… **51**, 218
音読 ………… 196

か

カーテン徴候 ………… 54
下位運動ニューロンの障害 ………… 71
回外筋 ………… 82, 130, 265
回外筋と後骨間神経の関係 ………… 265
外括約筋 ………… 95
外眼筋 ………… 22, 29
開眼失行 ………… 19, 27
外頸動脈 ………… 21
開散麻痺 ………… 26
外傷 ………… 241
回旋性眼振 ………… 18
外側嗅条 ………… 9
外側広筋 ………… 94, 95
外側膝状体 ………… 13, 22, 227
外側脊髄視床路 ………… 36, 162, 230, 232, 233, 234, 245, 248, 249, 251, 252, 258
外側前腕皮神経 ………… 92, 96, 163
外側足底神経 ………… 94, 163
外側足背皮神経 ………… 94
外側大腿皮神経 ………… 94, 163, 166
外側皮質脊髄路 ………… 73, 243
外側腓腹皮神経 ………… 94
外側毛帯 ………… 232, 233, 234
外側翼突筋 ………… 37, 38
外直筋 ………… 22, 256
外転神経(第Ⅵ脳神経) ………… 16, 22, 25, 46, 234, 240, 246, 249, 256, 257

外転神経核 25, 44, 52, 234, 243, 246, 250, 251, 255, 256, 257, 261
回内筋反射 140
海馬 9
海綿静脈洞 21
海綿静脈洞症候群 29, 240
解離性眼振 18, 26
解離性知覚障害 167
下オリーブ核 61, 187, 188, 236, 246
下外側上腕皮神経 92
下顎反射 **127**, 140
下顎偏倚 38
踵膝試験 **178**
かかと歩行 **112**
下丘 24, 230, 248
蝸牛神経 45
蝸牛神経核 247
角回 199, 204, 206, 208, 226
顎下神経節 44
顎舌骨筋 37
角膜反射 **34**, 37, 43, 140, 219
下肢 227
下肢遠位部の筋 86
下肢近位部の筋 85
下肢内転筋反射 140
下肢に分布する主な神経とその役割 97
下肢の末梢神経 94
下肢の麻痺の診察 220
下斜筋 22, 23
下小脳脚 186, 187, 234, 236, 246, 247, 249, 259
下肢落下試験 220, 221
下垂体腫瘍 12, 13
下垂体腺腫 15
加速歩行 122
片足立ち **113**
下腿三頭筋 79, 132, 134
下唾液核 56, 247
肩ゆすり試験 183
下直筋 22, 23
下直腸神経 94
滑車神経(第Ⅳ脳神経) 16, 22, 27, 240
滑車神経核 23, 52, 243, 247, 248
下殿神経 85, 91, 94, 95
下部肋間神経 88
下迷走神経節 56
眼位 **17**, 22, 29, 216
眼咽頭筋ジストロフィー 57
眼窩 240
感覚解離 165
感覚系 142, 222
感覚障害 163, 166, 228
感覚消去現象 10
感覚性運動失調型ニューロパチー 121, 125
感覚性失語 196, 226
感覚性ニューロパチー 38
感覚トリック 105
眼窩先端症候群 240
眼窩底面症候群 240
眼窩吹き抜け骨折 240
眼球位置 216
眼球浮き運動 27, 216, 217
眼球運動 **17**, 22, 29, 216
眼球共同偏倚 216
眼球沈み運動 27
眼球水平共同運動 245
眼球彷徨 27, 216, 217
眼筋 23
眼筋ミオパチー 29
間欠性跛行 110
眼瞼 16, 19, 41, 138, 253
眼瞼下垂 **19**, 27, 30
眼瞼けいれん 19, 27
感情失禁 56
眼振 **18**, 26, 30
肝性脳症 107
間接対光反射 16
完全な横断性障害 166
完全麻痺 74
間代 98, 134
眼底異常 15
眼底鏡 10
眼底検査 **10**, 11, 14, 214
眼動脈 27
観念運動失行 201, 226
間脳 26
顔面肩甲上腕筋ジストロフィー 40
顔面神経(第Ⅶ脳神経) 27, 35, 39, 40, 41, 43, 44, 45, 46, 140, 234, 241, 249, 253, 255, 257, 261
顔面神経核 25, 37, 44, 45, 46, 234, 243, 246, 247, 249, 250, 251, 252, 253, 255, 256, 257, 261, 262
顔面神経管 44
顔面神経鞘腫 47
顔面神経の障害部位と症状 262
顔面神経の走行 261
顔面神経麻痺 219
顔面の温痛覚 **32**, 36
顔面の感覚 244
顔面の感覚路 244
顔面の触覚 **32**, 33, 36
眼輪筋 40, 137

き

記憶障害 226
疑核 52, 56, 59, 236, 243, 247, 249
利き手 75
偽クローヌス 134
偽性アテトーゼ 107, 152
偽性外転神経麻痺 26
偽性球麻痺 56
偽脊髄癆性歩行 155
拮抗失行 201
基底核 73, 108, 122, 228, 250, 251, 252, 253, 258, 259

気導 48
企図振戦 177, 186
吸引反射 **137**
嗅覚 **8**, 9
嗅覚過敏 9
嗅覚錯誤 9
嗅球 9
嗅溝髄膜腫 9, 14, 15
球後性視神経炎 13
嗅上皮 9
嗅神経 8, 9
急性小脳炎 189
急性脊髄前角炎 70
球脊髄性筋萎縮症 70
橋 21, 26, 27, 28, 44, 45, 46, 56, 72, 73, 127, 140, 141, 167, 186, 187, 217, 218, 232, 243, 244, 246, 247, 248, 250, 251, 252, 253, 254, 255, 257
橋核 186, 187
橋下部 232, 234, 235, 249
橋下部外側症候群 234, 235
橋下部腹側症候群 234, 235
橋下部傍正中橋網様体 246
共感性対光反射 16
胸筋反射 140
強剛 228
胸鎖乳突筋 **58**, 59
橋小脳線維 186
橋上部 232, 249
橋上部外側症候群 172, 232
橋上部被蓋症候群 232
胸神経 14
胸髄 21, 73, 135, 141, 165, 167, 143, 248, 249
橋中部 232, 233, 249
橋中部外側症候群 232, 233, 249
橋中部被蓋症候群 233
協働収縮不能 175
胸背神経 80, 90, 93
棘下筋 80
棘上筋 80
局所性ジストニア 105, 125
挙睾筋 135
挙睾筋反射 **135**, 140
挙動異常 225
近位筋 62
筋萎縮 62
筋炎 30, 39
筋強剛 64, 65
筋強直性ジストロフィー 57, 63, 70
筋緊張亢進 64
筋緊張低下 **69**
筋原性筋萎縮 70
近見視 20
近見反射 **20**
筋固縮 64, 228
筋ジストロフィー 30, 39, 69, 70, 118, 125
緊張性頸反射 **138**
筋トーヌス 62, **64**
筋トーヌス低下 186
筋波動症・ミオキミア 63
筋皮神経 77, 90, 92, 93, 96, 128
筋膨隆現象 63
筋力の見方 74

く

草刈り歩行 118
口とがらし反射 **137**
くも膜下出血 15, 195
グラスゴー昏睡尺度(GCS) 210
群発頭痛 28

け

脛(腓)骨神経 79, 86, 87, 91, 94, 95, 97, 132, 140
痙縮 65
楔状束 61, 162, 187, 237, 244
楔状束核 162, 187, 245, 247, 242
頸静脈孔 56, 59
頸静脈孔症候群 59, 241
頸髄 21, 73, 128, 141, 162, 165, 167, 243, 245, 248, 249, 259
痙性片麻痺 118
痙性斜頸 58, 104, 105
痙性対麻痺歩行 **118**, 119, 125
痙性片麻痺歩行 **118**, 125
頸椎・腰椎疾患 70
頸椎症 193, 194, 195
頸動脈小体 56
軽度の片麻痺 228
茎乳突孔 44, 45, 262
頸部外傷 194
頸部の筋強剛 66
頸部リンパ節腫 194
鶏歩 10, **118**, 119, 125
傾眠 210
結節性多発性動脈炎 47
肩甲下神経 90, 93
肩甲骨 59
肩甲上神経 80, 90, 93
肩甲背神経 80, 90, 93
原始反射 **137**
幻臭 9
原発性進行性失語症 200
腱反射 **126**
腱反射亢進 227
瞼裂 41

こ

後咽頭膿瘍 194
構音障害 54
口蓋 54
口蓋垂 54
後角の障害 238
交感神経 21, 27, 214, 259
咬筋 **35**, 37, 38, 39, 127
広頸筋 43

後脛骨筋 86, 94
後交連 22, 26
後骨間神経 90, 92, 265
後根神経節 187
後根の障害 239
虹彩 22
後索の障害 158, 166, 238
後耳介神経 44, 45, 262
高次機能 196, 225
後縦靭帯骨化症 195
甲状腺機能亢進症 9, 29
甲状腺機能低下症 63, 133, 189
後上腕皮神経 92, 96
構成失行 201, 202, 226
後脊髄小脳路 61, 187, 246
口舌ジスキネジア 106
交代性Horner症候群 28
後退性眼振 18
後大腿皮神経 94, 95, 163
叩打性筋強直 63
後天性免疫不全症候群 47
喉頭 102, 196, 236
後頭葉 12, 14, 199, 201, 206, 208, 224, 226
広背筋 80
後半規管 50
後半規管膨大部 50
広汎性ジストニア 105
口部顔面失行 201
項部硬直 **190**, 194, 222
後方突進現象 116, 117
鉤発作 9
硬膜 61
硬膜動静脈瘻 195
肛門 135
肛門括約筋 135
肛門挙筋 95
肛門反射 **135**, 140
後葉 186
口輪筋 137
高齢者 106
抗Parkinson病治療薬 106
小刻み歩行 117, 122
黒質 108, 109, 228, 230
黒質の障害 228
鼓索神経 44, 45, 261, 262
鼓室部 44
孤束核 44, 236, 247, 249, 251, 262
骨間筋 263
骨導 48
固定姿勢保持困難 98, 107
鼓膜 48, 51, 53, 218
固有感覚 161
固有示指伸筋 82, 92
昏睡 210
昏迷 210

さ

催吐反射 **54**
鎖骨上神経 163
坐骨神経 79, 91, 94, 95, 97, 192, 195
坐骨神経痛 195
サドル状感覚消失 167
左右差(瞳孔) 16
左右失認 226
サルコイドーシス 15, 47
三角筋 58, 77
三叉神経(第Ｖ脳神経) 21, 32, 36, 38, 39, 127, 140, 167, 240, 241, 246, 249
三叉神経運動核 36, 44, 127, 233, 243, 247, 249, 258, 259, 261
三叉神経感覚枝 32
三叉神経視床路 232, 244
三叉神経支配筋 38
三叉神経主知覚核 36, 233, 244, 245, 247, 249, 258, 259
三叉神経障害 8
三叉神経脊髄路 61, 167, 234, 236, 244, 245, 258, 259
三叉神経脊髄路核 36, 37, 44, 61, 167, 234, 236, 244, 247, 258, 259, 261
三叉神経節 27, 36, 44, 261
三叉神経第一枝(眼枝) 眼神経 27, 32, 37, 163, 241, 261
三叉神経第三枝(下顎枝) 下顎神経 32, 163, 261
三叉神経第二枝(上顎枝) 上顎神経 32, 163, 261
三叉神経中脳路 233, 249
三叉神経中脳路核 36, 247
三叉神経痛 38
三叉神経麻痺 38
三叉神経毛帯 36
散瞳 214
散瞳機能 21

し

シーソー眼振 18, 26
視運動性眼振 13
視覚失調 206
視覚失認 226
視覚消去現象 226
視覚性おどし反射 13
視覚性失認 204, 206
視覚性注視障害 206
視覚野 22
視覚路 12
耳下腺腫瘍 241
色彩失認 226
識別感覚 161
識別性触覚 162
視交叉 12, 13, 22
視索 12, 22
四肢 220, 221, 222
四肢体幹からの感覚 245
四肢の感覚路 245

四肢の筋萎縮……62
四肢の計測……62
視床……9, 36, 45, 108, 109, 162, 167, 172, 173, 188, 199, 208, 216, 227, 228, 229, 230, 246, 248, 250, 251, 252, 253, 258, 259
視床下核……108, 109, 228, 248
視床下核の障害……228
歯状核……109, 186, 188, 246
視床下部……21, 228, 229
視床障害……167
視床症候群……228
視症性失語……199, 229
視床性認知症……229
視床枕……227, 229
視床痛……167
視床手……229
指伸筋……81
視神経(第Ⅱ脳神経)……10, 13, 22, 27, 240
視神経萎縮……14
視神経炎……14, 15
視神経脊髄炎……195
耳神経節……56
視神経乳頭……10
ジスキネジア……98, 106
ジストニア……98, 104, 105, 228
ジストニア歩行……122
姿勢時振戦……98
姿勢反射の診察……**138**
肢節運動失行……201, 202
持続植物状態……214
下向き眼振……26
膝蓋筋……94
膝蓋腱……131
膝蓋腱反射……**131**, 140
膝蓋骨……131
失外套症候群……214
膝間代……134
失語……**196**
失行……**201**
失語の病巣部位……198
失算……226
失書……226
膝神経節……44, 45, 261, 262
失調性歩行……**120**, 121, 125
失読……226
失読失書……199, 226
失認……**204**
失文法……200
自発書字……196
ジフテリア……27, 31, 47
視放線……12, 13, 22, 222
嗜眠……210
視野……**10**, 11, 13, 214
尺骨神経……81, 82, 83, 84, 91, 92, 93, 96, 163, 169, 263, 264, 265
尺骨神経の走行……263
尺側手根屈筋……76, 92
尺側手根伸筋……81
視野欠損……226
視野障害……15
遮蔽試験……18
斜偏倚……216
重症筋無力症……30, 39, 57
自由神経終末……160
手回内・回外試験……**172**
手関節の掌屈……78
手関節の背屈……77
縮瞳……21, 214, 229
手根屈筋群……78
手根伸筋群……77
手指屈筋反射……133, 140
手指失認……204, 206, 226
手掌おとがい反射……**137**
手刀法……214, 215
腫瘍……193, 240, 241
受容性失語……226
腫瘤性疾患……240
純粋失読……199, 226
上位運動ニューロン……37, 45, 46, 56, 72, 74, 252
上位運動ニューロンの障害……71
上咽頭神経……55
上オリーブ核……234
松果体……248
松果体腫瘍……26, 29, 31
上眼窩裂……240
上眼窩裂症候群……240
上眼瞼挙筋……27
上丘……22, 45, 230, 248
消去現象……159, 167
上頸神経節……21
小後頭神経……32, 163
踵骨神経……163
上肢……227
上肢遠位部の筋……81
小指外転筋……83, 92
小指球……62
上肢近位部の筋……80
小指屈筋……82, 92
小指伸筋……92
小指対立筋……83, 92
上肢に分布する主な神経とその役割……96
上肢の末梢神経……92
上斜筋……22, 23
上小脳脚……109, 186, 187, 188, 230, 231, 232, 233, 246, 247, 249
上小脳脚交叉……230, 248
上小脳動脈……172
掌側、背側骨間筋……83, 92
上唾液核……44, 261, 262
上直筋……22, 23
情緒障害……225
小殿筋……85
上殿神経……85, 91, 94, 95
常同性……104

小脳 26, 52, 53, 108, 115, 120, 175, 186, 187, 189, 189, 225, 237, 241, 242, 246, 247, 248
小脳萎縮症 125
小脳炎 30
小脳脚 52
小脳求心路 187, 188
小脳橋角部 45, 241, 262
小脳橋角部腫瘍 26, 30, 39
小脳橋角部症候群 241
小脳疾患 69
小脳症候群 188
小脳症状 174
小脳性運動失調 10, 120
小脳に関する神経伝導路 146
小脳半球 186, 246
小脳半球症候群 237
小脳皮質 187, 188
小脳扁桃ヘルニア 194, 195
上半規管 50
上鼻甲介 9
上部僧帽筋 **58**, 59
小舞踏病 100
上迷走神経節 56
睫毛徴候 41, 42
睫毛反射 219
上腕筋 92
上腕三頭筋 77, 92, 129
上腕三頭筋反射 **129**, 140
上腕内側皮神経 92
上腕二頭筋 64, 74, 92, 128
上腕二頭筋反射 **128**, 140
書痙 105
触覚 **142**
触覚過敏 143
触覚消失 143
触覚鈍麻 143
除脳姿勢（硬直） 220, 221
除皮質姿勢（硬直） 220, 221
自律神経ニューロパチー 28
視力 **10**, 12
視力障害 14
神経原性筋萎縮 70
神経根炎 166
神経根痛 166
神経診察の記録 266
神経梅毒 28
進行性核上性麻痺 65, 194, 195, 200
進行性多巣性白質脳症 15
進行性非流暢性失語 200
深指屈筋 82, 92, 263
新生児 137
振戦 **98**, 109
新線条体 108
振動覚 **148**, 149, 162
振動覚の消失 148
振動覚の鈍麻 148
深腓骨神経 79, 86, 87, 91, 94, 97, 163
深部感覚 **148**, 161, 245
深部感覚障害 114, 121

す

髄圧上昇 194
髄外腫瘍 169
錐体 61, 72, 73, 243, 250, 251, 252, 253, 254, 255, 257, 259
錐体外路 108, 228
錐体外路の障害 71, **122**, 228
錐体外路の神経回路 108
錐体交叉 72, 73, 243, 245
錐体骨先端症候群 240
錐体路 45, 46, 61, 71, 72, 73, 108, 123, 128, 140, 141, 214, 230, 243
錐体路の障害 71, 135
垂直性眼球偏倚 216
髄内腫瘍 166, 170, 171
水平性共同偏倚 216
水平性半盲 13
水平性非共同性眼球偏倚 216
水平部 44
髄膜 190, 195, 222
髄膜炎 9, 14, 47, 53, 194, 195
髄膜癌腫症 195
髄膜刺激徴候 222
髄膜腫 30, 47
髄膜脳炎 15
睡眠障害 229
頭蓋咽頭腫 12, 13, 15
頭蓋底腫瘍 241
すくみ足 122

せ

静止時振戦 98, 99
正常圧水頭症 122, 125
精神運動発作 226
精神性注視麻痺 206
正中神経 78, 81, 82, 83, 84, 90, 92, 93, 96, 133, 163, 169, 264, 265
青斑核 109
声門 55
赤核 188, 230, 231, 246, 248
赤核脊髄路 188
赤核背側部 231
脊髄 108, 110, 135, 164, 165, 170, 171, 224, 237, 238, 242, 248, 249, 250, 251, 252, 253, 254, 255, 257, 258, 259
脊髄空洞症 63, 171
脊髄後根障害 166
脊髄後索障害 121
脊髄視床路 162, 165, 166, 167, 232, 234, 236, 237, 244, 245, 251, 258
脊髄視床路（前索）の障害 166, 238
脊髄腫瘍 169, 170, 195
脊髄障害 164, 165
脊髄小脳変性症 30, 125

脊髄性進行性筋萎縮症 69
脊髄半側の障害 238
脊髄副神経 90
脊髄癆 121, 125, 170
脊髄癆性歩行 154
舌咽神経 54, 56, 140, 236, 259
舌咽神経痛 56
舌下神経 60, 61, 236, 241, 244, 249
舌下神経核 61, 236, 243, 247, 249
舌下神経交代性片麻痺 236
舌骨下筋群 37
舌神経 44
節前線維 21
線維束性収縮 40, 60, 63
前角の障害 237
前鋸筋 59, 80
前脛骨筋 62, 79, 94, 112, 118
前骨間神経 90, 92
前根の障害 239
浅指屈筋 82, 92
線条体 108
全身性エリテマトーデス 47
全身性ジストニア 125
仙髄 165, 166, 167, 187, 249
前脊髄視床路 135, 162, 248
前脊髄小脳路 61, 187, 246
前脊髄動脈症候群 170
前脊髄路 161
前大腿皮神経 163
前庭蝸牛神経 48
前庭機能検査 **50**
前庭小脳系 115
前庭神経 52
前庭神経炎 30, 125
前庭神経核 186, 187, 188, 236, 247, 259
前庭神経系の解剖 52
前庭迷路障害 115
前庭迷路性失調歩行 121
先天性風疹 53
前頭眼球運動野 26
前頭眼野 24, 224, 232, 246
前頭側頭葉変性症 200, 203
前頭前野 224, 225
前頭葉 13, 45, 110, 123, 137, 199, 205, 208, 224
浅腓骨神経 86, 91, 94, 97, 163
前皮質脊髄路 72, 73
前方突進現象 122
前脈絡叢動脈 13
せん妄 214
前葉 186
前葉症候群 188, 237
前腕内側皮神経 92

そ

総頸動脈 21
総底側趾神経 94
総腓骨神経 94, 95, 97, 163, 169
僧帽筋 59
相貌失認 204, 205, 206, 226
足間代 134
足底筋 94
測定障害 176, 186
足底反射 140
側頭筋 37, 38
側頭葉 13, 199, 224, 226
側頭葉てんかん 9
側脳室 13
側脳動脈炎 14
足背趾神経 94
側面からみた皮膚分節 165

た

第Ⅰ脳神経 8
第Ⅱ脳神経 10
第Ⅲ脳神経 16
第Ⅳ脳神経 16
第Ⅴ脳神経 32
第Ⅵ脳神経 16
第Ⅶ脳神経 44
第Ⅷ脳神経 48
第Ⅸ脳神経 54
第Ⅹ脳神経 54
第Ⅺ脳神経 54
第Ⅻ脳神経 60
体温異常 229
体幹運動失調の診察 **184**
体幹の筋 88
大胸筋 80
大後頭神経 32, 163
対光反射 **16**, 28
対座法 10, 11
第三枝領域 36
第三脳室 230, 248
第三腓骨筋 94
大耳介神経 32, 163
代謝性脳症 107
帯状回 224
体性感覚神経 44
大浅錐体神経 44
大腿屈筋群 62
大腿四頭筋 62, 65, 78, 131, 134
大腿神経 78, 85, 91, 94, 95, 97, 131, 140, 163, 169
大腿直筋 94, 95
大腿内転筋 85
大腿皮神経 95
大殿筋 79
大内転筋 94
大脳 110, 137, 242
大脳脚 72, 230, 231, 243, 248, 250, 251, 252, 253, 254, 255, 257, 259
大脳障害 164, 167
大脳白質 214
大脳半球 201, 203, 204, 206, 221, 250, 251, 252, 253, 254, 255, 257, 258, 259

大脳皮質 45, 108, 109, 128, 131, 137, 214, 224, 243, 250, 251, 252, 253, 254, 255, 257, 258, 259
大脳皮質基底核変性症 65, 201
大脳皮質性ミオクローヌス 103
大脳盲 13
第四脳室 61, 186, 232, 248, 249
多系統萎縮症 28, 57, 65, 189
脱神経 63
多発筋炎 69, 70, 118, 125
多発神経炎 69, 118, 125, 166, 169
多発性硬化症 14, 15, 28, 30, 38, 39, 57, 61, 193, 195
多発性神経障害 166, 239
多発性単神経炎 166, 169, 173
タマネギ様分布 36
単一末梢神経の障害 166, 239
短趾屈筋 87
短趾伸筋 87, 94
単純ヘルペスウイルス 47
短掌筋 92
単神経炎 166, 169
淡蒼球 108, 109, 228
断綴性発語 185
短内転筋 94, 95
短母趾屈筋 87
短母趾伸筋 87
短母指外転筋 84
短母指屈筋 84
短母指伸筋 84
単麻痺 225
短毛様体神経 21, 22

ち

地誌失認 204, 206
チック 98, 100
緻密層 108
着衣失行 201, 202
チャドック反射 **136**
中間外側細胞柱 249
中間広筋 94, 95
中間神経 44, 45, 261, 262
中耳炎 240
注視眼振 19, 26
中小脳脚 186, 187, 225, 233, 234, 246, 247, 249
中心灰白質障害 167, 238
中心前回 45, 225
中心被蓋路 232, 233
中枢神経の病巣診断 242
中枢性病変 242
中大脳動脈閉塞 200, 203, 207
中殿筋 85, 119
中脳 22, 26, 72, 73, 162, 186, 216, 230, 243, 244, 247, 248, 250, 251, 252, 253, 254, 255, 257, 258, 259
中脳下丘レベル 230, 231, 248
中脳上丘レベル 230, 231, 248
中脳水道周囲灰白質 230
中脳第三脳室 248
虫様筋 83, 92, 263
聴覚過敏 43, 45
長胸神経 80, 90, 93
腸骨下腹神経 94, 95, 163
腸骨鼠径神経 94, 95, 163
長趾屈筋 86, 94
長趾伸筋 86, 94
長掌筋 92
聴神経鞘腫 30, 39
聴神経腫瘍 47, 53, 241
調節反射の検査 **20**, 27
長橈側手根伸筋 81, 92
長内転筋 94
長母指外転筋 84, 92
長母指(趾)屈筋 84, 87, 92, 94
長母指(趾)伸筋 85, 86, 94
腸腰筋 78, 94
腸腰筋の診察 78
聴力 **48**

つ

椎間板ヘルニア 70, 169, 195
痛覚 **144**, 162
痛覚過敏 146
痛覚消失 146
痛覚鈍麻 146
つぎ足歩行 **111**
つま先歩行 **112**
爪楊枝 144

て

定位感覚の診察 **158**
低酸素脳症 27
低ナトリウム(Na)血症 229
定方向性眼振 26
定量視野検査 10
手口症候群 167, 172
手首に筋強剛 69
手の筋 82
てんかん 29
伝導性失語 199, 226

と

頭位変換眼球反射 216, 218
頭位変換眼球反射の診察 218
動眼神経 16, 21, 22, 25, 27, 230, 231, 240, 246, 256
動眼神経核 22, 24, 25, 26, 52, 240, 243, 246, 256
瞳孔 16, 21, 28, 38, 214, 215, 253
瞳孔径 **16**, 21
瞳孔偏倚 22
橈骨手根屈筋 92
橈骨神経 77, 81, 82, 84, 90, 92, 93, 96, 129, 163, 169, 264, 265
同語反復 199
動作性ミオクローヌス 104
動作特異性 105
橈側手根屈筋 81, 92
橈側手根伸筋 265

頭頂－後頭葉 203, 208
頭頂葉 10, 161, 167, 168, 201, 203, 204, 206, 208, 224, 226
頭頂葉障害 158
頭部伸筋群 98
動脈解離 241
動脈硬化 110
動脈瘤 61, 240, 241
同名性半盲 13, 226, 227
透明中隔野 9
島葉 199, 208
動揺性歩行 **118**, 119, 125
兎眼 40, 41, 43
禿頭 58
閉じ込め症候群 214
徒手筋力検査 **74**, 75, 80

な

内頸動脈 21, 22, 36
内頸動脈-後交通動脈分岐部（IC-PC）動脈瘤 28, 30
内耳管 44
内側嗅条 9
内側胸筋神経 80, 90, 93
内側広筋 94,95
内側膝状体 227
内側縦束 24, 25, 52, 232, 233, 246, 249, 256
内側縦束（MLF）症候群 18, 24, 25, 26, 232
内側縦束吻側介在核 24, 26
内側踵骨神経 94
内側上腕皮神経 93, 163
内側前腕皮神経 93, 163
内側足底神経 93, 163
内側足背皮神経 94
内側大腿皮神経 94
内側毛帯 61, 73, 162, 165, 165, 167, 230, 232, 233, 234, 236, 243, 245, 248, 249, 251, 252
内側翼突筋 37, 38
内直筋 20, 22, 256
内分泌疾患 70
内包 45, 72, 73, 227, 243, 250, 251, 252, 253, 254, 255, 257
内包型の片麻痺 227
軟口蓋 55, 102, 236
軟口蓋ミオクローヌス 102, 103
難聴 49

に

肉芽腫 241
肉芽腫性疾患 240
2点識別覚の診察 **156**
2点同時刺激識別感覚 **159**
日本式昏睡尺度（JCS） 210
乳頭浮腫 14, 15
尿崩症 229

ね

捻転ジストニア 124
捻転性ジストニア 105

の

脳炎 9, 14, 189, 200, 203, 207
脳幹 44, 59, 70, 110, 165, 167, 186, 214, 218, 230, 242, 248, 261
脳幹腫瘍 57
脳幹障害 164, 167
脳幹聴性誘発電位 49
脳幹脳炎 30, 189
脳幹病変 216
脳幹部横断図 248
脳血管性Parkinson症候群 122, 123, 125
脳出血 200, 203, 207
脳腫瘍 15, 53, 65, 172, 189, 200, 203, 207
脳神経核の位置 247
脳性麻痺 125
脳卒中 69
脳膿瘍 15
脳梁 9, 108, 201, 203

は

パーキンソニズム 116
パーキンソニズムでみられる歩行 122
パーキンソン歩行 122
把握痛 63
把握反射 **137**
背側運動核 56
背側骨間筋 83
背側指神経 92, 96
背側上腕神経 163
背側前腕皮神経 163
薄筋 94
白質ジストロフィー 14, 15
獏状口 40
薄束 61, 162, 237, 244
薄束核 61, 162, 187, 245, 247, 252
白皮症 9
歯車現象 65
はさみ脚歩行 118, 124
鼻指鼻試験 **176**
羽ばたき振戦 107
馬尾 110, 167, 171, 173
馬尾症候群 133
バビンスキー反射 136
バリズム 88, 102, 109, 228
反回神経 55, 56
反響言語 199
半腱様筋 94
半昏睡 178
反射弓 140, 141, 242, 260
反射の記載法 139
反射の具体例 141
半身感覚鈍麻 227
半側顔面スパズム 40
反側視空間無視 204, 206
半側障害 166
半側性空間失認 206

晩発性小脳皮質萎縮症 189
反復拮抗運動 174
反復拮抗運動不能 175, 186
ハンマー 126
半膜様筋 94

ひ

ピアノ弾き運動 152, 153, 229
鼻咽頭腫瘍 241
被殻 108, 109
引きずり歩行 122
肥厚性硬膜炎 14
腓骨筋(長・短) 86
腓骨神経 94, 125
膝(ひざ)屈筋群 79
膝屈筋群の診察 79
膝屈筋反射 140
膝倒し法 **67**
膝叩き試験 **180**
非識別性触覚 162
皮質延髄路 72, 73, 186, 227, 243
皮質下盲 13
皮質橋路 37, 140, 232, 249
皮質性感覚障害 226
皮質赤核路 227
皮質脊髄路 72, 73, 140, 186, 188, 214, 227, 232, 233, 234, 236, 243, 244, 249, 251, 257
皮質脊髄路の障害 237
皮質盲 13, 226
尾状核 108, 109, 228
尾状核、被殻の障害 228
鼻唇溝 **43**
ヒステリー 13, 168
額のしわ寄せ **41**, 46
ビタミン欠乏症 189
皮膚感覚 160
皮膚筋炎 70
腓腹筋 63, 79, 94, 112
腓腹神経 94, 97, 163
皮膚書字覚 **157**
皮膚書字試験 157
皮膚分節 143, 164
ヒペルパチー 146, 166, 167
肥満 229
表現失語 225
表在感覚 **142**, 145, 160
表在感覚の受容体 160
表在反射の診察 **135**
病巣診断の原則 242
病態失認 204, 206
病的反射出現 225
病的反射の診察 136
病的反射陽性 227
ヒラメ筋 62, 94

ふ

部位感覚消失 158
部位失認 158
複合感覚 161
副交感神経 21, 43, 56, 262
伏在神経 94, 95, 97, 163
複視 18
復唱 196
副神経 58, 59, 241, 244
副神経核 247
輻輳 20
輻輳眼振 18
輻輳ー後退性眼振 18, 26
輻輳反射の検査 **20**, 27
輻輳攣縮 26
腹側三叉神経視床路 36
腹直筋 88
腹壁反射 **135**, 140
不随意運動 98, 102, 228
不全麻痺 74
物品呼称 196
舞踏運動 98, 100, 109, 228
舞踏病 109, 110
不明瞭発語 185
プリオン病 15, 189, 200, 203, 207
振り子性 183
振子様眼振 18, 26
プロソディ障害 200

へ

閉眼 **41**
閉眼足踏み **115**
閉鎖神経 85, 91, 94, 95, 97, 163
偏倚 49, 115
弁蓋 45
変形性関節症 194
変視症 226
片頭痛 29
片葉小節葉 186, 187, 188
片葉虫部小節葉症候群 188, 237

ほ

方形回内筋 82
縫工筋 85, 94
放射線脊髄炎 169, 193
傍腫瘍症候群 189
傍正中橋網様体 24, 25, 46, 232, 234, 235, 256, 257
傍脊柱筋 118, 188
縫線核 109
歩行 **110**
母指外転筋 263
星形歩行 **115**
母指球 62, 137
母指球筋 63
母指伸筋(長・短) 92
母指対立筋 78
母指内転筋 78, 92, 263
補足運動野 224, 225
ボツリヌス中毒 28, 57

保続 199
歩幅と歩隔 111
ポリオ後筋萎縮症 69
本態性振戦 98, 99

ま

末梢神経 239
末梢神経障害 163
末梢神経と支配筋およびその機能 90
末梢神経の皮膚支配領域 163
末梢神経の病巣診断 260
末梢性顔面神経麻痺 39
末梢性病変 242
麻痺性橋性外斜視 24
まぶた持ち上げ試験 219

み

ミオキミア 40, 63
ミオクローヌス 98, 102
ミオパチー 30, 39, 70
味覚 43, 46
ミトコンドリア脳筋症 29, 53, 200, 207

む

無動 228
無動性無言 214, 225
無表情 225
無名質 109

め

迷走神経（第Ⅹ脳神経） 54, 55, 56, 140, 236, 241, 249, 259
迷走神経背側運動核 109, 236, 247, 249
迷路部 44

も

網状層 108
毛様体神経節 21, 22
毛様体脊髄中枢 21
毛様体脊髄反射 214

ゆ

優位半球頭頂〜後頭葉移行部 226

よ

腰神経叢 94
腰髄 73, 131, 141, 162, 165, 187, 243, 245, 249
腰仙髄神経叢の構造および簡略図 95
翼口蓋神経節 44

ら

卵形嚢 50
ランドー反射 **139**

り

立体感覚消失 158
立体認知 **158**
立体認知困難症 158
律動性眼振 18
律動性ミオクローヌス 98
両耳側半盲 13
良性発作性頭位性めまい 30
両側錐体路障害 135
両鼻側半盲 13
緑内障 13, 15

る

涙核 44

れ

レンズ核 108

ろ

肋間上腕皮神経 163
肋間神経 135

わ

腕神経叢の構造および簡略図 93
腕橈骨筋 81, 92, 130
腕橈骨筋反射 **130**, 140

欧文

A

abdominal reflex …… 135, 140
abducens nerve …… 16, 22, 25, 46, 234, 240, 246, 249, 256, 257
abducens nucleus …… 25, 44, 52, 234, 246, 250, 251, 255, 256, 257, 261
abductor digiti minimi …… 83, 92
abductor pollicis …… 263
abductor pollicis brevis …… 84, 92
abductor pollicis longus …… 84, 92
acalculia …… 226
accessory nerve …… 58, 59, 241, 243, 244
accommodation reflex …… 20, 27
Achilles tendon …… 132
Achilles tendon reflex …… 132, 140
acoustic neurinoma …… 30, 39
acoustic tumor …… 47, 53, 241
acquired immunodeficiency syndrome …… 47
action myoclonus …… 104
acute anterior poliomyelitis …… 70
acute cerebellitis …… 189
Addison's disease …… 9
adductor brevis …… 94, 95
adductor femoris …… 85
adductor longus …… 94
adductor magnus …… 94
adductor pollicis …… 84, 92, 263
Adie syndrome …… 28
agnosia …… 204
agrammatisum …… 200
agraphia …… 226
air conduction …… 48
akinesia …… 228
akinetic mutism …… 214, 225
albinism …… 9
alcoholic cerebellar ataxia …… 189
alexia …… 226
alexia with agraphia …… 199, 226
alezia without agraphia, pure alexia …… 199, 226
alternating Horner syndrome …… 28
altitudinal hemianop(s)ia …… 13
Alzheimer disease …… 199, 200, 203, 207
amaurosis fugax …… 14
anal …… 135
anal reflex …… 135, 140
anal sphincter …… 135
analgesia …… 146
aneurysm …… 61, 240, 241
angular gyrus …… 199, 204, 206, 208, 226
ankle clonus …… 134
anosognosia …… 204, 206
anterior choroidal artery …… 13
anterior column …… 165, 170, 173, 237
anterior corticospinal tract …… 72, 73
anterior cutaneous nerve of thigh …… 163
anterior horn …… 59, 63, 70, 110, 131, 140, 187, 188, 237, 239, 244, 249, 250, 251, 252, 253, 254, 255, 257
anterior interosseus nerve …… 90, 92
anterior lobe …… 186
anterior lobe syndrome …… 188, 237
anterior root …… 70, 110, 237, 239
anterior spinal artery syndrome …… 170
anterior spinocerebellar tract …… 61, 187, 246
anterior spinothalamic tract …… 135, 162
Anton syndrome …… 14, 206, 208, 226
apallesthesia, pallanesthesia …… 148
apallic syndrome …… 214
apathy …… 225
aphasia …… 196
apraxia …… 201
apraxia of lid-opening …… 19, 27
aralytic pontine exotropia …… 24
Argyll-Robertson pupil …… 27
arm-dropping test …… 220
Arnord-Chiari malformation …… 30
ataxic dysarthria …… 185
arterial dissection …… 241
astereognosis, stereoagnosis …… 158
asterixis …… 98, 107
ataxic gait …… 120, 121, 125
athetosis …… 101, 109, 228
audiometry …… 49
auditory acuity …… 48
autonomic neuropathy …… 28
axial muscles …… 88
axillary nerve …… 77, 90, 96, 163

B

Bálint syndrome …… 206, 208
Babinski sign(reflex) …… **136**
Barré sign …… 75, 76
basal ganglia …… 73, 108, 122, 227, 228, 250, 251, 252, 253, 258, 259
Behçet disease …… 195
Bell palsy …… 39
Bell's phenomenon …… 40
Benedikt syndrome …… 28, 231
benign paroxysmal positional vertigo(BPPV) …… 30
biceps brachii …… 64, 74, 77, 92, 128
biceps reflex …… 128, 140
Bielschowsky's head-tilting test …… 23
binasal hemianop(s)ia …… 13
bitemporal hemianop(s)ia …… 13
blepharospasm …… 19, 27
blink-to-threat test …… 214, 215
blowout fracture …… 240
bone conduction …… 48
botulism …… 28, 57
bouche de tapir …… 40
brachialis …… 92
brachioradialis …… 81, 92, 130

brachioradialis reflex 130, 140
brain abscess 15
brainstem 44, 53, 59, 70, 110, 164, 165, 167, 186, 189, 214, 216, 217, 218, 230, 242, 248, 261
brainstem encephalitis 30, 189
brain tumor 15, 53, 61, 65, 172, 189, 200, 203, 207
brainstem auditory evoked potentials 49
brainstem tumor 57
Broca's aphasia 198
Broca's area 193, 208, 224, 225
Brown-Séquard syndrome 165, 166, 170, 173, 228, 252
Brudzinski sign **191**, 195, 222
Bruns nystagmus 26
buccofacial apaxia 201
Budge 21
bulbospinal muscular atrophy 70

C

calcanean nerve 163
caloric test 52, 218
capsular type hemiplegia 227
carotid body 56
cauda equina 110, 167, 171, 173
cauda equina syndrome 133
caudate nucleus 108, 109, 228
caudate nucleus, putamenの障害 228
cavernous sinus 21
cavernous sinus syndrome 29, 240
central canal 61
central gray matter 167, 173, 238
central tegmental tract 232, 233
cerebellar atrophy 120, 125
cerebellar cortex 187, 188
cerebellar hemisphere 186, 246
cerebellar hemisphere syndrome 237
cerebellar peduncle 52
cerebellar syndrome 188
cerebellitis 30
cerebellopontine angle 45, 241, 262
cerebellopontine angle syndrome 241
cerebellopontine angle tumor 26, 30, 39
cerebellum 26, 52, 53, 108, 115, 120, 175, 186, 187, 189, 225, 237, 241, 242, 246, 247, 248
cerebral blindness 13
cerebral cortex 45, 108, 109, 128, 131, 137, 214, 224, 250, 251, 252, 253, 254, 255, 257, 258, 259
cerebral hemisphere 201, 203, 204, 206, 221, 250, 251, 252, 253, 254, 255, 257, 258, 259
cerebral hemorrhage 200, 203, 207
cerebral palsy 125
cerebral peduncle 72, 73, 230, 231, 243, 248, 250, 251, 252, 253, 254, 255, 257, 259
cerebral white matter 214
cerebrum 110, 137, 164, 242
cervical cord 21, 72, 73, 128, 141, 162, 165, 167, 243, 245, 248, 249, 259
cervical spondylosis 193, 194, 195
Chaddock reflex 136
chief trigeminal sensory nucleus 36, 233, 244, 245, 247, 249, 258, 259
chin, mentum 33, 63
chorda tympani 44, 45, 261, 262
chorea 98, 100, 109, 228
chorea minor〈L〉 100
ciliary ganglion 21, 22
ciliary reflex 219
ciliary sign, signe des cilis 41
ciliospinal center 21
ciliospinal reflex 214
cingulate gyrus 224
Claude syndrome 231
clock drawing test 205
clonus 98, 134
cluster headache 28
cochlear nerve 45
cochlear nucleus 247
cogwheel phenomenon 65
Collet-Sicard syndrome 241
colour agnosia 226
coma 210
combined sensation 161
common carotid artery 21
common peroneal nerve 94, 95, 97, 163, 169
conduction aphasia 199, 226
confrontation method 10, 11
congenital rubella syndrome 53
consensual light reflex 16
construstional apraxia 201, 202, 226
convergence nystagmus 18
convergence reflex 20, 27
convergence spasm 26
convergence-retraction nystagmus 18, 26
corectopia 22
corneal reflex 34, 37, 43, 140, 219
corpus callosum 9, 108, 200, 201, 203
corpuscle of Ruffini 160
corpuscles of Meissner 160, 161
cortical blindness 13, 226
cortical myoclonus 103
corticobasal degeneration 65, 201
cotricobulbar tract 72, 73, 186, 227, 243
corticopontine tract 37, 140, 232, 249
corticorubral tract 227
corticospinal tract 72, 73, 140, 186, 188, 214, 227, 232, 233, 234, 236, 243, 244, 249, 251, 257
craniopharyngioma 12, 13, 15
cremaster 135
cremasteric reflex 135, 140
Creutzfeldt-Jakob disease 103
Crow-Fukase syndrome 15

cuneate fascicle 61, 162, 187, 237, 244
cuneate nucleus 162, 187, 245, 247, 252, 257
curtain sign, signe de rideau 54
cutaneous nerve of thigh 95
cutaneous sensation 160

D

decerebrate posture 220, 221
decerebrate rigidity 220, 221
decomposition 177
decorticate posture 220, 221
decorticate rigidity 220, 221
decussation of superior cerebellar peduncles 230, 248
deep peroneal nerve 79, 86, 87, 91, 94, 97, 163
deep sensation 148, 161, 245
deep tendon reflex 126
Dejean syndrome 240
Dejerine syndrome 57, 236
Dejerine-Roussy syndrome 228
deltoid 58, 77
dementia with Lewy body 205
denervation 63
dentate nucleus 109, 186, 188, 246
dermatome 143, 164
dermatomyositis 70
deviation 49, 115
diabetes insipidus 229
diadochokinesis 174
diagonistic apraxia 201
diencephalon 26
diphtheria 27, 31, 47
diplopia 18
discriminative sensation 161
disk of Merkel 160, 161
dissociation nystagmus 18, 26
distal muscle 62
distal myopathy 70
divergence palsy 26
Dix-Hallpike positional testing **50**
dorsal brachial cutaneous nerve 163
dorsal cutaneous nerve of forearm 163
dorsal digital cutaneous nerve 94
dorsal digital nerves 92, 96
dorsal interossei 83
dorsal lateral cutaneous nerve of foot 94
dorsal motor nucleus 56
dorsal motor nucleus of vagus nerve 109, 236, 247, 249
dorsal nerve of penis or clitoris 95
dorsal root ganglion 187
dorsal scapular nerve 80, 90, 93
double simultaneous stimulation 159
down-beat nystagmus 26
dressing apraxia 201, 202
dura mater 61
dural arteriovenous fistula 195
dysdiadochokinesis, adiadochokinesis 175, 186
dyskinesia 98, 106
dysmetria 176, 186
dysprosody 200
dysstereognosis 158
dystonia 98, 104, 105, 228

E

echolalia 199
Edinger-Westphal nucleus 22, 27, 247
emotional incontinence 56
encephalitis 9, 14, 189, 200, 203, 207
end-bulbs of Krause 160
epilepsy 29
espression aphasia 225
essential tremor 98, 99
extensor carpi radialis 265
extensor carpi radialis longus 81, 92
extensor carpi ulnaris 81, 92
extensor digiti minimi 92
extensor digitorum 81
extensor digitorum brevis 87, 94
extensor digitorum longus 86
extensor hallucis brevis 87
extensor hallucis longus 87, 94
extensor indicis proprius 82, 92
extensor pollicis brevis 84
extensor pollicis longus 84
extensor pollicis longus and brevis 92
external anal sphincter 95
external carotid artery 21
external ocular movement (EOM) 17, 22, 216
extinction 159, 167
extramedullary tumor 169
extraocular muscle 22, 29
extrapyramidal tract 40, 108, 228
extrapytamidal tractの障害 71, 228
extremities 220, 221, 222
eyelid, palpebra 14, 16, 19, 30, 41, 216, 253

F

facial nerve 27, 35, 39, 40, 41, 43, 44, 45, 46, 140, 234, 241, 249, 253, 255, 257, 261
facial nerve neurinoma 47
facial nerve palsy 219
facial nucleus 25, 37, 44, 45, 46, 234, 243, 246, 247, 249, 250, 251, 252, 253, 254, 255, 256, 257, 261, 262
facioscapulohumeral muscular dystrophy 40
fallopian canal 44
fasciculation 40, 60, 63
femoral nerve 78, 85, 91, 94, 95, 97, 131, 140, 163, 169
festination 122
finger agnosia 204, 206, 226
finger flexor reflex 133, 140
Fisher syndrome 28, 29
flapping tremor 107

flexor carpi radialis 81, 92
flexor carpi ulnaris 81, 92
flexor digiti minimi 81, 92
flexor digitorum brevis 87
flexor digitorum longus 86
flexor digitorum profundus 82, 92, 263
flexor digitorum superficialis 82, 92
flexor hallucis brevis 87
flexor hallucis longus 87, 94
flexor pollicis brevis 84
flexor pollicis longus 84, 92
flocculonodular lobe 186, 187, 188
flocculonodular lobe syndrome 188, 237
focal dystonia 105, 125
Foix-Jefferson syndrome 240
Foster Kennedy syndrome 9, 14, 15
fourth ventricle 61, 186, 232, 248, 249
Foville syndrome 46, 234, 235
Foville-Millard-Gubler syndrome 46, 235, 256
free nerve endings 160
freezing 122
Frey's irritation 144
Friedreich ataxia 170
Froment sign **69**
frontal eye field 24, 26, 224, 232, 246
frontal lobe(lobus frontalis〈L〉) 13, 27, 45, 110, 123, 137, 199, 205, 208, 224
frontotemporal lobar degeneration(FTLD) 200, 203

G

gag reflex 54
gait 110
gait on heels 112
gait on toes 112
Garcin syndrome 241
gastrocnemius 63, 79, 94, 112
gaze-directional nystagmus 26
generalized dystonia 125
geniculate ganglion 44, 45, 261, 262
genitofemoral nerve 94, 95, 135, 140, 163
Gerstmann syndrome 199, 206, 208, 226
Glasgow Coma Scale(GSC) 210
glaucoma 13, 15
Glomus腫瘍 47, 241
glossopharyngeal nerve 54, 56, 140, 236, 259
glossopharyngeal neuralgia 56
gluteus maximus 85
gluteus medius 85, 119
gluteus minimus 85
gracile fascicle 61, 162, 237, 244
gracile nucleus 61, 162, 187, 245, 247, 252
gracilis 94
Gradenigo syndrome 240
graphanesthesia 167
graphesthesia 157
grasp reflex 137, 225
grasping reflex 137, 225
great auricular nerve 32, 163
greater occipital nerve 32, 163
Grenet syndrome 233
Guillain-Barré syndrome 28, 47
Guillain-Mollaret triangle 102, 232

H

hamstrings 79
hand pronation supination test 174
hatchet face 40, 58
head-dropping test 66
heel-knee test, heel to knee test, heel-shin test 178
hemifacial spasm 40
hemi-hypesthesia 227
hemispacial neglect 204, 206
hereditary ataxia 189
herniated disk 70, 169, 195
herpes simplex virus 47
hippocampus 9
Hoffmann reflex 133
homonymous hemianopsia 13, 226, 227
homonymous hemianopsia with mascular sparing 226
horizontal segment 44
Horner syndrome 19, 22, 28, 36, 171, 172, 214, 229, 232, 236, 241, 259
Huntington chorea 69, 100, 109
hypalgesia 146
hyperacusis 43, 45
hyperalgesia 146
hyperpathia 146, 166, 167
hyperthyroidism 9, 29
hypertonia 64
hypertrophic cranial pachymeningitis 14
hypoglossal nerve 60, 61, 236, 241, 244, 249
hypoglossal nucleus 61, 236, 243, 247, 249
hyponatremia 229
hypopallesthesia 148
hypothalamus 21, 228, 229
hypothenar(eminence) 62
hypothyroidism 63, 133, 189
hypotonia 69
hypoxic encephalopathy 27
hysteria 13, 168

I

ideational apraxia 201, 226
ideomotor apraxia 201, 226
iliohypogastric nerve 94, 95, 163
ilioinguinal nerve 94, 95, 163
iliopsoasまたはiliacus 78, 94
indirect light reflex 16
induced rigidity 69

inferior cerebellar peduncle ····· 186, 187, 234, 236, 246, 247, 249, 259
inferior colliculus ····· 24, 230, 248
inferior gluteal nerve ····· 85, 91, 94, 95
inferior oblique ····· 22, 23
inferior olivary nucleus ····· 61, 187, 188, 236, 246
inferior rectal nerve ····· 94
inferior rectus ····· 22, 23
inferior salivatory nucleus ····· 56, 247
inferior vagal ganglion ····· 56
infrahyoid muscle ····· 37
infraspinatus ····· 80
insular cortex ····· 199, 208
intention tremor ····· 177, 186
intercostal nerve ····· 135
intercostobrachial nerve ····· 163
intermediate nerve ····· 44, 45, 261, 262
intermediolateral cell column ····· 249
internal auditory canal ····· 44
internal capsule ····· 45, 72, 73, 227, 243, 250, 251, 252, 253, 254, 255, 257
internal carotid-posterior communicating artery aneurysm(IC-PC aneurysm) ····· 28, 30
internal carotid artery ····· 21, 22, 36
interossei ····· 263
intorsion ····· 23
intramedullary tumor ····· 166, 170, 171
involuntary movement ····· 98, 102, 218
iris ····· 22

J

Jackson test ····· **192**
Japan Coma Scale(JCS) ····· 210
jaw reflex ····· 127, 140
Jendrassik maneuver ····· 126, 131
jerky nystagmus ····· 18
jolt accentuation of headache ····· **191**, 195
jugular foramen ····· 56, 59

K

Kallmann syndrome ····· 9
Kearns-Sayre syndrome(KSS) ····· 29
Kernig sign ····· **190**, 194, 222
kinésie paradoxale, paradoxical movement ····· 122
Klüver-Bucy syndrome ····· 226
knee-tapping test ····· 180
knee tilt method ····· 67
Kugelberg-Welander disease ····· 70

L

labyrinthine segment ····· 44
lacrimal nucleus ····· 44
lagophthalmos ····· 40, 41, 43
Lambert-Eaton myasthenic syndrome ····· 29, 30, 39
Lance-Adams syndrome ····· 104
Landau reflex ····· **139**
Lannois-Jouty syndrome ····· 241
larynx ····· 102, 196, 235
Lasègue sign ····· **192**
late cortical cerebellar atrophy ····· 189
lateral column ····· 165, 187, 237, 244, 249, 250, 251, 252, 253, 254, 255, 257
lateral corticospinal tract ····· 72, 73, 243
lateral cutaneous nerve of forearm ····· 92, 96, 163
lateral cutaneous nerve of thigh ····· 94, 163, 166
lateral geniculate body ····· 13, 22, 227
lateral lemniscus ····· 232, 233, 234
lateral medullary syndrome ····· 36, 167, 171, 173, 236
lateral olfactory steria ····· 9
lateral plantar nerve ····· 94, 163
lateral pterygoid muscle ····· 37, 38
lateral rectus ····· 22, 256
lateral spinothalamic tract ····· 36, 162, 230, 232, 233, 234, 245, 248, 249, 251, 252, 258
lateral sural cutaneous nerve ····· 94
lateral ventricle ····· 13
latissimus dorsi ····· 80
L-dopa ····· 106
lead-pipe rigidity ····· 65
leg-dropping test ····· 220, 221
lenticular nucleus ····· 108
lesser occipital nerve ····· 32, 163
lethargy ····· 210
leukodystrophy ····· 14, 15
levator ani ····· 95
levator palpebrae ····· 21, 27
Lhermitte sign ····· **193**
lid lifting test ····· 219
light reflex ····· 16, 28
limb-kinetic apraxia ····· 201, 202
limping gait ····· 122
lingual nerve ····· 44
locked-in syndrome ····· 214
locus coeruleus〈L〉 ····· 109
long thoracic nerve ····· 80, 90, 93
lower body parkinsonism ····· 122
lower extremities ····· 227
lower intercostal nerve ····· 88
lower lateral brachial cutaneous nerve ····· 92
lumbar cord ····· 72, 131, 141, 162, 165, 187, 243, 245, 249
lumbar plexus ····· 94
lumbricals ····· 77, 92, 263
Lyme disease ····· 47

M

Ménière disease ····· 30, 53
MacKenzie syndrome ····· 241
macular sparing ····· 14
mandibular division of trigeminal nerve, mandibular nerve ····· 32, 163, 261
manual muscle testing ····· 74, 75, 80
marche à petits pas ····· 117, 122
Marie-Foix syndrome ····· 233

masseter muscle ………… 35, 37, 38, 39, 127
maxillary division of trigeminal nerve, maxillary nerve ………… 32, 163, 261
medial brachial cutaneous nerve ………… 92
medial calcanean nerve ………… 94
medial cutaneous nerve of forearm ………… 93, 163
medial cutaneous nerve of thigh ………… 94
medial geniculate body ………… 227
medial lemniscus ………… 61, 72, 73, 162, 165, 167, 230, 232, 233, 234, 236, 243, 245, 248, 249, 251, 252
medial longitudinal fasciculus ………… 24, 25, 26, 52, 232, 233, 246, 249, 256
medial longitudinal fasciculus (MLF) syndrome ………… 18, 24, 25, 26, 232
medial medullary syndrome ………… 236
medial olfactory stria ………… 9
medial pectoral nerve ………… 80, 90, 93
medial plantar nerve ………… 94, 163
medial pterygoid muscle ………… 37, 38
medial rectus ………… 20, 22, 256
median nerve ………… 78, 81, 82, 83, 84, 90, 92, 93, 96, 133, 163, 169, 264, 265
medullaまたはmedulla oblongata ………… 21, 26, 44, 59, 61, 72, 73, 140, 141, 162, 186, 236, 243, 244, 245, 247, 248, 249, 250, 251, 252, 253, 254, 255, 257
Meige syndrome ………… 19
Melkerson-Rosenthal syndrome ………… 40, 47
memory disturbance ………… 226
menace reflex ………… 13
meningeal carcinomatosis ………… 195
meningeal sign ………… 222
meningioma ………… 30, 47
meningitis ………… 9, 14, 47, 53, 194, 195
meningoencephalitis ………… 15
meninx, meninges(複), meningeal(髄膜の) ………… 190, 195, 222
mentalis ………… 137
meralgia paresthetica ………… 166
mesencephalic trigeminal nucleus ………… 36, 247
mesencephalic trigeminal tract ………… 233, 249
metabolic encephalopathy ………… 107
metamorphopsia ………… 226
midbrain ………… 22, 26, 72, 73, 127, 162, 216, 230, 243, 245, 247, 248, 250, 251, 252, 253, 254, 255, 257, 258, 259
midbrain ptosis ………… 27
middle cerebellar peduncle ………… 186, 187, 225, 233, 234, 246, 247, 249
middle cereblal artery ………… 200, 203, 207
migraine ………… 29
Millard-Gubler syndrome ………… 46, 234, 235, 256
Mingazzini sign ………… 76
miosis ………… 214
mitochondrial encephalomyopathy ………… 29, 53, 200, 203, 207
mitral cell ………… 9
Monakow syndrome ………… 13
mononeuritis ………… 166, 169
mononeuritis multiplex ………… 166, 169, 173
monoparalysis ………… 225
motor aphasia ………… 198, 225
motor cortex ………… 36, 46
motor neuron ………… 44, 57, 61, 63
motor paralysis ………… 220
mounding phenomenon ………… 63
multiple sclerosis ………… 14, 15, 29, 30, 38, 39, 57, 61, 193, 195
multiple system atrophy ………… 28, 57, 65, 189
muscle atrophy ………… 62
muscle strength ………… 74
muscle tonus ………… 62, 64
muscular dystrophy ………… 30, 39, 69, 70, 118, 125
musculocutaneous nerve ………… 77, 90, 92, 93, 96, 128
myasthenia gravis ………… 30, 39, 57
mydriasis ………… 214
mylohyoid muscle ………… 37
myoclonus ………… 98, 102
myokymia ………… 40, 63
myopathy ………… 30, 39, 70
myositis ………… 30, 39
myotonic dystrophy ………… 57, 63, 70

N

naming ………… 196
nasolabial fold ………… 43
neck extensor ………… 88
neck rigidity ………… 66
neostriatum ………… 108
nervi ciliares breves, short ciliary nerve ………… 21, 22
nervi ciliares longi, long ciliary nerve ………… 21
neurosyphilis ………… 28
normal pressure hydrocephalus(NPH) ………… 122, 125
nose-finger-nose test ………… 176
nucleus ambiguus ………… 54, 56, 59, 236, 243, 247, 249
nucleus dorsalis of Clark ………… 187, 249
nucleus of accessory nerve ………… 247
Nylén-Bárány maneuver ………… 50
nystagmus ………… 18, 26, 30

O

obturator nerve ………… 85, 91, 94, 95, 97, 163
occipital lobe ………… 12, 14, 199, 200, 201, 206, 208, 224, 226
ocular bobbing ………… 27, 216, 217
ocular dipping ………… 27
ocular myopathy ………… 29
ocular position ………… 17, 22, 29, 216
oculocephalic reflex ………… 216, 218
oculomotor nerve ………… 16, 21, 22, 25, 27, 230, 231, 240, 246, 256
oculomotor nucleus ………… 22, 24, 35, 26, 52, 230, 243, 246, 256
oculo-pharyngeal muscular dystrophy ………… 57
oculovestibular reflex ………… 218
olfaction, olfactory sensation ………… 8, 9
olfactory bulb ………… 9

olfactory epithelium 9
olfactory groove meningioma 9, 14, 15
olfactory nerve 8, 9
olivocerebellar tract 187, 188, 246
on turn 111
one foot standing 113
one-and-a-half syndrome 24, 25
onion-skin pattern 36
operculum 45
ophthalmic artery 27
ophthalmic division of trigeminal nerve, ophthalmic nerve 27, 32, 37, 163, 240, 261
ophthalmoscopic examination 10, 11, 14, 29, 30, 38, 214
opponens disiti minimi 83, 92
opponens pollicis 78, 263
optic area 22
optic chiasm 12, 13, 22
optic disk 10
optic nerve 10, 13, 22, 27, 240
optic neuritis 14, 15
optic neuromyelitis 195
optic radiation 12, 13, 22, 227
optic tract 12, 22
optokinetic nystagmus 13
orbicularis oculi 40, 137
orbicularis oris 137
orbit 240
orbital apex syndrome 240
orolingual dyskinesia 106
ossification of posterior longitudinal ligament (OPLL) 195
otic ganglion 56

P

Pacinian corpuscle 160, 161
pain sensation 144, 162
palatal myoclonus 102, 103
palate 54, 188
palilalia 199
pallidum(globus pallidus〈L〉) 108, 109, 228
palmar and dorsal interossei 83, 92
palmaris bravis 92
palmaris longus 92
palmomental reflex 137
palpebral fissure 41
paraganglionic fiber 21
paralysis 74
paramedian pontine reticular formation(PPRF) 24, 25, 46, 232, 234, 235, 246, 256, 257
paraneoplasitic syndrome 189
paraspinal muscle 118, 188
parasympathetic nerve 21, 43, 56, 262
paresis 74
parietal lobe 10, 159, 161, 167, 168, 172, 201, 203, 204, 206, 208, 224, 226
parieto-occipital junction 226
parieto-occipital lobe 203, 208
parietotemporo-occipitopontine tracts 230, 248
Parinaud syndrome 26, 29, 31, 231
Parkinson disease 9, 65, 66, 98, 99, 109, 110, 116, 122, 123, 125, 228
Parkinson syndrome 65
parkinsonian gait 122
parosmia 9
Parry-Romberg syndrome 40
patella 131
patellar clonus 134
patellar tendon 131, 133, 134, 139, 141
pathologic reflex 136
pectoral reflex 140
pectoralis major 80
pendular nystagmus 18, 26
pendulousness 183
percussion myotonia 63
periaqueductal gray 230
perineal nerve 94
peripheral facial nerve palsy 39
peripheral nerve 239
peroneal nerve 94, 125
peroneus longus and brevis 86
peroneus tertius 94
perseveration 199
persistent vegetative state 214
phantosmia 9
pharyngeal branch 56
pharyngeal nerve 55
pharyngeal reflex 140
pharynx 54, 55, 102, 196, 236
phrenic nerve 90
piano-playing phenomenon 152, 153
piant digital nerve 94
Pick disease 200
pineal body 248
pinealoma 26, 29, 31
pinpoint pupil 214
pituitary adenoma 15
pituitary tumor 12, 13
plantar reflex 140
plantaris 94
platysma 43
polyarteritis nodosa 47
polymyositis 69, 70, 118, 125
polyneuritis 69, 118, 125, 166, 169
polyneuropathy 239
pons 21, 26, 27, 28, 44, 45, 46, 56, 72, 73, 127, 140, 141, 167, 186, 187, 214, 216, 217, 232, 243, 244, 246, 247, 248, 250, 251, 252, 253, 254, 255, 257
pontine nuclei 186, 187
pontocerebellar fibers 186
poor arm swing 122
popliteus 94
position sense 150, 151, 162
posterior auricular nerve 44, 45, 262

posterior brachial cutaneous nerve ………… 92, 96
posterior column ………… 120, 121, 125, 131, 158, 161, 165, 166, 170, 173, 193, 237, 238, 245, 249, 252
posterior commissure ………… 22, 26
posterior cutaneous nerve of thigh ………… 94, 95, 163
posterior horn ………… 187, 237, 238, 249, 251, 252
posterior interosseus nerve ………… 90, 92, 265
posterior lobe ………… 186
posterior root ………… 36, 165, 166, 173, 237, 239, 249
posterior spinocerebellar tract ………… 61, 187, 246
post-polio muscular atrophy ………… 69
postural reflex ………… 138
postural tremor ………… 89
posture／gait ………… 110
prefrontal area ………… 224, 225
premotor area ………… 224, 225
pressure sense ………… 144
primary progressive aphasia (PPA) ………… 200
primitive reflex ………… 137
prion disease ………… 15, 189, 200, 203, 207
progressive multifocal leukoencephalopathy (PML) ………… 15
progressive non fluent aphasia (PNFA) ………… 200
progressive supranuclear palsy (PSP) ………… 65, 194, 195, 200
pronator quadratus ………… 82
pronator reflex ………… 140
pronator teres ………… 82, 92
proprioceptive sensation ………… 161
prosopagnosia ………… 204, 205, 206, 226
proximal muscle ………… 62
pseudo abducens palsy ………… 26
pseudoathetosis ………… 107, 152
pseudobulbar ………… 56
pseudoclonus ………… 134
pseudotabetic gait ………… 155
psychomotor seizure ………… 226
pterygopalaine ganglion ………… 44
ptosis ………… 19, 27
pudendal nerve ………… 94, 95, 135, 140
pull test ………… **116**
pulvinar ………… 227, 229
pupil ………… 16, 21, 28, 214, 215, 253
pupillary sparing ophthalmoplegia ………… 22
push & release test ………… **117**
push test ………… **116**
putamen ………… 108, 109
pyramid ………… 61, 72, 73, 243, 250, 251, 252, 253, 254, 255, 257, 259
pyramidal decussation ………… 72, 73, 243, 245
pyramidal tract ………… 45, 46, 61, 70, 71, 72, 73, 108, 110, 123, 127, 128, 133, 135, 140, 141, 214, 231, 234, 235, 242, 243, 253, 255

Q

quadriceps femoris ………… 62, 65, 78, 131, 134
quadriceps reflex ………… 131, 140

R

radial nerve ………… 77, 81, 82, 84, 90, 92, 93, 96, 129, 163, 169, 264, 265
radiation myelitis ………… 169, 193
radicular pain, root pain ………… 166
radiculitis ………… 166
Raeder syndrome ………… 36, 38
Ramsay Hunt syndrome ………… 40, 47
raphe nucleus ………… 109
Raymond syndrome ………… 46
Raymond-Cestan syndrome ………… 232
receptive aphasia ………… 226
rectus abdominis ………… 88
rectus femoris ………… 94, 95
recurrent nerve ………… 55, 56
red nucleus ………… 188, 230, 231, 246, 248
reflex arc ………… 140, 141, 242, 260
reght-left disorientation ………… 226
repetition ………… 196
resting tremor ………… 98, 99
retraction nystagmus ………… 18
retrobulbar neuritis ………… 13
retropulsion ………… 116, 117
rhabdomyolysis ………… 47
rhythmic myoclonus ………… 98
rigidity ………… 64, 65, 228
Rinne test ………… **48**, 49
Rochon-Duvigneau syndrome ………… 240
Romberg sign ………… **114**
Romberg test ………… 154
rostral interstitial nucleus of medial longitudinal fasciculus (riMLF) ………… 24, 26, 230, 248
rotatory nystagmus ………… 18
roving eye movement ………… 27, 216, 217
rubrospinal tract ………… 188
Ruffini endings ………… 160

S

sacral cord ………… 165, 166, 167, 187, 249
saddle anesthesia ………… 167
saphenous nerve ………… 94, 95, 97, 163
sarcoidosis ………… 15, 47
sartorius ………… 85, 94
scanning speech ………… 185
scapula ………… 59
sciatic nerve ………… 79, 91, 94, 95, 97, 192, 195
sciatica ………… 195
scissors gait ………… 118, 124
see-saw nystagmus ………… 18, 26
semantic dementia ………… 200, 204, 205, 207
semimembranosus ………… 94
semitendinousus ………… 94
sensory aphasia ………… 198, 226
sensory ataxic neuropathy ………… 121, 125
sensory dissociation ………… 165

sensory neuropathy 38
sensory trick 105
septum pellucidum 9
serratus anterior 59, 80
shoulder shaking test 183
Shy-Drager syndrome 28
signpost phenomenon 68
Sjögren syndrome 121, 125
skin writing test, number writing test 157
slurred speech 185
snout reflex 137
soft palate 55, 102, 236
soleus 62, 94
solitary tract nucleus 44, 45, 247, 261, 262
somatosensory nerve 44
somnolence 210
spasmodic torticollis 58, 104, 105
spastic hemiplegic gait 118, 125
spastic paraplegic gait 118, 119, 125
spasticity 64
spinal accessory nerve 90
spinal cord 108, 110, 135, 164, 165, 170, 171, 224, 237, 238, 242, 248, 249, 250, 251, 252, 253, 254, 255, 257, 258, 259
spinal progressive muscular atrophy 69
spinal trigeminal nucleus 36, 37, 44, 61, 167, 234, 236, 244, 247, 258, 259, 261
spinal trigeminal tract 61, 167, 234, 236, 244, 258, 259
spinocerebellar degeneration 30, 125
spinothalamic tract 162, 165, 166, 167, 232, 234, 236, 237, 244, 245, 251, 258
stapedius 43, 45, 264
stapedius nerve 44, 262
steppage gait 110, 118, 119, 125
stepping test 115
stereognosis 157
stereotypy 104
sternocleidomastoideus 58, 59
Stewart-Holmes sign 182
stiff neck, stiffness of neck, nuchal rigidity 190, 194, 222
striatum 108
stroke 69
stupor 210
stylomastoid foramen 4, 45, 262
subacute cerebellar degeneration 189
subarachnoid hemorrhage 15, 195
subcortical white matter 122
submandibular ganglion 44
subscapular nerve 90, 93
substantia inominata 109
substantia nigra 108, 109, 228, 230
substantia nigraの障害 228
subthalamic nucleus 108, 109, 228, 248
subthalamic nucleusの障害 228
sucking reflex 137
superfical reflex 135
superficial peroneal nerve 86, 91, 94, 97, 163
superficial sensation 142, 150, 160
superior cerebellar artery 172
superior cerebellar peduncle 109, 186, 187, 188, 230, 231, 232, 233, 246, 247, 249
superior cervical ganglion 21
superior colliculus 22, 45, 230, 248
superior gluteal nerve 85, 91, 94, 95
superior oblique 22, 23
superior olivary nucleus 234
superior orbital fissure 240
superior pharyngeal nerve 55
superior rectus 22, 23
superior salivatory nucleus 44, 261, 262
superior vagal ganglion 56
supinator 82, 130, 265
supplementary motor area 224, 225
supraclavicular nerve 163
suprascapular nerve 80, 90, 93
supraspinatus 74
sural nerve 94, 97, 163
swallowing 54
sympathetic nerve 21, 27, 214, 259
syndrome sensitif à topographie chéiro-orale〈F〉 167, 172
syringobulbia 39, 61
syringomyelia 63, 171
systemic lupus erythematosus(SLE) 47

T

tabes dorsalis 121, 125, 170
tabetic gait 154
tactile anesthesia 143
tactile hyperesthesia 143
tactile hypesthesia 143
tactile sensation 142
tandem gait 111
Tapia syndrome 241
task specificity 105
taste sense 43, 46
temperature sense 146, 147, 162
temporal arteritis 14
temporal lobe(lobus temporalis〈L〉) 13, 199, 224, 226
temporal lobe epilepsy 9
temporal muscle 37, 38
tendon reflex 126
thalamic aphasia 199, 229
thalamic dementia 229
thalamic pain 167
thalamic syndrome 228
thalamus 9, 36, 45, 108, 109, 162, 167, 172, 173, 188, 199, 208, 216, 227, 228, 229, 230, 246, 248, 250, 251, 252, 253, 258, 259
thenar muscle 63
thenar(eminence) 62, 137

thermoanesthesia 146
thermohyperesthesia 146
thermohypesthesia 146
third ventricle 230, 248
thoracic cord 21, 72, 73, 135, 141, 165, 167, 243, 248, 249
thoracic nerve 140
thoracodorsal nerve 80, 90, 93
tibial nerve 79, 86, 87, 91, 94, 95, 97, 132, 140
tibialis anterior 62, 79, 94, 112, 118
tibialis posterior 86, 94
tic 98, 100
Tolosa-Hunt syndrome 29, 38
tonic neck reflex 138
tonsillar herniation 194, 195
topagnosis 158
topoanesthesia 158
topognostic sense, point location 158
topographical agnosia 204, 206
torsion dystonia 124
Trömner reflex 133
transverse myelitis 166, 169, 173
tremor 98, 109
triceps and anconeus 92
triceps brachii 77, 92, 129
triceps reflex 129, 140
triceps surae 132, 134
trigeminal ganglion 27, 36, 44, 261
trigeminal lemniscus 36
trigeminal motor nucleus 36, 44, 127, 233, 243, 247, 249, 258, 259, 261
trigeminal nerve 21, 32, 36, 38, 39, 127, 140, 167, 240, 241, 246, 249
trigeminal neuralgia 38
trigeminothalamic tract 232, 244
trochlear nerve 16, 22, 27, 240
trochlear nucleus 23, 52, 247, 248
truncal ataxia 184
tumor of basal skull 241
tumor of spinal cord 169, 170, 195
two-point discrimination 156
tympanic membrane 48, 51, 53, 218
tympanic segment 44

U

ulnar nerve 81, 82, 83, 84, 91, 92, 93, 96, 163, 169, 263, 264
uncinate fit 9
unidirectional nystagmus 26
up-beat nystagmus 26
upper extremities 227
upper motor neuron 36, 45, 46, 56, 70, 72, 74, 110, 140, 252
upper pons 232, 249
upper portion of trapezius 58, 59
uvula 54

V

vagus nerve 54, 55, 56, 140, 236, 241, 249, 259
vascular parkinsonism 122, 123, 125
vastus intermedius 94, 95
vastus lateralis 94, 95
vastus medialis 94, 95
ventral anterior nucleus 108
ventral lateral nucleus 108, 188, 229
ventral posterior lateral nucleus (of the thalamus) 162, 245
ventral posterior nucleus (of the thalamus) 167
ventral posteromedial nucleus (of the thalamus) 36, 244
vermis 120, 186, 188, 237, 246
Vernet syndrome 241
vestibular function test 50
vestibular nerve 52
vestibular neuritis 30, 125
vestibular nucleus 186, 187, 188, 236, 247, 259
vibration sense, pallesthesia 148, 149, 162
Villaret syndrome 241
visual acuity 10, 12
visual agnosia 204, 206, 226
visual extinction 226
visual field 10, 11, 13, 214
vitamin deficiency 189
vocal cord 55
von Recklinghausen disease 47

W

waddling gait 118, 119, 125
Wallenberg syndrome 37, 39, 165, 171, 236, 259
wall-eyed bilateral internuclear ophthalmoplegia 24
Weber syndrome 28, 231, 254
Weber test 49
Wegener granulomatosis 47
Wernicke encephalopathy 29, 189
Wernicke-Mann posture 118, 227
Wernicke's aphasia 198
Wernicke's area 198, 208, 226
Wernicke野の障害 226
Wilson disease 109
wrinkling forehead 41, 46
wrist extensor 77
wrist flexor 78

Z

zona compacta 108
zona reticularis 108

第3版　神経診察クローズアップ
正しい病巣診断のコツ

2011年　3月10日　第1版第1刷発行
2014年　3月　1日　第1版第8刷発行
2015年　2月10日　第2版第1刷発行
2020年　3月20日　第2版第9刷発行
2020年12月　1日　第3版第1刷発行

■編　集　鈴木則宏　すずき　のりひろ

■発行者　三澤　岳

■発行所　株式会社メジカルビュー社
〒162-0845 東京都新宿区市谷本村町2-30
電話　03(5228)2050(代表)
ホームページ https://www.medicalview.co.jp/

営業部　FAX 03(5228)2059
E-mail　eigyo@medicalview.co.jp

編集部　FAX 03(5228)2062
E-mail　ed@medicalview.co.jp

■印刷所　シナノ印刷株式会社

ISBN978-4-7583-1812-9 C3047